es 1268

edition suhrkamp

Neue Folge Band 268

Neue Historische Bibliothek
Herausgegeben von Hans-Ulrich Wehler

Zu Beginn des 16. Jahrhunderts erfuhren eine Fülle von Phänomenen eine erhebliche Umgestaltung. Produktionssteigerung im Bergbau, Struktur- und Kapazitätsveränderungen in Handel und Gewerbe verstärkten das Gewicht der Stadt als Wirtschaftsraum. In der Reformation spaltete sich die einheitliche Christenheit und unterwarf sich damit dem Zwang zur Anpassung an ein plurales System von Überzeugungen. Die deutschen Territorialstaaten schritten auf dem Weg zu modernen Flächenstaaten fort.

Die Fülle der Veränderungen in der ersten Hälfte des 16. Jahrhunderts und der problematische Kompromiß in Form des Augsburger Religionsfriedens von 1555 bewirkten in der zweiten Hälfte dieses Jahrhunderts eine Phase heftiger Reaktionen. Es wurden nicht nur die verdeckten Konflikte im Reich wirksam, sondern es läßt sich auch eine Gegenbewegung zu den Veränderungen der ersten Jahrhunderthälfte feststellen. Die Konfessionen grenzten sich ab, die soziale Mobilität wurde gebremst, die Territorien stabilisierten sich als Teile unterschiedlicher konfessioneller Kulturen, Konflikte wurden zunehmend einer rechtlichen Behandlung zugeführt. Diese Phase der Stabilisierung war einerseits wichtig, weil hier neue Lösungen ansatzweise formuliert und erprobt wurden, andererseits erwiesen sie sich als noch zu schwach angesichts der Fülle der Konflikte, die mit der politischen und mentalen Bewältigung der Veränderungen verbunden waren.

Winfried Schulze ist Professor für Neuere Geschichte an der Ruhr-Universität Bochum.

Winfried Schulze
Deutsche Geschichte
im 16. Jahrhundert
1500-1618

Suhrkamp

Für Andi und Tina

edition suhrkamp 1268
Neue Folge Band 268
Erste Auflage 1987
© Suhrkamp Verlag Frankfurt am Main 1987
Erstausgabe
Satz: MZ-Verlagsdruckerei GmbH, Memmingen
Druck: Nomos Verlagsgesellschaft, Baden-Baden
Umschlagentwurf: Willy Fleckhaus
Printed in Germany

1 2 3 4 5 6 – 92 91 90 89 88 87

Inhalt

Vorbemerkung

Eine Geschichte des 16. Jahrhunderts zu schreiben ist immer wieder von besonderem Reiz. Neben allen sachlichen Fragen ist es vor allem die Frage nach der »weltgeschichtlichen Bedeutung« dieses Jahrhunderts und seinem Platz in der Abfolge der Vorgeschichte unserer modernen Zeit, die eine Geschichte dieser Epoche interessant machen kann. Gilt für uns weiterhin die übermächtige Bedeutung der Reformation und der konfessionellen Aspekte insgesamt, oder sehen wir die Bedeutung dieses Jahrhunderts eher in der Durchsetzung moderner Staatlichkeit, dem Durchbruch neuer Formen des Wissens und der Kommunikation oder gar dem Durchbruch kapitalistischer Formen der Produktion, der Entstehung eines ersten »Weltmarkts«?

In dieser Darstellung habe ich den Versuch unternommen, die Ereignisse der ersten Hälfte des 16. Jahrhunderts, vor allem aber der aufregenden zwanziger Jahre, als ein Zuviel an Veränderung und Gefährdung zu verstehen. Dieses Übermaß an Veränderungen scheint zugleich der Schlüssel für die Anpassungen und Reaktionen des späteren 16. Jahrhunderts zu sein. Wie die Bestimmungen des Augsburger Religionsfriedens die Fähigkeiten vieler Reichsstände und Bürgerschaften überstrapazierten, konfessionelle Pluralität zu akzeptieren, die soziale Mobilität des frühen 16. Jahrhunderts die Mobilitätsgrenzen der ständischen Gesellschaft überschritt, so erwies sich auch der gesamte Bereich staatlicher Herrschaft als anpassungsbedürftig an die neuen Anforderungen dieses Jahrhunderts. Die Veränderungen des frühen 16. Jahrhunderts und die instabil gewordene ständische Gesellschaft riefen einen ungeheuren »Bedarf an Ordnung« hervor, wie es der französische Historiker Lucien Febvre einmal formuliert hat.

Diesen komplexen Vorgang in seiner Dynamik hinreichend verständlich erzählen und deuten zu können, hat mich bei dieser Geschichte des 16. Jahrhunderts am meisten interessiert. Ich hoffe, daß diese Absicht, der auch die Anlage des Buches in seiner Dreiteilung von Grundlagen, Veränderungen und Anpassungen folgt, deutlich wird. Mit diesem Konzept ist auch die Bemühung verbunden, den ganzen Reichtum der Geschichte dieses Jahrhunderts

7

offenzulegen und die Beobachtungsebenen vielfach zu wechseln.

Es schien mir wenig nützlich zu sein, diesem ohnehin schmalen Band den üblichen Anmerkungsapparat hinzuzufügen. Das am Schluß zusammengestellte Literaturverzeichnis ermöglicht durchaus die Weiterarbeit an einzelnen Punkten, falls dies gewünscht wird. Darüber hinaus habe ich vor allem die Literatur aufgeführt, die durch kommentierte Literaturnachweise die intensivere Arbeit erleichtern soll.

Mein herzlicher Dank gilt Wolfgang Behringer (München) und Erdmann Weyrauch (Wolfenbüttel) für die kritische Lektüre einzelner Kapitel der Arbeit. Hans-Ulrich Wehler danke ich für die Anregung, diesen Band über das 16. Jahrhundert für die Neue Historische Bibliothek zu verfassen. Meinen Hörern an der Ruhr-Universität Bochum, denen ich im Sommersemester 1986 eine erste Manuskriptfassung vortrug, danke ich für ihr Interesse und ihre Nachfragen.

Bochum, im Dezember 1986   *Winfried Schulze*

Einleitung:
Das 16. Jahrhundert als Epoche
der deutschen Geschichte

Die Fremdheit einer mehr als 450 Jahre zurückliegenden Epoche
wird gemildert durch den Blick auf das Leben und Sterben von
Menschen, auch wenn diese Menschen Könige und Kaiser waren.
Es war Ende September des Jahres 1518, als Kaiser Maximilian I.
den Reichstag in Augsburg verließ, um sich in seine habsburgischen
Erblande zurückzuziehen. Über Innsbruck reiste er durch das Salz-
kammergut nach Oberösterreich. Der Kaiser war bereits zu
schwach, um – wie gewohnt – zu Pferd zu reisen, er mußte in einer
Sänfte getragen werden. Ein Begleiter, der neben der Sänfte ritt,
fand den Kaiser kränklich, das Gesicht war ganz gelb, ein müder
Mann schien einen stillen Ort zu suchen, um in Ruhe zu sterben.
Am 10. Dezember 1518 traf er endlich in seiner Burg in Wels ein.
Nach anfänglicher, aber nur vorübergehender Erholung wurde das
Befinden Maximilians immer schlechter. Obwohl mehrere Leib-
ärzte versammelt waren, gelang ihnen doch keine entscheidende
Hilfsmaßnahme gegen die Leiden des Kaisers, der sehnlichst auf
seinen vertrauten Beichtvater wartete. In der Nacht zum 31. Dezember machte Maximilian sein Testament, das seine Länder den
beiden »rechten« Erben König Karl von Spanien und Erzherzog
Ferdinand übergab. Die folgenden Tage des sterbenden Kaisers
waren von der Erwartung des Todes geprägt. Gewissenhaft bereitete sich Maximilian auf den nahen Tod vor, Schritt für Schritt legte
er seine Rolle als Kaiser ab. Nachdem er am 11. Januar 1519 die
Letzte Ölung empfangen hatte, übergab er einem Abt sein kaiserli-
ches Siegel, und nach diesem Zeitpunkt verbat er sich, noch weiter
mit seinen Titeln angesprochen zu werden. Er wollte diese Erde als
einfacher Mann, als sündiger Mensch verlassen. Er betete mit den
Mitgliedern des Hofstaats und tröstete sie mit der Sterblichkeit aller
Menschen. In der Nacht zum 12. Januar starb der Kaiser im Alter
von fast sechzig Jahren. Es entsprach seiner Auffassung von der
Sündhaftigkeit seines Lebens, daß er vorher befohlen hatte, ihn
nicht einzubalsamieren, sondern ihn nach dem Tode zu geißeln, die
Haare abzuschneiden und die Zähne auszubrechen.

Der Leichnam wurde lediglich in verschiedene Lagen von grobem Stoff eingehüllt, dann überschüttete man ihn mit Kalk und Asche und legte ihn in den Eichensarg, den der Kaiser schon seit einigen Jahren immer mit sich geführt und in dem er wichtige Akten und Bücher aufbewahrt hatte. Nach einer Reise durch Österreich wurde der tote Kaiser schließlich in Wiener Neustadt am 3. Februar 1519 bestattet.

Genau ein Jahrhundert später, am 20. März 1619, starb in Wien ein anderer Habsburger Kaiser. Es war Kaiser Matthias, der nur sieben Jahre in einer außerordentlich kritischen Phase des Hauses Habsburg und des Reiches sein Amt ausgeübt hatte. Wir wissen über seinen Tod sehr viel weniger als über Maximilians letzte Tage. Es ist charakteristisch, daß die politischen Umstände, die seinen Tod vorbereitet und begleitet haben, in der historischen Forschung besser bekannt sind als die Umstände seines Todes selbst. Aufsehen hatte vor allem die Entmachtung des Kardinals Klesl erregt, des vertrautesten Ratgebers des Kaisers, der am 20. Juli 1618 durch die Erzherzöge Ferdinand und Maximilian in einem Handstreich festgenommen worden war, weil er sich gegen Ferdinands Nachfolge im Kaisertum sperrte. Die Kaiserin beschrieb wohl die Situation am Wiener Hof treffend, als sie nach diesem Anschlag auf die Politik ihres Mannes sagte, »sie sehe wohl, daß ihr Gemahl zu lange lebe und daß man seiner bereits überdrüssig sei«. Der Kaiser starb im Alter von 63 Jahren morgens um 7 Uhr, als er, wie es in der einzigen Quelle heißt, »die gewohnliche Kapaunsuppe zu trinken, sich aufrichten und setzen wollen, man erteilte ihm noch die Letzte Ölung, er kam aber nicht mehr zur Besinnung«. Er starb von allen verlassen, während in den Gemächern seines Nachfolgers Ferdinand sich schon das neue Machtzentrum etabliert hatte.

Diese beiden Todesszenen, vielleicht über ihre individuelle Bedeutung hinaus interpretierbar, rahmen das Jahrhundert ein, über das wir in dieser Darstellung berichten wollen. Der eine Tod im Jahre 1519 steht am Beginn der Reformation, und es ist von Zeitgenossen als charakteristisch angesehen worden, daß wenige Tage, nachdem der kranke Kaiser die Stadt Augsburg verließ, ein anderer die Stadt betrat, Martin Luther. Er war zu einem Gespräch mit dem päpstlichen Gesandten Cajetan gebeten worden, und der Kaiser selbst hatte noch vor seiner Abreise für einen Geleitbrief für Luther gesorgt. Der andere Tod markiert den Beginn des Dreißigjährigen Krieges, jener europäischen Entscheidungsschlacht über die Grundfrage, die durch Martin Luther aufgeworfen worden war.

Erinnern wir uns kurz der Ereignisse, die vorgefallen waren. Am 31. Oktober 1517 hatte Martin Luther seine 95 Thesen veröffentlicht, die einen Angriff auf Grundsätze und Praktiken der römischen Kirche darstellten. Schon Anfang 1518 hatte man Luther der Ketzerei bezichtigt, seit Juni lief in Rom ein Ketzerprozeß gegen ihn. Der Tod Kaiser Maximilians eröffnete dem Wittenberger Professor die Möglichkeit, sein Aufbegehren gegen Rom in die offene Situation der deutschen Königswahl einbringen zu können. Dadurch wurde Luther zu einem politischen Problem, und er konnte von der eigentümlichen Konstellation der Unsicherheit profitieren, die dann im Juli 1519 zur Wahl Karls V. führte. Damit war jener grundlegende Streit ausgebrochen, der die Geschichte dieses Jahrhunderts prägen sollte.

Genau hundert Jahre später hatte sich im Reich der Zustand der Dinge so verändert, wie er 1519 auch nicht vom kühnsten Propheten hätte vorausgesagt werden können. Luthers Ketzerei hatte sich nicht nur durchgesetzt und das Reich in zwei große Parteien gespalten, die seit 1608/09 in Union und Liga organisiert waren, hatte in einem komplizierten Prozeß zunächst den Religionsfrieden erzwungen, der 1555 dem Augsburger Bekenntnis das Existenzrecht einräumte. Die Frage des inneren Friedens schien 1555 den deutschen Reichsfürsten wichtiger als noch länger auf eine »Vergleichung« der Konfessionen zu warten. Es war die gleiche Sehnsucht nach Frieden, die bewirkte, daß die Jahre zwischen 1555 und 1618 eine Periode inneren Friedens wurden, wenn auch bald klar wurde, daß der Augsburger Religionsfrieden keineswegs alle Konflikte gelöst hatte. Als sich im Jahre 1617 der Thesenanschlag Luthers zum hundertsten Mal jährte, beschloß der in Heilbronn tagende Unionstag, diesen Anlaß mit einem Jubelfest zu feiern. Folglich begingen die protestantischen und reformierten Territorien den Reformationstag mit z.T. mehrtägigen Predigten, Dankfesten, Theateraufführungen und Dankgottesdiensten und dokumentierten so auf unübersehbare Weise den Erfolg ihrer Bewegung. Auf einer Gedenkmünze dieses Jahres standen die Worte: »Gott zu ehren itz Hundert Jahr steht Luthers Lehr, und wurdt durch Gotts Hulff stehn noch mehr.«

Das Haus Habsburg und das Reich befanden sich im Jahre 1619 in einer tiefgreifenden Herrschaftskrise. In Böhmen war ein Aufstand der Stände ausgebrochen, der sich in einigen habsburgischen Erbländern auch der Unterstützung protestantischer Adeliger erfreute. Wenige Monate später sollte der böhmische Landtag nicht Ferdinand zum König wählen, sondern das Haupt der Calvinisten im Reich, den pfälzischen Kurfürsten Friedrich V.

Doch wir können die Veränderungen dieses Jahrhunderts nicht nur auf die Konfessionspolitik und den Ständekonflikt beschränken. Wichtiger erscheint, daß im Jahre 1619 im Reich schon in einigen Territorien Katholiken, Protestanten und Calvinisten nebeneinander wohnten, so z. B. am Niederrhein, wo nach dem Xantener Vertrag von 1614 die beiden »possedierenden« Mächte, das katholische Pfalz-Neuburg und das calvinistische Brandenburg den Untertanen den Schutz ihrer jeweiligen Konfession einräumten. In Brandenburg hatte sich 1613 der Kurfürst zum Calvinismus bekannt, ohne freilich damit sein Recht auf Änderung der Landeskonfession durchzusetzen. Der Anspruch auf ein Bekenntnis in einem Territorium erfuhr seine erste Relativierung.

Auch in anderen Bereichen hatten sich Wandlungen ergeben, die ins Auge fallen. Seit der Herrschaft Maximilians hatte sich das Rechtsleben im Reich verändert. Durch den ewigen Landfrieden von 1495 war das Fehderecht beseitigt und das Reichskammergericht, das seit 1526 in Speyer ansässig war, errichtet worden. Der steile Anstieg der Zahl der dort geführten Prozesse belegt seine Bedeutung für das Rechtsleben im Reich. Auch in anderen Fragen hatte das Reich seine Strukturen gefestigt. Hatte noch Friedrich III. zum Reichstag nur die ihm genehmen Stände berufen, stand seit Maximilians Regierungsantritt 1493 fest, daß dies nun für alle Kurfürsten, Fürsten und Reichsstädte gelten sollte. Seit 1521 wurde die Reichsmatrikel zur Grundlage der Steuerleistungen aller Stände, die Steuersummen für das Reich wurden im 16. Jahrhundert ein neuer Faktor der Belastung der Untertanen. Noch im Bauernkrieg 1525 schienen den Bauern diese Reichssteuern ganz neu, aber am Ende des 16. Jahrhunderts waren sie selbstverständlich geworden.

Auch in den Territorien hatte sich in diesem Jahrhundert viel verändert. Eine erhebliche Stärkung des Landesfürstentums ist der Grundvorgang, der hier beinahe überall zu beobachten ist. Die Macht der Landstände wurde zurückgedrängt, der Umfang des Verwaltungsapparates nahm zu, die Rechtsprechung veränderte sich unter dem Einfluß der Rezeption des römischen Rechts, gelehrte Juristen ersetzten in zunehmendem Maße die adeligen Laienrichter. Schließlich sei noch die am stärksten ins Auge fallende Veränderung genannt: Während noch bis in das erste Jahrzehnt des 16. Jahrhunderts der Ausstoß der wenigen Druckpressen im Reich durchaus begrenzt war und sich auf zumeist lateinische Literatur überwiegend theologischen Inhalts beschränkte, wurden die Ereignisse der Zeit beim Tode von Matthias schon von regelmäßig erscheinenden Zeitungen gemeldet. Eine Flut von deutschsprachigen Druckerzeugnissen überschwemmte die Märkte und meldete Niederlagen der Türken, Rebellionen in den Niederlanden, Attentate in Frankreich, Blutregen und Kometen über Süddeutschland. Der Kampf zwischen den Konfessionsparteien war in diesen Jahren ein Krieg der Druckerpressen geworden, schon auf die breite Masse zielend, während die publizistischen Bemühungen Maximilians sich noch auf die Herstellung künstlerisch gestalteter Chroniken, Genealogien und Triumphzüge beschränkt hatte: Gutenbergs Erfindung hatte zu Beginn des 17. Jahrhunderts schon ein gutes Stück die Welt verändert.

Brechen wir zunächst einmal hier unseren Blick auf die Veränderungen ab, die wir zwischen dem Tode Maximilians und Matthias feststellen können. Veränderungen sind immer der inhaltliche Kern von Geschichte, auch wenn wir durchaus unterschiedliche Rhythmen der Veränderung kennen. Daß sich im 15., 16. und 17. Jahrhundert der Gang agrarischen oder gewerblichen Produzierens kaum wandelt, leuchtet ebenso ein wie die schnelle Veränderung der konfessionellen Verhältnisse in einer Stadt. Insofern müssen wir fragen, worin das Charakteristische der Veränderungen des 16. Jahrhunderts zu sehen ist und ob sich darauf eine überzeugende Interpretation eines ganzen langen Jahrhunderts aufbauen läßt.

»Jahrhundert der Veränderung« erscheint vor allem deshalb ein angemessenes Konzept zu sein, weil wir nicht nur tatsächlich Veränderungen von europäischer Tragweite feststellen können. Das gesamte vor uns liegende Jahrhundert läßt sich vielmehr als Durchsetzung von Veränderungen und als Reaktion auf Veränderungen charakterisieren. Während sich in der ersten Jahrhunderthälfte eine Fülle von erheblichen Veränderungen durchsetzte, ist die zweite Hälfte dieses Jahrhunderts gewissermaßen der Gegenschlag gegen das Übermaß an Veränderung, ein Zuviel an Auflösung, ein Zuviel an Ordnungsverlust. Es kommt folglich zu einer Reaktion, dem Versuch, die Innovationen des Jahrhunderts zu kontrollieren, sie zu entschärfen. Dieser Rhythmus von Veränderung und Reaktion soll das Grundmuster der hier entwickelten Interpretation dieses »langen« 16. Jahrhunderts darstellen. Dieser Interpretation folgt auch die Gliederung der Darstellung

Mit diesem Begriff des »langen« 16. Jahrhunderts übernehme ich zugleich einen Begriff aus der Demographie- und Wirtschaftsgeschichte, der zuerst in Frankreich angewendet worden ist, um eine offensichtlich zusammenhängende Phase wirtschaftlichen und demographischen Aufschwungs zu kennzeichnen, die im Prinzip aber auch für Deutschland gilt. Gemeint ist damit die Umkehr der bisher geltenden Stagnation der Bevölkerungsentwicklung seit der zweiten Hälfte des 15. Jahrhunderts, eine Stagnation, die noch mit der spätmittelalterlichen Bevölkerungskrise zusammenhängt, die ja bekanntlich von den Pestwellen ausgelöst worden war. Spätestens 1470 steigen jedenfalls die Bevölkerungszahlen wieder an und man geht weiter davon aus, daß um etwa 1560 die Bevölkerungszahl wieder erreicht wurde, die Deutschland schon einmal um 1340 – also vor der großen Pest – hatte. Dieses »lange« 16. Jahrhundert in seiner Dauer genau zu bestimmen ist außerordentlich schwierig. Diese Schwierigkeit ist bedingt durch die noch nicht entschiedene Frage, ob die deutsche Wirtschaft schon vor dem Kriege einen Niedergang hinzunehmen hatte, oder ob erst der Krieg der säkularen Konjunktur ein Ende setzte. In jedem Falle aber beendet der Krieg tatsächlich eine lange Phase relativ erfolgreicher Entwicklung von Bevölkerung und Wirtschaft, so daß – cum grano salis gesprochen – wir auch unter diesem Aspekt das »lange« 16. Jahrhundert als eine geschlossene Einheit betrachten können.

Diese Charakterisierung des 16. Jahrhunderts als Phase ökonomischen Wachstums ist für unser Gesamtverständnis der Epoche von erheblicher Bedeutung. Wirtschaftliches Wachstum, verbunden übrigens mit einer säkularen Inflation, bedingt in dieser Zeit vielfältige und schmerzhafte wirtschaftliche und soziale Anpassungsprozesse. Zu denken ist hier nur an das Phänomen des Frühkapitalismus mit seinen negativen Begleiterscheinungen wie Monopolgesellschaften, Teuerungen, Absatzkrisen und Hungersnöten. Aber auch an Probleme der sozialen Mobilität, also das neue und vermehrte Überschreiten der traditionellen Schranken zwischen den Ständen und die Herausbildung neuer funktionaler Eliten wie der Juristen muß erinnert werden. Diese Prozesse sind deshalb wichtig, weil sie ihrerseits wieder ein Eingreifen der staatlichen Ordnungsmacht erfordern und diese damit stärken. Sie interveniert in einem jetzt erheblich intensiveren Maße in den Bereich der Wirtschaft oder versucht, gesellschaftliche Probleme durch neue Ordnungen zu lösen.

Das 16. Jahrhundert kann also unter sozial- und wirtschaftsgeschichtlichen Aspekten als eine relativ deutlich abgehobene Epoche betrachtet werden, ein Aspekt, der auch in der marxistischen Forschung immer wieder hervorgehoben wird. Freilich können diese Charakterisierungen kaum jene Bedeutung erreichen, die dem 16. Jahrhundert als dem Jahrhundert der Reformation zukommt. Die Tatsache der Kirchenspaltung, der Entstehung neuer Konfessionen, neuer Normen des Zusammenlebens der Konfessionen und der in nuce vollzogene Beginn des großen Prozesses der europäischen Aufklärung, all dies gibt dem 16. Jahrhundert auf den ersten Blick eine wahrhaft welthistorische Bedeutung. Dies läßt sich z. B. an der Bedeutung ablesen, die der Geschichtsschreibung über diese Epoche etwa in den Vereinigten Staaten zukommt. Denn die Geschichte der Reformation ist ein relativ stark erforschter Bereich der amerikanischen Geschichtswissenschaft, die Geschichte der Reformation und der Bildung von Sekten genießt bei den verschiedenen »denominations« großes Interesse, verglichen etwa mit der allgemeinen deutschen Geschichte des 15., 17. oder 18. Jahrhunderts. Hier ist der welthistorische Aspekt der Reformation augenfällig. Da die USA zum Heimatland einer Vielzahl europäischer Sekten geworden sind, finden sich dort auch eine große Anzahl der einschlägigen Spezialisten für die Geschichte der Mennoniten, der Schwenkfeldianer, der Hutterer, um nur einige der in Europa verfolgten Sekten zu nennen.

Es ist offensichtlich, daß die Reformation und damit das 16. Jahrhundert in der katholischen und in der protestantischen Geschichtsschreibung höchst unterschiedliche Bewertungen erfahren haben. Was für die einen Neubeginn war, war für die anderen Zerbrechen, was Gegenreformation für die Protestanten ist, ist für die Katholiken eher als katholische Reform zu begreifen. Dies gilt nicht nur für die direkte Bewertung Luthers und der Reformationsdiskussion, dies gilt auch für die politischen Folgelasten der Reformation. War die Reformation für die borussische Geschichtsschreibung des 19. Jahrhunderts der Beginn jener historischen Entwicklung, die zum Deutschen Kaiserreich von 1871 führte und von daher natürlich als Beginn dieser Entwicklungslinie hoch bewertet, mußte derselbe Vorgang für die katholisch-habsburgische Partei genau die entgegengesetzte Bedeutung haben.

Diese kontroversen Gesichtspunkte sind natürlich in der heutigen Forschung weitgehend überwunden. Im Zeichen ökumenischer Bemühungen und unter dem Eindruck eines gewissen Bedeutungsverlustes konfessioneller Bindungen treten die theologischen Kontroversen weitgehend zurück und weichen übergreifenden Fragestellungen nach der Bedeutung der Religion in der Gesellschaft des 16. Jahrhunderts, der gesellschaftlichen Rezeption reformatorischer Inhalte oder der Rolle bestimmter Medien in der Verbreitung der Reformation.

»Die weltgeschichtliche Stellung des 16. Jahrhunderts« lautete der Titel eines Aufsatzes des deutschen Historikers Erich Hassinger im Jahre 1952, und er vertrat in diesem Aufsatz die Auffassung, daß das 16. Jahrhundert eigentlich nicht als der Beginn der Neuzeit anzusehen sei, sondern daß vielmehr schon seit 1300 ein wesentlicher Bruch zwischen Mittelalter und neuer Zeit zu erkennen sei. »Es scheint mir die Annahme vertretbar« – so Hassinger –, »daß von rund 1250-1300 bis rund 1800 der letzte Akt eines Schauspiels abläuft, das im 3./4. Jahrhundert n. Chr. mit dem Einbruch der Germanen in die Mittelmeerwelt und der inneren Umwandlung des Imperium Romanum begonnen hat.« Dieser Auffassung Hassingers, die er auch seinem Lehrbuch *Das Werden des neuzeitlichen Europa 1300-1600* zugrunde gelegt hat, ist freilich schon damals deutlich widersprochen worden, und man kann heute wohl mit Recht feststellen, daß sie sich nicht durchgesetzt hat. Die Lehrbücher und Gesamtdarstellungen beginnen alle mit dem fließend verstandenen Ende des 15. Jahrhunderts, und ich habe den Eindruck, daß diese Diskussion heute nicht mehr ernsthaft weiterverfolgt wird, zumal sich die Skepsis gegenüber Periodisierungsgrenzen ohnehin verstärkt hat. Es hat sich vielmehr die Auffassung durchgesetzt, daß bei der Analyse einzelner Ereignisse und ihrer Erklärung jeweils so weit zurückgegriffen werden muß, wie es der Gegenstand erfordert. Dabei spielen tradierte Epochengrenzen normalerweise keine entscheidende Rolle mehr.

Überblickt man die gesamte Diskussion um den Beginn der

Neuzeit, wie sie sich heute darbietet, scheint sich eine Auseinandersetzung zu ergeben zwischen denen, die im 16. Jahrhundert den Beginn der Neuzeit sehen, und denen, die erst in der Aufklärung des 18. Jahrhunderts den Beginn der modernen Welt erkennen wollen. Gerade die letztere Beurteilung, die zunächst aus geistesgeschichtlichen Zusammenhängen entwickelt worden ist (so z. B. durch den Theologen Ernst Troeltsch), ist gerade in den letzten Jahren wieder gestärkt worden durch die Auffassung von der Bedeutung der europäischen »Sattelzeit« zwischen 1750 und 1850.

Auf der anderen Seite spricht für eine Beibehaltung des 16. Jahrhunderts als Beginn der Moderne jene Auffassung, daß sich erst im 16. Jahrhundert jene Konstellation ergibt, die Staat und Gesellschaft mit dem Problem der Pluralisierung konfrontiert, der Bewältigung von grundlegenden Differenzen, dem Anspruch des Individuums auf Verwirklichung seiner Vorstellungen. Damit sind Probleme aufgeworfen, die in dieser Dringlichkeit und in ihrer Gesamtheit vorher noch nicht existierten. Wenn auch der Anspruch auf Toleranz erst im 18. Jahrhundert umfassend verwirklicht und das Recht des Individuums auf Selbstverwirklichung erst in der Philosophie der Aufklärung formuliert wurde, liefert das 16. Jahrhundert doch den Beginn dieser Konstellation und der Suche nach Lösungsmöglichkeiten. Dies scheint der entscheidende Gesichtspunkt zu sein.

Schließlich will ich zum Abschluß dieser Einleitung noch der Frage nachgehen, wie wir als Menschen des Jahres 1987 eine Beziehung zu der Geschichte des 16. Jahrhunderts entwickeln können. Ich will deshalb etwas ausführlicher auf die Bedeutung der Geschichte der Frühen Neuzeit und speziell des 16. Jahrhunderts im Rahmen der Gesamtgeschichte der Neuzeit unseres Landes eingehen.

Die deutsche Geschichte der Neuzeit steht unter dem unauslöschlichen Verdikt des 19. und 20. Jahrhunderts. Der Vorgang der verspäteten Reichseinigung unter preußischer Hegemonie und unter Zurücksetzung der Interessen des liberalen Bürgertums, der Weg in den Ersten Weltkrieg, das verunglückte Experiment der vorbelasteten Republik von Weimar und schließlich die Herrschaft des »Dritten Reiches« haben der modernen Geschichte und Geschichtsschreibung unseres Landes ihren Stempel aufgedrückt. Auf der einen Seite hat dieser Verlauf der Geschichte der letzten 150 Jahre Anlaß zu Fragen nach den vermeintlichen Kontinuitäten deutscher Nationalgeschichte, nach einem vermuteten Sonderweg in die Moderne gegeben, ein Thema, das gerade in den letzten Jahren erneut und intensiv diskutiert worden ist.

Auf der anderen Seite hat diese unbestreitbare Dominanz des 19. und 20. Jahrhunderts zu einem bemerkenswerten Bruch zwischen der deutschen Geschichte der Frühen Neuzeit und der des 19. und 20. Jahrhunderts geführt. Dies gilt sicher nicht im traditionellen Sinne der akademischen Forschung und Lehre, es gilt aber doch in der Weise, daß ein offensichtlicher Bruch die klassischen Themen der frühneuzeitlichen Geschichte von den großen Fragen der neueren und neuesten Geschichte trennt. Man wird schwerlich Hinweise auf eine ernsthafte Diskussion über den Zusammenhang zwischen der spezifischen historischen Lebensform des Heiligen Römischen Reiches Deutscher Nation und seiner Territorien und der modernen Geschichte unseres Landes finden. Ein seltsamer Widerspruch scheint zwischen dem Alten Reich und dem sog. Zweiten Reich von 1871 zu bestehen. Auf der einen Seite ein offensichtlich dem europäischen Konkurrenzkampf nicht gewachsenes, innerlich uneiniges Gemeinwesen mit komplizierten und obsoleten Entscheidungsmechanismen, zerrissen von konfessionellen Spannungen und dynastischer Konkurrenz, schwach nach außen und chaotisch im Innern, auf der anderen Seite ein aggressiver Machtstaat mit einem beachtlichen offensiven Potential, wirtschaftlicher Kraft, auf einem autoritären Herrschaftssystem aufbauend. Beide Bewertungen – gewiß überzeichnet – stehen noch weitgehend unverbunden nebeneinander, und es stellt sich damit die grundsätzliche Frage, wie überhaupt noch eine Beziehung zwischen der älteren deutschen Geschichte und der neueren Geschichte oder gar unserer Gegenwart gefunden werden kann?

Dabei ist sicher jene Kontinuitätslinie auszuschließen, die nach dem Zweiten Weltkrieg allzu eilfertig »von Luther zu Hitler« gezogen wurde. Die Versuche der Herleitung des preußisch-deutschen Obrigkeitsstaates aus dem spezifischen Obrigkeitsverständnis der protestantischen Theologie litten und leiden – wenn auch von Historikern immer wieder unternommen – sowohl am fehlenden Vergleich mit anderen europäischen Ländern als auch an der Fehlinterpretation der Obrigkeits- und Widerstandsdiskussion der lutherischen Theologie, die sich heute immer deutlicher als Ausgangspunkt der europäischen Widerstandtradition des 16. und 17. Jahrhunderts ausmachen läßt. Auch die neueren Forschungen über die Praxis der Obrigkeit-Untertanen-Beziehungen, die Normalität von Widerstand, Herrschaftskonflikten und Prozessen weisen in eine andere Interpretationsrichtung.

Lange Zeit haben die Perspektiven des 19. und 20. Jahrhunderts eine starke Wirkung auf die Bewertung des 16. und 17. Jahrhunderts ausgeübt. Der Konflikt zwischen dem katholischen Österreich und dem protestantischen Preußen lieferte die entscheidenden Kriterien für die Interpretation von Reformation, Gegenreformation und Dreißigjährigem Krieg. Kaiser und Reich erwiesen sich, an der Elle preußischer Staatlichkeit gemessen, als schwach und wenig lebensfähig, aller Dissens gegen das Reich – und das ist die Reformation in ihrem Kern – konnte sich im Glanz der preußischen Zukunft sonnen.

Diese Perspektiven der kleindeutschen Geschichtsschreibung des 19. Jahrhunderts hatten gewiß den Vorteil, die Geschichte der konfessionellen Spaltung zur direkten Vorgeschichte der Gegenwart zu machen und damit ihre direkte Bedeutung zu sichern. In der Kritik der Thesen Ernst Troeltschs, die die Kulturbedeutung der Reformation relativierten, tauchte immer wieder die Frage auf, ob es das zweite Kaiserreich ohne die Reformation überhaupt habe geben können. Friedrich v. Bezold hatte schon 1890 – die Folgen der Reformation bilanzierend – selbstgewiß versichert: »Spät, aber überreich hat die Reformation in ihrem Vaterland Früchte gebracht. Aus dem deutschen Protestantismus, der die Feuerprobe des Dreißigjährigen Krieges überdauert hat, sind unsere Nation, ihre heutige Kultur und ihr nationaler Staat erwachsen. Ohne Luther hätten wir keinen Kant und Goethe, ohne die protestantische und antikaiserliche Herkunft des preußischen Staates nicht unser neues deutsches Reich. Nicht ohne Trauer, aber doch mit dankbarer Erhebung dürfen wir heute auf die gewaltigste Umwälzung unserer nationalen Geschichte zurückschauen.« Der Historiker Max Lenz sah 1920 Luther und Bismarck an Anfang und Ende einer Epoche stehen, deren Inhalt »der Kampf um das evangelische Kaiserreich deutscher Nation« gewesen war.

Es liegt jedoch ebenso gewiß auf der Hand, daß diese Perspektiven heute wenig erfolgversprechend sind. Sie unterwerfen die Geschichte des Reiches und der Territorien im konfessionellen Zeitalter den unangemessenen Kriterien von militärischer Effektivität, Einheitlichkeit des politischen Willens und weltpolitischer Machtentfaltung. Auch die zuweilen anzutreffende Verkürzung der deutschen Geschichte der Frühen Neuzeit auf die brandenburgisch-preußische Geschichte, zu der vor allem angelsächsische und amerikanische Historiker neigen, bietet keine Alternative.

Es ist unbestreitbar, daß sich der Historiker nicht dem faktischen Zwang entziehen kann, den die wirklich geschehene Geschichte seiner perspektivischen Auswahl auferlegt. Jede realisierte Variante von Geschichte läßt Vorläuferkonstruktionen in eben dem Maße entstehen, wie sie alternativen Varianten das Lebensrecht entzieht. Trotzdem scheint es mir ein legitimer Zugriff zu sein, das konfessionelle Zeitalter unter Problemstellungen anzugehen, die nicht durch die Ausschließlichkeit der neueren und neuesten deutschen Geschichte geprägt sind. Sie können uns helfen, historische Prozesse zu entdecken, die unter der Last späterer Geschichte nur mehr schwer oder gar nicht mehr sichtbar zu machen sind. Der Historiker Paul Joachimsen hat im Jahre 1930 die Frage gestellt, wie die unbestreitbaren Auswirkungen der konfessionellen Spaltung auf das nationale deutsche Bewußtsein überwunden werden könnten, gewiß auch dies ein Beispiel für die Suche nach innerer Eintracht in der Endphase der Weimarer Republik. Sein Vorschlag lief darauf hinaus, »auch das Positive« der Reformation zu erkennen. Dieser Vorschlag, der zweifellos im Widerspruch zu einer einflußreichen Richtung historischer Literatur stand und steht, der gleichwohl wichtige Anregungen zu bieten vermag, die weiterwirkende Bedeutung des konfessionellen Zeitalters herauszuarbeiten und für unsere Gegenwart nutzbar zu machen, soll hier aufgenommen werden.

In diesem Sinne hat Theodor Schieder 1952 einmal davon gesprochen, daß die reformatorische Bewegung eben nicht nur zu einer »Vielzahl von Kirchenbildungen und Bekenntnissen« geführt habe, sondern auch den Grund gelegt habe für verschiedene politische Denk- und Verhaltensweisen und dadurch »zu einem der mächtigsten Antriebe der neueren Geschichte weit über ihr religiöses Anliegen hinaus« geworden sei. »Spaltung bedeutet also Differenzierung, polare Spannung und damit im letzten doch schöpferisches Leben.« So wurde für ihn auch Positives in der Spaltung sichtbar: »an die Stelle einer einzigen universalen Doktrin« tritt die Differenzierung auch im politischen Denken, »in der sich ein Stück der europäischen Freiheit ausspricht«.

Eine solche Interpretation des 16. Jahrhunderts scheint in der Lage zu sein, einen sinnvollen und nachvollziehbaren Zusammenhang mit den Ereignissen, Menschen und Ideen herzustellen, denen wir im Lauf dieses Jahrhunderts begegnen werden.

I. Rahmenbedingungen

1. Bevölkerungsstruktur, Lebenschancen, Gesellschaftsordnung

Alle Betrachtung von Geschichte muß mit der Schwierigkeit fertig werden, daß wir keineswegs nur Veränderungen feststellen können, die sofort ins Auge fallen, sondern daß wir auch historische Verhältnisse, Zustände, Strukturen ermitteln müssen, die einem sehr viel langsameren Rhythmus der Veränderung unterliegen, ja beinahe statisch erscheinen. Diese Beobachtung gilt auch für das 16. Jahrhundert, das insgesamt Teil jener Phase der europäischen Geschichte ist, die wir als »Alteuropa«, als vorindustrielle Welt, als ständische Gesellschaft bezeichnen, alles Begriffe, die eine relative Statik der Verhältnisse suggerieren. Deshalb muß eine Betrachtung der Geschichte des 16. Jahrhunderts zunächst diese Rahmenbedingungen quasi-stabiler Art betrachten, um darauf aufbauend überhaupt das Ausmaß an anderen Veränderungen feststellen zu können.

Ein Blick auf Deutschland in der Zeit der ausgehenden Herrschaft Kaiser Maximilians fällt auf ein agrarisch wirtschaftendes Land mit einigen Zentren gewerblicher Verdichtung. Insgesamt können wir die Produktionsweise noch als feudal bezeichnen, denn es überwiegt die bäuerliche Produktion im Rahmen des freilich vielfach differenzierten grundherrschaftlichen Systems. Das bedeutet konkret, daß die Grundbesitzer, die ihr Land bäuerlichen Familien zur Bebauung überlassen, dafür einen erheblichen Teil des bäuerlichen Ertrags für sich beanspruchen können. Es bedeutet aber zugleich auch, daß die große Mehrheit dieser Bauernfamilien selbständig wirtschaften kann, wenn auch die Bebauung des Landes, die Vermarktung der Produkte und die Vererbung des Landes vielfachen Restriktionen durch die Gemeinde und die Grundherrschaft unterworfen sind.

Etwa 80 % der deutschen Bevölkerung lebten auf dem Lande. Dieser relativ hohe Prozentsatz darf jedoch nicht darüber hinwegtäuschen, daß wir in einzelnen Landschaften schon eine andere Verteilung der Bevölkerung feststellen können. Um 1550 hat man für Sachsen ca. 32,5 % der Bevölkerung als Stadtbevölkerung nachgewiesen, in Städten freilich, die meistens 500 bis 2000 Einwohner hatten und die 5000-Einwohner-Grenze selten überstiegen, wie etwa Leipzig oder Dresden. Es gibt aber auch einzelne Kreise im Erzgebirge, in denen schon über 50 % der Bevölkerung in städtischen Siedlungen lebten (1550: Annaburg 64,3 %; Görlitz 59,7 %; Schwarzenberg 50,9 %). Freilich sind dies im Gesamtbild eher die Ausnahmen von der Regel. Die norddeutsche Tiefebene, Mitteldeutschland, Franken und Bayern waren Gebiete, die rein agrarisch bestimmt waren, die Bereiche der Mittelgebirge waren ohnehin extrem dünn besiedelt.

Die Angabe, daß vielleicht 80 % der Menschen auf dem Lande lebten, in dörflichen Siedlungen, die nur selten mehr als 200 bis 300 Einwohner hatten, darf nicht so verstanden werden, als hätten in den Städten nur Kaufleute und Handwerker und auf dem Lande nur Bauern gewohnt. Es hatte sich vielmehr eine Vermischung der wirtschaftlichen Funktionen ergeben, die bewirkte, daß viele sog. Ackerbürgerstädte durchaus agrarisch geprägt waren und daß in vielen Dörfern das Landhandwerk zuhause war. Das war nicht nur eine Reaktion auf den tatsächlichen Bedarf an handwerklichen Arbeitsleistungen, es war auch eine Reaktion auf die beginnende Übersetzung der Dörfer und die Herausbildung unterbäuerlicher Schichten mit verschiedener Bezeichnung. In Schwaben sprechen wir von Seldnern, in Brandenburg von Kossäten, anderswo von Gärtnern oder Köttern. Besaßen sie überhaupt kein Stück Land mehr, sprechen wir von Häuslern, Insten oder einfach Tagelöhnern. Ihnen allen ist eigen, daß sie nur noch über kleine Landanteile (Gärten) verfügten, daß sie also auf andere Art und Weise ihr Brot verdienen mußten. Hier kam neben dem Tagelohn vor allem das Handwerk und die Textilproduktion in Frage, wovon später noch zu sprechen ist. In jedem Fall ist festzuhalten, daß die Dörfer mit dem Problem neuer unterbäuerlicher Schichten konfrontiert wurden, die zudem noch anwuchsen.

Nach diesem ersten Überblick über die Stadt-Land-Verteilung wollen wir einen Blick auf die Bevölkerungszahlen werfen. Wir müssen nach allen verfügbaren Angaben davon ausgehen, daß in Deutschland zu Beginn des 16. Jahrhunderts etwa zwölf Millionen Menschen lebten. Eingeordnet in die schon angedeutete demographische Aufwärtsentwicklung bedeutet diese Zahl, daß vor der großen Pestwelle um 1350 etwa 14 Millionen Menschen im Reich gelebt hatten und daß diese Zahl erst wieder um etwa 1560 erreicht wurde. Um 1500 befinden wir uns daher in einer demographischen Erholungssituation, wobei sich die jährliche Zunahme in der ersten Jahrhunderthälfte bei 0,7 % bewegt, während sie seit der Jahrhunderthälfte auf Werte bis 0,3 % zurückgeht. Diese Zahlen sind freilich auf einer – wenn auch großen – regionalen Basis gewonnen worden, genauer gesagt, aus der Untersuchung des Bevölkerungswachstums in Thüringen, wo immerhin ein Gebiet von 10 000 km² untersucht wurde. So ergibt sich, daß eine Bevölkerungszunahme von durchschnittlich etwas mehr als einem halben Prozent (0,55) als Mittelwert der jährlichen Bevölkerungszunahme angenommen werden kann.

Bevölkerungszunahme ist an sich noch kein besonders bemerkenswerter Vorgang. Solange genügend Land vorhanden ist, um einer wachsenden Bevölkerung Nahrung zu gewähren, solange ein Bevölkerungsüberschuß auf dem Lande in Neusiedelgebiete abgegeben werden kann (Ostsiedlung) oder in die Städte abwandern kann, solange ist dieses Wachstum relativ unproblematisch. Wir müssen jedoch für unsere Zeit annehmen, daß die Bevölkerungszunahme subjektiv schon in der ersten Jahrhunderthälfte als bemerkenswert und zum Teil schon als bedrohlich wahrgenommen wurde. In der zweiten Jahrhunderthälfte läßt sich sogar ein ganzes Bündel von Auswirkungen feststellen, von denen das wichtigste wohl darin besteht, daß die wachsende Bevölkerungszahl die Inanspruchnahme neuer, freilich schon ungünstiger Bewirtschaftungsflächen erforderlich macht.

Damit ist gemeint, daß in dieser Zeit nicht nur der alte Siedlungsraum wiederaufgefüllt wurde, sondern es setzt jetzt ein Vorgang ein, den wir den zweiten Landesausbau nennen. Es ist der Zugriff auf Grenzböden in den Alpen, wo die Höhensiedlungen entstehen, oder im Küstengebiet, wo Moore entwässert werden, wo Polder angelegt werden, um neues Ackerland zu gewinnen. In Schwaben berichtet 1550 ein Chronist, daß »schier kein Winkel, auch in den rauhesten Wäldern und höchsten Gebirgen unausgereutet und unbewohnt blieb«. Im Städtchen Balingen auf der Schwäbischen Alb beobachtet der Stadtschreiber 1601, daß »rauhe und felsige, sowohl eigene als Gemeinäcker«, die vorher ungenützt verblieben waren, »mehrenteils erst danach bei den angefallenen langwierigen Teuerungsjahren ausgereutet und umgerissen« worden waren. Die in diesem Zitat erwähnte Teuerung des späten 16. Jahrhunderts – die noch näher zu besprechen sein wird – ist ein deutlicher Hinweis

auf das eingetretene Mißverhältnis zwischen den Nahrungsmittel-
ressourcen und der Zahl der Menschen, die in diesem Rahmen er-
nährt werden mußten.

Wenn uns die Bevölkerungs- und Siedlungsgeschichte und die
Erschließung neuer Bewirtschaftungsflächen solcherart objektive
Hinweise auf eine Bevölkerungsvermehrung gibt, die unter den
gegebenen Rahmenbedingungen als erheblich bezeichnet werden
muß, können wir dem noch jene Quellen hinzufügen, die uns über
die Bewertung dieses Vorgangs durch die Zeitgenossen Auskunft
geben. Der Chronist Sebastian Franck schrieb um 1538 in seinem
Germaniae Chronicon, daß trotz des Verlustes von etwa 100000
Toten im Bauernkrieg schon alles wieder »so voller Leute stecke,
daß niemand bei ihnen einkommen kann«. Das soll wohl heißen,
daß die Dörfer so übersetzt waren, daß keine Zuwanderer mehr
aufgenommen werden konnten. Es gibt freilich auch Hinweise
darauf, daß in einzelnen Gebieten Deutschlands – etwa in Oberschwaben, das zu den dichtbesiedeltsten Teilen des Reiches gehörte – der Druck der Bevölkerung auf das Land schon in den
hundert Jahren vor dem deutschen Bauernkrieg so stark geworden
war, daß sich die Kinderzahl von 5,5 auf 4,5 verringert hatte, ein
untrügliches Zeichen in einer vormodernen Gesellschaft, daß der
Nahrungsmittelspielraum knapp wurde.

Doch kehren wir zu den zeitgenössischen Berichten zurück, die
uns nachhaltiger als Prozentzahlen belegen können, welchen Eindruck der Bevölkerungsanstieg auf die Menschen dieser Zeit
machte. Der eben zitierte Sebastian Franck hielt den Anstieg für so
bedeutend, daß er nur die Möglichkeit eines Krieges sah, der verhindern könne, daß ca. 100000 Menschen »ausgemustert« werden
müßten, um sich in Ungarn eine neue Heimat zu suchen. Ungarn
bleibt übrigens im ganzen 16. Jahrhundert in den Köpfen deutscher
Fürsten ein mögliches Kolonialland, und oft genug finden sich Vorschläge, Ungarn mit deutschen Kolonisten gegen die Türken zu
verteidigen. Auch Ulrich von Hutten stellte schon eine Verbindung
zwischen hoher Bevölkerungszahl und Teuerung her und empfahl
deshalb sogar einen Krieg gegen die Türken. Eine sächsische Münz-
schrift spricht um 1548 erfreut darüber, daß »sich die menge des
volcks in diesen Landen mergklich gemehret und das der werth der
güther gestigen« sei. Dieser Autor ist bereits von dem merkantilisti-
schen Gedankengang beflügelt, daß allein eine Vermehrung der
Bevölkerung diesen Wachstumsprozeß beschleunige.

Damit können wir eine wichtige Feststellung treffen. Es gibt vor allem gegen Ende des 16. Jahrhunderts zwei Möglichkeiten der Interpretation des Bevölkerungswachstums. Die eine ist bestimmt von der Angst vor der Überbevölkerung und greift zu Vorschlägen wie Auswanderung und Krieg. Eine andere Richtung orientiert sich ganz neu. Sie begreift die Nachfrage nach Nahrung und Arbeit, nach Wohnraum und Land als willkommenen Anstoß einer Steigerung der Staatseinkünfte, als Initialzündung für das, was wir modern »Wirtschaftswachstum« nennen würden. Der Straßburger Professor Georg Obrecht entwickelte deshalb gegen Ende des 16. Jahrhunderts den Gedanken einer Bevölkerungsstatistik, und es tauchten – ganz auf dieser Linie – Vorschläge zur Besteuerung jener Männer auf, die keine Familie gegründet hatten, die sog. »Hagestolzensteuer«.

Bei genauerer Untersuchung zeigt sich, daß diese Vorschläge zur Vermehrung der Bevölkerung zwar auf einer Linie liegen mit jenen der Reformatoren zu Eheführung und Heiratsalter, daß aber der wirtschaftstheoretische Hintergrund ein anderer ist. Während Luther noch von der Überzeugung ausgeht, »Gott macht Kinder, der wird sie auch wohl ernähren«, ist den Frühkameralisten Bevölkerungswachstum Voraussetzung des Wirtschaftswachstums. Unter Verweis auf die großen Städte wie Venedig wird erkannt, daß viele Bürger mehr Steuern zahlen und deshalb legt man großes Gewicht auf eine Förderung der Geburten, ein Heranziehen von Einwanderern. Insgesamt sollen die Lebensbedingungen so gestaltet werden, sagt der Kameralist Bornitz zu Beginn des 17. Jahrhunderts, daß sowohl die Einwohner eines Landes als auch Einwanderer angereizt werden, die Bevölkerungzahl zu steigern. Es erscheint wichtig an dieser doppelten Diagnose, daß die Bevölkerungsvermehrung des 16. Jahrhunderts verschiedene Strategien in der Bevölkerungspolitik provozierte, eine skeptisch bewahrende und eine sich letztlich – trotz aller Mängel – durchsetzende staatliche Bevölkerungspolitik, die unter dem Vorzeichen staatlicher Machtentfaltung – der potentia – steht.

Alle Bevölkerungspolitik, die schon im 16. Jahrhundert tatsächlich zu beobachten ist, wenn von Statistik, Steuervorteilen, Ledigensteuer u. ä. gesprochen wird, war natürlich abhängig von den biologischen und ökonomischen Voraussetzungen der Zeit. Biologische Voraussetzungen sollen hier jene Faktoren heißen, die die Lebenserwartung eines Menschen begrenzen, ökonomisch sollen jene Faktoren heißen, die den Zeitpunkt der Eheschließung junger Menschen bestimmen und damit entscheidend für die Gesamtkinderzahl eines Ehepaars werden.

Die Lebenserwartung zu Beginn des 16. Jahrhunderts ist nur sehr schwer feststellbar. Die meisten demographischen Analysen setzen erst im späten 16. und im 17. Jahrhundert ein, aber wenn wir die wenigen Informationen hochrechnen, wird sich für unsere Zeit wohl eine Lebenserwartung zwischen 25 und 35 Jahren ermitteln lassen. Dabei muß vor allem auf Berechnungen der Lebenserwartung im Frankreich und England des 16. und 17. Jahrhunderts zurückgegriffen werden, wobei jedoch ein statistischer Durchschnitt, der von einer relativen Gleichheit der Lebenschancen in unserer Zeit ausgeht, für das 16. Jahrhundert ein falsches Bild ergibt. Solche statistischen Mittelwerte verfälschen insofern das Bild von der realen Lebenserwartung, als sie die kritischen Lebensphasen überdecken. Es ist nämlich nicht das normale Krankheitsrisiko, das die Lebenserwartung senkt, sondern es ist vor allem das Säuglings- und Kinderalter, das die Lebenserwartung so stark reduziert. Ernährungsmangel und Hygienefehler und vor allem die Pockenkrankheit sind die entscheidenden Gründe in den ersten 15 Jahren des Lebens. Zwischen 35 und 50% der Todesfälle der Zeit betreffen Säuglinge und Kinder, und nur ca. zwei Drittel aller lebendgeborenen Kinder erreichen ein zeugungsfähiges Alter. War freilich einmal das Kinderalter überstanden, bestand eine gute Chance, ein Alter von über sechzig Jahren zu erreichen.

Freilich darf damit nicht überdeckt werden, daß auch noch im 16. Jahrhundert (und darüber hinaus) die Pest eine Geißel blieb, der die Bevölkerung kaum etwas entgegenzusetzen hatte. Die Versuche, dieser Plage Herr zu werden, erschöpften sich in nutzlosen Pestpillen, die von Quacksalbern verkauft wurden und den vielen religiösen Vorkehrungen, die die ganze Hilflosigkeit der Menschen belegen. Nur langsam drang die Einsicht durch, daß die Ausbreitung der Pest mit den hygienischen Verhältnissen zusammenhängen mußte. Dies war insofern richtig, als bekanntlich die Pest durch die Rattenflöhe übertragen wurde. Der Blick auf die Pestintensität zeigt für Sachsen, daß nach einer fast pestfreien ersten Jahrhunderthälfte die Bedrohung durch diese Krankheit seit der zweiten Jahrhunderthälfte wieder zunahm.

Bereits im Zusammenhang der Landverknappung wurde auf die relativ gering erscheinenden Geburtenziffern in bäuerlichen Familien Oberschwabens hingewiesen. Die Erklärung ist relativ einfach: Der Grund für die relativ geringe Kinderzahl gerade in der europäischen Frühen Neuzeit liegt im relativ hohen Heiratsalter. Wenn auch Luther in seinen Predigten über die Ehe ein Heiratsalter von 15 und 18 Jahren empfahl, sah die Realität doch ganz anders aus. Es liegt im allgemeinen über 25 Jahren. Das Heiratsalter im bayerischen Anhausen beträgt noch in der ersten Hälfte des 18. Jahrhunderts 27,1 (Männer) und 26,6 Jahre (Frauen). Dies ist deshalb besonders wichtig, weil erfahrungsgemäß im Alter zwischen 20 und 30 Jahren die höchste Geburtenfrequenz erreicht wird. Hinzu kommt, daß wir bei der Errechnung der Kinderzahl auch die relativ langen Intervalle zwischen den Geburten berücksichtigen müssen, die zwischen 2 und 2,5 Jahren liegen. Dies hängt wiederum mit den langen Stillfristen zusammen, die eine sog. Laktationsamenorrhoe bewirkten, also einen begrenzten Empfängnisschutz, der übrigens auch durch Hungerzeiten ausgelöst wurde. All dies zusammengenommen bedeutet, daß die Zahl der Kinder durchaus begrenzt blieb, und man kann deshalb sagen, daß sich in Deutschland wie im übrigen Europa ein sog. »Heiratsmuster« einspielte, das durch relativ späte Heirat und die dadurch eingeschränkte Geburtenzahl eine kontrollierte Bevölkerungsentwicklung bewirkte.

Nachdem wir eine erste Information über Bevölkerungszahl, Lebenserwartungen und Reproduktion erhalten haben, wenden wir uns im folgenden dem Problem der sozialen Differenzierung zu. Die Frage scheint auf den ersten Blick einfach zu beantworten zu sein: Wendet man sich an einen der Schriftsteller, die im 16. Jahrhundert versucht haben, einen Überblick über die verschiedenen Gattungen der Menschen zu geben, trifft man auf das traditionelle Modell einer zumeist dreigeteilten Gesellschaft. 1566 schreibt Augustin Neser, der Pfarrer von Ingolstadt: »Auf solche weyß mag ich auch mit der warheit bekennen, das auch die innwoner des erdtrichs in drey underschidlich Stend und Orden geiheilt, nemlich in den Geistlichen Stand, Ritterschaft und gemein Bauer und Burgerschafft, wölche, wiewol sie ires beruffs, ampts und thuns halben weit voneinander underschiden sein, nihilominus, communicant operas mutuas, das ist, so beut danach ein jeder stand dem anderen die hand und dienet einer dem andern.«

Jakob Wimpheling hatte 1501 in seiner *Germania* den geistlichen Stand als die Augen, den Ritterstand als das Herz oder den Magen und die Bürger als die Hände einer Stadt bezeichnet, »glych als an eym Lib vil glider notturftig sint«.Matthias Quad von Kinkelbach teilte 1549 in seiner *Teutschen Nation Herrlichkeit* die ganze Gesellschaft schon in vier Stände ein, nämlich Geistlichkeit, Adel, Bürger und Bauern. Ironisierend meinte er dabei, eigentlich müsse man neben Adel, Geistlichkeit und Untertanen noch den Stand der Juristen unterscheiden, weil dieser die Erträge der anderen Stände verzehre.

Um 1540 schrieb der brandenburgische Prediger Erasmus Alber:

> »Fein ordenlich hat Gott die Welt,
> mit dreien Ständen wol bestellt:
> Ein Stand muß lehren, der andere nähren,
> der dritt muß bösen Buben wehren.
> Der erst stand heißt die Priesterschaft,
> der zweit stand heißt die Bauernschaft,
> der dritt das ist die Obrigkeit.«

Man erkennt schnell das gemeinsame Muster dieser Definitionen. Die Dreiteilung der Gesellschaft entspricht einer alten Vorstellung von Ordnung und Aufgabenverteilung. Lebten alle Stände so – fuhr Erasmus Alber fort –, daß sie lediglich das tun, was ihnen zukommt, wäre diese Welt ohne Streit und Konflikte. Das ist der Hintergrund seiner Vorstellung, sie suggerierte eine mögliche Idealordnung von Gesellschaft, die zugleich auch die offensichtliche Unordnung zu erklären half.

Freilich blieben solche Analysen nicht unbestritten. Es wurden bereits im 16. Jahrhundert Analysen vorgetragen, die erkennen, daß der ständischen Ordnung ein anderes Funktionsmodell zugrunde liegt. Hans Sachs, der Nürnberger Handwerker und Dichter (1494-1576), entwickelte in seiner *Eygentlichen Beschreibung Aller Stände auff Erden/Hoher und Nidriger . . .* eine andere Vorstellung. Er schreibt: ». . . Daß aber die ungleichheit ist in menschlichen Sachen/Händeln/und anschlägen/auff daß ich widerumb zu meinem fürhaben kommen, kann jr auch in menschlicher Gesellschaft nicht entrahten. Denn man muß not halben Reiche haben/ die den Armen handreichung und hülff beweisen/so muß man widerumb auch Arme haben/welche den Reichen mit Handwercken/ und sonst zu arbeiten geschickt seyen. Denn wer wolt sonst allerley nutzbarliche und notwendige Arbeit/dem Menschlichen Geschlecht dienstlich/ vollbringen . . . Auß diesen und andern dergleichen ursachen vil mehr/auch vielem unrath vorzukommen/ muß ein solche ungleichheit (darvon wir droben gesagt) in Menschlichen Leben gewißlich seyn.«

Hans Sachs führt uns mit seinen Arbeiten durch die Sehweisen der Gesellschaft des 16. Jahrhunderts. Er hat auch den Stoff der ungleichen Kinder Evas bearbeitet, eines der traditionellen Interpretationsmodelle der gesellschaftlichen Trennung in Reiche und Arme. Eva zeigt ihre schönen Kinder Gott, der sie segnet und zu Adeligen, Fürsten, Doktoren, Kaufleuten bestimmt, sie zeigt ihm nur verschämt ihre schmutzigen Kinder, die Gott auch segnet, aber zu Arbeitern, Bauern, Tagelöhner bestimmt. Als Eva sich darüber beschwert, antwortet Gott:

> »Es steht in meiner Hand, das ich im lant,
> mit leuten muss besetzen ieglichen stant,
> dazu ich dan leut auserwel,
> und ieden stant seinesgleichen leut zu stel ...
> Also durch diese fabel wirt bedeute,
> das man zu iedem stant noch findet leute«

Noch schärfer als die anderen Ständebeschreibungen erkannte Sachs, daß die Ungleichheit als unverzichtbares Ordnungsprinzip diente. Während die vorher erwähnten Dreiständelehren die Ungleichheit gar nicht erwähnten, sondern die Bedeutung auch der »pedes rei publicae« (der Füße des Gemeinwesens) für das Gemeinwesen durch den Rückgriff auf das Körperbild erklärten, konstatierte Hans Sachs in einer erstaunlichen Nüchternheit das Grundprinzip von Gesellschaft, eine Erkenntnis, die auch heute noch von der Soziologie nicht überholt worden ist, wenn sie Ungleichheit als unverzichtbar für soziale Mobilität erklärt.

Mit diesen Bemerkungen sollte ein Einblick in die Art und Weise vermittelt werden, wie Menschen des 16. Jahrhunderts Gesellschaft gesehen und interpretiert haben. Die Entwicklungsdynamik der Zeit fand ihre Entsprechung in der Existenz dreier unterschiedlicher Sehweisen von Gesellschaft. Die ständische Interpretation ging von der Gültigkeit des dreifunktionalen Modells bzw. seiner Erweiterungen aus. Dies implizierte die Möglichkeit einer Welt in Ordnung, wenn sich nur jedermann mit dem Platz bescheidet, der ihm von Gott zugewiesen ist. Konflikte hatten in diesem Modell keinen Platz, sie waren eigentlich nur Indiz für persönliches Fehlverhalten.

Das zweite Modell bestand in der Abkehr von dieser funktionalen Ordnung. Es erkannte die Ungleichheit zwischen arm und reich und beklagte ihre Ungerechtigkeit. Diese Richtung wurde – wie wir noch hören werden – gerade in der Reformation und im Bauernkrieg sehr populär. Die dritte Richtung schließlich war die keimende Einsicht, daß die Unterschiede zwischen arm und reich nicht nur tatsächlich existieren, sondern auch letztlich legitim sind, weil sie eine neue Art von Harmonie, die Harmonie des Eigennutzes, produzieren. Wir sehen also, daß es unangemessen wäre, eine dieser Sehweisen zur allein gültigen zu erklären.

Neben diesen Versuchen der erklärenden Beschreibung von Gesellschaft haben wir natürlich auch objektive Einsichten in die Differenzierung von Gesellschaft gewinnen können. Ich erwähne hier den wichtigen Zweig der ländlichen und städtischen Sozialstrukturforschung, die gerade in den letzten Jahren erhebliche Fortschritte gemacht hat. Diese Forschung geht von zwei unterschiedlichen Beobachtungsebenen aus: zum einen von der zeitgenössischen Analyse gesellschaftlicher Differenzierung. Natürlich war den Stadtschreibern und den Steuerbeamten bewußt, daß es höchst unterschiedliche Kategorien von Steuerzahlern gab, von den »Habnits« bis zu den reichen »Hansen«. Oder die Juristen eines Territoriums sahen sich vor die Aufgabe gestellt, eine Kleiderordnung zu erlassen, um den differenzierten Gruppen der Gesellschaft die je passende Kleidung, Zierat, Schmuck, Vorrechte zu geben. So entsteht z. B. in Bayern 1526 die folgende »Ordnung der Kleider AD 1526«: Sie unterscheidet insgesamt 17 ständische Gruppen, vom »Ritter und doctor« über die »vermöglichen Bürger« bis zu »allem baurn volck«.

Auf der anderen Seite haben Historiker die Datenmengen der städtischen Archive benutzt und haben die dort enthaltenen Angaben über Steuerleistungen zu einem objektiven Sozialprofil zusammengefügt. So unterscheidet eine Arbeit über die Vermögensverteilung in Augsburg um 1475 Besitzlose als die große Basis der Gesellschaft, ein schmales Kleinbürgertum mit einem Besitz bis 75 fl. (Florin, Währungseinheit des Reiches), das mittlere Bürgertum bis 450 fl., die untere Oberschicht bis 2250 fl., das Großbürgertum bis 7500 fl. und das Großkapital bis 15 000 fl. Von 6097 Steuerzahlern in Augsburg zahlten 54,1 % überhaupt keine Steuer, 41,6 % hatten einen Besitz bis ca. 3000 fl., und 4,3 % besaßen über 3000 fl.

Doch wir verfügen über Angaben dieser Art keineswegs nur für eine herausragende Stadt wie Augsburg. Die kleine fränkische Stadt Kitzingen ist uns bis zu einzelnen Personen hin heute so vertraut, wie sie dies vermutlich im 16. Jahrhundert nicht einmal dem Stadtschreiber gewesen ist. Für 1515 rechnet hier Erdmann Weyrauch 54,1 % der Einwohner zur Unterschicht (halber Mittelwert allen Besitzes), 37,4 % zur Mittelschicht (dreifacher Mittelwert) und 8,5 % zur Oberschicht (zehnfacher Mittelwert).

Diese beiden beispielhaft vorgestellten Beobachtungsebenen sind über die Einzelaussagen hinaus auch von methodischem Interesse. Es erhebt sich die Frage, ob wir eine Gesellschaft des 16. Jahrhunderts mit Hilfe der objektivierenden Statistik zerschneiden dürfen, oder ob wir uns vielmehr der zeitgenössischen Bewertungskategorien bedienen müssen. Das Ergebnis solcher methodischen Diskussionen sind wiederum komplexe Erhebungsbogen, die nicht nur quantitative Daten wie Steuerleistungen zugrunde legen, sondern auch Standeszuweisungen im städtischen Prestigesystem wie den Wohnort und andere Faktoren einbeziehen, um zu einer sowohl quantitativ wie qualitativ abgesicherten Bewertung von Stadtbürgern zu kommen.

Vergleichbare Arbeiten sind aber auch für Flächenstaaten unternommen worden. So ermittelte Karl-Heinz Blaschke für Sachsen eine Einwohnerzahl von ca. 434000, wobei er
116000 Bürger (26,7 %)
22000 Inwohner in Städten (5,1 %)
215000 Bauern (49,5 %)
20000 Gärtner und Häusler (4,6 %)
55000 Inwohner in Dörfern (12,6 %)
3500 Mitglieder der Geistlichkeit (0,9 %)
und 2400 Grundherren (0,6 %) unterscheiden konnte.

Diese Statistik zeigt deutlich die unübersehbare beginnende soziale Differenzierung einer Gesellschaft, die aber im Prinzip noch zu 76 % von Bürgern und Vollbauern gebildet wird. Immerhin machen die verschiedenen Inwohner und Häusler aber bereits ca. 20 % aus. Überraschend gering ist die Quote für die Geistlichkeit und den Adel. Sie zeigt auch noch einmal, welch kleine Schicht der Gesellschaft über den durch Renten und Steuern erbrachten Mehrertrag dieses Landes verfügte.

Überblicken wir die bisherigen Ergebnisse dieses Kapitels, können wir im 16. Jahrhundert eine zunehmende soziale Differenzierung sowohl auf dem Lande wie auch in der Stadt beobachten. Auf dem Lande sind es vor allem die neu entstehenden unterbäuerlichen Schichten, in der Stadt ist es die zunehmende Differenzierung, ja zuweilen Polarisierung innerhalb der Stadtbevölkerung, die das traditionelle Bild der Stadt gefährdete.

Immer mehr verlor das alte Modell einer Gesellschaft der drei Stände seinen Realitätsbezug, ohne freilich deshalb an Attraktivität zu verlieren. Zuweilen hat man sogar den Eindruck, daß bei zunehmender Differenzierung seine Verwendung zunimmt, als ob man die Entwicklung mit dem Festhalten am alten Modell aufhalten könnte. Ein wichtiges Indiz für die offensichtlich werdende Differenzierung der Gesellschaft und die dadurch ausgelöste Infragestellung adeliger Privilegien ist auch die publizistische Diskussion über den Adel vor allem in der zweiten Hälfte des Jahrhunderts. Ausgelöst durch eine adelskritische Schrift des Tübinger Philologen Nicodemus Frischlin von 1580 kam es zu einer Diskussion über die Legitimation des Adels, die vor allem einen Einblick in die kritisch gewordene Stellung dieser Schicht bietet. Der Adel der Geburt, wie er der sozialen Ordnung des Reiches zugrunde lag, wurde zunehmend mit der Forderung nach dem Adel der Tugend konfrontiert. Der große zweibändige *Adelsspiegel* des protestantischen Geistlichen Cyriakus Spangenberg von 1591/94 blieb mit seiner scharfen Kritik adeliger Untugenden durchaus auf der Linie, die von Sebastian Franck, Johannes Agricola und Nicodemus Frischlin vorgezeichnet worden war.

Ich will dieses Kapitel mit einer beinahe symbolischen Geschichte abschließen, die uns die abnehmende Bedeutung dieses Bildes der Drei-Stände-Gesellschaft verdeutlichen kann. In den Jahren 1504 bis 1513 wurde in der Stadt Basel der am Marktplatz gelegene vordere Teil des Rathauses durch einen spätgotischen Neubau ersetzt. Zum Schmuck der Fassade schuf ein unbekannter Meister ein Wandgemälde, das die drei Stände, den Wehrstand, den Lehrstand und den Nährstand, darstellen sollte. Drei Gestalten wurden abgebildet, die jeweils einen der Stände verkörpern sollten, der Papst, der Kaiser und ein Bauer. Über ihnen schwang sich ein dreiteiliges Spruchband mit dem lateinischen Spruch: Tu supplex ora, tu protege tuque labora (Du bete, Du schütze und Du arbeite). Als nach 1600 die Wand – wegen eines Umbaus – erneut bemalt wurde, änderte der Maler auch die drei Figuren, der Wandspruch blieb jedoch erhalten, so daß ein Basler Pfarrer, der 1622 ein Verzeichnis der Basler Inschriften erstellte, meinte, das Bild zeige die Aufgaben des Pfarrers, der Obrigkeit und des Bauern. Gegen Ende des 18. Jahrhunderts entrüstete sich ein Basler Politiker über eine solche Interpretation und fragte, »wo hat (man) gefunden, daß nur der Landmann und nicht der Stadtburger arbeiten soll? Was mag doch die Exegetik eines solchen Mannes gewesen sein.«

2. Agrarische Welt und gewerbliche Wirtschaft – Konjunkturelle Entwicklung

In der Wirtschaftsgeschichte taucht das 16. Jahrhundert unvermeidlich als Zeitalter des Frühkapitalismus auf: Fugger, Höchstetter und Welser; Kupfer und Silber, Gewürze und Gewinne überspielen hier das ewige und ungewisse Spiel von Aussaat und Ernte in der Landwirtschaft. Doch selbst dieses Zeitalter ist noch weitgehend agrarisch dominiert. Drei Viertel des Wirtschaftsprodukts werden in der Landwirtschaft erwirtschaftet, die Konsequenzen dieses agrarischen Grundmusters für die Struktur der Bevölkerung wurden bereits dargestellt.

Bevor wir auf die getrennte Behandlung von Landwirtschaft und gewerblicher Wirtschaft – und ihre möglichen Verbindungen – eingehen, wollen wir zunächst kurz nach den grundlegenden Bedingungen für Wirtschaftätigkeit aller Art fragen. Was ist Wirtschaft im 16. Jahrhundert, ja läßt sich dieser moderne Begriff überhaupt auf das 16. Jahrhundert übertragen?

Zunächst muß festgestellt werden, daß die Produktion von Nahrungsmitteln und Gütern in einem weit höheren Maße, als wir uns das vorstellen können, der Eigenversorgung diente – also Subsistenzwirtschaft war. Dies ergab sich vor allem dadurch, daß die meisten der bäuerlichen Produzenten nicht in der Lage waren, eine hohe Vermarktungsquote zu erreichen. Dafür waren die verfügbaren Grundstücke zu klein, und dafür war vor allem der durchschnittliche Ertrag zu gering. Wir müssen davon ausgehen, daß das Verhältnis zwischen Saatkorn und Erntekorn im Mitteleuropa dieser Zeit selten das Verhältnis 1:5 überschritt, oft genug und vor allem in Grenzböden darunter blieb. Die Erhaltungskosten der bäuerlichen Familie und der mitarbeitenden Knechte und Mägde verschlangen deshalb einen relativ hohen Anteil des Ertrags.

Freilich darf dies nicht zu der Annahme verführen, die landwirtschaftliche Produktion sei nur Subsistenzproduktion gewesen und der Markt habe keine Rolle gespielt. Das verbietet sich schon deshalb, weil im 16. Jahrhundert in steigendem Maße Geldabgaben von den bäuerlichen Produzenten gefordert wurden, und wie hätte das dafür notwendige bare Geld anders erwirtschaftet werden können als durch Vermarktung der Produkte? Diese Vermarktung war jedoch im allgemeinen durchaus kleinräumig organisiert und die Holzschnitte eines Albrecht Dürer, die Bauernfrauen mit einem Korb voller Eier zum Markt wandernd zeigen, sind durchaus typisch für diese Art der kleinbäuerlichen Vermarktung.

Weiträumiger entwickelte sich schon die Vermarktung von Getreide, Vieh und Wein, aber auch der Industriepflanzen, die für das Gerben von Leder und das Färben der Stoffe benötigt wurden. Man braucht sich nur die Verstädterung der deutschen Landschaften im 16. Jahrhundert anzuschauen, um zu sehen, wo die Produkte vermarktet wurden. Städte wie Augsburg, Köln, Nürnberg oder Straßburg, die bereits Einwohnerzahlen von 40 000 Einwohner erreichten und überschritten, bedurften eines enormen Zustroms an Nahrungsmitteln, und sie sogen das Angebot der weiteren Umgebung auf. Daneben aber gab es auch im 16. Jahrhundert schon Beispiele für relativ umfangreiche und auch weiträumige Vermarktung. Bei Wein ist das naheliegend (auch wenn die Anbaugrenze für Wein weiter nördlich als heute lag), aber noch deutlicher wird dies bei der Versorgung mit Vieh, das aus den Küstenländern von Nord- und Ostsee, vor allem aber aus Ostmitteleuropa kam. Die Transportfrage wurde bei diesem Handel dadurch gelöst, daß man das Vieh über riesige Strecken aus Polen und Ungarn nach Deutschland trieb. So ist es nichts Ungewöhnliches, wenn etwa im späten 16. Jahrhundert am Marburger Hof pro Jahr mehrere hundert ungarischer Ochsen verbraucht wurden. Über die Zahl der aus Ungarn exportierten Ochsen sind wir deshalb so gut informiert, weil die Zollämter, etwa in Preßburg, genau die Ausfuhrzahlen verzeichneten. Wir können daher präzise feststellen, daß etwa pro Jahr mehrere tausend Stück Schlachtvieh halb Europa durchquerten, um den Tisch deutscher Bürger mit erheblichen Mengen von Fleisch anzureichern.

Aber wir kennen großräumigen Warenaustausch auch im Getreidehandel. Vor allem der ostelbische Raum lieferte große Getreidemengen nach West- und Mitteleuropa. Der Warenaustausch war auch im Reichsgebiet so erheblich, daß die ältere Auffassung von den getrennten Wirtschaftsräumen Niederdeutschland, niederrheinisch-westfälischem Gebiet und Oberdeutschland heute in der Forschung nicht mehr akzeptiert wird. Es existierte, so hat es der Wirtschaftshistoriker Friedrich Lütge formuliert, in Ansätzen jedenfalls eine Volkswirtschaft mit einer so starken Marktorientierung, daß er »volkswirtschaftliche Denkkategorien« für angemessen hielt. Wenn auch Zölle und Stapelplätze, unterschiedliche Münzen und unsichere Straßen den Binnenhandel behinderten, so gab es ihn doch, und er prägte auch schon das wirtschaftliche Denken. Weichsel, Oder, Elbe, Weser und Rhein erschlossen immerhin wesentliche Teile des mittel- und osteuropäischen Binnenlandes und ermöglichten so auch den weiträumigen Absatz von Fertigprodukten. Viel stärker als heute waren kleine Flüsse schiffbar gemacht, die heute gar keine Rolle mehr spielen, und ständig finden sich Hinweise auf neue Kanalisierungsprojekte.

Ein Beispiel kann uns den Umfang und vor allem die Zunahme des Warenaustauschs im 16. Jahrhundert verdeutlichen. Wir verdanken den damaligen Zollgrenzen in Europa wertvolle Einblicke in das Ausmaß von Handelsbeziehungen, was die sog. Sundzollregister (die Aufzeichnungen über den Schiffsverkehr von der Nordsee in die Ostsee) vorzüglich belegen. Während im Jahre 1497 795 Schiffe jährlich den Sund passierten, waren es 1597 8,5mal soviel, nämlich 6673, dabei stieg der Anteil deutscher Schiffe leicht von 20 auf 23,5 %.

Es ist darüber hinaus sogar davon gesprochen worden, daß im 16. Jahrhundert ein System entstand, das der amerikanische Historiker Immanuel Wallerstein eine »europäische Welt-Wirtschaft« genannt hat, die auf einer kapitalistischen Warenproduktion aufbaute. Der Wirtschaftshistoriker Karl Helleiner hat errechnet, daß in der Mitte des 16. Jahrhunderts sechs- bis zehnmal soviel Getreide von Danzig nach Westeuropa verschifft wurde als zwischen 1490 und 1492. Europa gewinnt im 16. Jahrhundert – so seine überschwengliche Bewertung – den Fisch, der im Atlantik gefangen wird, die Ochsen aus Polen, Ungarn und Dänemark und eben das osteuropäische Getreide. Mit Welt-Wirtschaft meint Wallerstein in diesem Zusammenhang auch, daß sich zwischen Mittel- und Westeuropa einerseits und Osteuropa andererseits eine Abhängigkeit herausbildete, die der zwischen den Industriestaaten und den Ländern der Dritten Welt ähnelt, mit durchaus vergleichbaren sozialen Folgen. Europa bediente sich eines Systems der Arbeitsteilung insofern, als die Fertigwaren (Textilprodukte, Werkzeuge) nach Ost- und Südosteuropa gingen und von dort Nahrungsmittel nach Mittel- und Westeuropa kamen.

Dieser Eindruck eines entstehenden großräumigen Wirtschaftsaustauschs – von dem man besser sprechen sollte – wird schließlich auch bestätigt durch die Aktivität großer deutscher Handelshäuser im 16. Jahrhundert. Faktoreien der Fugger und Welser erstreckten sich von Reval, Riga, Danzig, Krakau, Hermannstadt (Rumänien) über Neapel, Barcelona nach Sevilla und Lissabon. Darüber hinaus reichten ihre Interessen in die Ostindienfahrt und nach Mittelamerika.

Was bedeuten diese Informationen für das Bild der Wirtschaft im 16. Jahrhundert? Es zeigt sich, daß der Anstieg der Bevölkerung überall in Europa eine ungeheure Nachfrage nach Nahrungsmitteln ausgelöst hatte, die neue Ressourcen erschloß, neue Handelsbeziehungen herstellte und insgesamt dem agrarischen Bereich erhebliche Gewinne brachte. Wenn man hier von Gewinnen spricht, dann ist natürlich zu fragen, wem diese Gewinne zuflossen; kamen sie den Produzenten zugute oder bloß den Landbesitzern, konsolidierten sie die bäuerliche Rechtsposition oder verschlechterten sie diese?

Eine Antwort auf diese Frage kann nicht in einem Satz gegeben werden. Zunächst einmal muß man feststellen, daß natürlich die guten Marktchancen für Bauern und Grundherrn in gleicher Weise erkennbar waren und beide von freilich unterschiedlichen Positionen aus darum kämpften, einen möglichst großen Teil individuell vermarkten zu können. Diesen verständlichen Grundinteressen standen jedoch in den verschiedenen Teilen Deutschlands unterschiedliche Realisierungsmöglichkeiten entgegen.

Diese Realisierungsmöglichkeiten ergaben sich aus dem, was die historische Forschung die Agrarverfassung genannt hat, d. h. die unterschiedlichen rechtlichen und wirtschaftlichen Voraussetzungen der Vergabe von Land an bäuerliche Familien und die daraus resultierenden unterschiedlichen Chancen, die erwirtschafteten Produkte auf den Markt zu bringen. Damit wird deutlich, daß der entscheidende Gesichtspunkt in dem Impuls liegt, der durch den Anreiz des Marktes gegeben wurde. Dieser Markt wiederum war attraktiv vor allem deshalb, weil dort eine durch das Bevölkerungswachstum steigende Nachfrage herrschte. Das bedeutete hohe Gewinnmöglichkeiten für diejenigen Produzenten, die in der Lage waren, einen größeren Überschuß für den Markt zu produzieren. Dieser Marktreiz ist es, der zu einem wichtigen Impuls der sozialgeschichtlichen Veränderungen im Lauf des späten 15. und des 16. Jahrhunderts wird.

Dieser Impuls konnte überhaupt nur deshalb so erfolgreich sein, weil die bäuerliche Bevölkerung im Altsiedelland (im westelbischen Teil des Reiches) im Prinzip über den von ihr bebauten Boden verfügte, soweit dieses Land nicht durch festgelegte Abgaben in Geld, Produkten oder Frondiensten belastet war. Diese verschiedenen Abgaben und Dienste, die wir insgesamt als Renten bezeichnen, hingen in ihrem Ausmaß von der Qualität des jeweiligen Besitzrechtes ab und von der persönlichen Rechtsstellung des Bauern.

Damit ist zum einen gemeint, ob der Bauer persönlich frei oder Leibeigener war. War er Leibeigener, war er zu Anfang des 16. Jahrhunderts noch verschiedenen Sonderbelastungen und Einschränkungen seiner Rechtsfähigkeit unterworfen. Konkret bedeuteten diese Belastungen speziell für die Leibeigenschaft typische Sonderabgaben – z. B. das Besthaupt, die jährliche Leibhenne, den Leibpfennig, den Gewandfall oder sogar Vermögensabtretungen, wie sie etwa die Weingartener Untertanen im Jahre 1432 ihrem Gotteshaus zugestehen mußten. Schließlich brachte die Leibeigenschaft für den Grunduntertanen Beschränkungen seiner Freizügigkeit und seiner Heiratsmöglichkeiten mit sich. Befreiung aus der Leibeigenschaft war nur durch Freikauf möglich.

Schon aus dieser kurzen Beschreibung wird deutlich, daß die Leibeigenschaft zu Beginn des 16. Jahrhunderts keine totale Abhängigkeit des Untertanen mehr bedeutete, sondern sie stellte sich vielmehr als der vor allem in Südwestdeutschland konzentriert vorgetragene Versuch dar, die bäuerlichen Untertanen mit Hilfe des Instituts der Leibeigenschaft stärker in die sich abschließenden Territorien einzufügen (noch im späten 16. Jahrhundert finden großräumige Austauschaktionen von Untertanen im Allgäu statt) und sie vor allem wirtschaftlich stärker zugunsten der Herrschaften zu belasten. Die Intensivierung der Leibeigenschaft ist eine Reaktion auf die Auswirkungen der spätmittelalterlichen Agrarkrise für den Adel, der angesichts weitgehend fixierter Bodenrenten in Geld ständige Einnahmeverluste hinnehmen mußte und dies durch eine aggressive Leibeigenschaftspolitik ausgleichen wollte. Leibeigenschaft ist also zu Beginn des 16. Jahrhunderts das Ergebnis eines Angriffs auf die bäuerliche wirtschaftliche Position, der darüber hinaus auch noch eine stark diskriminierende Funktion hatte. Dies wurde im Bauernkrieg deutlich, als die Leibeigenschaft zu einem der Hauptbeschwerdepunkte der 12 Artikel aufrückte.

Die andere Belastungsart, von der wir schon gesprochen haben, lag im bäuerlichen Besitzrecht. Nach der Auflösung der mittelalterlichen Fronhofsverbände seit dem 12./13. Jahrhundert hatte sich die Dorfgemeinde als die genossenschaftlich organisierte Einheit derer herausgebildet, die gemeinsam die Fluren eines Dorfes bebauten. Aus verschiedenen Gründen, die hier im einzelnen nicht genannt zu werden brauchen, waren diese Besitzrechte der Bauern durchaus unterschiedlich. Wo es den adeligen Herren schwergefallen war, ihren Besitz an Bauern zu vergeben, waren die Besitzrechte günstig, wo die Nachfrage nach Bauernstellen größer war, war das Besitzrecht schlechter. Dieser Grundmechanismus hatte sich im Lauf der Zeit freilich vielfach verändert, so daß wir schon zu Beginn des 16. Jahrhunderts von einer Herausbildung verschiedener Typen von bäuerlichen Besitzrechten sprechen können.

Vorab aber soll noch kurz erläutert werden, daß diese differenzierten bäuerlichen Besitzrechte auf einem spezifischen Verständnis von Eigentum aufbauten. Es hatte sich in dem eben geschilderten Prozeß eine Verbindung zwischen germanischen Besitzvorstellungen und dem römischen Besitzrecht ergeben, die wir als »geteiltes Eigentum« bezeichnen. Verlieh ein Herr einem Bauern ein Bauerngut, hatten sowohl der Herr als auch der Bauer »gewere« – d. h. bestimmte Zugriffsrechte – am Gut, freilich unterschiedliche. Römisch-rechtlich wurde der Anteil des Herrn als »dominium directum« (Obereigentum) bezeichnet, der des Bauern als »dominium utile« (Nutzeigentum). Erst beide zusammen stellten die volle Verfügungsgewalt über das Land dar.

Diese Aufsplittung bot den Vorteil, das verbleibende Recht des Herrn auf die Rente und die Besitzwechselabgaben juristisch abzusichern, während sich für den Bauern das Nutzungsrecht als Rechtstitel festschreiben ließ. Diese Funktion darf nicht unterschätzt werden, denn das juristisch genau definierte Nutzungsrecht sollte sich in der Zukunft zu einem Kristallisationskern weitergehender Ansprüche der bäuerlichen Landnutzer entwickeln, während das grundherrliche Obereigentum Gefahr lief, zu einem juristischen Anrecht auf die Renten herabgedrückt zu werden. Vor allem die schon im 16. Jahrhundert einsetzende Bauernschutzpolitik bemühte sich darum, das bäuerliche Nutzeigentum zu stabilisieren und gegen mögliche Angriffe der Grundherren zu schützen. Dies läßt sich etwa am Abschied des Landtags in Braunschweig-Wolfenbüttel aus dem Jahre 1598 beobachten, wo das Recht der Grundherren eingeschränkt wurde, ihre Meier nach Ablauf der Meierverträge »abzumeiern«.

Nach dieser Vorklärung können wir zum entscheidenden Prozeß der Herausbildung zweier unterschiedlicher Systeme von Agrarverfassung übergehen. Über die oben schon angesprochene Auflösung der sog. mittelalterlichen Villikationsverfassung hinaus ergibt sich im 15./16. Jahrhundert eine weitere Veränderung der mitteleuropäischen Agrarlandschaft insofern, als sich im wesentlichen im östlich der Elbe liegenden Kolonisationsgebiet, das im Zuge der Ostkolonisation des 12. und 13. Jahrhunderts besiedelt worden war, eine spezifische Form der Grundherrschaft herausbildete, die sog. Gutsherrschaft. Bei dieser Gutsherrschaft stellte der herrschaftliche Eigenbetrieb den wesentlichen Teil des bebauten Landes dar, und dieses Land wurde mit Hilfe der fronpflichtigen gutsuntertänigen Bauern bewirtschaftet, deren ehemals selbständig bearbeitete Landanteile im Zuge des sog. Bauernlegens zum Herrenland geschlagen wurden.

Die Grundherrschaft ist demgegenüber als Rentenherrschaft charakterisiert, d. h. der Grundherr bezog hauptsächlich Naturalabgaben sowie Geld- und Arbeitsrente von den ausgegebenen Bauerngütern bei einem meist sehr beschränkten herrschaftlichen Eigenbetrieb. Es geht aus dieser prinzipiellen Unterscheidung schon hervor, daß gerade der Typus der Gutsherrschaft besonders intensive Formen der Herrschaft über die Untertanen entwickeln mußte, war doch das Funktionieren dieser Wirtschaftsform nur mit dem möglichst problemlosen intensiven Arbeitseinsatz der Untertanen möglich, der deren eigene Wirtschaftätigkeit stark beeinträchtigte.

Die für unseren Zusammenhang wichtige Frage muß auf die Gründe zielen, warum die an sich im Zuge der Kolonisation mit relativ günstigen Erbzinsrechten ausgestatteten Kolonialbauern im Lauf der Zeit in die Stellung von Gutsbauern herabgedrückt werden konnten. Daß nämlich noch im 14. Jahrhundert die Rittergüter umfangmäßig nur einen geringen Teil des gesamten bebauten Landes ausmachten, geht aus dem berühmten Landbuch der Mark

Brandenburg hervor, nach dem von 15930 Hufen nur 1579 im Besitz der Ritterschaft waren, 1026 Pfarrhufen waren, 13325 sich aber in Bauernhand befanden. Zugleich hatten von 384 Dörfern nur 129 einen Rittersitz, den möglichen Ansatzpunkt einer Gutsherrschaft.

Unter Ausbau der Gutsherrschaft verstehen wir den vor allem seit der spätmittelalterlichen Wüstungsperiode einsetzenden Prozeß der Übernahme bäuerlicher Hufen durch die Grundherrschaften zugunsten der Vergrößerung ihres Eigenanteils. Die Wüstungsperiode selbst hatte diesen Vorgang dadurch erleichtert, daß unbebaute Stellen zum Herrschaftsgut geschlagen werden konnten. Einen weiteren Impuls bewirkte die schon erwähnte Konjunktur für Getreide, die natürlich eine Vergrößerung der Güter äußerst wünschenswert machte. Eine wesentliche Hilfe bei diesem Vorgang war auch, daß im ostelbischen Gebiet Grund- und Gerichtsherr zumeist identisch waren, während im südwestdeutschen Bereich diese Rechte zwischen verschiedenen Herren aufgeteilt waren. Auch die Tatsache, daß hier viele Dörfer oft mehrere Herren hatten, von denen vielleicht jeder ein Achtel der Untertanen im Dorf besaß, verhinderte die Durchsetzung solcher Absichten im südwestdeutschen Raum. Denn es muß festgehalten werden, daß auch hier die Grundherren die Chancen des Marktes erkannten und zu nutzen versuchten. Die Leibeigenschaftspolitik des 15. Jahrhunderts wurde schon als Beispiel angeführt, aber auch die Revolten des späten 16. Jahrhunderts im oberdeutschen Raum können belegen, daß die kleinen Territorialherren auch darauf abzielten, durch Anlage von Vorwerken oder Wirtschaftshöfen selber höhere Profite zu erwirtschaften. Doch hier konnte diese Umgestaltung der Verhältnisse abgewehrt werden. Auch die Ausbildung der sog. österreichischen Wirtschaftsherrschaft, einer Form der intensiv auf den Marktnutzen abzielenden Grundherrschaft mit Anfailzwang (der Zwang zum Verkauf der bäuerlichen Produktion an den Grundherrn) und intensivierter Marktproduktion, spricht für den generellen Trend, dessen Folgen freilich im Altsiedelland andere waren als im Kolonialland. Gerade diese parallelen Bemühungen unterstreichen die zu Beginn herausgestellte Bedeutung des Marktes für die Veränderung der Agrarlandschaft.

Diese grundlegende Differenzierung der Agrarlandschaft hat einmal belegt, in welch starkem Maße das bäuerliche Besitzrecht Voraussetzung war für eine Durchsetzung der bäuerlichen Interessen, am Markt zu partizipieren. Insgesamt fünf Formen des Besitzrechts werden üblicherweise unterschieden:

1. Das zinsbelastete bäuerliche Eigentum
2. Das Erbzinsrecht
3. Das Meierrecht
4. Das Leibrecht
5. Das Freistiftrecht

Die ersten drei Formen müssen als besonders günstige Besitzrechte angesehen werden. Hier war der Bauer praktisch unbeeinträchtigter Besitzer des Landes, das er bebaute (im Fall 1 sogar als voller Eigentümer) und er zahlte einen festgelegten Zins für die Nutzung des Landes. Er konnte es individuell – wenn auch im Rahmen der Dorfgenossenschaft – nutzen, konnte es vererben und durch Investitionen und Meliorationen verbessern, die ihm selbst oder seinen Nachkommen zugute kamen. Bei den letzten beiden Möglichkeiten handelte es sich um zeitlich von vornherein beschränkte oder jederzeit aufkündbare Besitzrechte, die damit die für den Grundherrn hoch erwünschte Möglichkeit boten, beim Besitzwechsel erhebliche und auch im Unterschied zu den fixierten Zinsen steigerungsfähige Gebühren zu verlangen. Man sagte, der Bauer könne »abgestiftet« werden.

Um diese abstrakten Bestimmungen an einem konkreten Beispiel zu verdeutlichen, seien im folgenden einige Passagen aus dem Erbbrief des Bauern Hans Vogel zitiert, den er 1548 vom Kloster Heilbronn erhielt:

»Wir Georg Abt und wir der Convent gemeiniclich deß Closters Hailbronn ... Inn aysteter bistumb gelegen. Bekennen offentlich mit dißem brieff für unnß und alle unnßere nachkommen. Das wir mit fraiem willen und gueter betrachtung unnseren lieben getrewen Hannßen Vogel, Barbaren seiner Ehelichen Hausfronen unnseren aigen hof uff dem berg bey hailsbron gelegen, welcher zuvor ain gunst hof gewesen, zur rechten erb, wie erblichen nach unnsers gotshaus gewonhait ... zu gebrauchen verlihen haben, und verlihen Inen gedachten hof Inn krafft diß brieffs mit der beschaidenhait und geding, das füran sy Ire erben oder besitzer gemellt hoffs, unnß alle Jar und ain jedes besonnder Jerlichen davon zur rechter herrengult Nemblich uff unserm casten Zu hailbron Zwantzig Sumere vier metzen korns Nuremberger mas ... raichen und geben, hingegen sollen sy gemelts hoffs halten aller Dinst, rays, gemainer stewer und allen zehenden frey und ledig sein. Si sollen auch den selbigen hof zu dorf und feld In guten wesentlichen baw halten und vertreten, alls unser Gotshaus recht und gewonhait ist, Und davon nichts verkauffen, versetzen, verwechseln oder verpfenden, one unnser oder unnserer nachkommen willen und wissen ... Ob sich aber begebe, daß genennter Hannß Vogel oder seine erben mergemelten Hof Inn konfftigen Zeiten nit lenger behallten wollten, so haben sy macht Ir erbgerechtigkeit, so Sie davon haben mit Unßerem willen und wissen, solchen leuten Zu kauffen zu geben, die uns mit unnserm gotshaus mitt und füglich sein, und gemellter Hof Inn guten paw halten mögen, und alls uft dieser Hof verkaufft wurde, oder Inn anderer Hand kombt, soll unnser alleweg ain gewönliches Handtlon gefallen.«

Für unsere Fragestellung ist wichtig, daß Hans Vogel ein Gut in Erbgerechtigkeit erhielt, das vorher als Gunsthof (also jederzeit abstiftbar) vergeben war. Vogel mußte eine bestimmte Menge Korn zahlen und war dafür von allen weiteren Verpflichtungen frei. Er durfte den Hof nicht verpfänden, aber er konnte mit der Zustimmung des Klosters verkaufen. Bei der Besitzveränderung mußte er eine Abgabe bezahlen. Dieser Text macht deutlich, wie frei der Bauer Hans Vogel in seiner Wirtschaftsführung war, obwohl er nicht Eigentümer, sondern lediglich Besitzer dieses Hofes im Sinne des »dominium utile« war.

Dies war ein Beispiel aus dem schwäbischen Raum. Wenn man die räumliche Differenzierung anspricht, liegt es nahe, die über den oben schon erwähnten agrarischen Dualismus hinausgehende regionale Verteilung bestimmter Besitzrechte zu erörtern. Wir können hierbei wieder auf die Arbeiten des Agrarhistorikers Friedrich Lütge zurückgreifen, der unter Ausblendung bestimmter Sondertypen sechs Regionaltypen der Grundherrschaft erarbeitet hat.

Erstens: Die südwestdeutsche Grundherrschaft, auch versteinerte Grundherschaft genannt. Hier überwiegen Formen der Geld- und Naturalrente, so daß die einzelnen Grundholden individuell wirtschaften können. Parallel dazu tritt eine relativ starke Besitzstückelung durch das Realteilungsprinzip auf.

Zweitens: Die südostdeutsche Grundherrschaft in Bayern und in Österreich, dort auch mit der Tendenz zur Ausbildung der Wirtschaftsherrschaft. In diesem Fall dominieren Güter, die zu Leibrecht vergeben wurden. Auch wenn sich de facto schon die Erblichkeit durchsetzte, boten die Besitzwechsel Anlässe für entsprechende Abgaben.

Drittens: Die westdeutsche Grundherrschaft war ebenfalls Rentengrundherrschaft ohne herrschaftliche Eigenbetriebe.

Viertens: Die nordwestdeutsche Grundherrschaft war durch das schon erwähnte Meierrecht charakterisiert, ein ursprünglich auf neun, zwölf oder 16 Jahre begrenztes Nutzungsrecht, das jedoch auch schon seit dem späten 16. Jahrhundert de facto erblich wurde.

Fünftens: Eine Mittelposition nehmen die mitteldeutschen Territorien ein, in denen parallel grundherrschaftliche und bäuerliche Eigenbetriebe auftreten, wobei letztere jedoch überwiegen. Das Besitzrecht war zumeist ein erbliches Zinsrecht, zuweilen auch ein sog. Zinsgut, im vollen bäuerlichen Eigentum.

Sechstens: Schließlich ist die schon näher besprochene Form der ostelbischen Gutsherrschaft zu nennen, mit überwiegender grundherrlicher Eigenwirtschaft, die von den bäuerlichen Untertanen in Fronarbeit bewirtschaftet werden mußte. Zu diesem Typ gehören auch die Lausitzen, Böhmen, Mähren und Schlesien.

Diese Systematisierung läßt freilich, so wichtig sie auch für den Überblick und für die Gesamtinterpretation dieser Wirtschafts- und Gesellschaftsordnung sein mag, die lokale und regionale Vermischung der Typen und die Fülle der Einzelregelungen unberücksichtigt. Man kann geradezu die Vielfalt und Unterschiedlichkeit der Verhältnisse als Charakteristikum dieser Epoche ansehen. Insofern war auch eine generelle gesetzliche Regelung dieser Verhältnisse kaum möglich. Die Reichsgesetze griffen in die Agrarverfassung eigentlich nicht ein, sie stellten nur durch Reichspolizeiordnungen und andere Rechtsvorschriften die Rahmenbedingungen her. Das bedeutet, daß in jedem einzelnen Konfliktfall die Rechtsansprüche beider Parteien geprüft werden mußten, und von daher bestätigt sich die Vermutung, daß von »der« bäuerlichen Lage im 16. Jahrhundert schlecht gesprochen werden kann. Generelle Tendenzen wie agrarische Konjunktur und zunehmende Intensivierung staatlicher Herrschaft verursachten durchaus unterschiedliche Auswirkungen. Daß jedoch der Druck des Marktes im 15. und 16. Jahrhundert auf die Landwirtschaft zugenommen hat, kann generell festgehalten werden, und es ist dieser – jetzt schon oft hervorgehobene – Faktor, der unser Jahrhundert in einem bislang nicht gekannten Maße prägte. Daraus resultierte auf der einen Seite das Interesse der Bauern, ihre Produkte frei vermarkten, ihren Landbesitz frei vererben oder verkaufen zu können, und auf der anderen Seite provozierte dies das Interesse der adeligen Landbesitzer, sich einen möglichst großen Anteil der bäuerlichen Produktion zu sichern und ihre Dienste für eigene Zwecke nutzen zu können. Damit waren grundlegende Konflikte vorgezeichnet.

Die Intensivierung der Marktkräfte war nicht nur eine Auswirkung des Bevölkerungswachstums, sondern sie verdankte sich auch einer zunehmenden Spezialisierung der gewerblichen Produktion. Nicht nur die Städte sammelten in ihren Mauern die gewerblichen Produzenten – wie dies auf der Hand liegt –, sondern es existierten auch oder es verstärkten sich gewerblich verdichtete Regionen, die ebenfalls die Zufuhr von Nahrungsmitteln erforderlich machten. Bedeutsam war dies vor allem in den großen Bergbauregionen des Reiches wie im Erzgebirge (Silberbergbau) und in Tirol, im Mansfelder Kupferbergbau, in den steirischen Salzbergwerken und Eisenzentren, um nur einige Beispiele zu nennen. Es war dies insgesamt »die groszt gab und nutzbarkeit ..., so der almechtig teutschen landen mitgeteilt hat«, vor allem weil »sich auch in deutschen landen etlich hundert tausend menschen, alt und jung, auch weib und kinder und sunst vil« durch Berg- und Hüttenarbeit ernährten, wie es 1525 in einem Mandat Kaiser Karls V. hieß.

Um die großen und mittleren Städte des Reiches lag ein breiter Ring von agrarisch produzierenden Gebieten, aber auch der Produktion von Industriepflanzen wie Waid (blau) und Krapp (rot) für das Färben von Tuchen. Baustoffe – vor allem Holz – mußten oft aus großer Entfernung herangeschafft werden. So entstand ein sich verdichtendes Netz des wirtschaftlichen Austauschs, der zwar nur ein relativ begrenztes Sortiment umfaßte, der in bestimmten Fertigprodukten aber beachtliche Austauschleistungen erbrachte. Dies gilt vor allem für den Textilhandel, der europäisch orientiert war, gilt aber auch für Fertigprodukte wie Eisenteile, die ebenfalls europaweit vertrieben wurden. So finden wir z. B. steirische Eisenprodukte im ganzen ost- und südosteuropäischen Raum.

Doch nicht nur diese relativ bedeutenden Zentren müssen hier erwähnt werden. Gerade die Eisenindustrie war z.T. relativ kleinräumig angelegt, wenn wir z. B. an den Eisenbergbau und die Eisenschmelzbetriebe des Sieger- und Sauerlandes und der Eifel denken. Immerhin finden wir Anfang des 16. Jahrhunderts in dem relativ kleinen Territorium von Nassau-Siegen 44 Eisenhütten.

Diese Beobachtung gilt auch für die verschiedenen Zweige der Textilindustrie. Die Gegend um Aachen – Städte wie Düren, Monschau, Burtscheid und Eupen – wurde ein Zentrum der Wollverarbeitung, dessen Gewicht gegen Ende des 16. Jahrhunderts durch die Einwanderung aus den Niederlanden noch anstieg. Schwaben war im 16. Jahrhundert – freilich schon in langer Tradition – Zentrum der Leinen- und Baumwollproduktion, die dort im Verlagssystem durch ländliche Weber hergestellt wurde. Die Papierproduktion gliederte sich zunächst an die Textilindustrie an, im frühen 16. Jahrhundert arbeiteten z. B. in Ravensburg ca. fünfzig Papiermühlen, um den steigenden Bedarf im oberdeutschen Raum zu decken.

Thüringen und Hessen sind im 16. Jahrhundert Zentren der Glasindustrie. Sie sind in hohem Maße abhängig – wie auch die Eisenschmelzereien – vom verfügbaren Vorrat an Holzkohle. Die Glasindustrie ist auch ein gutes Beispiel für die Möglichkeit bemerkenswerter technologischer Fortschritte. Im 16. Jahrhundert setzte sich ein neuer Glasofentyp durch, der die doppelte Anzahl von Glasbläsern beschäftigte, ein Rundofen mit besserer Ausnutzung der Hitze. Dieser moderne Ofen war durch Georg Agricola (1490-1555), der Anfang des 16. Jahrhunderts einige Zeit in Venedig verbracht hatte, nach Deutschland vermittelt worden. In diesem Produktionszweig kommt es übrigens auch schon im 16. Jahrhundert zum – freilich begrenzten und noch folgenlosen – Einsatz von Kohle zur Heizung der Öfen (1580).

Die Eisenproduktion kann uns die Schwierigkeiten der gewerblichen Entwicklung besonders deutlich machen. Auf der einen Seite eine erheblich steigende Nachfrage, nicht nur aufgrund des Bedarfs an Werkzeugen, sondern vor allem auch an Waffen in diesem an Kriegen reichen Jahrhundert, das den Wandel von der Hieb- und Stichwaffe zu den Feuerwaffen erlebte und das Jahrhundert der Artillerie wurde, auf der anderen Seite ein ständiger Wettlauf um Rohstoffe und Brennmaterial. Die Produktion und Verarbeitung von Eisen war ein höchst komplizierter Prozeß und wir müssen die technologischen Kenntnisse des 16. Jahrhunderts beim Anblick einer fein ziselierten Feuerwaffe oder eines Prunkharnischs Kaiser Rudolfs II. bewundern. Nur wenige Eisenerzsorten wie vor allem im Siegerland und in der Steiermark waren von ihrer chemischen Zusammensetzung her geeignet, um geschmolzen und zu Stahl verarbeitet zu werden. Dieser Veredelungsprozeß war abhängig von großen Mengen Holzkohle und der Wasserkraft für den Antrieb der Blasebälge, die dem Eisen Sauerstoff zuführen mußten, um zu Schmiedestahl zu werden. Dieses Verfahren war erst im 15. Jahrhundert entwickelt worden. Sehr bald waren entweder die abbaubaren Lagerstätten oder die verfügbaren Holzkohlevorräte erschöpft. Bei Hoch- oder Niedrigwasser konnten die Mühlen nicht benutzt werden, um die Blasebälge anzutreiben. Allein im 16. Jahrhundert verminderte sich aus diesem Grunde die Zahl der Eisenhütten in Nassau-Siegen von den schon erwähnten 44 auf nur mehr 33: Man hatte nicht mehr genügend Holzvorräte.

An diesem Beispiel zeigt sich, welche Widerstände noch im 16. Jahrhundert der Weiterentwicklung eines zentralen technologischen Prozesses entgegenstanden. Weil die vorhandenen Brennstoff- oder Wasserkraftvorräte nicht an einem Orte verfügbar waren, wurden im allgemeinen die drei Prozesse des Erzschmelzens, der Veredelung zu Stahl und der Verarbeitung zu Stahlprodukten an verschiedenen Orten durchgeführt, auch dies ein Grund, daß es nicht zu größeren gewerblichen Konzentrationen kam. Ein gutes Beispiel bietet dafür die frühneuzeitliche Industrielandschaft zwischen Altena, Olpe, Siegen und Dillenburg. Auf dieser Linie konzentrierten sich im 16. Jahrhundert die eisenverarbeitenden Werke.

Das andere Beispiel ist die Kupferproduktion. Hier hatte sich das Mansfelder Revier seit dem späten 15. Jahrhundert eine europäische Spitzenstellung erworben. Neun Hütten waren zwischen 1460 und 1480 entstanden, die 1526 ca. 33 000 Zentner Kupfer produzierten. Durch eine Überproduktionskrise sank dann – infolge eines Überangebots auf dem europäischen Markt – die Jahresproduktion bis 1541 auf 20000 Zentner ab.

In der Geschichte der Metallurgie ist das hier angewandte Saigerverfahren die bedeutendste technologische und folgenreichste montanwirtschaftliche Neuerung seit der Erfindung der Messingherstellung in der Antike. Dabei wurde durch Zusatz von Blei aus dem silberhaltigen Rohkupfer auch Silber gewonnen, im Durchschnitt aus 1000 Zentner Rohkupfer 245,5 kg Silber und 988 Zentner Garkupfer unter Zusatz von 373 Zentner Blei. All dies geschah in einem mehrere Teilprozesse umfassenden komplizierten Vorgang, ein beachtliches Beispiel der Technologie des 16. Jahrhunderts. Sie nötigt uns immer wieder Bewunderung ab, wenn wir etwa an die Bewetterung und Entwässerung der Bergwerke denken, in denen 400 m tiefe Schächte abgeteuft werden konnten. Bei dieser Produktion handelte es sich aber auch um eine beachtliche organisatorische Leistung. So schmolzen die Saigerhütten von Georgenthal und Hohenkirchen fast nur ungarisches Kupfer, wobei allein Georgenthal von 1495 bis 1504 über 45500 Zentner Kupfer und ca. 7000 kg Silber produzierte. Dies bedeutete, daß jährlich ca. 11000 Zentner Transportgut mit ca. 220 vierspännigen Fuhrwerken transportiert werden mußten, die die 800 km Strecke zwischen den oberungarischen Kupfergruben von Neusohl und Thüringen dreimal jährlich in ca. 68 bis 82 Tagen fuhren, eine kaum vorstellbare Transportleistung unter den Bedingungen dieser Zeit.

Es versteht sich, daß die Kosten für solche enormen Produktionsvorgänge nicht mehr von einzelnen Hüttenmeistern getragen werden konnten. So wurde die Erschließung, der Abbau, die Verarbeitung und der Vertrieb der Metalle ein wesentlicher Gegenstand von großen Kapitalgesellschaften übergreifender Art, weil nur so die Risiken von Produktion und Vertrieb aufgefangen werden konnten. Es ist dies der eigentliche Kern der großen Kapitalgesellschaften des 16. Jahrhunderts, die für diese Epoche charakteristisch geworden sind.

Alle bislang beschriebenen wirtschaftlichen Aktivitäten verstärken den Eindruck, daß hier eine neue Epoche in der Entwicklung der Wirtschaft beginnt. Dies gilt nicht nur für die Technologie und die Organisation von Handel und Produktion, sondern auch für den alltäglichen Umgang mit dem Problem des Geldes, des Gewinns, der Berechnung, kurzum der Rationalität des Wirtschaftens. Dies mag uns vielleicht schwer verständlich sein, doch bedeuteten diese Dinge Neuland für Mitteleuropa und verursachten auch erheblichen Widerstand. Gleichwohl wurde das System der doppelten Buchführung aus Italien übernommen, ebenfalls das Rechnen mit arabischen Ziffern, das in städtischen Schulen vorrangig gelehrt wurde. Hinzu kommt, daß die relativ knappe Geldmenge dieser Zeit, die ja an die Edelmetallproduktion gebunden war, notwendigerweise den stärkeren Umgang mit Formen des Kredits, des Wechselbriefs und des bargeldlosen Zahlungsverkehrs erforderlich machte. Alle diese Techniken mußten sich gegen ein tradiertes Normensystem durchsetzen, das dem Kaufmannsgewinn feindlich gegenüberstand, das den Kapitalverleih gegen Zins als Wucher diskriminierte. Auch auf diesem Feld bringt das 16. Jahrhundert erhebliche Veränderungen mit sich, indem es zumindest die begrenzte Zinsnahme ermöglichte.

Die bislang angeführten Beispiele für den Anstieg der gewerblichen Aktivität in Deutschland könnten noch erheblich vermehrt werden. Denken wir etwa an den Anstieg der Messingproduktion, ein Gewerbe, das im 16. Jahrhundert vor allem deshalb aufblühte, weil der steigende Bedarf an Beschlägen, Instrumenten, Uhren, Werkzeug etc. befriedigt werden mußte. Messingprodukte wurden schon in dezentralisierten Manufakturen hergestellt, so daß im Jahre 1559 allein im Aachener Raum ca. 30000 Zentner Messing produziert wurden. Denken wir an das neben der Textilindustrie wichtige Gerbergewerbe und die lederverarbeitenden Handwerke, die für die Landwirtschaft, aber auch die Antriebstechnik einfacher Kraftmaschinen eine unverzichtbare Grundlage darstellten. Die Wirtschaft im Heiligen Römischen Reich hatte ein beachtliches Maß an Verflechtung und Arbeitsteilung erreicht, regionale gewerbliche Zentren hatten sich herausgebildet, der Export der hier industriell gefertigten Produkte stellte einen wesentlichen Anteil an der gesamten Wirtschaft dar.

Schon der bisherige Überblick über die Entwicklung der Wirtschaft hat uns gezeigt, daß alle wirtschaftliche Aktivität auch von der konjunkturellen Entwicklung abhängig war. Erinnern wir uns an die Auswirkungen der steigenden Bevölkerungszahlen, aufgrund derer langfristig neue landwirtschaftliche Nutzflächen benötigt wurden. Absatzkrisen für Textil- oder Metallprodukte hatten im 16. Jahrhundert mehrfach verheerende Folgen für städtische Bevölkerungen. Doch wir wollen im folgenden noch einmal in größerem Zusammenhang auf die Entwicklung der Preise und die daraus zu ziehenden Schlüsse für die Gesamtwirtschaft eingehen. Die Frage ist vor allem deshalb interessant, weil letztlich nur so der säkulare Trend dieses Jahrhunderts ermittelt werden kann. Dieser aber ist wiederum Voraussetzung für eine Beantwortung der Frage, ob erst der Dreißigjährige Krieg die günstige Konjunktur des 16. Jahrhunderts zerstörte oder ob sich schon im späteren 16. Jahrhundert eine wirtschaftliche Rezession anbahnte.

Wer auch nur einen kurzen Blick in ein Werk über die Wirtschaftsgeschichte des 16. Jahrhunderts wirft, wird dort ganz sicher auf die grundlegende Tatsache der säkularen Inflation vor allem für agrarische Produkte stoßen. Im europäischen Mittel läßt sich eine Preissteigerung für Getreide um etwa das Vierfache beobachten (vom letzten Viertel des 15. Jahrhunderts bis zum letzten Viertel des 16. Jahrhunderts), für Vieh um das Zweieinhalbfache. Man muß sich zunächst darüber wundern, warum man eine solche Entwicklung der Preise über ein gutes Jahrhundert für bemerkenswert hält, ergibt sich doch lediglich ein für heutige Verhältnisse bescheidener Jahresinflationswert von ca. 1,4 %. Diese Preiswelle des 16. Jahrhunderts nimmt bei genauerer Betrachtung der einzelnen Regionen und Warengattungen höchst differenzierte Ergebnisse an: sehr hohe Steigerungen in Frankreich (mehr als das Sechsfache), das Vierfache in England, das etwa Zweieinhalbfache in Mitteleuropa.

Das Entscheidende aber an dieser Inflation war die Tatsache, daß sie vor allem die Preise für Nahrungsmittel betraf, sehr viel weniger aber die Preise für gewerbliche Produkte oder Dienstleistungen. Die Folge dieser Bewegung der Preise war eine sich immer schneller öffnende Preisschere zwischen Lebensmitteln und den Löhnen für Lohnarbeit mit allen Konsequenzen für jenen Teil der Bevölkerung, der auf Lohnarbeit angewiesen war.

Diese Inflation des 16. Jahrhunderts hat die Zeitgenossen genauso beschäftigt wie die modernen Historiker. Lange wurde diesbezüglich die These vertreten, daß der Preisanstieg eine Folge der Edelmetalleinfuhr aus Mittelamerika gewesen sei. Das schien eine überzeugende und auch naheliegende Erklärung des Phänomens zu sein, denn der Zufluß von erheblichen Mengen Silber, das über Spanien den Weg in den europäischen Wirtschaftskreislauf fand, war unübersehbar. 1531/40 waren es noch 236,3 Tonnen, 1551/60 schon 755,5 , 1591/1600 sogar 3 093 Tonnen. Danach pendelte sich die Menge bei über 2000 Tonnen pro Jahrzehnt ein.

Diese Geldmengentheorie ist jedoch in der neueren Forschung zunehmend in Frage gestellt worden. Vor allem die Tatsache, daß die Inflation schon lange vor dem Einsetzen der Silberimporte begann, spielte hier eine Rolle, aber auch die Tatsache, daß sich so beachtliche unterschiedliche Preisdifferenzen zwischen Agrarprodukten und gewerblichen Produkten ergaben. Statt dessen hat sich die Forschung von der zunächst bevorzugten Geldmengentheorie zu einer Theorie durchgerungen, die sich die erhöhte Nachfrage nach Produkten aller Art zunutze macht, dann aber auch die Tatsache berücksichtigt, daß agrarische und gewerbliche Produkte eine unterschiedliche Elastizität hinsichtlich der Befriedigung von Nachfrage haben. Das heißt, die Angebotsmenge für Getreide ließ sich nur geringfügig und wenn überhaupt nur langfristig vermehren, in keinem Fall konnte sie die Nachfrage decken. Hinzu kommt, daß die Versuche zur Vermehrung der mitteleuropäischen Getreideproduktion an ihre Grenzen stießen. Die Verminderung des Viehs, das immer mehr aus Ost- und Nordeuropa eingeführt werden mußte, bedeutete zugleich weniger des ohnehin seltenen Dungs für die Felder, andere Düngemittel waren nicht verfügbar oder zu wenig effektiv, um den Ernteertrag langfristig über die genannte 1:5-Grenze anzuheben. Auch die schon erwähnten »Grenzböden« im Gebirge oder in unfruchtbaren Gebieten konnten der Erwartung einer Vermehrung der Getreideproduktion nicht gerecht werden. Insofern muß man davon ausgehen, daß die Inflation der Nahrungsmittelpreise des 16. Jahrhunderts vor allem ein Phänomen einer erhöhten Nachfrage wegen des Bevölkerungsanstiegs ist, die nur unzureichend befriedigt werden konnte.

Erst diese wirtschaftsgeschichtlichen Basisdaten liefern den Hintergrund für die Sozialgeschichte des 16. Jahrhunderts und für die öffentliche Diskussion der sozialen Folgekosten dieser Entwicklung. Zu erinnern ist etwa an die breite Teuerungsliteratur des 16. Jahrhunderts, die heftige Verurteilung des Geizes, des Wuchers, der Eigennützigkeit, der Habgier der Kaufleute und vor allem der großen Monopolgesellschaften. Die erwähnten inflationären Tendenzen mußten vor allem deshalb ins Auge fallen, weil die Preistendenz des 15. Jahrhunderts noch stabil gewesen war. Eine Analyse der Frankfurter Preise zwischen 1351 und 1560 zeigt sogar zunächst leicht fallende Preise für Roggen, weitgehend stabile Preise für Blei, Kalk, Hufeisen und Backsteine. Um so mehr mußte vor diesem Erfahrungshintergrund natürlich der Preisanstieg des 16. Jahrhunderts auffallen und Besorgnis erregen.

Die wirtschaftsgeschichtlichen Daten bieten uns auch ein Korrektiv für die zeitgenössischen Analysen der Teuerungswelle des 16. Jahrhunderts. Diese Analysen sind deshalb für unser Problem relativ wenig ergiebig, weil sie im allgemeinen von der Problemstellung des knappen Geldes ausgehen und versuchen, den Abfluß von gutem Geld zu verhindern. In diesem Zusammenhang formulierte auch der französische Jurist Jean Bodin seine Theorie vom Zusammenhang zwischen Teuerung und den spanischen Edelmetalleinfuhren.

Am Schluß dieses Kapitels will ich noch der Frage nachgehen, wie sich die deutsche Wirtschaft in der zweiten Hälfte des 16. Jahrhunderts entwickelt hat. Sie ist – wie bereits angedeutet – deshalb wichtig, weil sie für die Bestimmung der Auswirkungen des Dreißigjährigen Krieges eine wesentliche Voraussetzung ist. Ausgangspunkt der älteren Forschung ist hier die These von der Verlagerung des Welthandels von der Achse Italien – Deutschland – Nordeuropa auf die Westküsten Europas, also Frankreich, England und die Niederlande. Diese Überlagerung wurde – wie könnte es anders sein – mit den überseeischen Entdeckungen in Verbindung gebracht, und man kann sagen, daß sich diese Verlagerungstheorie außerordentlich hartnäckig in den Lehrbüchern gehalten hat.

Überblickt man die ältere Forschung, läßt sich zeigen, daß diese wirtschaftsgeschichtliche Trendangabe eher einer sehr allgemeinen These über die langfristige Vorbereitung des Dreißigjährigen Krieges folgte: Sie argumentierte nach dem Muster, daß in einem politisch konfliktreichen Lande, in dem sich ein großer Kampf der konfessionellen Parteien anbahnte, eigentlich auch keine florierende Wirtschaft existieren konnte. Ein beliebter Beleg für die Schwäche der deutschen Wirtschaft war in dieser Interpretation immer der Bedeutungsverlust der deutschen Hanse, die in der Tat in einem harten Konkurrenzkampf mit Niederländern und Engländern stand, aber keinesfalls schon vor dem Kriege wirtschaftlich geschwächt wurde. Die zweifellos beginnende politische Schwäche der Hanse hängt eher mit dem Erstarken der deutschen Territorialstaaten zusammen als mit der wirtschaftlichen Konjunktur. Der erstaunliche Aufstieg Hamburgs seit dem Beginn des 17. Jahrhunderts würde in dieses Bild nicht hineinpassen.

Verfolgt man im einzelnen den Gang der Wirtschaftsentwicklung in der zweiten Jahrhunderthälfte, zeigt sich insgesamt eine beachtlich starke Weiterentwicklung der Wirtschaft bei durchaus beobachtbaren Schwerpunktverschiebungen aufgrund von Produktionsanpassungen und Standortverlagerungen. Lütge hat denn auch festgestellt, »daß wichtige Wirtschaftszweige gerade in den Jahrzehnten vor Ausbruch des 30jährigen Krieges einen eindeutigen und bedeutsamen Aufstieg erleben«, immer in Abhängigkeit von den Impulsen der weiterhin wirkenden Weltwirtschaft.

Zusammenfassend läßt sich also ein Wirtschaftssystem erkennen, das sich in einem Umstrukturierungsprozeß befindet. Es handelt sich um eine noch agrarisch dominierte Wirtschaft, die sich den neuen Anforderungen frühkapitalistischer Warenproduktion stellt. Das heißt, überall wirkt sich der Einfluß des europäischen Marktes aus, verstärkt sich der Einfluß der Geldwirtschaft, verschärft sich der Kampf zwischen Grundherren und Bauern um den Marktzugang, ergibt sich eine Preisschere zwischen Lebensmitteln und Löhnen und führt so zu einer zunehmenden sozialen Polarisierung, vor allem in den Städten. Dort wächst jene Schicht, die von der Teuerung der Lebensmittel direkt betroffen ist, weil die Löhne diesen Anstieg nicht auffangen konnten. An der Wirtschaft dieser Zeit beeindruckt vor allem ihre Großräumigkeit, ihr Verwobensein mit der Welt, wenn wir z. B. hören, daß die Fugger einen Auftrag über 7000 Zentner Messingreifen für den Afrikahandel erhielten, daß die Augsburger Weber jedes Jahr für 400000 fl. Tuche nach England exportierten. Hier deutet sich eine Intensität der Verflechtung der Weltwirtschaft an, die in diesem Ausmaß und in dieser Intensität als neu zu bezeichnen ist.

3. Grundformen politischer Ordnung im Reich

Im Zusammenhang mit der Untersuchung der Wirtschaft stellt sich die Frage, ob diese sich völlig frei entwickeln konnte oder ob sie bestimmten regulierenden Eingriffen von Seiten des Staates unterlag. Auskunft über diese Frage können uns die »Reichspoliceyordnungen« geben. 1530, 1548 und 1577 wurden diese relativ umfangreichen Gesetzeswerke mit bis zu 38 Einzeltiteln erlassen. Es waren Reichsgesetze, die auf den Reichstagen von Kaiser und Reichsständen verabschiedet und schließlich publiziert worden waren. Sie hatten die Aufgabe, Regelungen für das gesellschaftliche und wirtschaftliche Verhalten aufzustellen. Sie sollten gewährleisten, was man damals die »gute policey«, ein wohlgeordnetes Regiment nannte. Sie fangen beim Verbot des Gotteslästerns an, verbieten das übermäßige Trinken, begrenzen den Luxus der Kleider, bestimmen den Schmuck der Bürgersfrauen, verbieten die Verfälschung der Weine, Wuchergeschäfte und Monopole, den Aufkauf des Getreides auf den Feldern, regeln den ordentlichen Verkauf von Wolltuchen und Gewürzen, untersagen die leichtfertige Beiwohnung, unterdrücken Schmähschriften und regeln die Handwerke und die Arbeitsvermittlung durch die Gesellenverbände. Diese Regelungen durch Kaiser und Reich fanden ihre Ergänzung und Vertiefung in einer großen Fülle Landesordnungen.

Insgesamt muß bei einer solchen Aufzählung der Eindruck relativ starker und ganz offensichtlich zunehmender Eingriffe in den Wirtschaftsprozeß entstehen.

Wie paßt dies zusammen mit dem Bild eines unsteten Kaisertums, wie es sich aus den Monaten vor dem Tod Kaiser Maximilians ergab, einem Kaiser, der in seinem Sarg wichtige Dokumente mit sich führte? Was war das für ein Reich, als Maximilian I. starb und allenthalben im habsburgischen Herrschaftsbereich Unruhen unter Bauern, Bergleuten und Ständen ausbrachen, so als ob die Ordnung von der Person des Kaisers abhängig gewesen wäre?

Diese Momentaufnahme des habsburgischen Herrschaftsbereichs beim Tode Maximilians kann uns die generellen Schwierigkeiten verdeutlichen, die einer klaren, unzweideutigen Definition von Staatlichkeit in dieser Zeit entgegenstehen. Was zu diesem Zeitpunkt fehlt, ist die eindeutige Kumulierung aller Herrschaftsrechte beim Landesherrn, was fehlt, sind hinreichende Geldmittel für die landesfürstliche Verwaltung, so daß immer wieder durch Kreditoperationen die Staatstätigkeit gesichert werden muß. Es fehlt schließlich das Erscheinungsbild eines geschlossenen stabilen Landesstaats, der seine Aufgaben unbestritten und ohne adelige Herrschaftskonkurrenz versieht.

Umgekehrt formuliert bedeutet dies, daß Staat in dieser Zeit einen bloßen Aggregatzustand von Herrschaftsrechten darstellt, die noch nicht unbezweifelbar und unveränderlich in der Hand des Fürsten versammelt sind. Es gibt adelige Landstände, die in Korporationen zusammengeschlossen ein Mitbestimmungsrecht über die Politik eines Landes beanspruchen und die gefragt werden müssen, wenn der Landesfürst Steuern erheben will. Es gibt immer noch adelige Widersetzlichkeit gegen den beginnenden Vereinheitlichungsprozeß des Staates, der sich zuweilen in adeligen Revolten äußert. Es fehlen auch noch die wirksamen und dauerhaften Behörden, die Recht sprechen und den inneren Frieden sichern, der Staat ist schließlich noch kein geschlossenes Herrschaftsgebiet.

Doch wenn man diese Mängelliste des sich bildenden Staates erstellt, muß man zugleich betonen, daß alles, was noch nicht existierte, schon in Ansätzen begonnen, z.T. sogar schon eingerichtet war und um Anerkennung kämpfte. In den Territorien beginnt die Konsolidierung der Verwaltung unter der Leitung gelehrter Juristen, werden Rechtssammlungen und Landesordnungen geschrieben, werden Kompetenzfestschreibungen von Landesfürsten und Ständen ausgearbeitet, Regimentsordnungen erlassen, Steuerordnungen festgelegt, und es beginnt der Strom landesfürstlicher Mandate anzuschwellen, der zu einem Kennzeichen des modernen »Finanzstaates« wird, der vor allem das 16. Jahrhundert prägt. Es ist dies vielleicht eine zu einseitige Charakterisierung, die den Staat des 16. Jahrhunderts zu sehr auf den Finanzaspekt beschränkt. Bedenkt man die Wichtigkeit der Landes- und Rechtsordnungen, die Maßnahmen der Wirtschaftsförderung, ist man geneigt, hier schon eine breitere Definition anzusetzen, die jene Aspekte der Staatstätigkeit berücksichtigt, die man üblicherweise erst für das 17. Jahrhundert annimmt, also Staatstätigkeit im Bereich von Wirtschaft, durchgreifender Verwaltung und Militärwesen.

Wenn wir in dieser Weise den Staat behandeln, müssen wir festhalten, daß das Wort Staat »im Deutschen vornehmlich im Zusammenhang mit der öffentlichen Finanzgebarung in die Staatssphäre« eindringt, wie Gerhard Oestreich formuliert hat. Staat – oder besser »stat« – ist zunächst einmal das Budget für die Ausgaben eines Landes, etwa wenn man von den Räten spricht, die »über den Staat verordnet« sind, oder einen Schatzmeister, der »nach Ordnung seines Staates« amtieren soll.

In einem beliebten Vergleich hat der Mediävist Theodor Mayer einmal den Staat des Mittelalters vom frühmodernen Staat zu unterscheiden versucht. Er hat dabei für das Mittelalter von einem »Personenverbandsstaat« gesprochen, also einem Herrschaftsverband, der sich wesentlich durch personale Beziehungen konstituierte, vor allem durch Lehnsbeziehungen. Dieser Staat bedurfte eigentlich keines festumgrenzten Territoriums, sondern man könnte überspitzend sagen, daß dieser Staat da existierte, wo sich die Personalverbände zwischen Herren und Untertanen verdichteten, was die Existenz der Untertanen anderer Herren nicht ausschloß.

In diesem Sinne ist der Personenverbandsstaat »territorium non clausum« (ein nicht abgeschlossenes Land), im Gegensatz zum institutionellen Flächenstaat, der letztlich jedenfalls darauf abzielte, seine Herrschaft in einem festumgrenzten Territorium zu konsolidieren, etwaige konkurrierende Herrschaftsträger auszuschalten, Einsprengsel fremder Herrschaften zu integrieren und so ein »territorium clausum« zu schaffen. Institutioneller Flächenstaat soll heißen, daß die bislang schon ausgeübten staatlichen Funktionen zunehmend von Beamten übernommen wurden, die in festen Behörden tätig wurden. Kurzum: Es vollzieht sich, was Max Weber als die Monopolisierung legitimer Gewalt bezeichnet hat, parallel zur Zurückdrängung adeliger Gewaltausübung.

Staatlichkeit wurde bisher vorwiegend im Bereich der Territorialisierung festgemacht, jedoch nicht im Zusammenhang des Reiches behandelt. Wir tragen damit der Tatsache Rechnung, daß sich die Entwicklung der Staatlichkeit in Deutschland vorrangig auf der Ebene der Territorien vollzieht. Daneben bildet sich eine besondere Art der Überstaatlichkeit auf der Ebene des Reiches aus, die man als übergeordnet-substitutive Staatstätigkeit bezeichnen kann. Sie dient vor allem der Friedenswahrung im Inneren und der Gewährleistung eines äußeren Schutzes. Diese Frage wird später erneut aufgegriffen werden.

Im folgenden versuchen wir zunächst zu klären, warum sich die Staatlichkeit im modernen Sinne hier noch in einem Entwicklungsstadium befindet. In der Forschung wird diese Entwicklungsphase im Hinblick auf die Bedeutung der Landstände üblicherweise als »dualistischer Ständestaat« bezeichnet, womit das schon erwähnte Nebeneinander von Landesherr und Landschaft charakterisiert wird. Der Beginn dieses reichsrechtlich geregelten Nebeneinanders liegt in einem Reichsgesetz des Jahres 1231, durch das die Landesherren an den Konsens des Adels in ihrem Lande gebunden wurden, falls sie entscheidende Veränderungen im Territorium oder »novae leges et constitutiones« – neue Gesetze und Ordnungen – durchführen wollten.

Diese gesetzliche Festlegung durch ein Reichsgesetz verdeckt vielleicht die ohnehin wirksame generelle Tendenz der Territorialentwicklung. Man darf sich nicht vorstellen, daß im späten Mittelalter schon in allen Territorien verantwortungsbewußte Fürstendynastien mit ihren Landständen um den Einfluß ringen. Oft genug sind die Landstände eines Territoriums die Kraft, die z. B. einen Landesherrn daran hindert, ein Territorium zu teilen (um Erbansprüchen gerecht zu werden) oder Teile eines Territoriums zu verpfänden, um Schulden zu bezahlen. Aus vielerlei Konfliktfällen dieser Art, dem Geldbedarf für kriegerische oder andere Zwecke ergibt sich ein neues Grundprinzip politischen Handelns im Territorium. Das ältere Grundprinzip hatte darin bestanden, daß der Lehnsherr den Lehnsleuten »Schutz und Schirm« schuldete, die Lehnsleute dem Landesherrn »Rat und Hilfe«: Entsprechend dieser Auffassung laufen die Einladungen zu Landtagen oft darauf hinaus, dem Herrn Rat und Hilfe zu gewähren, und jede so gewährte Hilfe wird als ein einmaliges Ereignis verstanden.

Doch wurde diese feudale Grundauffassung immer stärker überlagert durch Überzeugungen, die davon ausgehen, daß die Landstände durchaus ein Recht haben, an der Entscheidung über neue Steuern und neue Gesetze beteiligt zu werden: Sie verweisen auch in Deutschland auf einen Rechtssatz aus dem römischen und kanonischen Recht, der sich für die Entwicklung demokratischer Institutionen als entscheidend auswirken sollte. Es war der Satz: »Quod omnes tangit, ab omnibus approbari debet.« (Was alle betrifft, dem muß von allen zugestimmt werden.) Damit war ein universal anwendbares Prinzip formuliert, das in durchaus unterschiedlichen Zusammenhängen die Ansprüche betroffener Personen oder Personengruppen legitimieren konnte.

Fassen wir zusammen: In den Territorien wuchsen zu Beginn des 16. Jahrhunderts kräftige politische Gemeinwesen heran, die ungeachtet innerer Machtkämpfe zwischen Fürsten und Ständen so stark waren, daß sie den Interessen des schwachen Kaisertums wirksam entgegenarbeiten konnten. Damit kommen wir zum notwendigen zweiten Teil unserer Analyse des politischen Ordnungssystems. Wir müssen uns beschäftigen mit dem Heiligen Römischen Reich Deutscher Nation. Dies ist ein aufschlußreicher Titel in vieler Hinsicht, der übrigens 1486 zum erstenmal in einer offiziellen Urkunde des Reiches verwendet wird. Er verbindet den weitergehenden Anspruch auf die Nachfolge des römischen Reiches im Sinne der sog. Translationstheorie mit der notwendigen Einsicht in die nationale Begrenzung dieses Reiches, die inzwischen eingetreten war und die auch der inzwischen vorhandenen Differenzierung der europäischen Nationalstaaten Rechnung trägt. Dieses Reich war jedoch ein im staatsrechtlichen Sinne höchst unklares Gebilde, das weder sprachliche noch andere eindeutige Grenzen kannte.

Blicken wir z. B. nach Burgund, das bekanntlich Maximilian durch das Heiratsgut seiner Frau Maria von Burgund (1477) in das Reich eingebracht hatte – damit freilich lange Erbfolgekämpfe mit Frankreich auslösend. Auch ließ sich Burgund nicht ohne weiteres dem Reich angliedern, da hier Adelige saßen, die sowohl dem Kaiser, aber auch dem französischen König durch Lehnsbeziehungen verpflichtet waren. Erst 1548 kam es zum sog. »burgundischen

Vertrag«, der die Sonderrolle dieser Länder im lockeren Rahmen des Reiches regelte. Im Süden war es die Eidgenossenschaft, die nur mehr formell zum Reich gehörte. 1499 war mit dem Basler Frieden der sog. Schwaben- oder Schweizerkrieg zu Ende gegangen, und das Ergebnis des Friedens bestand im wesentlichen darin, daß die in einer Tagsatzung vereinten Herrschaften und Städte sich aus dem Steuer- und Gerichtsverband des Reiches ausgliederten. Auch Reichsstädte wie Basel, Schaffhausen und Mühlhausen schlossen sich dem Bund der Eidgenossen an, Konstanz und Straßburg liebäugelten mit einem solchen Schritt, am Hochrhein waren kleine Grafschaften in dieser Zeit im sog. Burgrecht mit Zürich verbunden. Das Reich drohte – könnte man sagen – im Süden auszufransen. Ein prinzipiell reichstreuer Stand wie der Bischof von Basel schwankte unschlüssig zwischen seinen Reichsverpflichtungen und der Realität der sich festigenden Eidgenossenschaft.

Die ganze Eigentümlichkeit dieses Reiches erkennt man daran, daß es in Italien noch immer Reichslehen besaß, meist kleine Grafschaften, die sich nur schwer gegen den Zugriff der italienischen Stadtrepubliken oder des französischen Königs wehren konnten, der 1494 seine Eroberungspolitik in Italien begann, die zur Eroberung Mailands führte und die großangelegte Italienpolitik Maximilians zunichte machte. Wohin wir also sehen, unklare Verhältnisse; das Reich in schwierigen Behauptungs- oder Rückzugsgefechten, immer leidend an dem Widerspruch zwischen den Welteroberungsplänen eines Maximilian und der mangelnden Bereitschaft der deutschen Fürsten, diese Politik zu unterstützen.

Diese Kontroverse zwischen dem Kaiser und den Reichsständen war keinesfalls ein neues Phänomen. Das ganze 15. Jahrhundert war erfüllt von der Kritik am Kaisertum, an der mangelnden Sicherheit im Rechtssystem, der immer noch nicht zufriedenstellend gelösten Frage des inneren Friedens, des sog. Landfriedens. In immer neuen Anläufen hatte man diesen Landfrieden im Reich zu sichern versucht. Dabei war freilich deutlich geworden, daß der Kaiser nur noch in Korporation mit den Fürsten in der Lage war, einen wirksamen Landfrieden zu garantieren. Wir sehen daraus, daß sich auch jetzt am Ende des 15. Jahrhunderts nur eine neue Stufe der langen und durchaus typischen Kontroverse zwischen Landesfürstentum und Kaisertum ergeben hatte, welche die ganze deutsche Geschichte des Mittelalters geprägt hatte.

Die jetzt erreichte neue Stufe dieses Grundkonflikts wird durch den Begriff der Reichsreform geprägt. Dieser Begriff ist nicht identisch mit jenem Begriff der »Reform«, wie er vor allem in der zweiten Hälfte des 15. Jahrhunderts immer wieder gefordert worden war. Schon im Umkreis des Basler Konzils waren Reformvorstellungen aufgetaucht, die neben der Kritik am mangelnden Frieden auch soziale Forderungen erhoben, etwa wenn sie die Unterdrückung des gemeinen Mannes durch den Adel kritisierten. So ist dies etwa in der *Reformatio Sigismundi* zu lesen, der Schrift eines unbekannten Autors aus dem Umfeld des Basler Konzils (1439). Diese Schrift war seit ihrer Entstehung in 17 Handschriften, vier Drukken aus der Zeit von 1476 bis 1497 und vier weiteren Drucken der Jahre 1520 bis 1522 publiziert worden. Friedrich v. Bezold hat sie als »Trompete des Bauernkrieges« charakterisiert. Andere Reformentwürfe brauchen nur kurz erwähnt zu werden. 1433 entwickelte Nikolaus von Cues den Plan einer umfassenden Kirchen- und Reichsreform. Jährliche Reichstage, Reichsregiment, Landfriedensordnung und ein neues Reichsgericht sollten die Kernpunkte dieser Reform sein. Ein Plan also, der seine Adressaten in den Reihen der Fürsten suchte, und nicht – wie offensichtlich die *Reformatio Sigismundi* – bei den kleinen Leuten.

Noch schärfer als die *Reformatio Sigismundi* äußerte sich der sog. *Oberrheinische Revolutionär* über die Mißstände der Zeit und vertraute bei der Abhilfe ganz auf einen mächtigen Kaiser, der den kleinen Mann gegen die Unterdrückung der Großen schützen sollte. In Schriften dieser Art zeigt sich ein tiefes Vertrauen der Menschen in die Person des Kaisers, eine überpersonale Auffassung vom Amt des Kaisers als eines Erlösers von allen Übeln dieser Welt. Diese Auffassung läßt sich auch noch lange im 16. Jahrhundert beobachten. Selbst wenn diese Schrift nicht gedruckt wurde, belegt sie doch eine breite Grundströmung »reformatorischen« Denkens im Sinne einer Rückkehr zu den Ursprüngen des Christentums, der alten Kaiserherrlichkeit. Reformdenken ist also zunächst einmal Rückgriff auf alte Zustände, eine Charakterisierung, die oft zu Mißverständnissen geführt hat.

Gegenüber einem solchen Denken, das einen Einblick in die Volksstimmung gibt und die Krisenhaftigkeit der Zeit wohl zutreffend widerspiegelt, handelt es sich bei der eigentlichen Reichsreform um eine Veränderung im Institutionengefüge des Reiches. Die Kurfürsten als die tragende Gruppe der Reichsfürsten, deren Stellung in der Goldenen Bulle von 1356 erheblich aufgewertet worden war, hatten wie die Fürsten eigentlich kein tieferes Interesse an einer Stärkung des Reiches, weil dies konkret immer Eingriffe in ihre territoriale Hoheit und Steuern für das Reich bedeutete. Reichstreue in diesem Sinne erschien ihnen als eine »servitut«.

Dem Kaiser schwebte eine Reichsreform vor, die das Reich regierbarer, außenpolitisch schlagkräftiger und innenpolitisch friedvoller machte. Nur zu gut wußte der Kaiser, in welchem Ausmaß Fürsten- und Adelsfehden Bauern und Kaufleute belasteten, wie die fehlende Gerichtsbarkeit wirtschaftliche Planung erschwerte. Dem Kaiser ging es um ein geordnetes, befriedetes Reich, weil er wußte, daß nur unter solchen Bedingungen Steuern im Reich zu erheben waren.

Maximilian wurde in diesem Reformdenken durchaus von den Humanisten seiner Zeit unterstützt. Der Humanismus hatte zu einer neuen Rückbesinnung auf die deutsche Vergangenheit geführt. Charakteristisch mag dafür sein, daß 1497 die erste deutsche Ausgabe der *Germania* des Tacitus erschien, eine beinahe autoritative Quelle für die Historiker des 16. und 17. Jahrhunderts, immer wieder der Ausgangspunkt für die historische Rekonstruktion deutscher Vergangenheit und prägend auch für die Selbststilisierung der Deutschen in dieser Zeit. Viele Humanisten stärkten damals dem Kaiser gegen die »treulosen« Fürsten den Rücken, denen man ihre partikularen Interessen vorwarf. In dieser Reform- und Aufbruchsstimmung ist Maximilian 1486 zum König gewählt worden, um dann 1493 seinem Vater auf den Thron zu folgen.

Auf dem Wormser Reichstag von 1495 wurde das große Reformwerk begonnen, das in zähen Verhandlungen schließlich durchgesetzt wurde. Zunächst einmal wurde ein ewiger Landfriede errichtet und damit das adelige Fehderecht geächtet. Trotz zahlreicher Ausflüchte und Umgehungen dieser Bestimmung ist der Verzicht auf das Faustrecht ein Fortschritt besonderer Qualität, und er markiert den Beginn der Neuzeit unter rechtspolitischen Aspekten. Die Tatsache, daß man das neue Kammergericht vom Hof des Kaisers löste und an einem festen Platz im Reich ansiedelte, dem Gericht die Möglichkeit der Ächtung einräumte und die Richter aus dem gelehrten Richtertum heraus auswählte, zeigt, daß mit diesem Reichskammergericht ein entscheidender Schritt in Richtung auf eine moderne Rechtsprechung getan wurde.

Die problematischste Lösung war die Einrichtung einer neuen allgemeinen Reichssteuer, des Gemeinen Pfennigs. Mit dieser allgemeinen Vermögenssteuer wollte man die relativ unwirksamen Steuerformen des Reiches ablösen. Dies war eine gute Absicht, denn die bislang erhobenen Steuern, die auf der Reichsmatrikel (einem Verzeichnis aller Stände) beruhten, führten das Reich nicht an das Vermögen des einzelnen Reichsuntertanen heran. Lediglich der jeweilige Reichsstand war Schuldner der Steuer. Wie in den einzelnen Territorien die Steuern eingetrieben wurden bzw. ob überhaupt, war bei dieser älteren Matrikularsteuer völlig ins Belieben der einzelnen Fürsten gestellt.

Wenn nun der Gemeine Pfennig als allgemeine Reichssteuer gefordert wurde, konnte das Reich sich nicht auf die Administration der einzelnen Territorien stützen, sondern mußte notgedrungen die Pfarrer beauftragen, die diesen Gemeinen Pfennig kassieren und über besondere Einnehmer an das Reich weiterleiten sollten. Einzelne Stände lehnten diese Steuer prinzipiell ab, die Bayern mit dem klugen Hinweis auf die Haltung ihrer Landstände, andere glaubten sich der Steuer mit dem Hinweis entziehen zu können, sie hätten gar nicht mitgestimmt. Das waren alles Hinweise darauf, wie ungefestigt dieser Reichsverband noch als politischer Verband gesehen werden muß. Nach vier Jahren gab man das Experiment mit dem Gemeinen Pfennig auf, und seine Hauptbedeutung bestand darin, daß er im weiteren 16. Jahrhundert immer wieder als potentielle Notmaßnahme für den Fall erwogen wurde, die Türkengefahr könne so groß werden, daß man mit allen Mitteln helfen müsse. Sonst aber behielt man nach 1521 – bis auf wenige Ausnahmen – weiterhin den Römermonat bei, die Matrikelsteuer. Dies war eine auf der Reichsmatrikel aufbauende Steuerform, die ihren Namen von dem ursprünglichen Zweck der Steuer ableitete, dem König den Zug nach Rom zu finanzieren. Die andere Wirkung dieses Gemeinen Pfennigs liegt darin, daß damals für seine Erhebung Steuerverzeichnisse angelegt wurden und uns auf diese Weise die ersten statistischen Quellen für das Ende des 15. Jahrhunderts bereitgestellt worden sind.

Den nächsten Schritt der Reichsreform, das Reichsregiment, mutete man 1495 Maximilian noch nicht zu, der sich natürlich heftig gegen die damit intendierte Beschneidung seiner Kompetenzen zur Wehr setzte. Eine Kompromißformel, die sog. »Handhabung Frieden und Rechts«, beschränkte sich darauf, den Kaiser zur Einhaltung seiner Verpflichtungen zu ermahnen und jährliche Reichstage auszuschreiben, um den Ständeeinfluß zu verstärken. Erst auf dem Reichstag des Jahres 1500 zwang man dem Kaiser ein wirkliches Regiment auf, ein Gremium von zwanzig Personen, ohne deren Zustimmung der Kaiser handlungsunfähig war. Freilich, auch ein ständisches Regiment kostete Geld, und das zu geben waren die Stände genausowenig bereit wie zur Finanzierung des Reichskammergerichts. Schon 1502 löste sich das Gremium mangels Besoldung und aus Desinteresse der Reichsfürsten auf. Erst das zweite Reichsregiment zwischen 1521 und 1530 war von längerer Dauer, freilich auch bei stärkerer Stellung des Kaisers im Regiment und bei Beschränkung seiner Funktion auf die Abwesenheit des Kaisers. Als 1530 Karl V. ins Reich zurückkehrte, hörte es zu existieren auf.

Eine andere Maßnahme des Reichstags von 1500 erwies sich jedoch als wirksamer. Die Einteilung des Reiches in sechs Kreise, um die Richter des Reichskammergerichts zu präsentieren, wurde 1507 und schließlich 1512 erweitert, so daß mit diesem Jahre die sog. Kreisverfassung in Kraft trat – eine wirkungsvolle Substruktur des Reiches für regionale Ordnungsaufgaben auf dem Gebiet der Exekution des Rechts, der Organisation von Militärhilfe, der Münzüberwachung und der Landfriedenswahrung.

Schließlich ist noch eine Institution zu beachten, die bislang schon mehrfach erwähnt wurde und gewissermaßen vorausgesetzt wurde: Das ist der Reichstag, die Versammlung aller reichsunmittelbaren Stände des Reiches durch den Kaiser zur Beratung wichtiger politischer Fragen der allgemeinen Reichspolitik. Man hat in der älteren verfassungsgeschichtlichen Forschung den Reichstag sehr weit in das späte Mittelalter zurückverlegen wollen und dabei übersehen, daß es sich dabei um höchst verschiedenartig zusammengesetzte Versammlungen handelte. Noch Kaiser Friedrich III., der Vater Maximilians, pflegte nur jene Stände zu »Hoftagen« einzuladen, die ihm genehm waren und mit deren Zustimmung zu seiner Politik er rechnen konnte. Wer nicht kam, unterlag keiner Verpflichtung durch die Stände, die sich getroffen und eventuell Beschlüsse gefaßt hatten.

Die Ausbildung des Reichstags als eines Verfassungsorgans ist vielmehr ein relativ später Vorgang, der ungefähr mit der Königswahl Maximilians begann. In dieser Zeit gewann der Reichstag seine endgültige Form, d. h. die drei Kurien. Jeder Reichsstand wurde zur Teilnahme eingeladen, der seit 1497 verfaßte Abschied wurde in steigendem Maße verbindlich für alle anderen Reichsstände, auch wenn sie nicht persönlich am Reichstag teilgenommen hatten. Die Tatsache, daß die Zeitgenossen erst sehr spät den heute vertrauten Namen »Reichstag« verwendeten, zeigt, daß die Festigung der Institution ein relativ später Vorgang ist. Erst im Jahre 1471 findet sich der erste Nachweis der Bezeichnung Reichstag.

Die Zumutung, die ein formalisierter Reichstag für die Fürsten bedeutete, kann mit einem Zitat des Reichsvizekanzlers Dr. Georg Sigmund Held von 1564 vorzüglich belegt werden. Er schrieb in diesem Jahr an den bayerischen Herzog Albrecht V., er wünsche, daß die Reichstage, die früher unbekannt gewesen seien, im Abgrund der Hölle begraben würden und es mit Gottes Hilfe wieder zur Abhaltung der alten kaiserlichen Hoftage komme, »so wolten wir widerumb grosse Sachen ausserhalb Teutschlands verrichten und sonst under ainander selbs nit so unainig sein«. Held beschrieb hier nur einen neuen Zustand von Konflikthaftigkeit der Reichsverfassung nach dem Augsburger Religionsfrieden, der einen wohl von den alten Zeiten träumen lassen konnte, als die Widersprüchlichkeit der Interessen noch nicht durch ein formalisiertes Reichstagsverfahren deutlich gemacht worden war.

Reich und Territorien befanden sich mithin zu Beginn des 16. Jahrhunderts in einer schwierigen Phase der Neuorientierung. Angesichts neuer Konkurrenzverhältnisse im europäischen Staatensystem wie im Reich selber bedurfte es erhöhter Kontrollmechanismen, Beratungs- und Mitwirkungsmöglichkeiten. Der politische Prozeß erwies sich als immer tiefgreifender, das politische Leben verdichtete sich stärker und zwang zu neuen institutionellen Formen im Reich und in den Territorien. So bildete sich jene für die moderne Geschichte Deutschlands bedeutsame Doppelnatur des Staates heraus, die seitdem die deutsche Geschichte prägen sollte.

4. Außenpolitische Konstellationen:
Das Reich – Frankreich – Das Osmanische Reich

In dem Zitat des Vizekanzlers Held tauchte der Begriff der »grossen sachen ausserhalb Teutschlands« auf, der uns auf das Feld der Außenpolitik verweist. An dieser Stelle soll nur knapp die Grundkonstellation der äußeren Politik skizziert werden. Für die deutsche Geschichte des 16. Jahrhunderts, vor allem im Hinblick auf die Durchsetzung der Reformation, sind zwei Konflikte von überragender Bedeutung. Es ist dies einmal der Kampf um Oberitalien zwischen Frankreich und Habsburg sowie der Kampf um Burgund zwischen den beiden Mächten. Dieses Zwischenreich mußte jedem von beiden als wünschenswerte Bereicherung erscheinen, und, wie bereits angedeutet, mußte die 1478 eingegangene Ehe Maximilians mit der Tochter Karls des Kühnen notwendigerweise den Konflikt mit Frankreich bedeuten. Oberitalien, das Wirtschaftszentrum der damaligen Welt, schien in gleicher Weise attraktives Ziel außenpolitischer Bemühungen. Oberitalien sicherte nicht nur die deutschen Reichslehen, den Übergang über die Alpen und damit den wichtigen Handelsverkehr aus dem Mittelmeerraum nach Oberdeutschland, sondern Oberitalien reizte auch durch seinen Reichtum. Insofern beginnt mit dem Kampf um Oberitalien die moderne machtstaatliche europäische Politik, und damit übertragen sich auch die im Kampf der italienischen Stadtstaaten untereinander gewonnenen Kategorien des Machtgleichgewichts auf die gesamte europäische Politik. Der Begriff der »bilancia« greift um sich und gewinnt als Prinzip des Machtausgleichs an Bedeutung.

Letztlich bedeutsamer für das Haus Habsburg wurde die Ostpolitik Maximilians, d. h. die Erwerbung Böhmens und Ungarns, und der notwendige Schutz dieser Länder und der habsburgischen Erblande vor den türkischen Angriffen. Seit der Eroberung Konstantinopels 1453 hatte das Osmanische Reich den Balkan aufgerollt, und seit den siebziger Jahren erfolgten erste Einfälle in die habsburgischen Länder.

In der Organisierung der politischen Macht in diesem südöstlichen Bereich des Reiches darf man unter habsburgischen Perspektiven die eigentliche Bedeutung der Regierung Kaiser Maximilians sehen. Auf dem Wiener Kongreß von 1515 erreichte er eine habsburgisch-ungarische Doppelhochzeit, als sein Enkel Ferdinand die ungarische Königstochter Anna heiratete und der ungarische Königssohn Ludwig die habsburgische Prinzessin Maria zur Frau nahm. Niemand ahnte bei der Trauung der Paare im Wiener Stephansdom, daß schon elf Jahre später in der Schlacht von Mohacz gegen die Türken der ungarische König Ludwig fallen sollte und damit der erhoffte Erbfall eintreten sollte, der Ungarn, Kroatien und Slawonien in eine Personalunion mit den habsburgischen Erblanden brachte.

Der damit möglich gewordene Anfall Ungarns an das Haus Habsburg war auf der einen Seite eine wichtige Voraussetzung für die Ausdehnung Österreich-Ungarns auf dem Balkan, auf der anderen Seite aber auch eine vom Reich mit Mißtrauen beobachtete neue Verpflichtung des Kaiserhauses gegenüber einem »fremden« Königreich, wie man damals formulierte.

Mit der Türkengefahr ist der andere dauerhaft wirksame Faktor angesprochen, der im Verlauf des 16. Jahrhunderts die deutsche Politik prägte. Damit ist nicht nur der Einfluß gemeint, den diese Bedrohung auf die Durchsetzung des Protestantismus ausübte, also in der ersten Hälfte des 16. Jahrhunderts, sondern auch der Beitrag dieser Gefahr zum Zusammenhalt des Reiches in einer Situation, in der konfessionspolitische Faktoren schon zum Zerbrechen der Einheit des Reiches drängten.

Ein zeitgenössischer Beobachter schrieb 1542 über den Zusammenhang von Konfessions- und Türkenpolitik im Reich: »Die Religions- und turckenhandlung nicht können, mögen noch sollen voneinander getailt und abgesindert werden, dieweil alzeit aine an der andern hegt und alzeit eine die andere furdert oder verhindert.« Der amerikanische Historiker Fischer-Galati hat – diese Bemerkung bestätigend – die Türkengefahr sogar als den politischen Faktor bezeichnet, der mehr als jeder andere zur Durchsetzung der Reformation beigetragen habe. Damit ist die bedeutsame Tatsache angesprochen, daß parallel zu den anderen Problemen der ersten Hälfte des 16. Jahrhunderts auch noch die Türkengefahr als neues politisches Problem auf der europäischen Reichsbühne erscheint. Seit der Eroberung Budas bedrohten die Türken das ungarische Königreich, vor allem Kroatien und Slawonien, die wie ein Sperriegel das Reich und die habsburgischen Erblande vom osmanischen Gebiet trennten. Schon einige Jahre vor der Schlacht von Mohacz hatten sich kroatische Adelige an Erzherzog Ferdinand gewandt und um den Schutz ihrer Länder gebeten. So entsprach es der Interessenlage dieser Länder, wenn 1526 Ferdinand die Nachfolge in Ungarn und Böhmen antrat und damit jenen Länderblock formte, der bis zum Beginn des 20. Jahrhunderts das politische Geschehen auf dem oberen Balkan bestimmen sollte.

Das 16. Jahrhundert ist unter außenpolitischen Aspekten die Epoche der europäischen Geschichte, die zur Entstehung des modernen europäischen Staatensystems führt. Die modernen Nationen entwickeln und konsolidieren sich, verstärken ihren Verkehr, bauen ihre diplomatischen Beziehungen aus, konkurrieren miteinander, und sie bekämpfen sich. Der Eintritt der Türken in das System der christlichen Mächte hat hier eine katalysatorische Wirkung insofern, als jetzt auch Koalitionen zwischen dem König von Frankreich und dem Sultan gegen den Kaiser möglich werden, ein unvorstellbares Ereignis noch für das späte Mittelalter, das unter dem Eindruck des christlichen Kreuzzugsgedankens lebte. Zwar hegte auch Maximilian I. noch Kreuzzugspläne, 1502/03 entwickelte er eine entsprechende Denkschrift und erließ Mandate an die Stände des Reiches. Doch erkennt man gerade im Übergang der Herrschaft von Maximilian zu Ferdinand, daß eine Kreuzzugspolitik unmöglich geworden war, wenn der Türke an der Grenze stand und wenn Frankreich nicht unglücklich darüber war, daß protestantische Fürsten Nutzen aus der Not des Kaisers zogen, wenn der Kaiser seinerseits die Türkengefahr als Argument nutzte, um seine Politik durchzusetzen. Europa findet sein »modernes«, d. h. berechnendes Verhältnis zur Politik, verfolgt seine Interessen, legt so alle Züge ab, die aus seiner gemeinsamen Zugehörigkeit zur abendländischen Christenheit hätten abgeleitet werden können. Der Italiener Niccolo Macchiavelli wurde zum Verkünder dieser neuen Interessenpolitik, wenn er formulierte: »Daher muß sich ein Herrscher, wenn er sich behaupten will, zu der Fähigkeit erziehen, nicht allein nach moralischen Gesetzen zu handeln, sowie von diesen Gebrauch oder nicht Gebrauch zu machen, je nachdem es die Notwendigkeit erfordert« oder »deshalb ist ein Herrscher, der die Macht behaupten will, oft gezwungen, amoralisch zu handeln«. (»Volendo un principe mantenere lo stato e spesso forzato a non essere buono.«) »Die Herrschaft behauptet man nicht mit dem Rosenkranz in der Hand«, lehrte dieser scharfe Beobachter der italienischen Staatenwelt und ihrer Konflikte. Die italienische Staatenwelt erwies sich auch in der theoretischen Formulierung der neuen Politik als die wichtige Probebühne für das moderne Europa.

5. Kirche, Frömmigkeit und Heilserwartung – Der Humanismus

Schon der einleitende Blick auf den Tod Kaiser Maximilians hat gezeigt, in welch tiefer Weise das Leben der Menschen durch die Religion bestimmt war. Religion ist freilich zu Beginn des 16. Jahrhunderts weitgehend identisch mit der Bindung an die römisch-katholische Kirche, mit ihrem bis zum Heiligen Vater in Rom reichenden System von Hierarchie und ihrer in Deutschland typischen Verbindung von weltlichem Fürstenamt und Bischofsamt in Gestalt der Reichskirche. Menschliche Existenz außerhalb des durch die Kirche geprägten Rahmens war schlechthin unmöglich. Wie die Kirchenglocken den Ablauf des Tages bestimmten, regelten die vielen Feiertage das gesamte Wirtschaftsleben. Das Verhalten der Menschen unterlag kirchlich geprägten Normen, Welt- und Menschenbild waren religiös definiert. All diese Lebensbedingungen im weitesten Rahmen wurden durch eine relativ zahlreiche Geistlichkeit umgesetzt, deren Existenz gerade in den Städten unübersehbar war. Selten lag der Anteil der Geistlichkeit unter 5 %, in bischöflichen Residenzen stieg er zuweilen auf beinahe 10% der städtischen Bevölkerung (so in der Bischofsstadt Worms), der, zumeist von der städtischen Steuer befreit, den kritischen Laien immer wieder deutlich machte, wie groß der unproduktive Teil der Stadtbevölkerung war.

Der in der Rückschau geradezu verblüffende Befund über den Zustand dieser Kirche ist ein erstaunlich positiver. Man würde geradezu eine darniederliegende Kirche erwarten, um die reformatorischen Neuerungen um so eindrucksvoller erklären zu können. Doch all dies trifft nicht zu. Der Zustand der Kirche als Organisation galt im Urteil der Zeitgenossen als positiv. Viele Kirchen wurden neu erbaut, das Prozessions- und Wallfahrtswesen erlebte geradezu eine Hochblüte, Ketzerbewegungen – dies vielleicht am erstaunlichsten nach den Erfahrungen des Spätmittelalters – existierten nicht mehr. Italienische Reisende rühmten die Frömmigkeit der Deutschen, Wanderprediger hatten großen Zulauf, der Verkauf von Ablässen erreichte Rekordzahlen, die Berichte über die Reichhaltigkeit fürstlicher Reliquiensammlungen lassen uns noch heute erschauern.

Es ist natürlich, daß man innerhalb einer Analyse der Rolle der Kirche um 1500 auch die Frage stellt, was denn anders gewesen sei: Daß die Kirche durch ihre spezifische Rolle auch politische Bedeutung besaß und deshalb immer in der Gefahr stand, ihre eigentliche Aufgabe zu vernachlässigen, war seit Otto dem Großen so gewesen. Daß sie großen Grundbesitz besaß, eine Sonderrolle in der Gesellschaft spielte, all dies war durchaus vertraut und gewiß nichts Neues. Wenn man genauer hinschaut, scheint vor allem ein

Widerspruch bemerkenswert. Es ist der Widerspruch zwischen der schlechten Realität der römischen Kirche und ihrer Vertreter sowie einer neuen Frömmigkeitsbewegung, die im späten 15. Jahrhundert beginnt. Sie fällt zusammen mit dem Verschwinden der Ketzerbewegungen. »Die Inquisitoren wurden arbeitslos und verlernten ihr Handwerk«, hat Bernd Moeller diesen Zustand charakterisiert. Das kirchliche Stiftungswesen blüht auf, d. h. die Menschen wollen ihren Glauben öffentlich dokumentieren, Bruderschaften zur Pflege bestimmter Heiligtümer oder kirchlicher Patrone formieren sich. Die Erfolge der Ablaßpredigten unterstützen diesen Eindruck der kirchlichen »Hochkonjunktur« um die Jahrhundertwende.

Es ist jedoch eine Frömmigkeit, die nicht der Gefahr entging, sich in Äußerlichkeit zu erschöpfen, wenn die gutbetuchten Auftraggeber eines Altarbildes mit dem Auftrag an den Maler den Wunsch verbanden, den Heiligen das eigene Gesicht zu geben, wenn man durch Ablaßkäufe das Fegefeuer abzukürzen suchte, wenn das Wallfahrtwesen vor allem durch solche Ablässe gefördert wurde. Wenn die Ablaßqualität einer Kirche als werbewirksame Maßnahme betrachtet wurde, indem man die entsprechende Urkunde öffentlich anbrachte, dann wird damit die Frage aufgeworfen nach der Spezifik dieser Frömmigkeit, die sich bei genauer Prüfung als Angstfrömmigkeit herausstellt, d. h. als Bemühen, den Belastungen durch Sünde, Tod und die Erkenntnis der eigenen Triebhaftigkeit durch eine sich zunehmend nach außen kehrende Frömmigkeit zu entkommen. Als Albrecht Dürer einige von Martin Luthers Schriften gelesen hatte, wollte er ihn zum Dank »zu einer langen gedechtnus des kristlichen mans« porträtieren, weil er ihm »aus großen engsten geholffen« habe, wie er Anfang des Jahres 1520 dankbar an Georg Spalatin schrieb: »wo doctor Martinus ettwas news macht, das tewczsch (deutsch geschrieben) ist, wolt mirs um mein gelt zusenden.« Folgt man dieser Perspektive, ließe sich die Kirchenkritik dieser Zeit auch als Entlastungsangriff verstehen, der sich gegen die kirchliche Hierarchie richtete, die hohe Ansprüche setzte, ihnen aber selbst nicht gerecht werden konnte und wollte.

In einem auf den ersten Blick schwer erklärbaren Widerspruch zu dem blühenden Bild der Volkskirche, wie es sich aus vielen Einzelbildern ergibt, steht der Antiklerikalismus der vorreformatorischen Zeit. Den Hintergrund bildet auch hier die von populären

Flugschriften verbreitete Auffassung, daß der Kirche ein Drittel der weltlichen Güter im Reich gehöre. Doch wichtiger als solche eher abstrakten Bestimmungen werden die Beobachtungen gewesen sein, die die Christen bei der Organisation des geistlichen Lebens in den Dörfern und Städten machen konnten. Da wurde schnell die Differenz zwischen den reichen geistlichen Pfründenbesitzern und ihren schlechtbezahlten untergebenen Leutpriestern, den »Mietlingen«, sichtbar, die als eine Art geistlichen Proletariats für einen schmalen Anteil der kirchlichen Zehnten die seelsorgerliche Arbeit versehen mußten. Der Pfarrerwahlartikel der Zwölf Artikel des Bauernkrieges verlangte nicht umsonst die Wahl des Pfarrers durch die Gemeinde und die Einbehaltung der Zehnten, um diese Gelder auch tatsächlich für die Seelsorge zu verwenden. Tiefen Unmut erregte auch der Mißbrauch der geistlichen Gerichte, um mit Hilfe ihrer Urteile Geldschulden einzutreiben. Schon Reformschriften aus der Mitte des 15. Jahrhunderts wandten sich gegen die parteiische Rechtsprechung dieser Gerichte. Die Geldsucht der Kirche war auch Gegenstand eines großen Teils der berühmten »Gravamina der deutschen Nation«, die dem Reichstag von 1521 vorlagen und die präzise die Praktiken der Ausbeutung der »armen leute« beschrieben. Es waren diese realen, dem Untertan nur zu vertrauten Beschwerden über die kirchliche Praxis, die den wirksamen Nährboden abgaben für die von Humanisten entwickelte intellektuelle Kritik an der Kirche.

Eine genauere Untersuchung der Verhältnisse in der Diözese Straßburg seit der Mitte des 15. Jahrhunderts zeigt die Berechtigung der Kritik. Wir hören von der aktiven ökonomischen Rolle, die die Stifte und Klöster spielten. Der Ernteüberschuß wurde erst in Zeiten der Lebensmittelknappheit auf den Markt gebracht und warf dann hohe Erträge ab. Der hohe Gewinn wurde wiederum gewinnbringend in Form des Rentenkaufs angelegt. Eine zunehmende Verschuldung der bäuerlichen Untertanen bei den Klöstern war die Folge, die auch vor Besitzpfändungen nicht zurückschreckten. »Blutzapfen« nannte man diese Form der Schuldeneintreibung, juristisch noch unterstützt vom Offizialatgericht.

Solche Angriffe gegen die traditionelle Form des Kirchenwesens erfuhren eine weitere Verstärkung durch die Bewegung des Humanismus, die von Italien ausgehende gesamteuropäische Bildungsbewegung, benannt nach den sog. »studia humanitatis«, also Grammatik, Rhetorik, Poetik, Geschichte und Moralphilosophie, die »hominem perficiant et exornent«, ihn vervollkommnen und auszeichnen. Dies klingt auf den ersten Blick sehr einfach, erklärt aber noch nicht die enorme Wirkung dieser Bildungsbewegung auf die europäische Geistesgeschichte. Sie bietet in dieser auch noch im Hinblick auf die Naturwissenschaften erweiterbaren Fächerkombination den Ansatzpunkt eines neuen laikalen Wissenschaftsverständnisses, das sich von der Kirche emanzipieren konnte. In jedem Fall können wir sagen, daß ein von der »dignitas hominis« überzeugtes und ausgehendes Wissenschaftsverständnis eine neue Bedeutung gegenüber einer am Jenseits ausgerichteten Theologie gewann. Insofern gehört die neue Sicht des Menschen als Trieb- und Affektwesen mit zum Erscheinungsbild des Humanismus, ebenso wie man sagt, daß der Humanismus die Reformation vorbereitet habe, indem er – wie an Luther zu exemplifizieren – neue Interpretationsverfahren der Heiligen Schrift bereitstellte, die den Text der Schrift als Ausgangspunkt ernst nahmen.

Es ist aufschlußreich, daß ein eher schlichtes Werk wie Sebastian Brants *Narrenschiff* (1498) »von den Humanisten begeistert begrüßt wurde« (P. Joachimsen). Diese Würdigung ist nur erklärlich aus der Tatsache, daß das Werk ein Versuch ist, die Vielfalt menschlichen Lebens, »die Buntheit der Erscheinungen der Zeit, deren Sinnlosigkeit immer stärker auf den Menschen drückt«, zu erklären oder besser zu verarbeiten. Hier beginnt eine psychische Aufarbeitung menschlicher Leidenschaften, die als verdammungswürdiger Abfall von der menschlichen Vernunft angesehen wurden. Damit ist zugleich ein Grundthema humanistischer Analyse angesprochen: Der Mensch ist zwar unvollkommen, aber er ist durch Vernunft ausgezeichnet und – dies ist entscheidend – er kann durch Bildung an die Vernunft herangeführt werden. Der Glaube an die gesellschaftliche Bedeutung der Bildung – der die gesamte moderne Geschichte prägt – nimmt hier seinen Ausgangspunkt.

Um die Wende vom 15. zum 16. Jahrhundert vollzieht sich ein erheblicher Anstieg jener Zahlen, an denen wir Bildungsbemühungen überhaupt messen können. Wir sehen das an der Zahl der lateinischen und deutschen Schulen, wie wir sie jetzt für Nürnberg nachweisen können, so daß die Zunahme der deutschen Schulen nicht erst ein Phänomen der Reformation ist. Gut belegbar ist auch die Zunahme der Studentenzahlen. Während zwischen 1471 und 1475 an den deutschen Universitäten 6712 Studenten das Studium aufnahmen, waren es im Zeitraum zwischen 1511 und 1515 schon

11545, fast eine Verdoppelung. Die neue Universität Wittenberg kann schon ein Jahrzehnt nach ihrer Gründung (1502) durch ihre humanistische Ausrichtung einen Anteil von fast 10% aller Studenten gewinnen.

Speziell im deutschen Humanismus verbinden sich humanistisch-gelehrte textkritische Quellenarbeit an den griechischen und römischen Klassikern mit der schon erwähnten Kritik an der Kirche. Die sog. Dunkelmännerbriefe sind ein schönes Beispiel dafür, als 1515 ein anonymer Humanist aus Erfurt ein Buch erscheinen ließ, das eine Satire auf die Theologen der Kirche war, die in ihrer engen Schulweisheit, ihrer Dummheit und ihrem unmoralischen Leben verurteilt wurden. Hier kündigte sich der Aufstieg einer neuen intellektuellen Elite an, die zudem – unterstützt vor allem von Kaiser Maximilian – ein neues Deutschlandbild entwarf. Männer wie Konrad Celtis, Jakob Wimpheling, Heinrich Bebel, Sebastian Brant kämpften mit ihren Schriften, historischen und geographischen Beschreibungen ihrer deutschen Heimat um einen neuen humanistischen Patriotismus, der sich u. a. auf die Errungenschaften des neuen Buchdrucks stützte, den man schlechthin die »deutsche Kunst« nannte. Vor allem Kaiser Maximilian hat aus diesem kulturellen Patriotismus politischen Nutzen zu ziehen versucht.

Die Kanzlei des Kaisers hatte zusammen mit der sächsischen Kanzlei schließlich auch eine besondere Bedeutung für die Herausbildung einer neuen deutschen Hochsprache. Bis weit in das 16. Jahrhundert existierten zwei deutsche »Sprachen«, eine niederdeutsche und eine oberdeutsche. Die neue »gemeine deutsche Sprache« war es, deren Benutzung sich Martin Luther rühmte, um von jedermann verstanden zu werden. In einem komplizierten Verschmelzungsprozeß näherten sich die Ergebnisse der beiden erwähnten Kanzleien aneinander an und ermöglichten so eine einheitliche deutsche Sprache, wie sie dann vor allem von Luthers Schriften propagiert wurden. Gegen Ende des 16. Jahrhunderts steht der Sieg dieser neuen gemeinen deutschen Sprache fest. Hier liegt die vereinheitlichende Wirkung der Luther-Schriften, noch einmal massiv verstärkt durch den jetzt in ungeheurem Ausmaß einsetzenden Buchdruck.

Um so deutlicher geriet die schwierige innere und äußere Lage des Reiches ins Blickfeld, man empfand seine Schwäche um so schärfer, je mehr man sich als Liebhaber des Vaterlands gab. 1504 schrieb Sebastian Brant an den Augsburger Patrizier Conrad Peutinger: »Überall Spaltung, kein Gesetz, keine Freundschaft ist mehr in der Welt.« Er sah das Reich untergehen, so wie alle Reiche vergangen seien, nur Staub und Asche bleiben einmal übrig. Es kann nicht verwundern, daß diese Variante des humanistischen Patriotismus zu den am intensivsten erforschten Gebieten zählt, ließ sich doch hier eine historische Fundierung deutschen Nationalbewußtseins wiederfinden, die die Sonderrolle der deutschen Nation zu unterstreichen schien.

Man hat in der Forschung von »jenem selbstbewußten Elan« gesprochen, »den der deutsche Humanismus in die damalige Situation eingebracht« habe, der Aufbruchstimmung eines Ulrich von Hutten, der ein neues Zeitalter anbrechen sah und zum Kampf gegen Rom aufrief, der sich an sein »vaterland Teutsch(er) nation in ihrer sprach« wandte. Selbst wenn ein Historiker wie Erich Meuthen es ablehnt, davon zu sprechen, daß die Reformation Produkt einer großen Zeitkrise gewesen sei, spricht er doch von einer »spannungsgeladenen Situation«, um dem offensichtlichen Eindruck einer neu herandrängenden Epoche gerecht zu werden.

Damit können wir unsere Ausgangsskizze der deutschen Verhältnisse abschließen: Den Humanisten gelang es, die vielfältigen Beschwerden der Zeit in eine Bewegung gegen Rom umzumünzen und damit der breiten Stimmung der Zeit eine eindeutige Richtung zu geben. Hierin liegt die Bedeutung des Humanismus für die Vorbereitung der reformatorischen Bewegung. Hier erst fand der durchaus elitäre Humanismus zu breiter öffentlicher Wirkung, und es ergab sich jene neue Konstellation von intellektueller Zeitanalyse und sozialer Massenbewegung, die ein Kennzeichen der Moderne werden sollte.

II. Veränderungen

1. Die zwanziger Jahre: Das Jahrzehnt der Entscheidungen

Was immer die eben angesprochene Differenzierung zwischen »großer Zeitkrise« und »spannungsgeladener Situation« auch bedeuten mag, es ist unübersehbar, daß die Fülle neuer, vielleicht krisenhafter Befunde ein zentrales Problem des beginnenden 16. Jahrhunderts war. Bernd Moeller hat die Frage, ob eine »gesamtgesellschaftliche Krise« im Entstehen war, verneint, weil kein innerer Zusammenhang der einzelnen »Krisenelemente« zu erkennen war. Deshalb könne die Reformation Martin Luthers auch nicht als das Ergebnis dieser Krise verstanden werden.

Rainer Wohlfeil hat die widersprüchlichen Bewertungen folgendermaßen zusammengeführt: »Über das Ausmaß und die Geschichtsmächtigkeit der deutschen Krisenherde und Krisen um 1500 bestehen geschichtswissenschaftliche Kontroversen. Kontrovers ist weiter, ob sich die meist lokalen oder an soziale Gruppen gebundenen, seltener regionalen und vereinzelt übergreifenden Vorgänge für die Zeit vor 1517 nur als Erscheinungen in Teilbereichen der Gesellschaft, als ›allgemeine Systemkrise‹ (Lutz), als ›Systemspannung‹ (K.V. Selge) oder als gesamtgesellschaftliche Krise mit innerem Zusammenhang (marxistisch-leninistische Geschichtswissenschaft) erklären lassen.«

Wie wir nun auch immer die Zustände vor 1517 bezeichnen, so bleibt doch entscheidend für das Verständnis der folgenden Entwicklung, daß die reformatorische Bewegung kaum ihren durchschlagenden Erfolg hätte erzielen können, wenn nicht durch Romkritik, Antiklerikalismus, Angstfrömmigkeit, die Existenz einer »religiösen Leistungsgesellschaft« ein fruchtbarer Boden für eine radikale Kirchenkritik vorbereitet worden wäre. Dies ist so einleuchtend, daß darüber kaum sinnvoll zu streiten ist.

Viel interessanter erscheint demgegenüber die Frage, wie wir die neuen Vorgänge der zwanziger Jahre in einen erklärungskräftigen Zusammenhang einordnen können, wie wir das z.T. parallele Zusammentreffen von Ritterfehde, städtischen Aufstandsbewegungen, Reformation, Bauernkrieg und Monopoldiskussion bewerten wollen. Dabei soll es nicht um die Frage gehen, ob die Reformation eine krisenbedingte Bewegung im oben definierten Sinne war. Wichtiger erscheint die Frage nach den Zusammenhängen zwischen den einzelnen Ereignissen und vor allem nach ihrer Wirkung für das folgende Jahrhundert.

Ein Grund für Überlegungen dieser Art sind ältere und neuere Interpretationen von Reformation und Bauernkrieg als »frühbürgerliche Revolution« oder als »politisch-sozial-religiöse Revolution« (so die katholische Interpretation des späten 19. Jahrhunderts). Ausgangspunkt der marxistischen Interpretation der frühbürgerlichen Revolution sind Bemerkungen von Friedrich Engels über die drei sog. »Entscheidungsschlachten« des europäischen Bürgertums, die deutsche Reformation, die Englische Revolution des 17. Jahrhunderts und die große Französische Revolution. »Die erste (Entscheidungsschlacht)«, sagt Engels, »war das, was wir die Reformation in Deutschland nennen. Dem Ruf Luthers zur Rebellion gegen die Kirche antworteten zwei politische Aufstände; zuerst der des niederen Adels unter Franz von Sickingen 1523, dann der große Bauernkrieg von 1525.«

Diese Bewertung Engels' und die darauf aufbauende These der marxistischen Geschichtswissenschaft gehen von bestimmten Grundannahmen aus, die hier kurz zu reflektieren sind. Sie betreffen zunächst die Abhängigkeit der historischen Entwicklung von ökonomischen Prozessen: Jede Gesellschaftsformation ist durch eine spezielle Produktionsweise bestimmt, das Feudalzeitalter durch eine naturalwirtschaftliche, der Kapitalismus durch die kapitalistische. Eine Revolution ist dann notwendig, wenn die Weiterentwicklung der Produktionsweise durch die existierenden politisch-sozialen Machtkonstellationen behindert wird. Daraus ergibt sich, daß eine Revolution, die das Feudalsystem ablösen will, per definitionem eine bürgerliche Revolution sein muß. Die mit diesem Konzept angenommene Abhängigkeit der ideologischen Konstrukte wie Theologie und Philosophie werden auf eine komplizierte Weise von der Produktionsweise bestimmt. Wendet man dies auf unser Problem Reformation an, so ergäbe sich als Konsequenz die These, daß sich die Reformation – in einer bestimmten Abhängigkeit von der ökonomischen Entwicklung – als notwendig erwiesen hätte. Dies ist eine interessante und attraktive These deshalb, weil sie die Reformation eindeutig erklären kann und außerdem einen klaren Rahmen für die Fülle der Ereignisse liefert – vorausgesetzt man läßt sich auf die genannten Voraussetzungen ein.

Ergänzend sei noch auf das andere erwähnte Interpretament hingewiesen, das der katholische Reformationshistoriker Johannes Janssen vor ca. 100 Jahren entwickelt hat. Er nannte den zweiten Band seiner *Geschichte des deutschen Volkes seit dem Ausgang des Mittelalters* »Zustände des deutschen Volkes seit dem Beginn der politisch-kirchlichen Revolution bis zum Ausgang der sozialen Revolution von 1525«. Anders als bei der marxistischen Interpretation steht hier als auslösender Faktor aller Unruhe im Reich die reformatorische Lehre Luthers im Vordergrund. Sie wird zum Auslöser sowohl der kirchlichen, der politischen, aber auch der sozialen Revolution, eine durchaus zwingende Konstruktion, wenn man wiederum die Voraussetzungen akzeptiert.

Was im Hinblick auf die zwanziger Jahre des 16. Jahrhunderts den Historiker besonders reizt, ist die erstaunliche Kumulation von sozialen und politischen Bewegungen und von Entscheidungssituationen, die in ihrem Ergebnis eine wesentliche Veränderung der deutschen Geschichte bewirkt haben. Das schon 1526 erkennbare Prinzip der Reformation, den Weg über die Territorien zu gehen, der Ausgang des Bauernkrieges, die Niederschlagung der Ritterfehde kurz zuvor, all dies waren Entscheidungen, die alternative Entwicklungsmöglichkeiten abschnitten, wie immer diese ausgesehen haben mögen. Hinzu kommt, daß diese Bewegungen sich zugleich vor dem Hintergrund tiefgreifender wirtschaftlicher Veränderungen vollzogen, die wir bereits abstrakt als Frühkapitalismus charakterisiert haben, die aber gerade in dieser Zeit konkret als Antimonopolbewegung ganz Deutschland erfüllten. Den Frühkapitalismus dürfen wir also nicht nur als abstrakte Wirtschaftsordnung bestimmen, sondern wir müssen sehen, daß dieser Prozeß an einem historisch genau zu bestimmenden Zeitpunkt direkte gesellschaftliche Wirkungen ausübte, Menschen verunsicherte, in ihrer Existenz bedrängte und so der Eindruck einer aus den Fugen geratenden Welt entstand.

Wir müssen aber noch einen anderen Prozeß erwähnen, der ebenfalls zur Beunruhigung beitrug, der normalerweise in diesem Zusammenhang wenig beachtet wird. Es ist dies die Rezeption des römischen Rechts. Das heißt, vor allem seit der Errichtung des Reichskammergerichts drängte das gelehrte Recht die traditionellen Formen der Rechtsprechung zurück. Dies war natürlich ein langsamer, kaum merklicher Vorgang, der unspektakulär vor sich ging und daher nicht in dieses Bild der spektakulären Ereignisse zu passen scheint. Der Rechtshistoriker Franz Wieacker versteht unter der Rezeption die »Verwissenschaftlichung des deutschen Rechtswesens und seiner fachlichen Fragen«: »Wir verstehen darunter die intellektuelle Rationalisierung des gesamten öffentlichen Lebens« zuungunsten von »Gewalt, Emotionen und unreflektierter Lebenstradition«.

Wieacker hat dies eine »grundstürzende Umwälzung« genannt, eine »Verwandlung des alten Rechtslebens durch einen fast revolutionären Wandel der Träger der fachlichen Rechtspflege«. Er schreibt weiter: »Die Bedingungen und der Verlauf dieser Revolution sind im Zusammenhang der großen Krise zu sehen, die an der Wende zur Neuzeit alle Bereiche des deutschen Lebens erschütterte und von Grund auf verwandelte. Allen voran die Kirchenreform und die Kirchenspaltung; ihr vorausgehend und beständig mit ihr verflochten die anderen Grundfragen, deren Austrag bis hin zur Mitte des 16. Jahrhunderts fast durchweg in ausweglosen Kompromissen oder gänzlichem Mißerfolg endete: der Kampf um die Erneuerung der Verfassung des alternden Reiches, der mit der politischen Erhebung der Reichsritter und der Bauern scheiterte.«

Diesem unbestreitbaren Ineinandergreifen der Bewegungen muß die historische Forschung und Deutung Rechnung tragen. Freilich nicht, indem man nach einem alles erklärenden Faktor sucht und dann alle anderen Erscheinungen davon ableitet, sondern indem man die Gleichzeitigkeit der Veränderungen erkennt und sie – der historischen Wirklichkeit folgend – aufeinander bezieht. In einem solchen Sinne scheint mir der Begriff der »Krise« auf die zwanziger Jahre anwendbar zu sein, obwohl der Historiker ihm inzwischen große Skepsis entgegenbringen muß. Das Wort Krise bedeutet im ursprünglichen Sinne einen Umschlag im Verlauf einer Krankheit. Ein Kranker macht eine Krise durch, wenn sich in seinem Körper die Widerstandskräfte sammeln und der Umschwung zum Besseren einsetzt, oder wenn sich die Widerstandskräfte des Körpers als zu schwach erweisen. Die Offenheit der Situation, die Notwendigkeit der Entscheidung in einem relativ kurzen Zeitraum sind also konstituierende Elemente einer historischen Krisensituation. Wir treffen eben diese Elemente im Jahrzehnt zwischen Reformation und Bauernkrieg wieder.

Konstruieren wir mit diesen Erwägungen nicht zu stark die Geschichte dieses dramatischen Jahrzehnts, müssen wir uns nicht den Vorwurf gefallen lassen, unserer Epoche eine nachträglich gewonnene Perspektive aufzuzwingen? Findet sich jene von uns vermutete Verdichtung grundlegender Neuerungen überhaupt in den Aussagen der Zeitgenossen wieder?

Gerade der Blick auf die Reaktionen und Ängste der Zeitgenossen bestätigt unsere Annahme. Alle Zeugnisse spiegeln die Unsicherheit der Zeitläufte wider, die Befürchtung »großer Veränderungen«, die oftmals wiederholte Voraussage sozialer Kämpfe. Wer hätte diesen Ahnungen besser Ausdruck verleihen können als die Wissenschaftler jener Zeit, die für die Prognostik verantwortlich waren, die Astrologen. Da ist es nun aufschlußreich zu sehen, daß gerade zu Beginn der zwanziger Jahre ein heftiger Streit über die Zukunft der Welt ausbrach. Es ging um die Voraussage einer zweiten Sintflut für das Jahr 1524, die aus einer bestimmten Konstellation der Gestirne abgeleitet wurde. Achtzehn Autoren äußerten sich allein zwischen 1519 und 1524 zu dieser Frage, und man wird vermuten dürfen, daß diese Diskussion um die Zukunft dieser Welt ein intensiver Reflex auf die aufgebrochene Unruhe, den Kampf der Stände gegeneinander, besonders den Kampf zwischen Untertanen und Geistlichkeit oder Obrigkeit war. Die »große Conjunktion« von Jupiter und Saturn sollte den Kampf zwischen Obrigkeiten und Untertanen voraussagen. Die »große Wesserung«, die Sintflut, wurde von den meisten Schriften für das Jahr 1524 vorausgesagt, populäre Drucke sorgten für die Verbreitung dieser Weissagungen.

Selbst wenn nicht direkt von der Sintflut die Rede war, galten doch große »Veränderungen« als ausgemacht. Diese Welt schien zur Disposition zu stehen und alle Übel der Zeit fanden ihren Platz in dieser Diskussion. Einzelne Schriften wagten sogar die Voraussage eines Bauernkrieges: »Ist auch zu besorgen ein bundtschuch der gemeyn wider ... die bischoff und alle pfaffen, welchen ire zinsleut nimmer zinsen werden sonder rechenschaft von inen begeren«, schrieb 1522 der Arzt und Astrologe Johann Copp und meinte damit einen großen umfassenden Aufstand der Untertanen.

Blieben alle diese Druckerzeugnisse nicht ohne Wirkung, ließe sich kritisch fragen, vor den Schwierigkeiten des Alltags, der praktischen Bewältigung des Lebens? War dies nicht nur ein öffentlich ausgetragener Gelehrtenstreit? Machte sich nicht Martin Luther selber – wenn auch erst post festum – über die »Sternkücker« lustig, die zwar für 1524 die Sintflut vorausgesagt, die aber kein Wort vom Bauernkrieg des folgenden Jahres geschrieben hätten? Das Zeugnis eines bedeutenden Mannes kann uns zeigen, wie sich noch während des Bauernkrieges die Vision von der zweiten Sintflut mit dem aktuellen Geschehen in Deutschland verbinden und die Menschen ängstigen konnte. In der Nacht vom 7. auf den 8. Juni des Bauernkriegsjahres 1525 hatte der Nürnberger Maler Albrecht Dürer einen schrecklichen Traum, der ihn so sehr beeindruckte, daß er ihn niederschrieb und in einer Aquarellskizze festzuhalten suchte: »... in der nacht im schlaf hab ich dis gesicht gesehen, wie fill grosser wassern van himmel fielen. Und das erst traff das erdreich ungefer 4 meil von mir mit einer solchen grausamkeit mit einem über großen rauschen und zersprützen und ertrencket das gantz lant ..., das ich also erschrack, do ich erwacht, das mir all mein leichnam zitret und lang nicht recht zu mir selbs kam.« Man wird diesen Traum des Malers sicher als einen Beleg für die bedrückende Lage jener Wochen verstehen dürfen. Die Sintflutdiskussion der vergangenen Jahre hatte sich unter dem Erleben des Bauernkrieges zu einem Zeichen für die Bedrohung dieser Welt gewandelt. Im Traum Dürers finden wir die Unruhe und die Angst jener Jahre wieder. Die alte Welt schien an ihr Ende gekommen zu sein.

1.1. Die Reformation

Zweifellos ist die Reformation das Ereignis, das historiographisch unser Zeitalter geprägt hat. Der Bericht darüber muß daher am Anfang dieses Krisenkapitels stehen, auch wenn es für uns heute nicht leicht ist, einen Zugang in die Welt eines Klosters der Augustinereremiten zu Beginn des 16. Jahrhunderts zu finden, wo ein unbekannter Mönch und Professor um den Weg zu seinem Seelenheil ringt und durch seine Kritik an der römischen Kirche eine Veränderung der Welt herbeiführt.

Für uns liegen Personen und Probleme unendlich weit weg, und wir suchen nach Anknüpfungspunkten und Sinnbezügen. Die Reformation und die daraus resultierende »Spaltung der Nation« – wie Ranke sagte – ist für uns nicht mehr der Beginn der preußisch-deutschen Geschichte, die ihren Höhepunkt in der Reichsgründung von 1871 fand. Sie ist nicht mehr der Beginn moralischen und sozialen Verfalls, wie für die katholischen Kirchenhistoriker des 19. Jahrhunderts, und sie ist auch nicht mehr der Beginn des Weges in die Freiheit, der Anfang der Aufklärung, wie manche protestantischen Historiker des 18. Jahrhunderts glaubten. Aber sie ist für uns immer noch das Exempel für den Beginn eines Prozesses der Pluralisierung der konfessionellen und politischen Ordnung der Gesellschaft und der gesellschaftlichen und politischen Bewältigung von grundlegendem Dissens. Hier liegt ihre Bedeutung, und hier können wir uns in der Geschichte der Reformation wiederfinden.

Die Reformation beginnt – jedermann glaubt dies sicher zu wissen – mit dem berühmten Thesenanschlag Luthers an die Türen der Wittenberger Schloßkirche am 31. Oktober 1517. Die neuere Forschung beurteilt diese, eigentlich dem akademischen Gebrauch entsprechende Übung des Thesenanschlags sehr skeptisch. Die vorhandenen Quellen ergeben keine zwingende Grundlage dieses Vorgangs, der aus der Tradition der protestantischen Kirchen freilich kaum wegzudenken ist. Tatsache bleibt jedoch, daß Luther die 95 Thesen publiziert und verschickt hat, lediglich der Akt des Anschlags der Thesen ist zweifelhaft. Bekanntlich richteten sich diese Thesen gegen das kirchliche Ablaßwesen und trafen damit einen zentralen, auch ökonomisch wichtigen Bereich der kirchlichen Praxis.

Luther bestätigte diese Version selber, als er 1541 schrieb, daß dieser Ablaßhandel »der erste, rechte, gründliche Anfang des lutherischen Aufruhrs« gewesen sei und – fügen wir dies gleich hinzu – der zweite Anfang sei der »heiligste Vater Papst Leo mit seinem unzeitigen Bann« gewesen. »Aber während ich auf den Segen aus Rom wartete, da kamen Blitz und Donner über mich. Ich mußte das Schaf sein, das dem Wolf das Wasser getrübt hatte, Tetzel (der Ablaßprediger des Erzbischofs Albrecht von Brandenburg, der zugleich Kurfürst von Mainz war) ging frei aus, ich mußte mich fressen lassen.« So beschrieb Luther selber die Vorgänge aus der Distanz von über zwanzig Jahren.

Wie gesagt, all das ist nur zu bekannt, aber gerade darum ist es falsch oder trifft doch zumindest nicht den Kern des Problems »Beginn der Reformation«, wie es sich heute für die historische Forschung darstellt. Wir müssen weiter zurückgehen und nach Luther und seinem Werdegang als Theologe fragen. Der 1483 als Sohn eines thüringischen Gewerken (d. h. eines Bergwerksunternehmers) in Eisleben geborene Martin Luder trat 1505 nach einem Gelübde, das er während eines Gewitters abgelegt hatte, als Student in das Erfurter Kloster der Augustinereremiten – eines Bettelordens – ein. 1512 wird der Mönch zum Doktor der Theologie promoviert und übernimmt eine Professur für Bibelauslegung an der erst 1502 neugegründeten Universität in Wittenberg, eine durchaus normale, wenn auch rasche Karriere in diesen Tagen. Über seine Tätigkeit als Professor für Bibelauslegung, die »Lectura in biblia« sind wir vor allem durch seine erhaltenen Vorlesungstexte gut informiert. Sie erlauben es, seinen geistigen Werdegang in diesen Jahren relativ genau nachzuzeichnen. Die Forschung hat sich diesem jungen Luther mit besonderem Interesse zugewandt, galt und gilt es doch den entscheidenden Punkt, den Umschwung des Denkens zu finden, der das folgende verständlicher machen soll. So können wir den Herbst 1514 mit großer Wahrscheinlichkeit als den Zeitpunkt bezeichnen, in dem er ein neues Verständnis der Gerechtigkeit Gottes und der Rechtfertigung des sündigen Menschen vor Gott entwickelte.

Zur Erläuterung dieses Problems können wir an die früheren Ausführungen über die »Angstfrömmigkeit« des Spätmittelalters anknüpfen. Anlaß der Angst ist für Luther auch der evidente Widerspruch zwischen der menschlichen Sündhaftigkeit und der theologisch nicht überzeugenden Art der Befreiung von der Sünde in der Anschauung der Kirche. Aus sich selbst heraus, sagte die mittelalterliche von Ockham geprägte Theologie, könne der Mensch Gott lieben und so Gottes Gnade verdienen. Dies schien Luther eine nicht nachvollziehbare Möglichkeit zu sein, weil der Mensch aus sich selbst heraus nur Sünde produzieren könne. Damit fiel für Luther auch jene Möglichkeit der Frömmigkeitsausübung fort, die wir früher schon als »kirchliche Leistungsgesellschaft« charakterisiert haben, d. h. die Fülle der guten Werke wie Stiftungen, Ablässe, Almosen stellte für ihn keine Möglichkeit dar, den Menschen vor Gott zu rechtfertigen.

Es gibt kein stärkeres Zeugnis für das, was in Luther in jenem Jahre vorgegangen ist, als seinen autobiographischen Bericht über diesen Prozeß aus dem Jahre 1545, ein Jahr vor seinem Tode: »Unterdessen war ich in diesem Jahr von neuem daran gegangen, den Psalter auszulegen. Ich vertraute darauf, geübter zu sein, nachdem ich die Briefe des Paulus an die Römer, an die Galater und an die Hebräer in Vorlesungen behandelt hatte. Mit ganz außerordentlicher Leidenschaft war ich davon besessen, Paulus im Brief an die Römer kennenzulernen. Nicht die Herzenskälte, sondern ein einziges Wort im ersten Kapitel (V.17) war mir bisher dabei im Wege: ›Die Gerechtigkeit Gottes wird darin (im Evangelium) offenbart.‹ Ich haßte nämlich dieses Wort ›Gerechtigkeit Gottes‹, weil ich durch den Brauch und die Gewohnheit aller Lehrer unterwiesen war, es philosophisch von der formalen oder aktiven Gerechtigkeit (wie sie es nennen) zu verstehen, nach welcher Gott gerecht ist und die Sünder und Ungerechten straft.

Wenn ich auch als Mönch untadelig lebte, fühlte ich mich vor Gott doch als Sünder, und mein Gewissen quälte mich sehr. Und da ich nicht darauf vertrauen konnte, Gott durch meine Genugtuung zu versöhnen, liebte ich ihn nicht, ja ich hatte sogar einen Widerwillen gegen den gerechten und die Sünder strafenden Gott. Und wenn ich mich auch nicht in Lästerung gegen Gott empörte, so murrte ich doch heimlich gewaltig gegen ihn: Als ob es noch nicht genug wäre, daß die elenden und durch die Erbsünde ewig verlorenen Sünder durch das Gesetz des Dekalogs mit jeder Art von Unglück beladen sind – mußte denn Gott auch noch durch das Evangelium Jammer auf Jammer häufen und uns auch durch das Evangelium seine Gerechtigkeit und seinen Zorn androhen? So wütete ich wild und mit verwirrtem Gewissen, jedoch klopfte ich rücksichtslos an dieser Stelle bei Paulus an; ich dürstete glühend zu wissen, was Paulus wolle.

Da erbarmte sich Gott meiner. Tag und Nacht war ich in tiefe Gedanken versunken, bis ich endlich den Zusammenhang der Worte beachtete, nämlich: ›Die Gerechtigkeit Gottes wird in ihm (im Evangelium) offenbart, wie geschrieben steht: Der Gerechte lebt aus dem Glauben.‹ Da fing ich an, die Gerechtigkeit Gottes als eine solche zu verstehen, durch welche der Gerechte als durch Gottes Gabe lebt, nämlich aus dem Glauben, und daß dies der Sinn sei: Durch das Evangelium wird die Gerechtigkeit Gottes offenbart, nämlich die passive, durch welche uns der barmherzige Gott durch den Glauben rechtfertigt, wie geschrieben steht: ›Der Gerechte lebt aus dem Glauben.‹ Da fühlte ich mich wie ganz und gar neu geboren, und durch offene Tore trat ich in das Paradies selbst ein. Da zeigte mir die ganze Schrift ein völlig anderes Gesicht. Ich ging dann die Schrift durch, soweit ich sie im Gedächtnis hatte, und fand auch bei anderen Worten das gleiche. ... So ist mir diese Stelle des Paulus in der Tat die Pforte des Paradieses gewesen.«

Für Luther war diese Erkenntnis eine beglückende Lösung seines Problems, sie hieß: Der Mensch ist zwar Sünder, aber er ist zugleich gerechtfertigt und aus seiner Angst erlöst durch den Glauben an Gott: »simul iustus et peccator.«

Schon aus diesem Bericht ist deutlich geworden, daß Luther die bislang tradierten theologischen Lehren hinter die Aussagekraft der Schrift zurückstellte. Ihren wahren Sinn galt es jetzt zu enthüllen, ein völlig neues Verständnis vertiefter Textinterpretation bahnte sich an und brachte Luther in die Nähe des Humanismus und seiner neuen quellengerechten Philologie. Doch damit erschloß sich Luther nicht nur einen neuen Denkzusammenhang, der eigentlich nicht unbedingt in intellektueller Nähe zu ihm stand, sondern das Prinzip des »sola scriptura« brachte auch das in der Theologie bislang vorherrschende Verständnis vom Übergewicht der kirchlich-dogmatischen Tradition und damit die Lehrautorität des Papstes ins Wanken.

Aus dieser Neubewertung der Schrift als Quelle der Erkenntnis für jeden christlichen Leser ergaben sich eine Fülle von theologischen und praktischen Weiterungen. Was sollte eine Kirche, deren tragende Hierarchie, deren Existenzberechtigung radikal verneint wurde, wenn die Kirche nicht mehr als eine reiche, politisch mächtige Korporation zu sehen war, sondern lediglich als die Gemeinschaft der Gläubigen mit Christus verstanden wurde? Was sollten Priester, die formalisierte Sakramente vollzogen, wenn die Verkündigung des Wortes jedem Menschen – so er nur glaubte – möglich war? Was sollten Mönche, wenn deren Sonderstand der Boden entzogen wird, was sollen gute Werke, wenn sie der falsche Weg zur Erlösung waren?

Luther füllte die hier entstehende Lücke aus, indem er das Leben des vor Gott gerechtfertigten Menschen an das Gebot der Nächstenliebe der Bergpredigt band. Damit erhielt das soziale Leben des Menschen eine besondere Bedeutung, besonders aber sein Beruf. Die Arbeit des Menschen wurde als die vorzügliche Möglichkeit angesehen, sich der göttlichen Gnade als würdig zu erweisen. Damit erhielt die Arbeit einen ganz neuen Wert in der Theologie. Sie war nicht mehr Fluch im Sinne des Alten Testaments, sondern sie konnte jetzt sittliche Tätigkeit sein, Möglichkeit des Nachweises der göttlichen Gnade. Diese Neubewertung hat in der Religionssoziologie seit Max Weber immer wieder Anlaß zu Spekulationen und weitreichenden Gedankenverknüpfungen über denkbare Zusammenhänge zwischen der neuen Ethik der Arbeit und der neuzeitlichen Erwerbsgesinnung gegeben. Im Zusammenhang mit den Thesen zur Erklärung des Frühkapitalismus wurde bereits darauf hingewiesen, daß Max Weber in der lutherischen Neubewertung des Berufs und der Arbeit, vor allem aber in der Zuspitzung dieser Bewertung in der Calvinschen Prädestinationslehre, eine Möglichkeit der Erklärung eines neuen Wirtschaftsdenkens gesehen hat. Es wird deutlich, daß Luthers Theologie in vieler Hinsicht im Gegensatz zur traditionellen Theologie stand, vor allem aber, daß seine theologischen Positionen weitreichende Wirkungen auch auf die Gesellschaft seiner Zeit haben mußten.

Vor diesem Hintergrund einer neuen Rechtfertigungslehre, die aus der Schrift gewonnen worden war, ist der weitere Verlauf der Dinge zu sehen. Die Jahre zwischen 1514 und 1517 bedeuteten für die junge Universität Wittenberg den Sieg einer neuen Interpretationsmethode. Luther gewann Studenten und – was noch wichtiger ist – seine Kollegen für seine neue Methode, u. a. auch seinen akademischen Lehrer Andreas Karlstadt, der ihn wenige Jahre zuvor promoviert hatte. 1516 und 1517 veröffentlichte er die *Theologia Deutsch*, eine anonyme Schrift des 14. Jahrhunderts und eine Auslegung der sieben Bußpsalmen, mit der er – wie er schreibt – sich nicht »an feingebildete Nürnberger, sondern an rohe Sachsen« wenden wollte. Und er zeigte mit diesen deutschsprachigen Publikationen, daß er über den Kreis der Wissenschaftler hinaus wirken wollte. Wittenberg und die Theologenzirkel der Universitäten waren ihm als Wirkungskreis zu klein geworden.

Schon wenige Monate vor seinen Ablaßthesen ließ Martin Luther keinen Zweifel mehr an seiner neuen Auffassung aufkommen. In seiner *Disputatio contra scholasticam theologiam* waren alle die Grundelemente seiner neuen Theologie enthalten, die wir oben genannt haben: »sola gratia, sola fide, sola scriptura.« Freilich blieben diese Fachpublikationen ohne den Widerhall, den seine Ablaßthesen hervorriefen. Damit waren konkrete politische und finanzielle Interessen getroffen. Binnen 14 Tagen liefen – wie Luther selber sagte – seine Thesen durch Deutschland, und tatsächlich besitzen wir schon für November und Dezember Reaktionen aus ganz Deutschland. Albrecht Dürer schickte ihm als Dank für die Thesen, die er schon in deutscher Übersetzung gelesen hatte, einige seiner Kupferstiche.

Aber auch die Gegner formierten sich jetzt. Im Januar beschloß eine Versammlung deutscher Dominikaner nach einer Disputation, Luther in Rom anzuklagen, und der Ingolstädter Theologe

Dr. Johann Eck, der auf die Septemberthesen noch geschwiegen hatte, griff Luther jetzt selber an. Am 7. August wurde Luther nach Rom zitiert, die Reise blieb ihm jedoch erspart, weil der Kardinal Cajetan ihn im Oktober 1518 in Augsburg verhörte, worum Luthers Landesherr Kurfürst Friedrich der Weise Kaiser Maximilian noch vor dessen Abreise gebeten hatte. Damit wurde zum erstenmal deutlich, daß Luther unter dem Schutz eines Fürsten stand, der, obwohl in seiner Frömmigkeit kontrovers zu Luther, seinen Professor nicht den Institutionen der Kirche auslieferte. Daß dieser Fürst zugleich aber in der Nachfolgefrage Maximilians eine entscheidende Rolle spielte, ja ihm selbst sogar nachfolgen sollte, wurde entscheidend für Luthers Überleben. So dauerte es zunächst bis in die Zeit nach der Königswahl (die Karl V. zum König machte, mit der Unterstützung des Sachsen), bis Rom aktiv wurde. Im Frühsommer 1520 war die Bannandrohungsbulle gegen Luther fertiggestellt, am 10. Dezember verbrannte er sie zusammen mit den kirchlichen Rechtsbüchern in Wittenberg vor dem Stadttor. Vom »Happening am Elstertor« hat man in diesem Zusammenhang gesprochen, damit vielleicht den Ernst der Entscheidung Luthers nicht voll würdigend.

Luther reagierte damit auf Verbrennungen seiner Schriften, die vom päpstlichen Beauftragten angeordnet worden waren. Dieses Verbrennen der Bulle und der Rechtsbücher mag für Luther eine Reaktion des Augenblicks gewesen sein, in den Augen der Öffentlichkeit vollzog er damit einen symbolischen Bruch mit dem römischen Papst. Natürlich strömten nun neue Studenten und Wissenschaftler nach Wittenberg, dem Städtchen, das bislang an der Grenze der Zivilisation lag, wie Luther selbst gesagt hatte. Jetzt wurden ihm auch seine Schriften von den Druckern aus den Händen gerissen. Sein *Sermon von Ablaß und Gnade* war eine Volksausgabe der Ablaßthesen, und er wurde 1518 in 16 verschiedenen Ausgaben gedruckt, bis 1520 erschienen noch neun weitere Ausgaben. Bald thematisierte er auch andere Probleme seiner neuen Theologie, seiner Kritik an der Sakramentenlehre, seiner Kritik am Papst. Diese traf auf die begeisterte Zustimmung der deutschen Humanisten, mit deren Intentionen ihn das gemeinsame Interesse an philologischer Textkritik verband, wenn ihn auch unterschiedliche Auffassungen über das Bild vom Menschen von humanistischen Auffassungen trennten. Bis 1520 erschienen 81 einzelne Schriften oder Sammlungen von Schriften in 650 Auflagen, und wir dürfen bei der üblichen Auflagenzahl davon ausgehen, daß weit über eine halbe Million, vielleicht sogar eine Million seiner Schriften im Umlauf waren, eine unvorstellbare Zahl für diese Zeit; vor allem, wenn man bedenkt, daß das größte Interesse nicht einmal den polemisch-kirchenkritischen Arbeiten, sondern den seelsorgerischen Erbauungsschriften galt, die z.T. sehr kurz waren. Er wurde berühmt und fand sein Massenpublikum als »religiöser Volksschriftsteller«.

Wir müssen an dieser Stelle einen Blick auf die politischen Instanzen des Reiches werfen, die wir mit der Beschreibung des Todes Maximilians verlassen hatten. Die fällige Königswahl in Frankfurt Ende Juni 1519 hatte den 21jährigen Erzherzog Karl als Sieger gesehen, d. h. er war erwählter römischer König und »künftiger Kaiser«. Er hatte sich in einer beispiellosen Propaganda- und Geldschlacht gegenüber Kandidaten wie König Franz I. von Frankreich, Heinrich VIII. von England und dem Kurfürsten Friedrich von Sachsen durchgesetzt, dem schon erwähnten Landesherrn Luthers. Der der spanischen Linie des Hauses Habsburg entstammende Prinz, der in den spanischen Niederlanden aufgewachsen war, wurde der deutschen Öffentlichkeit als »vom edelsten deutschen Blut« vorgestellt. Man rühmte seine nieder- und oberdeutschen Sprachkenntnisse, kühl darüber hinwegsehend, daß Französisch seine Umgangssprache war.

Diese Wahl war zeittypisch insofern, als sie ohne den Einsatz großer Geldmittel kaum diesen Ausgang genommen hätte. Das Haus Fugger setzte mit seinem finanziellen Engagement (ca. 543 585 fl. plus 143 332 fl. der Welser = 851 918 fl. Gesamtsumme) auf eine Wahl des Habsburgers und siegte. Knapp vier Jahre später hielt Jakob Fugger in einem seiner wohl bekanntesten Briefe Karl vor: »Es ist bekannt und liegt am Tage, daß Eure Kaiserliche Majestät die Römische Krone ohne meine Mithilfe nicht hätte erlangen können.« Es paßt in dieses Bild finanzieller Verflechtungen, wenn die gleiche Firma Fugger sich schon seit vielen Jahren als finanzieller Verwalter der Ablaßgelder einen guten Namen gemacht hatte. Sie sorgte für die Einsammlung der Gelder und streckte auch zuweilen die Sammlungsergebnisse vor, wenn die Empfangsberechtigten einmal »knapp bei Kasse« waren. So war das Engagement des Hauses für den katholischen Habsburger nicht überraschend.

Der Wormser Reichstag von 1521 mußte der Ort sein, an dem zum erstenmal die neue Bewegung aus Sachsen mit dem politischen System des Reiches konfrontiert wurde. Von vielen Hoffnungen begleitet, trafen sich hier Kaiser und Fürsten in einer Zahl, wie sie später kaum wieder erreicht werden sollte. Die »Gravamina der deutschen Nation gegen den römischen Stuhl« waren inzwischen auf über hundert Einzelpunkte angeschwollen, die romkritische Bewegung selbst durch Luthers Schrift *An den christlichen Adel deutscher Nation von des christlichen Standes Besserung* machtvoll unterstützt. Sie griff frontal das Papsttum an, das drei Mauern um sich herum errichtet habe: die angemaßte Oberhoheit des Papstes über alle weltliche Gewalt, die oberste Lehrautorität und die Behauptung eines ausschließlichen päpstlichen Rechts zur Einberufung eines allgemeinen Konzils. Die weltlichen Obrigkeiten, also auch der Kaiser, wurden aufgerufen, diese drei Mauern einzureißen. In der anderen Schrift *Von der Freiheit eines Christenmenschen* wurden diese Forderungen verstärkt.

Die Angelegenheit Luthers – die »causa lutheri«, wie sie bald genannt werden sollte – gehörte eigentlich nicht zu den Verhandlungsgegenständen des Reichstages. Durch die Verbrennung der Bannbulle und das Verstreichen einer Halbjahresfrist war Luther aber unter Ketzerrecht gefallen, und man durfte erwarten, daß Kaiser und Reich hier im Rahmen der Tradition handeln, d. h. den Ketzer verurteilen und bestrafen würden.

Doch Karl V., der im Herbst 1520 aus den Niederlanden über Aachen, wo er sich krönen ließ, den Rhein hinaufreiste, um nach Worms zu gelangen, sollte bald merken, daß keineswegs die reichspolitischen Probleme – also Regiment, Reichskammergericht u. ä. – im Vordergrund stehen sollten, sondern eben diese »causa lutheri«. Es war Karl auf dem Reichstag seit Januar 1521 nicht möglich, eine Verurteilung Luthers ohne jede Diskussion durchzusetzen. Im März wurde er selbst eingeladen, auf dem Reichstag zu erscheinen, der Reichsherold brachte ihn quer durch das Reich nach Worms, ein Triumphzug für Luther und ein schlagender Beweis, wie bekannt er und sein Programm inzwischen waren.

Am 17. und 18. April erschien Luther vor dem Reichstag. Er lehnte einen Widerruf, den der Kaiser von ihm erwartete, ab und erklärte, er müsse durch »Schriftzeugnisse oder einen klaren Grund widerlegt« werden. Eine weltbewegende Szene spielte sich da in Worms ab. Ein Mönch, als Ketzer gebannt und nur durch einen Geleitbrief geschützt, erschien vor dem Kaiser und den Kirchenfürsten, dem päpstlichen Legaten Alexander und allen weltlichen Herren und berief sich auf gute Gründe. Solche Szenen pflegten bislang auf dem Scheiterhaufen zu enden, doch eben dies geschah nicht, konnte nicht geschehen. Friedrich von Sachsen, Teile der Reichsritterschaft standen hinter Luther, nicht zuletzt die »Öffentlichkeit«, was immer das im Jahre 1521 heißen mag. Unverkennbar war jedenfalls, daß man in Worms schon spürte, daß ein scharfes Einschreiten gegen die Lehren des Wittenberger Mönches mit städtischen Unruhen hätte erkauft werden müssen.

In den Reichstagsabschied fand die Luthersache keinen Eingang. Der Kaiser tat lediglich, was er tun mußte, er verkündete den Reichsachtfall im sog. Wormser Edikt vom 8. Mai 1521. Als »Defensor et Advocatus ecclesiae« handelte der Kaiser, ja mußte er handeln. Jeder sollte Luther gefangensetzen und dem Kaiser ausliefern, seine Schriften sollten verbrannt werden.

Die politische Kraft dieses Edikts war jedoch nur begrenzt. Zwar hatten die Stände dem Entwurf einer Ediktformulierung zugestimmt, doch hatten sie seine Rückverweisung zur Beratung erbeten, was nicht geschehen war. Eindeutige Rechtsgrundlage bei der Verfolgung der Anhänger Luthers war das Edikt nur im direkten Machtbereich des Kaisers und des Erzherzogs Ferdinand, also in den deutschen habsburgischen Erblanden, hier bedeutete es vor allem Verbot lutherisch-ketzerischer Bücher. In Nord- und Mitteldeutschland wurde das Edikt zwar verkündet, aber ohne große Wirkung, bis der sog. Regensburger Bund und der Schwäbische Bund in Befolgung eines scharfen kaiserlichen Mandats vom Juli 1524 eine härtere Gangart anschlugen. Die Schwäche des Edikts zeigte sich auch daran, daß das Reichsregiment überhaupt nur einen Prozeß auf der Grundlage des Edikts führte, wobei beide Angeklagten straffrei blieben. Die Bedeutung des Wormser Edikts liegt eigentlich darin, daß es eine immer präsente Drohung gegenüber den Protestanten darstellte, das ihnen die Gefährlichkeit ihrer Lage bewußt machte.

Auch die drei Reichstage zwischen 1522 und 1524 in Nürnberg zeigten, daß die exekutive Wirkung des Edikts nicht groß war, 1522 wurde die Religionsfrage gar nicht behandelt, 1522/23 wurde ein Konzil gefordert, Luther und seine Anhänger sollten sich ruhig verhalten und bis zum Konzil nichts Neues schreiben. Erst 1524 schärfte man die Befolgung des Edikts ein, freilich mit der schönen salvatorischen Klausel »sovil inen (d. h. den Ständen) muglich« sei.

Damit wurde eingeräumt, daß die Religionspolitik nicht allein im Belieben der Reichsstände stand. Vor allem die Städte – besonders Nürnberg – wiesen darauf hin, daß es im städtischen Kontext gar nicht möglich sei, gegen den Willen des gemeinen Mannes das Edikt durchzusetzen. So zeigte sich schon in dieser ersten Phase, daß der breite Anklang, den Luther beim gemeinen Mann, beim Adel, aber auch bei einzelnen Reichsständen gefunden hatte, der entscheidende Faktor für eine reichspolitische Absicherung der neuen Lehre war. Wenn Luther bis 1521 auf den Schutz Friedrichs des Weisen angewiesen war, war es nach 1521 der Druck der Öffentlichkeit, der energische Maßnahmen zur Bekämpfung der Ketzer praktisch unmöglich machte. In dieser Unterstützung der lutherischen Bewegung durch breite Volksschichten und der Notwendigkeit, dieser Bewegung politisch Rechnung zu tragen, wird auch ein neuer Faktor der Ausübung von Herrschaft sichtbar. Natürlich hatten auch vergangene Jahrhunderte Volksaufstände, gerade im städtischen Bereich gesehen, aber es waren Ausnahmen geblieben. Seit der Reformation aber wurde die Bewegung des Volkes, seine Unruhe und Wankelmütigkeit, aber auch die herrschaftsstabilisierende Funktion der Konfession zu einem neuen Gegenstand der praktischen Politik wie der politischen Reflexion.

Für Luther wurde direkt wichtig die eigentümliche Politik seines Landesherrn gegenüber dem Achtmandat. Der Kaiser wußte natürlich um Friedrichs Haltung, und deshalb erhielt er erst gar kein Exemplar des Wormser Edikts, konnte auch noch drei Jahre später sagen, der Kaiser habe ihn »gnadiglich unbeschwert« gelassen. Um sicherzugehen, durch Luther nicht in weitere Verwicklungen zu geraten, wurde dieser auf dem Weg zurück nach Sachsen an der Landesgrenze »überfallen« und in Schutzhaft auf die Wartburg gebracht. Er benutzte die Zeit des Aufenthalts auf der Wartburg, um in erstaunlich kurzer Zeit das Neue Testament ins Deutsche zu übersetzen. Erst die Wittenberger Unruhen zwangen ihn zur Beendigung seines Exils. Er kehrte nach Wittenberg zurück und es gelang ihm, in einer Serie von acht Predigten die dort eingetretene Radikalisierung der reformatorischen Bewegung rückgängig zu machen.

1.2. Der Bauernkrieg

Es fällt schwer, sich dem Bauernkrieg wie einem normalen historischen Geschehen zu nähern. Er scheint ein besonderes Ereignis zu sein, bestätigt durch viele einschlägige Äußerungen. Leopold v. Ranke sprach von »dem größten Naturereignis des deutschen Staates«, und immer wieder ist dieses Bild zur Charakterisierung des Bauernkrieges verwendet worden, um Gewalt und Ausmaß dieses Krieges zu kennzeichnen. Karl Marx bezeichnete den Bauernkrieg als »radikalste Tatsache der deutschen Geschichte«; und noch in den letzten Jahren sprachen Historiker vom Bauernkrieg als einem »fundamentalen Ereignis der deutschen Sozialgeschichte« oder bezeichneten ihn gar als »Wendepunkt der deutschen Geschichte der frühen Neuzeit« – so etwa der englische Historiker Robert Scribner oder der amerikanische Politikwissenschaftler Barrington Moore.

Eine solche hohe Bewertung wurde auch nahegelegt durch Friedrich Engels' Einschätzung der Erhebung als dem »großartigsten Revolutionsversuch des deutschen Volkes«, der damit die »revolutionäre Tradition« des deutschen Volkes bestätigen und nach dem Fehlschlag der Revolution von 1848 die proletarische Bewegung stabilisieren wollte. Anzuführen ist auch das bekannte Diktum Alexander v. Humboldts, daß »es der große Fehler der deutschen Geschichte« sei, »daß die Bewegung des Bauernkriegs nicht durchgedrungen ist«.

Diese wenigen Zitate zeigen schon, daß der Bauernkrieg nicht nur eine flüchtige Episode war, sondern ein Ereignis von besonderer Bedeutung, und wir wollen versuchen, dieser Tatsache Rechnung zu tragen. Unsere Annahme zu Beginn dieses Kapitels lautete, daß der Bauernkrieg nicht nur ein Einzelereignis dieser Jahre darstellt, sondern in enger Verbindung mit der allgemeinen Unruhe dieser Jahre gesehen wird, vor allem aber mit der Reformation und mit der großen Fehde der Reichsritter.

Wir hatten die Vorgänge der Reformation bis zu dem Punkt verfolgt, als im Sommer 1524 der Kaiser in einem Mandat versuchte, endlich dem Wormser Edikt Anerkennung zu verschaffen. Der Reichstag hatte bekanntlich seinem Beschluß die salvatorische Klausel hinzugefügt, daß die einzelnen Stände das Edikt nur soweit durchsetzen sollten, »sovil inen muglich« sei. Damit war unübersehbar deutlich gemacht worden, daß die Reaktionen der Untertanen – vor allem in den Städten – eine entscheidende Barriere darstellten. Auch wenn man die politische Diskussion der Ritterfehde überschaut, wird in allen Äußerungen erkennbar, daß man gerade die denkbare Verbindung von unzufriedenen Reichsrittern und bäuerlichen Untertanen für gefährlich hielt.

Insofern kann man sagen, daß in der Mitte der zwanziger Jahre eine breite Grundströmung der Unzufriedenheit ihrem Höhepunkt entgegenging, die schon sehr alt war. Zu verweisen ist hier einmal auf die publizistische Reformdiskussion des späten 15. Jahrhunderts, als sich die Gedanken einer Reform des Reiches mit konkreten sozialen Beschwerden der Untertanen verbanden. Wir haben schon gesehen, mit welcher Intensität die *Reformatio Sigismundi* etwa die Aufhebung der Zünfte, ein Verbot der Handelsgesellschaften und des Fürkaufs, strenge Kaufhausordnung, Preisfestsetzung, Lohnkontrolle, die Forderung nach Erleichterung der Abgaben, Aufhebung der Standesunterschiede, Ablösung des Adels und eine Neubewertung der menschlichen Arbeit forderte.

All dies zielte auf eine »grundlegende Neuordnung der Gesellschaft«. Angesichts des offenkundigen Versagens der Häupter in Kirche und Reich sollte diese neue Ordnung durch den erwarteten Friedensfürsten, der den Namen Friedrich führen würde, mit Hilfe der »kleinen«, d. h. des einfachen Volkes, verwirklicht werden – »und zwar notfalls auch mit Gewalt«. So hat Tilman Struve die Situation charakterisiert, und man muß darauf verweisen, daß die *Reformatio Sigismundi* immer wieder gedruckt wurde. Im Jahre 1509 – so der ebenfalls schon erwähnte *Oberrheinische Revolutionär* – sollte sich eine gesellschaftliche Umwälzung ereignen, der »Karsthans« sollte sich gegen seine Herren, geistliche wie weltliche, erheben.

Das waren nicht nur Voraussagen utopischer Art. Auch wenn das immer wieder auftauchende Bild eines Friedenskaisers ein Beleg zu sein scheint, daß hier utopische Strömungen überwiegen, darf doch nicht übersehen werden, daß diese Äußerungen die Existenz »schwerwiegender sozialer Spannungen« andeuteten. Der Rekurs auf den Kaiser zeigt, daß gerade die Dualität der politischen Ordnung ein wichtiger Ansatzpunkt für bäuerliche Forderungen war. Selbst wenn wir uns nur im oberdeutschen Raum umsehen, wird sofort klar, daß in der Generation vor dem Bauernkrieg eine Fülle von bäuerlichen Erhebungen den eben skizzierten Reformforderungen zusätzlichen Druck verlieh. Im Allgäu ist das ganze 15. Jahrhundert erfüllt mit den Reaktionen der bäuerlichen Untertanen des Fürstabts von Kempten, die sich gegen die für sie bedrohliche Territorialpolitik wehrten. Der bisher gültige sog. »Allgäuer Brauch« bedeutete, daß jeder Untertan der verschiedenen Herrschaften seine Untertanenqualität, seine Steuer- und Gerichtspflicht mit sich nahm, wenn er seinen Wohnsitz änderte. Zusammen mit der Regel, daß das Kind in seinem rechtlichen Status der Mutter nachfolgen solle, war dies gleichbedeutend mit der Zerstörung aller festen territorialen Herrschaftsverhältnisse, die Untertanenverbände vermischten sich ständig weiter, statt sich zu vereinheitlichen.

1491 versammelten sich die Bauern, um sich gegen eine neue Steuer des Abts beim Schwäbischen Bund zu beschweren. »Sie wollten nichts anders, als bei ihren Freiheiten, altem Herkommen und Gerechtigkeiten bleiben.« Der angerufene Schwäbische Bund löste jedoch durch Drohungen den Bauernbund auf. Die Bauern wandten sich jetzt an den Kaiser, doch ebenfalls ohne Erfolg, weil sie die Rechtswidrigkeiten des Vorgehens des Abts nicht beweisen konnten. Erst 1523 regte sich neuer Widerstand, der dann den Bauernkrieg vorbereitete. Ähnliches geschah 1502 in der Reichsabtei Ochsenhausen, 1511 im Oberelsaß in der Grafschaft Pfirt. In Württemberg reagierte 1514 die bäuerliche Bevölkerung im sog. »Armen Konrad« auf die fürstliche Mißwirtschaft des neuen Landesherrn, Herzog Ulrich. Dieser Aufstand war eine Bewegung gegen die sog. »Ehrbarkeit«, also die bäuerliche und bürgerliche Führungsschicht in Dörfern und Städten, die sich zu einer Amtsoligarchie entwickelt hatte. Die Beschwerden dieses Aufstands waren die üblichen, ergänzt um die Klage gegen den Trend zur neuen Leibeigenschaft und gegen die Fugger. Die Beschwerden wurden auf dem Tübinger Landtag 1514 verhandelt und mündeten in den Tübinger Vertrag, der aber eine Konfliktlösung zugunsten der ständischen Ehrbarkeit und zu Lasten der bäuerlichen Untertanen bei nur wenigen Erleichterungen war.

In Innerösterreich gab es ebenfalls eine Fülle von Beschwerden gegen den neuen Territorialstaat. Erst Maximilian erkannte, welches Unruhepotential sich hier sammelte, und gab den Bauern neue Beschwerderechte gegen ihre Herren, ein wichtiger Eingriff in die adelig-grundherrliche Autonomie. Doch diese Reform war kaum durchzusetzen. Unter dem Einfluß des ungarischen Bauernaufstands von 1514 und astrologischer Voraussagen für 1515 (»große Uneinigkeit«) brach 1515 tatsächlich der innerösterreichische Bauernkrieg aus, dessen Mittelpunkt in Slowenien lag, daher der Kampfruf des »stara pravda«, des alten Rechts. Auch hier wandten sich die Aufständischen an den Kaiser, doch wieder ohne Erfolg.

Auch in Franken zeigte sich die neue Unruhe. Den Pfeifer von Niklashausen von 1476 haben wir schon erwähnt, der Volksmund versuchte, diese im Kern antikirchlichen Ereignisse mit dem Kampf der Schweizer gegen den Burgunderherzog, der 1476 zwei Schlachten (Grandson und Murten) gegen Bauernheere verloren hatte, zu verbinden. Ganz Deutschland sollte zur Schweiz werden, ein Motiv, das im Titelblatt der Flugschrift »An die Versammlung gemayner Pawerschaft« von 1525 wiederaufgenommen wurde, wenn es dort hieß: »Wer meret Schwyz, der Herren Gytz.«

Die bedeutendste Erhebung im Vorfeld des Bauernkrieges war jedoch die Bundschuhbewegung. Der Bundschuh war das Synonym für die gewaltsame Erhebung der Bauern, abgeleitet von dem mit langen Riemen gebundenen Schuh des Bauern. So wie Jahrhunderte später eine spezifische Art adeliger Beinkleidung in der Französischen Revolution zur Charakterisierung der Sansculotten wurde, wurde der Bundschuh jetzt zum Kennzeichen einer antiadeligen sozialen Bewegung.

Seit 1443 galt der Bundschuh am Oberrhein als Zeichen einer sozialen Erhebung. Als 1491 oder 1492 eine Hochzeitsgesellschaft im Übermut des Festes einen Bundschuh am Wirtshaus anbrachte, eilte gleich der Stadtamtmann herbei, um den vermutlich bezechten Bürgern klarzumachen, »wie es ein so großes Ding wäre, einen Bundschuh aufzuwerfen und was es auf sich trüge«. Bei der Königswahl von 1519 plädierte der Mainzer Kurfürst für den Habsburger mit dem Argument, die wirtschaftliche Macht dieses Hauses würde weniger Belastung für den gemeinen Mann bedeuten, »dann daraus würde nichts guts folgen, allein ein buntschuch«.

Die erste bedeutende Bundschuhbewegung entstand 1483 in Schlettstadt, die sich vor allem gegen die geistlichen Gerichte wandte. Zehn Jahre später kam es im Bistum Speyer zu einer neuen Bewegung, deren Forderungen sich verschärften. Alle Landesherrschaft wolle man abschaffen, alle geistlichen Güter aufteilen, alle Abgaben seien aufzuheben. Frei wie die Schweizer wollte man

sein. Das Neue und Bemerkenswerte dieser Bewegung bestand –
wie Günther Franz gesagt hat – in der Begründung dieser Forderungen mit dem göttlichen Recht. Auf den Fahnen der Bewegung
stand: »Nichts denn die Gerechtigkeit Gottes!«, und auf das gött-
liche Recht als neue Legitimationsgrundlage hatte sich auch die
schon mehrfach erwähnte Flugschrift der *Reformatio Sigismundi*
bezogen. Der Anführer dieser Bewegung im Bistum Speyer war
ein Mann mit Namen Joß Fritz aus einem Dorf bei Bruchsal, doch
bevor er losschlagen wollte, wurde der Aufstand verraten.

Wieder zehn Jahre später bildete sich in Lehen im Breisgau erneut
ein Bundschuh. Wieder ist Joß Fritz der Anreger, denn er hatte
sich in den Breisgau flüchten können. Hier agitierte er vor allem
gegen die starke Adelsherrschaft und paßte seine Forderungen der
realen Lage der Bauern an. Doch wieder wurde der Plan verraten.
Das gleiche geschah 1517 mit einer neuen Verschwörung am
Oberrhein, wieder angezettelt von Joß Fritz und seinen Werbern
und Boten aus dem fahrenden Volk.

Trotz dieser Mißerfolge wurden die aufgedeckten Verschwörun-
gen jeweils zu Recht als große Gefahrenquellen bewertet. Der
Bundschuh war damit der reale Hintergrund aller sensiblen Reaktionen der Stände. Sogar als Luther in Worms war, schlug ein Anhänger Luthers nachts einen Anschlag an eine Rathaustür, der
deutlich machte, daß ein Bündnis des Adels mit der Bauernschaft
Luther helfen wolle. »Bundschuh, Bundschuh, Bundschuh« waren die letzten Worte dieses Aufrufs. Die Tatsache, daß der inzwischen alt gewordene Joß Fritz noch in den ersten Tagen des Bauernkriegs im Schwarzwald auftauchte, belegt die Kontinuität der
Bewegung zwischen Bundschuh und Bauernkrieg. Im September
1524, nachdem sich der Kaiser und die katholischen Stände zur
Durchsetzung des Wormser Edikts vereinigt hatten, warnte das
Reichsregiment den fernen Kaiser: »Es sei zu fürchten, daß der
gemeine Mann, der sonst zu dieser Zeit bewegig, sich zu größerer
Aufruhr und Empörung erheben werde.«

Es sollte durch diesen kurzen Rückgriff deutlich geworden sein,
daß der Bauernkrieg zwischen Juni 1524 und Juli 1526 nicht plötzlich hervorbrach, unerwartet und unerklärbar wie ein »Naturereignis«. Er war eine soziale Massenbewegung, die in der Kontinuität der oberdeutschen sozialen Bewegungen stand, er war von
Flugschriften und Astrologen vielfach geweissagt, von kleinen
Adeligen angeheizt, von den neuen Predigern zumindest geför-

dert, von Obrigkeiten befürchtet, von den Bauern selber angedroht worden. Niemand konnte überrascht sein, als im Juni 1524 die Bauern der Schwarzwaldherrschaft Stühlingen sich erhoben und schnell nacheinander andere Herrschaften folgten, sowenig wie man in Frankreich überrascht sein konnte, als 1789 die Revolte der Bauern und der Bürger ausbrach. Beiden Ereignissen ist eigen, daß sie vorausgedacht und vorausgesagt worden waren.

Es ist das entscheidende Charakteristikum der Kette von Aufständen, die wir gemeinhin »Bauernkrieg« nennen, daß sie keine geschlossene, in sich zusammenhängende Bewegung war. Sie gewann ihre Bezeichnung »Bauernkrieg« vor allem aus der Perspektive der betroffenen Obrigkeiten, die die Fülle paralleler Bewegungen als eine einheitliche Bedrohung ansahen, auch wenn man im Schwarzwald vermutlich nicht wußte, was in Thüringen geschah. Was dem Bauernkrieg seine innere Einheit bei aller regionalen Vielfalt gab, war seine Stoßrichtung gegen die Ungerechtigkeit des grundherrschaftlichen, territorialstaatlichen und geistlichen Herrschaftssystems.

Das Verbreitungsgebiet des Bauernkrieges erstreckt sich vom Hochrhein, Bodensee, Allgäu in einem fast gleichmäßigen breiten Streifen nach Nordosten bis etwa zur Linie Goslar–Halberstadt. Der Ausgangspunkt liegt zwischen Basel, Bodensee und Schwarzwald im Jahre 1524. Peter Blickle zählt den ersten Aufstand in Stühlingen noch nicht zum Bauernkrieg, weil die Forderungen dort noch dem »alten Herkommen« verpflichtet blieben. Diesem Raum zwischen Bodensee und Schwarzwald folgte das östlich davon gelegene Gebiet, hier breiteten sich die Aufstände bis Mitte März 1525 aus. Dieses Gebiet endet am Lech, an der Grenze Bayerns.

Bis Mitte April schloß sich der fränkische Raum zwischen Aschaffenburg und Bamberg an. Die nächste Zone folgte bis Ende April: das Oberrheingebiet, der Mittelrhein bis zum Rheingau, Württemberg, der hessische Raum von Frankfurt bis Fulda und schließlich der mitteldeutsche Raum mit dem thüringischen Zentrum. Den Schluß bildeten schließlich die österreichischen Erblande im Mai 1525 und das Erzbistum Salzburg, das ein selbständiger Territorialstaat war. Hier dauerte die Niederschlagung des Aufstands bis Anfang Juli 1526.

Lassen sich Gemeinsamkeiten dieses vom Bauernkrieg berührten Gebietes erkennen? Man hat auf folgende Überschneidungen hingewiesen. Zum einen ist das Gebiet gekennzeichnet durch einen hohen Grad von Verstädterung, es umfaßte die gewerblich entwickelten Gebiete des Reiches von den Barchentgebieten Oberschwabens über die fränkischen Weinanbaugebiete, die thüringischen Glas- und Kupferbergbauzentren. Es betraf außerdem die Gebiete des Reiches, die durch das Überwiegen kleinräumiger Herrschaften geprägt waren, Bayern blieb charakteristischerweise vom Bauernkrieg selber unberührt, wenn auch nicht von der Angst vor dem Bauernkrieg. Schließlich ist das Gebiet gekennzeichnet durch ein Vorherrschen der Realteilung, d. h. bei der Vererbung von Land erfolgte hier eine Aufteilung unter die vorhandenen Erben, anstatt das Gut wie im Anerbengebiet ungeteilt einem einzigen Erben zu übergeben.

Welche Konsequenzen lassen sich aus diesen Gemeinsamkeiten der betroffenen Territorien für die Interpretation ziehen? Lassen sich angesichts der sicher verbleibenden regionalen Unterschiede überhaupt Schlußfolgerungen ziehen? In jedem Fall waren es die ökonomisch entwickelten Gebiete des Reiches, die – wie intensiv auch immer – betroffen waren von einer sich abzeichnenden Überbevölkerung, den Folgeerscheinungen des Frühkapitalismus und dem Konflikt zwischen Landwirtschaft und Gewerbe.

Die damit angesprochene Diskussion um die Ursachen ist die Kernfrage der Bauernkriegsforschung, und diese Frage hat höchst unterschiedliche Antworten erfahren. Günther Franz, dessen großes Werk aus dem Jahre 1930 über die Verlaufsgeschichte heute immer noch die Grundlage für die Tatsachenforschung über den Verlauf des Bauernkrieges darstellt, verweigerte sich der Frage der wirtschaftlichen Ursachen, weil er sie nicht für beantwortbar hielt; für ihn war der Bauernkrieg eine Auseinandersetzung zwischen bäuerlichem Autonomiestreben und dem modernen Territorialstaat. Franz konnte sich bei seiner Geringschätzung wirtschaftlicher Gründe auf viele zeitgenössische Quellenaussagen stützen, die die Bauern als wohlhabend beschrieben.

Widerspruch gegen diese These ist vor allem von landes- und wirtschaftshistorisch präzise arbeitenden Historikern angemeldet worden, die am ehesten die Auswirkungen der wirtschaftlichen Strukturveränderungen auf dem Lande sahen. Zuletzt hat der amerikanische Historiker David Sabean im Bauernkrieg eine Auseinandersetzung zwischen der bäuerlichen Oberschicht und den unterbäuerlichen Schichten sehen wollen, ohne jedoch die richtigen

Beobachtungen über die verstärkte soziale Differenzierung der ländlichen Gesellschaft in einen ursächlichen Zusammenhang mit dem Ausbruch des Krieges bringen zu können. Dies gilt ganz allgemein für eine Vielzahl von Bemühungen zur Erklärung, auch für die oben angeführten Parallelitäten in den Bauernkriegsterritorien.

Aus dem hier angedeuteten Dilemma hat erst das Buch Peter Blickles über den Bauernkrieg aus dem Jahre 1975 hinausgeführt. Er bezweifelte die »politische« Interpretation des Bauernkrieges und sah es als sein Ziel an, die Einheitlichkeit der Bewegung gegenüber der unbezweifelbaren territorialen Vielfalt herauszustellen. Dieser Ansatz führte vor allem deshalb weiter, weil in einem so stark zersplitterten Gebiet wie den eben genannten Territorien auch keine Einheitlichkeit der Beschwerden erwartet werden kann. Sie müssen vielmehr so verschieden sein, wie die Belastungen verschieden sind.

Blickle hat sich bei der Untersuchung dieser Problematik zunächst auf die Zwölf Artikel gestützt, eine zentrale Quelle, die, wenn auch im oberschwäbischen Raum – in Memmingen – verfaßt, sehr bald ihre Wirkung als gemeinsame Beschwerdeschrift aller Bauern entfaltete. Neuere Forschungen zur Genese der Zwölf Artikel legen es zudem nahe, die enge Verbindung zwischen Oberschwaben und dem Oberrheingebiet in programmatischer Hinsicht anzunehmen. Sie waren »Beschwerdeschrift, Reformprogramm und politisches Manifest zugleich«. Diese Zwölf Artikel sind die »Klammer, welche die Revolution von 1525 zeitlich und sachlich zusammenhält«, denn sie wurden im Februar/März 1525 formuliert, und nach der Niederlage der Bauern dienten sie dem Speyerer Reichstag von 1526 als Grundlage seiner Beratungen über den Bauernkrieg. Schließlich drangen die Zwölf Artikel weit über ihren lokalen Ursprung hinaus. 25 Drucke sind überliefert, 25 000 Exemplare werden wohl mindestens verbreitet worden sein und das in nur zwei Monaten. (15 Druckorte: Erfurt vier Ausgaben, Straßburg drei, Zwickau drei, Konstanz, Regensburg, Nürnberg zwei, Augsburg, Reutlingen, Zürich, Worms, Speyer, Forchheim, Würzburg, Magdeburg, Breslau je ein Druck.)

Bei einer genaueren Betrachtung der Zwölf Artikel kann es gar keinem Zweifel unterliegen, daß – mit Ausnahme des Pfarrerwahlartikels und der Zehntenfrage – die restlichen Artikel sämtlich auf den Bereich der Agrarverfassung verwiesen. Diesem Hinweis folgend hat Blickle die gesamten aus dem oberschwäbischen Bereich vorliegenden Einzelbeschwerden auf ihre Schwerpunkte untersucht, um die Parallelität mit den Zwölf Artikeln festzustellen. Er hat 54 Beschwerdeschriften mit zusammen 550 Einzelpunkten ausgewertet in der Absicht, eine »Hierarchie« der Beschwerden zu erarbeiten. Diese Analyse hat nun das Beschwerdeprofil der Zwölf Artikel bestätigt. 90 % der Forderungen betreffen die Leibeigenschaft, 81 % den Komplex Jagd, Fischerei, Wald und Allmende, 83 % die Grundherrschaft (Gülthöhe, Besitzwechsel, Dienste), 67 % führen Klage über Auswüchse der Gerichtsherrschaft.

Die Beziehungen zwischen bäuerlichen Untertanen und ihren adeligen und geistlichen Grundherren waren im zentralen agrarwirtschaftlichen Bereich prekär geworden. Das bedeutete nicht, daß es den Bauern schlechtging bis zur schieren Not, sondern es heißt vielmehr, daß unter den obwaltenden Umständen der zunehmenden Bevölkerung, des zunehmenden Drucks der Grundherren auf die Erträge ihrer Untertanen, der Spielraum der bäuerlichen Wirtschaften zu eng geworden war. Jetzt mußten adelige Beschränkungen von Jagd, Wasser und Wald besonders drückend wirken, mußten Steuern und Zehnten als schwerere Belastung erscheinen, mußte das Gesamtgefüge von herrschaftlichen und bäuerlichen Einkommen als ungerecht empfunden werden. Das bestehende Besitzrecht gab den Herren oft die Möglichkeit, die Güter nach jedem Heimfall nach Belieben wieder zu vergeben, d. h. die bäuerliche Familie konnte sich in einer Zeit erhöhter Belastung nicht ihres Besitzes in dem Maße erfreuen, wie etwa in Bayern, wo sich unter dem Druck der Landesherrschaft ein De-facto-Erbrecht der Bauern durchsetzte.

Es sollte deutlich geworden sein, daß die relative Verschlechterung der Lage sich nicht auf einen einfachen, leicht nachweisbaren Verstoß der Herren gegen die alten Rechte zurückführen ließ. Es war vielmehr ein sich lang hinziehender, ja schleichender Prozeß, in dem die Herren immer dort ansetzten, wo sie innovativ, d. h. ihre Einkünfte steigernd, vorgehen konnten, ohne alte Rechte zu offen verletzen zu können. Damit erklärt sich auch, daß die Berufung auf das alte Recht – wie sie vor den Bundschuhaufständen für die sog. altrechtlichen Aufstände typisch war – nicht mehr ausreichte für einen fundamentalen Protest gegen das, was sich da an neuen Belastungen ergab. Es bedurfte einer tiefer reichenden, grundsätzlichen Kategorie, um eine Legitimationsgrundlage für das bäuerliche Aufbegehren zu finden.

Diese neue Argumentation wurde im göttlichen Recht gefunden, der Begründung der Beschwerden aus dem Evangelium. Schon Mitte Februar 1525 schrieb der bayerische Kanzler Leonhard Eck seinem Landesherrn, der Aufstand der Baltringer Bauern beruhe auf den Lehren Luthers, »dann den mererteil so ziehen die Paurn ihre Begern auf das Gotzwort, Ewangeli und pruederliche Lieb«. In welch bemerkenswerter Weise diese neue Legitimationsbasis mit den tradierten Rechtsvorstellungen kollidierte, können wir aus den Vorgängen in diesem Baltringer Haufen sehen. Als der Führer dieses Haufens, Ulrich Schmid, am 27. Februar 1525 eine Kammergerichtsentscheidung über die bäuerlichen Beschwerden ablehnte und statt dessen nach dem göttlichen Recht verlangte, antworteten die Gesandten des Schwäbischen Bundes spöttisch, Gott werde wohl kaum vom Himmel herabsteigen. Doch Schmid konterte diesen Hinweis mit der Forderung, daß gelehrte fromme Männer diesen Streit »nach Lut (also dem Wortlaut) göttlicher Geschrift« beurteilen sollten. Theologen wie Luther und Melanchthon meinte er damit, die ja auch von den Bauern als Schiedsrichter benannt worden waren.

»Zusammen mit der inneren, eigengesetzlichen Dynamik, die jeder Massenbewegung eigen ist, veränderte die Idee des Evangeliums als lebenspraktische Norm das Denken und Wollen der Aufständischen sowie den Verlauf der Bewegung. Im Evangelium und/oder Göttlichen Recht fanden die Aufständischen eine absolute, tragfähige und mitreißende Legitimation ihres Handelns.« So hat man in jüngster Zeit den Zusammenhang zwischen reformatorischer Bewegung und Bauernkrieg zum Ausdruck gebracht. Zugespitzt könnte man formulieren, daß ohne die reformatorische Verkündigung des Evangeliums kein Bauernkrieg möglich gewesen wäre. Eine bislang festgefügte Welt, die dem Brauch und Herkommen gehorchte, entdeckte plötzlich neue Perspektiven, sah Möglichkeiten der Veränderung, gerade weil es bislang der Brauch, der schlechte Brauch, gewesen war, der das Leben bestimmt hatte. Zu Recht hat Blickle von der »erlösenden Funktion« des Evangeliums für die bäuerliche Bewegung gesprochen, und dieser Kurzschluß von Evangelium und Bauernbewegung erklärt auch das Interesse, das die ländliche Gesellschaft insgesamt der neuen Lehre entgegenbrachte, wie eine neue Fallstudie für das Elsaß gezeigt hat.

Im folgenden soll der Bauernkrieg als Massenbewegung untersucht werden, vor allem deshalb, weil auch unter quantitativen Aspekten der Bauernkrieg die größte soziale Bewegung der Frühen Neuzeit ist und auch in Konkurrenz zu Vorgängen wie der Revolution von 1848 treten kann. Allein für das Gebiet des heutigen Bundeslandes Baden-Württemberg hat H. M. Maurer eine aktive Teilnehmerzahl zwischen 100000 und 115000 Mann ausgerechnet, die wir als Mindestsumme annehmen dürfen. Das wären ca. 60 bis 70 % der männlichen, waffenfähigen Bevölkerung dieses Gebiets zwischen Südschwarzwald und Mainfranken. Diese Feststellungen werfen die Frage nach den Organisationsformen und Verhaltensweisen der aufständischen Bauern auf. Muß eine solche Massenbewegung nicht zentral gelenkt gewesen sein?

Alle verfügbaren Quellen legen es nahe – so scheint es jedenfalls –, den Ausbruch des Bauernkrieges als spontane Aktion zu verstehen, jedenfalls nicht als Ausfluß eines präzise vorbereiteten Aktionsplanes, der von langer Hand erarbeitet worden wäre. Freilich haben wir auch die Hinweise auf vielerlei Prophezeiungen eines Aufstands, d. h. der Aufstand ist vorgedacht, zählt zu den vorher wohl diskutierten letzten Möglichkeiten des politischen Verhaltens. Ein Elsässer Bauernhaufen erklärt, »was er täte, wäre lang prophezeit und des Himmelsgestirn Schuld. Gott wollt es also haben.« Zehntverweigerungen hatten den Boden auch für radikale Maßnahmen vorbereitet. Das Jahr 1524 sensibilisiert die oberdeutsche Bauernschaft ebenso wie die Stadtbewohner, die, wie in Augsburg, auf die Ausweisung eines reformatorischen Mönches mit Aufläufen reagieren.

Die Bauern der Grafschaft Stühlingen und von St. Blasien strömten am 24. August 1524 in einer Stärke von 800 Mann zur Kirchweih in Waldshut zusammen, am 2. Oktober versammelten sich die Hegauer in Hilzingen ebenfalls zur Kirchweih. Im Februar, also nach Ende des Winters, der wohl zu intensiven Beratungen in den Dörfern und zur Aussprache der Dörfer und Herrschaften untereinander genutzt worden ist, folgten dann Oberschwaben, das Bodenseegebiet und das Allgäu: »Die Bauern laufen zusammen, als ob es schneite, von allen Dörfern, keines ausgenommen«, schrieb der Villinger Chronist Hug im April 1525.

Die Bauern erschienen bewaffnet, was ihnen durchaus erlaubt war, und sie bemühten sich in dieser Phase vor allem, jedes Anzeichen von Gewalttätigkeit und anarchischer Bewegung zu vermeiden. Sie betonten ihre Absicht zur Wiederherstellung des Rechts und beriefen sich auf Schiedsgerichtsverfahren. Wir wissen nicht, wer in diesem Winter zwischen Schwarzwald und Oberschwaben hin und her gelaufen ist, bestanden da Kontakte und Absprachen? Zogen die Boten aus dem Schwarzwald zum Bodensee und ins Allgäu, oder hörte man nur von dem, was im Schwarzwald geschehen war, durch Händler, Viehtreiber, Kaufleute? In jedem Fall, in unserem Gebiet bestand eine große Bereitschaft, in Zukunft die Interessen durch gemeinsame Aktionen durchzusetzen.

Daß mehr als nur ein chaotisches Zusammenströmen intendiert war, zeigt wohl, daß sofort Pfeifer und Trommler dabei waren, daß man sich an bedeutenden Plätzen traf, daß man sich Fahnen herstellen ließ mit vereinigenden Farben und Symbolen, meist herrschafts- oder ortsbezogen, der Bundschuh tauchte nur im Schwarzwald auf. Anführer wie Hans Müller von Bulgenbach, der Anführer im Hegau, griffen bei der Organisation der Bauernhaufen auf ihre Erfahrungen als Landsknechte zurück.

Die sich hier andeutende qualitative Andersartigkeit der Bewegung zeigt sich auch in der Art der angestrebten Lösung des Konflikts zwischen Untertanen und Obrigkeiten. Sie zielte in der ersten Phase des Aufstands durchaus auf eine vertragliche Lösung und blieb damit auch im Rahmen dessen, was in Herrschaftskonflikten üblich war . Die Bauernhaufen hofften auf vertragliche Abmachungen mit ihren Herren, auf Anerkennung als Vertragspartner. So wundert es nicht, wenn die Stühlinger und Hegauer Bauern im Herbst 1524 wieder auseinandergingen, als ihnen ein Schiedsgerichtsverfahren zugesagt worden war.

Diese hier sichtbare defensive Qualität der Bewegung, die bis auf wenige Ausnahmen wohl für den ganzen Bauernkrieg gilt, war es auch, die die Bauernbewegung gegenüber den Obrigkeiten schwächte. Die in der zweiten Phase der Bewegung sichtbar werdende Tendenz der Haufen, im Lande herumzuziehen und tatsächlich die Herrschaft zu übernehmen, berührte die Interessen der Landesherrschaften direkt. Sie mußten nun Gegenwehr leisten und taten dies vor allem in Gestalt des Schwäbischen Bundes, in Mitteldeutschland agierten auch einzelne Landesherren. Aber selbst in dieser Phase der Machtmobilisierung durch die Obrigkeiten blieben die Haufen defensiv orientiert. Sie ließen sich – da der Feldherr Georg Truchseß von Waldburg eine direkte Konfrontation fürchtete – durch Verträge ausschalten und damit die Gesamtbewegung spalten.

Diese Tendenz der Haufen änderte sich auch nicht, als der Truchseß mit dem Bundesheer seinen Siegeszug begann. Zur großen Überraschung errang das Heer Sieg auf Sieg gegen die gespaltenen und furchtsamen Haufen der Bauern. In Leipheim fielen tausend, in Wurzach dreihundert, bei Böblingen zweitausend, bei Königshofen zweitausend und bei Grießen im Klettgau fielen fünfhundert Bauern, um einige oberdeutsche Zahlen zu nennen. Lächerlich kleine Heere wie die knapp zweitausend Soldaten Philipps von Hessen errangen Siege über Bauernheere, die mehr als doppelt so stark waren. In der Schlacht von Frankenhausen in Thüringen fielen ca. fünftausend Bauern, nur sechshundert wurden gefangen, darunter bekanntlich Thomas Müntzer.

Was liegt näher, als den bäuerlichen Haufen »Lokalborniertheit« vorzuwerfen, wie dies Friedrich Engels tat und in seiner Nachfolge viele Historiker getan haben. Ein solcher Vorwurf ist jedoch unhistorisch und läßt die Voraussetzungen des Agierens der Bauern außer acht. Wie sollten Bauern, deren Erfahrungshorizont vornehmlich herrschaftlich, bestenfalls landschaftlich geprägt war, in politischen Konstellationen denken, die das Reich umfaßten, wie sollten sich die bäuerlichen Haufen militärisch so organisieren können, um das Heer des Schwäbischen Bundes schlagen zu können, das auf das Geld der Fugger, den Rat der Fürsten und die Furcht der Untertanen zurückgreifen konnte?

Die zweifellos vorhandene Schwäche der Bauern auf dem Felde der Strategie – nicht aber in der militärischen Organisation der Haufen – bedeutet jedoch keineswegs, daß der bäuerliche Aufstand ohne politische Ziele gewesen wäre. Wir können wieder anknüpfen bei den Bemerkungen über die neue Legitimationsgrundlage des göttlichen Rechts, so wie sie sich aus dem Evangelium herleitete. Damit bestand die entscheidende Möglichkeit, die territoriale Begrenztheit aufzugeben: Altes Recht, das hieß Anerkennung der Spielregeln zwischen Herren und Untertanen, so wie sie aus den Verträgen resultierten, göttliches Recht und Evangelium, das hieß, die engen Grenzen des Klosterstaats, der kleinen Grafschaft überschreiten und eine »Reformation« der Verhältnisse auf der Grundlage des Evangeliums anstreben. So wundert es nicht, wenn gerade in den zersplitterten Herrschaftsgebieten des Elsaß und des Allgäus, des Hochrheins und in Teilen Thüringens auf die Forderung des göttlichen Rechts zurückgegriffen wurde. In den relativ geschlossenen Territorien wie Tirol, Württemberg, Kurpfalz, Bamberg und Würzburg finden wir dagegen kaum Hinweise auf das Evangelium.

Aus dieser Orientierung am Evangelium ergab sich eine neue Hierarchie der Werte. Sie wurde angeführt vom »gemeinen christlichen Nutzen« unter allen Menschen. Konkret hieß das:
– lautere Predigt des Evangeliums und Versorgung der Prediger durch den Ertrag der Zehnten,
– Säkularisierung der Klöster,
– Aufhebung der Leibeigenschaft,
– Rechtssicherheit und Gleichheit mit dem Adel. (»Es söllen auch all die Gaistlich und Weltlich, Edeln und Unedeln hin für sich des gemeinen Burger- und Bauernrechten halten und nit mer sein, dann was ain ander gemainer Mann tun soll.«)

Die Konsequenz all dieser Forderungen war eine wirtschaftliche Entlastung des gemeinen Mannes und die Autonomie der Gemeinden. Aus all dem läßt sich gleichwohl keine eindeutige Haltung gegenüber dem Adel herausdestillieren, so wie etwa gegenüber der Kirche. Der Adel sollte gewiß rechtliche und wirtschaftliche Privilegien verlieren, aber offensichtlich war keine durchgehende Enteignung geplant. Es erhebt sich aber die Frage, was mit einem solchen Adel geschehen wäre, seiner Privilegien entkleidet, aus seinen Schlössern verwiesen, ohne Frondienste zur Bewirtschaftung der Felder, mit stark reduzierten Renten, ohne die Erträge der Leibeigenschaft, die Strafgelder und all die anderen geldwerten Privilegien. Diese Fragen müssen offenbleiben, wir können nur auf Differenzen in den Haufen hinweisen, wenn es um das weitere Vorgehen gegen die Herren ging: Da gab es die Anhänger von Verhandlungslösungen ebenso wie die Befürworter des tapferen Dreinschlagens, eine klare und eindeutige Linie läßt sich nicht ermitteln.

Mit der Unterscheidung, die wir früher zwischen den Splitterterritorien und den geschlossenen größeren Territorien vorgenommen haben, läßt sich auch das politische Programm der Bauern differenzieren. Die Splitterterritorien zielen auf eine überterritoriale Einung im Sinne der Eidgenossenschaft, gewissermaßen eine lockere Verbindung autonomer Gemeinden und Gerichtsbezirke mit gewählten Amtsleuten. Die andere Lösung bestand in der Bildung von bäuerlichen Landschaften, die entweder zusammen mit dem Landesherrn oder ihn gar ersetzend, die Geschicke eines Territoriums lenken sollten. Das heißt, daß die aufständischen Bauern sich die existierenden landständischen oder landschaftlichen Verfassungen der größeren Territorien durchaus als Beispiel nahmen und sie für ihre Ziele nutzten. In beiden Fällen zeigt sich, daß sich die Staatsvorstellungen der Bauern an den Verhältnissen orientierten, die im oberdeutschen Raum bereitstanden, d. h. der Einung und der Landschaft.

All dies, was man zur »Staatsvorstellung« der Bauern ermitteln kann, ging von der idealen Konstruktion aus, daß der Adel einer solchen neuen Ordnung zustimmen werde. Doch es gab auch Stimmen, die eine solche Hoffnung nicht hegten und deshalb über diese Neuordnungspläne in »bruderlicher Liebe« – wie es hieß – hinweggingen. Die bekannte Flugschrift »An die Versamlung gemayner Pawerschafft« vom Mai 1525 weist den Untertanen ein Recht zu, »sich kecklich (zu) bewapnen mit dem Schwert« und die ungetreue Obrigkeit abzusetzen. Ähnlich argumentierte mit Wortgewalt Thomas Müntzer in Thüringen.

Es wundert nicht, daß der zeitlich letzte große Entwurf einer Neuordnung, die sog. Tiroler Landesordnung Michael Gaismairs, die radikalsten Forderungen aufstellte, wenn sie »ain ganze Glaichait im Land« forderte, den Landesherrn gar nicht mehr erwähnte. Alle Stadtmauern sollten abgebrochen werden, in Brixen sollte ein Regiment sitzen, eine hohe Schule errichtet werden, die Klöster sollten in Spitäler umgewandelt werden, Militär sollte für Ordnung im Land sorgen. Das Handwerk sollte zentralisiert und beaufsichtigt werden, die Bergwerke sollten eingezogen und wie der Handel staatlicher Aufsicht unterstellt werden.

Pläne, die über das jeweilige Territorium hinausreichen, finden wir nur bei Friedrich Weygandt, dem Mainzer Amtmann in Miltenberg am Main, der einen veritablen Reichsreformentwurf vorlegte. Dieser Plan wollte – wie sein Verfasser selber erklärte – vor allem die Fürsten zu Gehorsam gegenüber dem Kaiser nötigen und so, in Anbindung an den Kaiser, eine Reform des Reiches erreichen. Der Kaiser – dies muß besonders betont werden – stand in allen Plänen der Bauern außerhalb jeder Diskussion.

Wie könnte man einen Versuch unternehmen, eine Skizze des Bauernkriegs zu geben, ohne Luthers Stellungnahme dazu zu erwähnen, zu kommentieren und schließlich zu verurteilen? Die Voraussetzungen für sein Eingreifen in diese Auseinandersetzung waren höchst unterschiedlich. Auf der einen Seite seine bäuerliche Herkunft, sein Wissen um die Belastung der Bauern, das Vertrauen, das die Bauern in ihn setzten, wenn sie ihn als Schiedsrichter benannten, auf der anderen Seite seine eindeutige Stellungnahme gegen ein Verschmelzen von weltlichen und geistlichem Regiment, also seine sog. Zwei-Reiche-Lehre, deren Konsequenz eine scharfe Unterscheidung beider Kompetenzbereiche bedeutet. Das weltliche Regiment neben der Kirche als der »congregatio sanctorum«, der Gemeinschaft der Gläubigen, hat die Aufgabe, der durch die Erbsünde des Menschen möglichen Zerstörung der Welt entgegenzuwirken. Es bestraft die Ungläubigen, die Bösen, und es ist in dieser Funktion von Gott gewollt. Damit war auch gemeint, daß die Kirche nicht über dem Staat stand, so wie es etwa Zwinglis Konzeption entsprach, der auch die Obrigkeit den Kriterien des Evangeliums unterwerfen und im Notfall entsprechend handeln wollte. Obrigkeit ist für Zwingli Vollender einer christlichen Ordnung der Welt. Wird sie dieser Verpflichtung nicht gerecht, billigt er den niederen Obrigkeiten das Recht des Widerstands zu. In seiner Predigt »Vom Hirten« vom 26. März 1524 verweist Zwingli auf die spartanischen Ephoren, die römischen Tribunen und die deutschen Zunftmeister in den Städten als Beispiele für jene Instanzen, die eine Kontrolle über den Herrscher ausüben können. Dies sind Vorstellungen, die ohne Zweifel einen neuen Argumentationsspielraum in der Obrigkeitsdiskussion eröffneten.

Luther verweigerte sich solchen Vorstellungen. Schon im Frühjahr 1522 hatte er die Wartburg verlassen und in Wittenberg gegen die Radikalisierung seiner Bewegung und gegen die Zwickauer Schwärmer gepredigt. Eine enge Verbindung von Evangelium und Herrschaftsordnung widersprach seinen Vorstellungen.

Luthers erste und wichtigste Stellungnahme zum Aufstand der Bauern schreibt er am 19./20. April in Eisleben, die *Ermahnung zum Frieden auf die 12 Artikel der Bauernschaft in Schwaben*. Erinnern wir uns, daß diese Zwölf Artikel die Klausel enthielten, in der sich die Bauern dem Evangelium und seiner rechten Auslegung unterwarfen. Luther schreibt also argumentativ gegen den Versuch an, die weltliche Ordnung dem Evangelium unterzuordnen. Er versucht, beiden Seiten ins Gewissen zu reden, um zu verhüten, daß »beide Reiche untergehen« und daß Deutschland verwüstet wird. Die Sünde der Herren ist die Pracht und ihr Hochmut, die Sünde der Bauern ist ihr Aufruhr schlechthin, denn Aufruhr ist wider Gottes Wort.

Als eigentlichen Schuldigen aber sieht Luther nicht die Bauern an, sie sind verführt, verführt von falschen Propheten wie Thomas Müntzer. Mordpropheten nennt er sie. Er glaubt, daß ein Schiedsgericht aus Adeligen und städtischen Ratsherren den Konflikt beilegen könne. Prinzipiell aber spricht er sich gegen den Gedanken der Gleichheit aller Menschen aus, denn zum weltlichen Recht gehöre die Ungleichheit der Menschen.

Entsprechend glücklich war Luther, als er Nachricht vom Weingartener Vertrag vom 17. April 1525 erhielt, der eine schiedsgerichtliche Lösung vorsah. Er selbst hat einen Nachdruck des Vertrags mit einer Vorrede herausgegeben, vermutlich aber erst nach seiner zweiten, im folgenden noch zu erwähnenden Bauernkriegsschrift. Doch er merkte bald, daß mit Weingarten nichts gewonnen war. In seiner unmittelbaren Umgebung brach der Aufstand jetzt erst los. Die dadurch ausgelöste Enttäuschung, die Verachtung gegenüber dem Mordpropheten Müntzer, die Angst um die Existenz seiner Bewegung, all dies führte ihm die Feder bei der Mitte Mai verfaßten zweiten Publikation, die immer nur mit einem Teil ihrer Titel genannt wird: *Wider die räubischen und mördischen Rotten der andern Bauern.* Diese Publikation bestand eigentlich aus der erneuten Veröffentlichung der ersten Schrift und dieser neuen Schrift als Anhang, die freilich schnell getrennt nachgedruckt wurde und so oft den Eindruck erweckt, als schreibe Luther jetzt alleine für ein Blutbad gegen die Bauern. Und so muß man es verstehen, wenn er den Herren einen seligen Tod verspricht, die gegen die Bauern fallen und dies noch als Nächstenliebe interpretiert. Cochläus – sein katholischer Kritiker – hat ihn deshalb später zum Fürstenschmeichler erklärt, der erst die Leute aufgewiegelt, sie dann aber verlassen habe. Auch die Tatsache, daß er am 13. Juni die ehemalige Nonne Katharina v. Bora heiratete, ist ihm von Kritikern als unpassend vorgehalten worden. Hartnäckig wie in Worms widerstand Luther auch hier allen Vorschlägen zu einem flexibleren Verhalten, er beharrte auf seinen Prinzipien.

Freilich ließ er sich immerhin so weit beeindrucken, daß er den *Sendbrief von dem harten Büchlein wider die Bauern* schrieb, der Mitte Juli erschien. Beileibe keine Entschuldigung ist diese Schrift, eher ein Erläutern seiner Prinzipien, wie wir sie schon kennengelernt haben (Zwei-Reiche-Lehre / Aufruhr ist Sünde), verbunden mit der ernsten Mahnung zur Milde an die Sieger.

Natürlich kann man die inhaltliche Ausrichtung dieser Schriften Luthers bedrängter Lage in Mitteldeutschland, der Beschränktheit seines Wissens, seiner Unfähigkeit zur politischen Analyse zuschreiben. Auch andere Beobachtungen zu Luther – etwa seine Haltung zum Türkenkrieg und zur Reichsverfassung – würden eine solche Erklärung stützen. Ein anderer Gedanke scheint jedoch weiterzuführen bei der Interpretation von Luthers Bauernkriegsschriften.

In beinahe allen Schriften des Reformators, die zu weltlichen Problemen Stellung nehmen, findet sich der Satz, daß »niemand sein eigener Richter sein könne und dürfe«. Schon in seiner *Treuen Vermahnung zu allen Christen, sich zu hüten vor Aufruhr und Empörung* vom Beginn des Jahres 1522 heißt es: »Item niemant kan seyn eygen Richter seyn. Nun ist aufruhr nichts anderes denn selbs richten und rächen, das kann Gott nicht leyden.« Der gleiche Grundgedanke auch wieder in der ersten Bauernkriegsschrift, wo Luther den Bauern vorwirft, selbst das Schwert in die Hand zu nehmen und über die eigene Sache zu richten. Dies scheint für Luther der Zusammenbruch aller Ordnung, die Rückkehr zu mittelalterlicher Anarchie. Luther steht mit diesen Äußerungen am Ende des Fehdezeitalters und zugleich am Beginn des modernen Staates mit dem Anspruch auf das Monopol der legitimen Gewaltausübung. Er nimmt damit die Konsolidierung der Reichsverfassung und der Rechtsordnung zur Kenntnis und erkennt darin einen wesentlichen Fortschritt, der nicht mehr durch private Gewaltausübung gefährdet werden darf. Luther verteidigt den frühmodernen Staat und sein Gewaltmonopol, das sich in aller Grausamkeit gegen die aufständischen Bauern richtete, ohne daß schon vorher die Auswüchse der privilegierten Position des Adels beseitigt worden wären. Auch in dieser Perspektive läßt sich der Bauernkrieg als ein Wendepunkt in der deutschen Geschichte ansehen.

Damit kehren wir wieder zu jenem Gesichtspunkt zurück, den wir an den Beginn dieses Kapitels über den Bauernkrieg gestellt haben, um dessen Bedeutung für die nachfolgende Geschichte zu verstehen. Diese »Wendepunkt«-Interpretation wollen wir bei der Bewertung der Folgen des Bauernkrieges wieder aufgreifen.

Befragt man die ältere Literatur über die erkennbaren Folgen des Bauernkrieges, ergibt sich meist ein relativ kurzes, aber trauriges Kapitel von militärischer Niederlage, Strafgeldern, Entrechtung des Bauernstandes und Verschärfung der Leibeigenschaft, und die längerfristigen Folgen lassen sich unter folgende Stichworte subsumieren: Sieg des Landesfürstentums, Schwächung der Gemeindeautonomie, der Bauer verfällt in »politische Apathie« (so Günther Franz), oder er tritt »von der Bühne der Geschichte ab« (so Franz Schnabel).

Insofern mag es vielleicht Erstaunen hervorrufen, wenn hier eine davon abweichende Interpretation der Folgen des Bauernkrieges versucht wird. Bei näherer Betrachtung stellt sich nämlich heraus, daß eine an der Kategorie des kurzfristigen Erfolges gemessene Beurteilung des Bauernkrieges den Blick auf die langfristigen Wirkungen dieses Ereignisses zu verstellen droht. Auf diese Wirkungen aber muß sich unser Interesse besonders richten, vor allem, wenn wir versuchen, dem Bauernkrieg einen angemessenen Platz in der Geschichte unseres Landes zu geben.

Es ist die besondere Schwierigkeit aller Diskussionen über die Folgewirkungen historischer Ereignisse, daß wir zwar eindeutige Quellenzeugnisse über unmittelbar beobachtbare Wirkungen wie Strafexpeditionen, Brandschatzungen, Ablieferung von Kirchenglocken und Privilegienverluste nachweisen können, daß wir aber keine Quellenbelege für jene Wirkungen auffinden können, die für die Zeitgenossen nicht mehr direkt als solche erkennbar waren. Eine institutionelle Reformmaßnahme, die Jahrzehnte nach dem Bauernkrieg erfolgt, wird von den Beobachtern in aller Regel nicht mehr mit dem Bauernkrieg in Verbindung gebracht, selbst wenn sich zeigen läßt, daß diese Maßnahme auf der Linie einer Politik liegt, die unmittelbar nach dem Bauernkrieg begonnen wurde. Es bedarf also des Blicks auf überpersonale Zusammenhänge, um eine Diskussion über die Folgen des Bauernkrieges nicht bei der letzten Verurteilung eines Aufrührers enden zu lassen.

Beginnen wir unsere Bilanz gleichwohl mit den meßbaren Opfern, Schäden und Strafen. Die Menschenopfer dieses Krieges werden sich bei behutsamer Interpretation aller Zahlenangaben über Verluste an Menschenleben auf 70000 bis 75000 Tote veranschlagen lassen. Diese Zahl liegt über der Schätzung Jakob Fuggers, der von 50000 Gefallenen sprach, aber deutlich unter jenen Schätzungen, die von über 100000 Toten ausgingen. Diese gleichwohl erheblichen Zahlen verlieren aber an Gewicht, wenn man sie auf ihre demographischen Konsequenzen hin befragt. Bei der zu dieser Zeit relativ starken jährlichen Bevölkerungszunahme stellt die Zahl der Toten den Ausfall des Zuwachses von höchstens fünf Jahren dar, und folglich läßt sich von einem Einbruch demographischer Art nicht sprechen. Auch läßt sich keine wirkungsvolle Minderung des bereits festgestellten Bevölkerungsdrucks im Aufstandsgebiet beobachten.

Die Straf- und Wiedergutmachungsgelder sind im Unterschied zu den tatsächlichen Schäden durch Zerstörungen relativ präzise zu ermitteln. Der Schwäbische Bund als der Hauptadressat der bäuerlichen Reparationsleistungen setzte hierbei vor allem die »Brandschatzung« ein, d. h. eine in Geld zu leistende Ersatzzahlung für den Verzicht der Soldaten auf ihr Recht zur Plünderung eines Dorfes oder einer Stadt. Die von den einzelnen Gemeindemitgliedern tatsächlich zu bezahlende Summe wurde von der Gemeinde selbst festgelegt, die oft genannte Summe von 6 fl. pro Kopf war eher eine Durchschnittssumme. Trotz vieler Schwierigkeiten, die mit der Feststellung der Schuld einer Gemeinde zusammenhingen, brachte der Schwäbische Bund bis 1528 immerhin die Summe von 230000 fl. ein, womit die tatsächlichen militärischen Kosten des Bundes schon überschritten wurden. Im ernestinischen Sachsen belief sich diese Summe auf 106600 fl. und im Stift Würzburg auf 270000 fl. Wir haben trotz der erheblichen Belastung der bäuerlichen Gemeinden durch diese Strafgelder keinen Ansatzpunkt für die Vermutung, daß damit eine dauerhafte Beeinträchtigung der bäuerlichen Wirtschaft verbunden gewesen wäre.

Es zeigt sich, daß sich eine allein auf den Erfahrungshorizont der Zeitzeugen begrenzte Analyse der Folgen des Bauernkrieges in Zahlenkolonnen erschöpft, ohne bedeutsame und langfristige Wirkungen festmachen zu können. Für die Zeitzeugen war aber auch noch die politische Bewältigung des Bauernkrieges sichtbar, wie sie sich in den Vertragswerken der einzelnen Territorien und im Reichstag von 1526 schließlich feststellen läßt.

Folgt man der Chronologie der Ereignisse, so registrieren wir in einigen der Bauernkriegsgebiete vertragliche Lösungen, die einzelnen Beschwerden der Bauern Rechnung trugen. Der Renchener Vertrag vom 25. Mai 1525 und der Memminger Vertrag vom Januar 1526 sind Beispiele für diese Art der Beendigung des Krieges. Auch verschiedene Landesordnungen, die nach dem Ende des Aufstands erlassen wurden, zeigten sich von der Absicht geprägt, den bäuerlichen Beschwerden die Spitze abzubrechen wie etwa die Tiroler Landesordnung von 1526/1532 oder die Rheingauer Landesordnung von 1527. Dieser Tendenz einer politisch kalkulierenden Bewältigung des Krieges läßt sich schließlich auch der Reichstag von 1526 zuordnen, dessen Proposition auch die Behandlung der Untertanenbeschwerden vorsah. In den Instruktionen einzelner Fürsten für diese Versammlung, die eigentlich schon im Herbst 1525 stattfinden sollte, erkennt man die Absicht, u.a. durch Abschaffung der Leibeigenschaft und Begrenzung der Zehntzahlungen künftige Aufstandsbewegungen zu verhindern.

Das ist ganz zweifellos die Hauptsorge aller politischen Bemühungen nach dem Bauernkrieg, aber dieses Hauptziel wird nicht durch stärkere Unterdrückung zu erreichen versucht, sondern durch eine geschickte Politik der Verrechtlichung der Herrschaftsbeziehungen. Sie stärkt zwar letztlich den Staat, aber auf Kosten adeliger Privilegien und mit Hilfe neuer institutioneller Regelungen. Das Gutachten des Großen Ausschusses dieses Reichstags beeindruckt durch die Parallelität zu den Forderungen der Zwölf Artikel, die damit auch noch ihren Weg in die Speyerer Verhandlungen der Reichsfürsten fanden. In den Reichsabschied schrieb man die Generalklausel hinein, daß die Herren ihre Untertanen so behandeln sollten, wie sie mit ihrem »Gewissen«, »göttlichem und natürlichen Recht« und der »Billigkeit« vereinbaren könnten. Indem aber weiter die Regelung von zukünftigen Streitfällen zwischen Untertanen und Adel den fürstlichen Hofgerichten zugewiesen wurde, läßt sich abschließend urteilen, daß damit eine historisch bedeutsame Entwicklungsmöglichkeit eröffnet wurde, die schon im weiteren Verlauf des 16. Jahrhunderts intensiv genutzt werden sollte. In diesem Sinne wird man mit Barrington Moore vom Bauernkrieg als einem »wirklichen Wendepunkt« der deutschen Geschichte sprechen können. Das wird sich verdeutlichen lassen, wenn wir uns mit den Untertanenrevolten des späteren 16. Jahrhunderts beschäftigen.

Während wir über diese Wege der politischen und rechtlichen Reaktion auf den Bauernkrieg aufgrund der Quellenlage hinreichende Angaben machen können, fällt es schwer, etwas darüber auszusagen, welche Erinnerung an den Bauernkrieg in den Dörfern, in den Schlössern des Adels, den Kanzleien und in den Köpfen der Menschen haften blieb. Daß sich in den obrigkeitlichen Akten des 16., 17. und 18. Jahrhunderts immer wieder schreckerfüllte Verweise auf den Bauernkrieg finden, wird nicht überraschen. Da wurde dann jeder lokale Anführer einer Revolte zu einem zweiten Thomas Müntzer, und allzu schnell war man in den Kanzleien mit der Furcht bei der Hand, daß eine neue »Generalrebellion« ausbreche. Über zweihundert Jahre nach dem erwähnten

Memminger Vertrag von 1526 beschimpfte der Kemptener Fürst-abt den Anwalt seiner gegen ihn klagenden Untertanen, der sich dabei übrigens auf diesen Vertrag von 1526 stützte, als »Blaß-Balg deß aus der alten Asche deß Bauren-Kriegs neulich hervorgesuchten Auffruhr-Feuers«.

Den einfachen Menschen aber blieb der Bauernkrieg als epochales Ereignis in Erinnerung. Im späten 16. Jahrhundert finden wir oft in bäuerlichen Zeugenaussagen den Hinweis auf den Bauernkrieg, wenn es darum ging, das eigene Alter zu bestimmen. »War ein bub im baurenkrieg« ersetzte für manchen alten Mann der zweiten Jahrhunderthälfte die genaue Altersangabe. Aber der Bauernkrieg ist auch noch hundert bis zweihundert Jahre später nicht vergessen, selbst in jenen Gebieten, die von ihm nicht berührt wurden. Im hessischen Bereich finden wir 1655 und 1660 von Untertanen Hinweise auf die Ereignisse des Bauernkrieges. 1734 meint ein Untertan im hessischen Gericht Staden: »Sie wüßten wohl, daß die Bauernkriege nichts nütz gewesen«, zog daraus jedoch die Konsequenz weiteren Widerstands im anstehenden Konflikt. Solche zufällig überlieferten Äußerungen stehen gewiß für ein erheblich weiteres Wissen um den Bauernkrieg. Man wird damit Bernd Moellers Aussage, daß die »Erinnerung an die schrecklichen Geschehnisse in die Tiefe« sank und vielerorts »Sagen und Träume« sie noch lange wachhielten, weiter präzisieren können. Daß die eben zitierte Äußerung von Bauern getan wurde, die trotz der Ereignisse von 1525 bewaffnet ihr Dorf bewachten, zeigt uns noch einmal, daß aus der Niederlage der Bauern keine langfristige Resignation oder gar politische Apathie der bäuerlichen Untertanen abzuleiten ist. Der Bauernkrieg war vielmehr eine elementare historische Erfahrung, die Obrigkeiten und Untertanen in ihrem politisch-sozialen Verhalten tief beeinflußte und insofern Folgen zeitigte, die weit über den Horizont der Zeitgenossen hinausreichten.

Zu Beginn dieses Kapitels über die spannungsreichen zwanziger Jahre hatte der Traum Dürers als Beleg dafür gedient, wie stark diese Zeit angesichts extremer Instabilität von der Sorge um die Zukunft geprägt war. Die Sintflutweissagungen waren bei ihm unter dem Eindruck des Bauernkrieges zu einem Alptraum verschmolzen. Kehren wir am Schluß dieses Berichts über den Bauernkrieg noch einmal zu Dürer zurück. Wie reagierte der Künstler auf den Bauernkrieg?

Im Jahre 1525 brachte Dürer ein Lehrbuch der Geometrie für Künstler heraus, die *Underweysung der Messung mit dem Zirckel und Richtscheyt*... Sehr schnell reagierte er auf die Niederlage der Bauern und bot den Regierenden in diesem Buch, versteckt unter anderen Säulenentwürfen ein Modell einer Gedenksäule an diesen Sieg an. Diese Säule besteht aus sorgfältig übereinander geschichtetem bäuerlichen Arbeitsgerät und auf die Spitze der so entstandenen Säule sollte man einen »trauretten (traurigen) bauren« setzen, »der mit einem schwertt durchstochen sey«. Nichts läge auf den ersten Blick näher, als diesen Vorschlag als ein Denkmal der Sieger zu interpretieren, ähnlich wie etwa der Mainzer Marktbrunnen, den der Kurfürst Albrecht 1527 zum Gedenken an die Schlacht von Pavia und den Sieg über die Bauern errichten ließ.

Der Fürst, der »ein victoriam aufrichten wolt darumb das er die aufrürischen bauren uberwunden het«, hätte an Dürers Entwurf aber wenig Freude gehabt. Zu deutlich war die ironische Sprache des Künstlers, zu artifiziell die Konstruktion der Säule, zu entlarvend die Figur des schwertdurchbohrten Bauern. So bleibt Dürers Gedächtnissäule auf den Bauernkrieg das Werk eines Künstlers, der ohne eine direkte Parteinahme für die Kontrahenten dennoch keinen Zweifel daran ließ, daß er auf der Seite der unterlegenen Bauern stand.

1.3. Ritterfehde

Bereits bei der Behandlung des Wormser Reichstags wurde deutlich, daß Luther vor allem wegen der hinter ihm stehenden Gruppen nicht einfach zum Gegenstand des Ketzerrechts gemacht werden konnte. Zu dieser Luther unterstützenden Fraktion gehörte auch die Reichsritterschaft. Während des Reichstags hatte sich dies sogar ganz konkret gezeigt, als der Kaiserhof Kontakt mit zwei Reichsrittern aufnahm, die durch ihre vorbehaltlose Unterstützung für Luther aufgefallen waren. Es waren Franz von Sickingen, auf dessen Besitz Luther im Falle einer Bedrohung gebracht werden sollte, und Ulrich von Hutten, der schon erwähnte wortgewaltige, gelehrte Ritter.

Sickingen hat schon im November 1520 erklärt, daß er Luther zu jedem Dienst zur Verfügung stehe. Die Koalition dieser beiden Hitzköpfe, die sich zudem in der Nähe von Worms aufhielten, schien dem Kaiserhof so gefährlich, daß er durch militärische

Dienstverträge das Schweigen von beiden zu erkaufen suchte. Was immer mit den Verhandlungen intendiert war, es rückte plötzlich eine soziale Gruppe in den Mittelpunkt, über die wir mehr erfahren müssen, vor allem deshalb, weil knapp drei Jahre nach dem Reichstag 1521 ein kriegerischer Konflikt im Reich ausbrach, der einen weiteren Teil jener eingangs skizzierten Krisensituation der zwanziger Jahre ausmacht: die Ritterfehde.

Was macht die Ritterschaft überhaupt interessant in dem Zusammenhang der großen Krise, und welche Gruppe des Adels meinen wir genau mit der Reichsritterschaft? Zunächst einmal ist damit der niedere Adel angesprochen, d. h. jener Teil des Adels, der keine führende Rolle in den Territorien des Reiches spielte. Diesem Adel standen gegen Ende des 15. Jahrhunderts zwei Entwicklungsmöglichkeiten zur Wahl. Zum einen: Er konnte oder mußte Landadel werden, d. h. sich in einem Territorium dem jeweiligen Landesherrn unterordnen, das Landrecht, die neuen Gerichtsinstanzen, die neuen Steuerverpflichtungen anerkennen. Dies ist der übliche Weg. Der andere Weg war der Versuch, sich diesem Prozeß der Territorialisierung zu entziehen, indem man sich auf die Reichsfreiheit berief, der Territorialisierung entging und so zum Reichsritter wurde. Diese Entwicklungsmöglichkeit war noch keine ausformulierte Möglichkeit, es war zunächst nur eine negative Maßnahme, indem sie Emanzipation vom sich bildenden Territorialstaat verhieß. Erst als deutlich wurde, daß zu Beginn des 16. Jahrhunderts in verschiedenen Teilen des Reiches ehemalige Ministerialengeschlechter sich von den Territorien für das Reich freihalten konnten, entstand die Korporation der Reichsritterschaft als eigene soziale und rechtliche Gruppierung im Reich, die auch die Privilegierung durch den Kaiser erreichte.

Der unsichere Weg dieser Ritter begann fast überall mit Einungen, d. h. regionalen Zusammenschlüssen zur Wahrung der eigenen Interessen, oft genug gegen einzelne Landesherren gerichtet. In Bayern z. B. gelang es dem Landesfürsten, den sog. Löwlerbund zwischen 1488 und 1494 ins Territorium hineinzuzwingen, in Franken, wo drei Bischöfe (Würzburg, Bamberg und Eichstätt) und der Markgraf von Ansbach um die Vormachtstellung konkurrierten, vermochte der Adel dagegen, sich dem Zug zur Territorialisierung zu entziehen. Heftige Kämpfe entbrannten hier zwischen den Territorialfürsten und den Rittern, für die eine Existenz als Territorialadel gleichbedeutend war mit dem Verlust der adeligen

Freiheit. Am Rhein wiederum erwies sich der Adel als höchst beweglich, fürstliche Klientel, mal diese, mal jene Chance nutzend, einmal die Überlebenschance am Hof suchend, ein anderes Mal alles auf eine Karte setzend, um eine Existenz als Raubritter und Söldnerführer aufzubauen.

Seit der Reichsreform, der zunehmenden Verrechtlichung des Reiches, der Sicherung des Landfriedens, war es schlecht bestellt um die Ritterschaft. Sie fielen zwischen alle Stühle der neuen politischen Ordnung, hier war kein Platz mehr für adelige Hasardeure, Inhaber kleiner Burgenländereien, die zuweilen ihre schmale Kasse mit Überfällen oder Kriegsdiensten für große Herren zu füllen versuchten. Hinzu kommt, daß die Einkommensverhältnisse des niederen Adels prekär wurden. Die steigenden Erträge der Landwirtschaft kamen ihnen nur beschränkt zugute, weil die bäuerlichen Abgaben in Geld bezahlt wurden und damit an Wert verloren.

Überall merkten sie, daß die frühkapitalistische Wirtschaft ihrem Stand neue Zwänge auferlegte. Wie sollte man noch mithalten mit den Geldsäcken in Augsburg und Nürnberg, die einem zuweilen sogar – wie im Fall der Fugger – als Lehnsherr vor die Nase gesetzt wurden. In einer Beschwerdeschrift von 1523 heißt es, daß alle Stände den Adel unterdrücken wollten, alle Stände wurden »reich und reicher«, nur der Adel gerate »wachsend in Armut und Elend«. Es war eine verkehrte Welt, ein Kaiser, der Geld haben wollte, Landesherren, die sie vor ihre Kanzleien forderten, aufmüpfige Bauern, mächtige Städte. Da tat es einem geplagten Rittersmann schon einmal gut, wenn ein Standesgenosse aufstand und den Zorn des bedrohten Standes gegen die reichen Stifter und die Fürsten zum Ausdruck brachte. Aus dem Bauernkrieg gibt es die bezeichnende Bemerkung eines thüringischen Adeligen, der sagte, zu Anfang sei der Aufstand der Bauern den Rittern schon recht gewesen, als es gegen die Geistlichen ging. Erst später habe man die Gefahren erkannt, die den eigenen Stand bedrohten. Solche Äußerungen zeigen, daß durchaus ein Zusammenhang besteht zwischen den sozialen Bewegungen dieses Jahrzehnts. Bauern und Ritter gemeinsam waren die Feinde der unaufhaltsamen Entwicklung zum modernen Territorialstaat, weil dieser Staat zunächst einmal die traditionellen Formen adeligen und gemeindlichen Lebens bedrohte.

Die Bedeutung der zwanziger Jahre für die Entwicklung der Ritterschaft liegt in der Antwort auf die Frage, ob der niedere Adel noch einmal eine bedeutende Rolle neben Kaiser und Territorien spielen konnte. Maximilian hatte durchaus adelige Einungen ermuntert und im Schwäbischen Bund hatte der Adel ja einen festen Platz gefunden, der ihn stärkte und ihn in gewisser Weise mit den neuen Territorialstaaten versöhnte. Doch insgesamt war für den Adel alles offen und ein Mann wie Franz von Sickingen (1481-1523), ein Kraichgauer Ritter aus der pfälzischen Adelsklientel, konnte in dieser Situation seinen Standesgenossen wirklich als der Retter aus der Not erscheinen, zumal der untypisch wissenschaftsfreundliche Ulrich von Hutten (1488-1523), der seit September 1520 auf dem Besitz Sickingens lebte, wirksam für ihn und seine Ziele warb.

Sickingen hatte einen weitverstreuten Besitz geerbt, den er seit 1515 auch noch erheblich vermehrte, und eigentlich wäre er der ideale Mann für eine Hofkarriere am Heidelberger Hof gewesen, aber diese Pläne zerschlugen sich nach einem Streit mit dem Kurfürsten Ludwig V. Seit 1517 war er in Diensten der Habsburger, und bei der Kaiserwahl kam ihm eine gewisse Bedeutung zu, als er mit seinen Reitern Druck für Karl ausübte. Nach der Vertreibung Herzogs Ulrich von Württemberg kam er in Kontakt mit Hutten, dessen Vetter von Ulrich ermordet worden war. In der Folgezeit wandte sich Sickingen zunehmend den hochfliegenden Zielen Huttens zu: Romkritik und Unterstützung Luthers, seine Burgen wurden für viele bedrohte Reformatoren »Herbergen der Gerechtigkeit«, wie es Hutten formulierte. 1522 wurde er in Landau zum Hauptmann des rheinischen Adels gewählt, der sich zugleich eine Ordnung als »Brüderliche Vereinigung« gab und glaubte damit, eine Machtbasis zu haben, um gegen den Kurfürsten von Trier vorgehen zu können. Das Ziel seines Angriffs war ganz zweifellos die Säkularisierung des Trierer geistlichen Kurfürstentums, eine scheinbar reife Frucht, die für den Adelsbund Sickingens auf dem Tisch zu liegen schien. Man glaubte, nur noch zulangen zu müssen, die Standesgenossen würden schon helfen, um im Handstreich einen der verhaßten geistlichen Fürsten zu beerben. Es ist schwer auszumachen, inwieweit das Unternehmen gegen Kurtrier eher Sickingens persönliche Interessen oder die seines Standes widerspiegelte.

Vermutlich verbanden sich beide Motive bei den Rittern und Grafen, die Sickingen bei seinem Zug unterstützten. Man war dazu vertraut mit dem neuen reformerischen Gedankengut, und der fromme Spruch »Herr, Dein Wille geschehe« wehte auf den Fahnen. 1522 schrieb Martin Bucer begeistert über die Pläne von Sickingen und Hutten und glaubte urteilen zu können: »Wenn mich nicht alles täuscht, so ist eine große und allgemeine Umgestaltung der Dinge vor der Tür, ob sie wollen oder nicht.« (Gemeint waren hier die großen Fürsten des Reiches.)

Sickingen gelang es, höchstens 10000 Mann gegen den Kurfürsten von Trier zu sammeln, einen alten Feind seiner Raubritteraktivität, der sich unerwartet als tüchtiger Organisator der Verteidigung erwies. Ende August 1522 brach Sickingen in Trierer Gebiet ein und wollte durch einen schnellen Griff Trier erobern. Die großen Fürsten wußten gleich, daß hier nicht nur ein neuer kleiner Raubkrieg geplant war. »Es gilt fürwahr ein gewaltig Spiel«, schrieb ein Zeitgenosse, und der bayerische Kanzler Leonhard von Eck sah weise voraus, daß ein Bundschuh entstehen werde, dessen Morgenmahl die rheinischen Fürsten, dessen Mittagsmahl die anderen Fürsten und dessen Schlaftrunk schließlich der gemeine Adel zu bezahlen habe.

Die zweifellos geplante Eroberung Triers mißlang, Sickingen zog sich schon Ende September von Trier auf sein eigenes Burgenterritorium zurück und wurde jetzt selbst das Opfer fürstlicher Gegenmaßnahmen, Hessen und Pfalz kamen dem bedrohten Trierer Kurfürsten zu Hilfe. Am 10. Oktober wurde Sickingen vom Reichsregiment in die Acht erklärt. Im April 1523 schließlich rückten Trier, Pfalz und Hessen vor die Burg Nanstein (in der Herrschaft Landstuhl), der letzte Akt des Dramas begann. Sickingen wurde bei der Beschießung tödlich verwundet. Hutten hatte sich schon früher in die Schweiz geflüchtet, wo er noch im gleichen Jahr starb. Als drei Jahre später Pfalzgraf Friedrich auf seiner Reise zum Kaiser nach Spanien in Landstuhl übernachtete, notierte sein Reisebegleiter Dr. Lange in seinem Tagebuch, dieses »Slos des Frantzen von Sickingen«, der hier in einem kleinen Gewölbe über dem Weinkeller gestorben sei, sei jetzt »vast zerbrochen und mit dem umbgeschossen thurmb verfället«.

Damit war die große Gefahr der befürchteten »Veränderung« zunächst abgewendet. Aber Luther-Gegner wie Luther-Förderer sahen den Zusammenhang mit der neuen Lehre: Jetzt wo der »Afterkaiser« Sickingen gefallen sei, werde es auch mit dem »Afterpapst« Luther nicht mehr lange dauern, sagten die Katholiken. Martin

Bucer, dem Sickingen selbst geholfen hatte, aber sah durch den Fall Sickingens »die papistischen Ungetüme wieder ihre Häupter erheben«. Er sah das Evangelium in akuter Bedrohung.

Man wird sagen, nur ein kleiner Raubritter, dem der Erfolg als kaiserlicher Condottiere zu Kopf gestiegen war, der zu gerne Reichsfürst werden wollte, dem die vereinigten Heere der Fürsten schnell den Garaus machten und somit vielleicht eher eine Bestätigung der Stabilität des Reiches. Doch eine solche Bewertung würde der inneren Unruhe Deutschlands nicht gerecht. Hinter Sickingen, Hutten und anderen Rittern standen in nicht geklärter Verbindung der Mainzer Kurfürst Albrecht von Brandenburg und einige seiner Räte, die lutherische Bewegung, die potentielle Unruhe des gemeinen Mannes, der Appell an die ohnehin unruhigen Städte, den Reichsrittern zu helfen. Kurzum, alle Strukturen, die Ordnung sichern konnten, waren zumindest theoretisch bedroht, »Umwälzungen« schienen möglich. Noch auf dem Reichstag von 1524 wehrten sich Trier, Hessen und Pfalz gegen Beschuldigungen des Regiments, sich in dem erwähnten Rachefeldzug gegen die Ritter nur am Adel bereichern zu wollen, mit dem Argument, daß man bei einem Erfolg Sickingens nicht mehr gewußt haben würde, »welcher König, Kaiser, Fürst, Graf, Commun oder Anderes« gewesen. Der Sieg der Fürsten war deshalb mehr als eine gelungene Strafaktion gegen einen Raubritter, so schwer es auf der anderen Seite ist, die in ihrer Teilnehmerschaft relativ inhomogene Sickingenfehde zum Kern eines wirklichen »Ritteraufstands« zu machen. Es war das erste Anzeichen, daß die Territorialfürsten die neue entscheidende Macht waren, die mit der demonstrativen Zerstörung von 23 Schlössern und Burgen durch den Schwäbischen Bund ein Zeichen setzen wollten. Was sich schon 1521 auf dem Reichstag dem Kaiser gegenüber angedeutet hatte, wurde jetzt auf einem wichtigen Feld der inneren Politik bestätigt.

Für den niederen Adel war schmerzlich deutlich geworden, wo seine Grenzen lagen. Er mußte den entwürdigenden Weg in die Territorien gehen und sich unterordnen, oder er mußte das Gewirr der lokalen Einungen überwinden, sich dem Kaiser unterstellen, aber dafür sich selber organisieren und dafür auch Geld bezahlen. So ist es kein Wunder, wenn vor allem die Reichssteuern der ersten Hälfte des 16. Jahrhunderts zum Ansatzpunkt dessen wurden, was dann in der Reichsverfassungsgeschichte als Reichsritterschaft bezeichnet wird. Feste Ritterkantone am Rhein, Neckar, Donau und in Franken, diese wiederum in Viertel unterteilt, machten die Reichsritter zu einem halbwegs berechenbaren Faktor der Politik. Während die Ritter noch zur Zeit Maximilians Einungen gegen eine Reichssteuerbelastung ihres Standes gebildet hatten, fügten sie sich jetzt geschlossen in das Unvermeidliche. Sie hatten die Lektionen von 1522/23 und 1525 gelernt, auch wenn wir 1563/64 noch einmal einen Versuch einer Adelsrevolte durch Wilhelm von Grumbach beobachten können, freilich in einer ganz anderen politischen Konstellation.

Die Bedeutung der Sickingenfehde im Rahmen der anderen Ereignisse dieser Jahre wird treffend belegt durch einen Spruch, der bald nach Sickingens Tod »von Aynem mechtigen herren des Hayligen Reychs« verfaßt wurde. Besser als mit diesen holprigen Versen läßt sich der hier anvisierte Zusammenhang von Reformation, Frühkapitalismus, Monopoldiskussion und Ritterfehde kaum belegen:

> »Sich hatt empört, Ist nie erhört,
> Teutsch Nacion, mit dryen person,
> Des Adels glantz, Sigking der Frantz,
> Ain Burger so geschickt, Fugger trybts glick,
> Die klinget harpff, ain Munich so scharpff,
> Ain grosser strawss, was noch darauß
> Werden will, steckt noch im spill.«

1.4. Die Antimonopolbewegung

Die zwanziger Jahre des 16. Jahrhunderts waren durch das eben erwähnte krisenhafte Nebeneinander von Veränderungen in verschiedenen Bereichen der Gesellschaft gekennzeichnet. Besondere Bedeutung kam dabei dem Frühkapitalismus zu, weil darin der Grund für eine Verschärfung der Interessengegensätze zwischen den Ständen gesehen werden muß. Diese Bedeutung der frühkapitalistischen Wirtschaft läßt sich nicht nur als Hintergrund einer Reihe von Konflikten in Stadt und Land ausmachen. Sie wird vielmehr selbst zum Gegenstand einer langwierigen öffentlichen und politischen Auseinandersetzung.

Tatsächlich fällt am Ende dieses spannenden Jahrzehnts eine weitreichende Entscheidung über die Zukunft der Wirtschaft: Entschieden wird der sog. Monopolstreit, d. h. die politische Auseinandersetzung um die Existenzberechtigung großer Kapitalgesellschaften wie z. B. der Fugger und Welser. Wir haben schon auf die Fülle der Äußerungen hingewiesen, die sich dem Phänomen des Wuchers, der Finanz, der »Fuggerei«, dem Eigennutz und der Preistreiberei der Kaufleute widmeten. Von den Reformschriften des späten Mittelalters bis zu den Reformatoren spannt sich der Bogen einschlägiger Äußerungen, deren Schärfe sich im Laufe des Jahrhunderts eher noch steigerte. Auch im Bauernkrieg selbst – etwa in der Tiroler Landesordnung Michael Gaismairs – haben wir eine tiefe Feindschaft gegenüber allem freien Handel festgestellt.

Der radikale Prediger Jakob Strauß formulierte, daß das Geld keinen Nutz bringen könne, 10 Gulden blieben 10 Gulden, auch wenn sie tausend Jahre angelegt würden; er brachte damit die kapitalismusfeindliche Grundhaltung der Reformatoren und ihrer Zeit zum Ausdruck. 1515 fand an der Universität Bologna eine Disputation statt, in der Johann Eck – der spätere Gegner Luthers – einen Zinssatz von 5 % verteidigte. Vielleicht deshalb widmete sich Luther 1519 diesem Thema in seinem *Sermon von dem Wucher*, wo er vor allem den sog. Zinskauf angriff. 1524 erschien dann seine Schrift *Von Kaufhandlung und Wucher*.

Daß der Kaufmann verdiene, erschien Luther durchaus recht und billig. Doch Luther zielte nicht auf den einzelnen Kaufmann, der seine persönliche Mühe billigerweise belohnt sehen wollte, sondern auf das System des Profitmachens, das in seiner Zeit schon zu bemerkenswerten Ergebnissen geführt hatte. »Das ist der Hauptspruch und Grund aller Finanzen, da sie sagen: ›Ich mag meine Ware so teuer geben als ich kann.‹« Es könne nicht göttlich und recht zugehen, schließt diese Schrift, wenn ein Mann so reich werde, daß er Könige und Kaiser auskaufen könne. Natürlich wußte jeder im Reich, daß damit Jakob Fugger gemeint war, dessen Kredite seinerzeit die Wahl Karls V. sichergestellt hatten.

Luthers Äußerungen zu Fragen der moralischen Bewertung des Frühkapitalismus waren nicht nur durch die breite kapitalismusfeindliche Grundstimmung und seinen reformatorischen Ansatz ausgelöst. Sie reagierten auch auf einen politischen Diskussions- und Entscheidungsprozeß, der seit 1512 die Reichstage mehrfach bewegte. In diesem Jahr wurden im Reichsabschied zum erstenmal Vorschriften erlassen, die sich gegen die Monopole richteten.

Dies blieb, weil völlig unspezifisch formuliert, ohne jede Wirkung, auch deshalb – so kann mit Fritz Blaich gesagt werden –, weil sich diese frühe Diskussion auf der Basis eines zwar »vulgären«, aber außerordentlich publikumswirksamen Monopolbegriffs bewegte. Dieser Monopolbegriff ist eigentlich das Synonym für alle frühkapitalistischen Erscheinungsformen der Wirtschaft, die negativ auffallen. Der Widersinn dieser Politik wird deutlich, wenn der Thronbewerber Karl, der 1519 mit Unterstützung der Fugger zum römischen König gewählt wurde, in seiner Wahlkapitulation versprechen mußte, gegen die Handelsgesellschaften, vor allem natürlich die Fugger, vorzugehen. Die Reichstage von Worms 1521 und Nürnberg 1522-1524 mußten deshalb zu einer Auseinandersetzung um die Wirtschaftspolitik des Reiches führen, mußten klären, ob das Reich mit Macht gegen eine weitere Entwicklung des Kapitalismus vorgehen wollte oder ob es eine Zurückdrängung der neuen Erscheinungsformen dieses Systems im Interesse der feudalen Rentenbezieher erreichen wollte.

Der Reichstag verfuhr so, wie auch moderne Parlamente zu verfahren pflegen, wenn sie direkten Entscheidungen ausweichen wollen: Man holte Gutachten von Experten ein. Die Antimonopolpartei faßte ihre Meinung dann 1522/23 in dem »Ratschlag« des kleinen Ausschusses zusammen, er wurde – wie Clemens Bauer sagte – zum »Arsenal« der Monopolgegner, und von ihm zehrte die Diskussion im weiteren Verlauf des 16. Jahrhunderts. Die Gegenpartei, d. h. die Befürworter der großen Gesellschaften, fanden ihr Sprachrohr beinahe allein in der Stadt Augsburg und vor allem in dem Augsburger Juristen Dr. Conrad Peutinger. Für ihn war das monopolfeindliche Gutachten des Ausschusses ein Werk der Mißgunst der weltlichen Fürsten gegen die Städte.

Der Reichstag 1524 überließ dann die Regelung der Monopolfragen dem Kaiser, der im März 1525 eine »Constitutio de illicitis mercimoniis«, von der er bereits wenig später Erze und Metalle wieder ausnahm, erließ. Schon vorher hatte der Kaiser zwei Antimonopolverfahren des Reichsfiskals gegen Augsburger und Nürnberger Handelshäuser niedergeschlagen.

Wieder ging die Frage an den Reichstag zurück, der 1526 und 1529 darüber verhandelte, 1529 auch einen Abschied in der Frage erreichte, der dem Fiskal das Vorgehen gegen Monopole auf der Grundlage des Gemeinen Rechts vorschrieb. 1530 wurden schließlich noch einmal die Bestimmungen von 1512 wiederholt.

Auf dem Augsburger Reichstag von 1548 wurden die Monopolbestimmungen in die Reichspolizeiordnung aufgenommen, die 1577 wiederholt wurden.

Deren 17. Titel verbot die wucherlichen Kontrakte, d. h. Zinsen über 5 % und verschiedene damit zusammenhängende Praktiken, der 18. Titel die Monopolien, wobei vor allem die Fürkäufe und Aufkäufe genannt waren, also bestimmte Formen der Hortung von Waren, um sie erst in Zeiten der Teuerung zu verkaufen; die Bestimmungen bezogen sich aber nicht auf die Kapitalgesellschaften selbst. Es ist offensichtlich, daß hier keine sehr präzisen Vorstellungen vom Wesen des Monopols, etwa Anbieter- oder Nachfragemonopol bestanden, manchmal wurde sogar Monopol synonym mit großer Gesellschaft verwendet. Diese Gleichsetzung bereitete vor allem den Städten große Probleme. Freilich entwickelte der Reichsabschied 1512 schon eine Definition, die der Beschreibung eines Angebotsmonopols nahekam, wenn er davon schrieb, daß große Gesellschaften große Mengen von Waren in ihre Hände brächten und deren Wert nach ihrem Gefallen festsetzten.

Es charakterisiert die komplizierte wirtschaftliche Lage zu Beginn des 16. Jahrhunderts, wenn wir uns die Argumentation der Monopolgegner ansehen. Durchaus vergleichbar mit den Plänen der Bauern im Bauernkrieg verlangten sie die Abschaffung der großen Handelsgesellschaften. Wiederhergestellt werden sollte der alte Kaufmannshandel, beschränkt durch die Vorschriften von Kirche und Obrigkeit. Überdeutlich führt hier der Wunsch nach den alten, noch wenig entwickelten ökonomischen und sozialen Verhältnissen die Feder.

Die Befürworter der großen Gesellschaften hatten angesichts der emotionalen Positionen der Monopolgegner relativ leichtes argumentatives Spiel, wenn auch die politische Fraktion der Gegner nur mit Hilfe des Kaisers zu schlagen war. Nirgendwo können wir besser über die Argumente der Befürworter der Gesellschaften informiert werden als in den Schriften Peutingers. Dieser Mann verstand es nicht nur, die einschlägigen juristischen Argumente zu entkräften, sondern er entwickelte darüber hinaus auch bemerkenswerte Einsichten in die Nützlichkeit des Gewinnstrebens der Kaufleute. Sie liefen darauf hinaus, einen Zusammenhang von privatem Erwerbsstreben und öffentlichem Wohlstand anzunehmen. Diese Position ist von Clemens Bauer als »Durchbruch des neuen ökonomischen Denkens« zu Beginn der Neuzeit bezeichnet worden, und tatsächlich finden sich hier originelle Betrachtungen über die individuellen Antriebe des Wirtschaftsprozesses. Sie nahmen in Umrissen die Diskussionen vorweg, die im 17./18. Jahrhundert in England geführt werden sollten, wenn wir etwa an Adam Smith denken. Zum erstenmal fanden sich hier Elemente jenes Denkens, das wir normalerweise als »liberales« Verständnis des Wirtschaftens bezeichnen, d. h. die Überzeugung, daß sich gesellschaftliche Harmonie eben nicht durch Ordnung und Vorschriften entwickelt, sondern automatisch aus der Verfolgung der Einzelinteressen. »Propria utilitas« (der eigene Nutzen) schafft die »commoditas publica« (den gemeinen Nutzen), heißt es sinngemäß bei Peutinger.

Nie wieder sind die konträren Positionen der Wirtschaftsentwicklung so aufeinandergetroffen wie in diesen zwanziger Jahren des 16. Jahrhunderts. In faszinierender Deutlichkeit stand hier die Frage zur Entscheidung an, ob der Weg der ökonomischen Entwicklung zurückgegangen werden sollte in die tradierte Sicherheit des Kaufmannshandels oder ob der Weg in die kapitalistische Warengesellschaft gewählt werden sollte. Dieser Vorgang unterstreicht noch einmal unsere Bewertung dieses Jahrzehnts als Entscheidungsjahre des 16. Jahrhunderts.

1.5. Die Explosion des gedruckten Worts

Der Erfolg der reformatorischen Bewegung wäre nicht möglich gewesen ohne die neuen Möglichkeiten, die der Druck mit beweglichen Lettern seit der zweiten Jahrhunderthälfte bot. Der Buchdruck gehört zu jenen Beispielen technologischen Fortschritts, die direkt auf den Verlauf der Geschichte eingewirkt haben. Die damit mögliche Einflußnahme auf ein Massenpublikum unterscheidet die Reformation von allen anderen vorausgehenden kirchenkritischen Bewegungen. Die enorme Flut der Schriften Luthers, die schon bis Ende 1520 in insgesamt 652 Auflagen mit etwa 600000 bis 700000 Exemplaren verbreitet waren, stellte eine fast unglaubliche Veränderung der bislang tradierten Mechanismen der Wissensvermittlung dar. Diese explosionsartige Verbreitung der Schriften Luthers und seiner Weggefährten kann durchaus in eine Reihe mit den anderen schon genannten krisenhaften Entwicklungen gestellt werden, die die zwanziger Jahre des 16. Jahrhunderts prägten. Wir wollen hier einen genaueren Blick auf diesen Vorgang werfen, denn ohne Zweifel ist die Möglichkeit der Wissensvermittlung durch das gedruckte Wort zu einem Faktor geworden, der nicht nur die Reformation, das Staatsleben und die Wissenschaft tiefgreifend verändert hat, sondern auch den Charakter von Politik generell. Herrschaftsausübung war nach den »Sturmtruppen der Reformation«, nach der neuen Fülle der billigen Flugschriften, nicht mehr das gleiche wie noch im späten 15. oder frühen 16. Jahrhundert. Selbst der gemeine Bauer war »witzig« geworden, wie viele Zeitgenossen mit Eberlin von Günzburg beklagten. Der Buchdruck öffnete die deutschen Augen, schrieb der erste Historiker der Reformation Sleidan im Jahre 1542. Selbst wenn wir in Rechnung stellen, daß die Rekordauflagenziffern der Reformationsjahre nicht andauern, müssen wir doch feststellen, daß das ganze 16. Jahrhundert als erstes durch das neue Medium geprägt wurde. Die Pluralisierung der Gesellschaft, die Bildung konfessioneller Kulturen ist ebenso untrennbar mit dem Buchdruck verbunden wie die öffentliche Diskussion der Türkengefahr oder von Naturphänomenen wie den Kometen. Schließlich ist vor allem darauf zu verweisen, daß mit dem Buchdruck Wissen seinen Weg auch in jene Schichten der Gesellschaft finden konnte, die bislang vom Zugang ausgeschlossen waren.

Die historische Buchforschung hat sich aus einer Reihe sehr praktischer Gründe darauf geeinigt, das Jahr 1500 als eine Epochengrenze der Buchproduktion zu betrachten. Die bis zu diesem Jahr produzierten Bücher gelten als Inkunabeln oder Wiegendrucke; man charakterisiert damit die herausgehobene Bedeutung dieser frühen Erzeugnisse des Buchdrucks, die sich in Europa immerhin auf etwa 30000 Titel beziffern lassen, wovon etwa ein Drittel im Gebiet des Heiligen Römischen Reiches gedruckt wurde. Dieses Jahr 1500 ist freilich keine überzeugende Grenzlinie. Friedrich Kapp, der Verfasser des ersten Bandes der *Geschichte des Deutschen Buchhandels*, hat schon vor hundert Jahren festgestellt, daß sich um 1500 keine erhebliche Veränderung des Buchdrucks beobachten lasse, weder in qualitativer noch in quantitativer Hinsicht. Er sah eine überzeugendere Grenze im Jahre 1520, in dem er das »Foliantenzeitalter« zu Ende gehen und das Zeitalter der kleineren und damit populären Formate beginnen sah. War das Buch als meist dickleibiger Foliant ein unhandliches und wegen seiner Kosten sozial eng begrenztes Medium gewesen, wurde es nun immer stärker zu einem unproblematisch zu gebrauchenden, auch erschwinglichen Träger von Wissen. Buchbesitz bleibt im Lauf des 16. Jahrhunderts nicht das Privileg einer kleinen Gruppe von Theologen, Juristen und Medizinern, sondern es wird zum Besitz auch von Handwerkern. Untersuchungen gerade der neueren Forschung haben gezeigt, daß sich im Nachlaß von Schuhmachern und Badern, von Webern und Bäckern auch Bücher fanden, selbst wenn es im Durchschnitt nur etwa 12 bis 15 waren. Gelehrtenbibliotheken umfaßten dagegen durchschnittlich etwa 120 Bücher. Kräuter- und Arzneibücher, historische Chroniken und geistliche Erbauungsbücher fand man in jenen Kreisen wohl am häufigsten. Die Tatsache, daß man im Nachlaßverzeichnis jedes Buch mit seinem Titel aufnahm, spricht wohl für die Bedeutung, die man dem Besitz von Büchern beimaß.

Es ist bislang nicht möglich gewesen, das tatsächliche Ausmaß der Buchproduktion des 16. Jahrhunderts präziser anzugeben. Die älteren bibliographischen Verzeichnisse waren höchst lückenhaft, und zuweilen erbrachten im Lauf der letzten 150 Jahre neu erarbeitete Verzeichnisse mehr als eine Verdoppelung der bekannten Titel. Seit fast zwei Jahrzehnten wird das Verzeichnis der Drucke des 16. Jahrhunderts in Deutschland (VD 16) vorbereitet, dessen erste Bände kürzlich erschienen sind. Dieses Unternehmen, das leider nur die Bestände der »Bayerischen Staatsbibliothek München« und der »Herzog August Bibliothek Wolfenbüttel« verzeichnet, wird etwa 120000 Titel nachweisen können, vielleicht vier Fünftel aller tatsächlich publizierten Titel. Legt man eine durchschnittliche Auflagenhöhe von über 1000 Exemplaren zugrunde, ergibt sich für das 16. Jahrhundert die schwer vorstellbare Bücherflut von über 100 Millionen Büchern bzw. Flugschriften. Gegenüber dem 15. Jahrhundert vervielfachte sich damit die Zahl der Drucke, während sich die Bevölkerungszahl der Menschen nur verdoppelte. Angesichts der heutigen relativen Seltenheit der Bücher des 16. Jahrhunderts in unseren Bibliotheken erscheint dies vielleicht als eine unwahrscheinliche Zahl.

Doch sie wird faßbarer, wenn wir uns die Auflagenhöhe einzelner berühmter Werke gerade in den zwanziger Jahren genauer anschauen. Luthers Septembertestament hatte eine Erstauflage von 3000 Exemplaren, und der Kleine Katechismus Luthers erfuhr alleine bis zu seinem Tod (1546) 146 Auflagen. Bis zum Ende des Jahrhunderts werden sicher zwischen 600000 und 700000 Exemplare dieses Buchs abgesetzt worden sein. Von seiner Schrift *An den christlichen Adel deutscher Nation* wurden binnen fünf Tagen 4000 Stück verkauft. Beinahe alle seine großen Schriften der Jahre zwischen 1517 und 1520 erzielten ca. zwanzig Auflagen, dies gilt auch für seine beiden ersten Bauernkriegsschriften. Allein der Wittenberger Drucker Hans Luft brachte zwischen 1524 und 1584 ca. 100000 Teil- und Gesamtausgaben der Lutherschen Bibel auf den Markt. Von seinen *Propositiones* berichtete Luther später selber, daß sie »schier in vierzehen tagen durch gantz Deudschland« gelaufen seien. Alle diese Angaben, wie sie inzwischen von der buchgeschichtlichen Forschung in beeindruckender Fülle zusammengetragen worden sind, gewinnen erst ihr besonderes historisches Gewicht vor dem Hintergrund der Tatsache, daß sich diese Explosion des gedruckten Wortes praktisch in wenigen Jahren vollzog. Wir können über die Wirkung dieser radikalen Veränderung der damaligen, normalerweise eher statischen Welt nur spekulieren.

Noch eindrucksvoller wirkt diese Veränderung der Welt, wenn man sich das klassische Druckerzeugnis gerade des Reformationsjahrzehnts ansieht, die Flugschrift. Diese handlichen, nur wenige Seiten umfassenden, stets aktuellen Diskussionen gewidmeten Erzeugnisse der Druckerpressen befriedigten gewissermaßen den Massenbedarf an Information über die Reformation. Sie wollten überzeugen, angreifen, schmähen, informieren, richtigstellen, in jedem Fall waren sie Produkte, die auf die ungeheure Nachfrage reagierten. Nur wenige Pfennige teuer wurden sie auf den Märkten verkauft, von wandernden Händlern schnell auch bis auf das Land verbreitet. Die Verbreitung der Zwölf Artikel der Bauern ist ein hervorragendes Beispiel der weitflächigen Streuung einer solchen Flugschrift. Sie zeigt auch, daß sich in dieser Zeit Flugschriften sehr wohl gegen das ausdrückliche Verbot der Obrigkeiten durchsetzen konnten, denn alle reformatorischen Schriften verstießen gegen die Bestimmungen des Wormser Edikts. Immer wieder fanden sich »Buchführer«, Briefmaler, Formschneider, aber auch andere Handwerker, die das Wagnis des Verkaufs radikaler Druckerzeugnisse auf sich nahmen. Im Mai 1522 verhaftete der Magdeburger Magistrat einen Kleriker, der »Martinische büchlen« verkauft hatte, zwei Jahre später einen armen Tuchmacher, der auf dem Marktplatz der Menge Luthers Lieder vorsang und verkaufte. 1521 berichtete man Hutten, daß einem armen Mann achtzig Exemplare von Luthers Schrift *De captivitate babylonica* abgenommen worden seien. Eine Fülle ähnlicher Eingriffe in den Verkauf von Flugschriften zeigt uns, daß die Obrigkeiten der Verbreitung der Flugschriften letztlich machtlos zusehen mußten.

Insgesamt können wir im Zeitraum von 1501 bis 1530 von etwa 12000 Flugschriftenausgaben ausgehen, von denen allein drei Viertel zwischen 1520 und 1526 erschienen. Wenn wir auch hier etwa 1000 Exemplare pro Ausgabe annehmen, wurden in den ersten drei Jahrzehnten des 16. Jahrhunderts etwa 10 Millionen Exemplare von Flugschriften gedruckt. Dies waren Schriften, die keineswegs nur ihren jeweiligen Käufer erreichten. Sie wurden in den Wirtshäusern, ja manchmal auf öffentlichen Plätzen vorgelesen, wie z. B. in Nürnberg, wo ein Bürger im Jahre 1524 eine Schrift Karlstadts auf dem Marktplatz vorlas und deswegen ins Gefängnis kam. Diese Schriften wurden von den Kanzeln verbreitet, mit einprägsamen, meist den Inhalt verdeutlichenden Titelholzschnitten schnell und in erstaunlich hohen Auflagen nachgedruckt, wenn die Nachfrage groß genug war und ein gutes Geschäft versprach. Die Drucker gerieten bald in den Ruf, weniger auf den Inhalt einer Schrift, als auf deren Absatzchancen zu schauen. Gedruckt wurde alles, so klagte Eberlin von Günzburg, wenn es nur »zutreglich ... dem seckel«. In Augsburg druckte der »Winkeldrucker« Philipp Ulhart in den frühen zwanziger Jahren etwa 190 radikale Flugschriften, ohne daß er von der Obrigkeit entdeckt worden wäre. In Rothenburg o. d. Tauber gestand im Juli 1525 der Flugschriftenhändler Leonhard Götz, daß er nach Ostern in die Stadt gekommen sei, daß er u. a. die Schrift des Urbanus Rhegius über die Leibeigenschaft und einige Schriften Karlstadts verkauft habe, die er vorher von dem Drucker Philipp (Ulhart) in Augsburg erworben habe. Der spätere Täufer Hans Hut zog schon seit 1521 in Franken, Niederbayern und Österreich herum und verkaufte Flugschriften Luthers und seiner Anhänger, bis er sich dann 1524 auf die Seite Thomas Müntzers schlug und nur noch dessen Schriften vertrieb.

Daß die Schriften der Reformation weit verbreitet wurden und auch von sozialen Schichten angenommen wurden, die weit über das theologisch-gelehrte Fachpublikum hinausreichten, läßt sich am rapiden Anstieg gerade der volkssprachigen Titel in der Reformationszeit zeigen. Während zu Beginn des 16. Jahrhunderts nur etwa vierzig deutsche Titel jährlich gedruckt wurden, stieg diese Zahl auf 111 im Jahre 1519, auf 498 im Jahre 1523. Von diesen fast 500 Titeln betrafen 418 Probleme der Reformationsdiskussion.

Diese Beobachtung gilt auch für die Flugschriftenproduktion dieser Jahre, die überwiegend theologischen Fragestellungen im weitesten Sinn gewidmet war. Auch die zunehmende Verbildlichung der Reformationspropaganda beweist, daß das große Thema dieser Jahre auch jene Menschen erregte, die selbst nicht lesen konnten, die aber an den Diskussionen der Zeit teilhaben wollten. Obwohl wir keine präzisen Angaben über die Lese- und Schreibfähigkeit oder gar über deren Zunahme während der Reformation besitzen, besteht doch heute weitgehende Einigkeit darüber, daß zwischen 5 und 10% der Bevölkerung des Lesens und Schreibens kundig waren.

Natürlich divergierten die Zahlen sowohl zwischen Stadt und Land, wie auch zwischen den verschiedenen Teilen des Reiches erheblich. In den Handelsstädten wie Augsburg, Nürnberg, Straßburg oder Köln wird man die Zahl eher auf ein Viertel bis ein Drittel der Bevölkerung ansetzen können, während es auf dem Lande nur ganz wenige Personen waren, die lesen oder gar schreiben konnten. Wenig spricht dafür, daß Ulrich Zwinglis Beobachtung aus dem Jahr 1524 zutrifft, daß »kue- und genshirten yetz gelerter denn ire theologi« seien und »eins yeden puren huß ein schuol, darinn man nüws und alts testament ... läsen kann« sei. Wenn der Nürnberger Patrizier Christoph Scheurl dem päpstlichen Nuntius Campeggi zur gleichen Zeit berichtete, daß »der gemeine mann ... jetzt in einem Tage mehr lese als sonst in einem Jahre«, trifft eine solche Beobachtung wohl eher das ungeheure Interesse einer enorm vergrößerten Öffentlichkeit als eine gestiegene Lesefähigkeit. Während in Württemberg in den zwanziger Jahren 89 Schulen gezählt werden, sind es in Sachsen nur einige wenige. Eine Stadt wie Nürnberg war mit Latein- und deutschen Schulen so gut versorgt, daß mit Ausnahme der untersten sozialen Schichten eigentlich die überwiegende Mehrzahl aller Kinder hätten lesen und schreiben lernen können. Eine Quelle des Jahres 1487 spricht hier von ca. 4000 Jungen und Mädchen, die auf eine »deutsche Schule« gingen. Dazu kamen noch einmal ca. 800 Schüler, die die vier Lateinschulen der Stadt besuchten. Augsburg zählte um 1543 24 deutsche Knabenschulen und neun Mädchenschulen. Ganz sicher ist auch, daß die reformatorische Lehre und der in ihr enthaltene Verweis des einzelnen auf die Lektüre der Heiligen Schrift, einen starken Impuls für eine Verstärkung des Schulwesens bedeutete. Dabei muß aber bedacht werden, daß an der Wende vom 15. zum 16. Jahrhundert auch die allgemeine Entwicklung des städtischen und territorialen Gewerbes, die europäischen Handelsverbindungen und andere kulturelle Erfordernisse eine Verbesserung der Schreib- und Lesefähigkeit hervorgerufen hatten. So traf die reformatorische Lehre auf ein lernfähiges und lernbegieriges Publikum. Damit erst konnte sie zu einer machtvollen und historisch wirksamen Bewegung werden.

2. Die Reformation verändert das Reich

Bei dem Versuch eines Überblicks über den weiteren Verlauf der Reformation können wir direkt an die schon erwähnten Vorgänge des Speyerer Reichstags von 1526 anknüpfen. Dieser Reichstag mußte in mindestens zwei zentralen Fragen eine Klärung herbeiführen: Zum einen mußte er die Unsicherheit beseitigen, die in der politischen Durchsetzung des Wormser Edikts entstanden war. Erinnern wir uns, daß der Kaiser 1524 endlich mit einem Mandat die Durchsetzung des Edikts zu erreichen versuchte, doch daß diesem Mandat nur in den habsburgischen Erblanden und in jenen Territorien ein Erfolg beschieden war, die der begrenzten Regensburger Einung von 1524 anhingen. In Nord- und Mitteldeutschland, vor allem in Sachsen, hatte das Edikt gar keine Wirkung, in Sachsen war es erst gar nicht verkündet worden. Die Reichsstädte schließlich waren diejenigen, die sich der praktischen Anwendung des Edikts am heftigsten widersetzten, weil sie unter dem Druck des »gemeinen Mannes« standen. Immer wieder war in diesen Jahren der angstvolle Hinweis auf Unruhe beim Volk zu hören, und es liegt auf der Hand, daß der Ausbruch des Bauernkrieges diesen Eindruck einer unmittelbaren Gefährdung noch verstärkt hatte. So mußte es die Aufgabe dieses Reichstags sein – an dem der Kaiser nicht selbst, sondern sein Bruder Erzherzog Ferdinand teilnahm, der seit 1522 als Regent der habsburgischen Erblande amtierte –, die Klärung der beiden Fragen vom »Zwyspalt der lehren« und der »verhinderung weiterer Aufruhr« zu versuchen.

Freilich waren in den letzten beiden Jahren schon erste Veränderungen in der politischen Gewichteverteilung zu erkennen. In Nord- und Mitteldeutschland hatten sich einige Fürsten, die der alten Religion nahestanden, im sog. Dessauer Bündnis von 1525 zusammengeschlossen, im Süden standen die Regensburger Einung und der katholisch orientierte Schwäbische Bund. Beide Zusammenschlüsse waren aus durchaus unterschiedlichen Gründen politisch nur von geringer Bedeutung, beide waren geprägt von der zeittypischen Angst vor dem Aufruhr als Konsequenz der neuen Lehre. Man beriet, »wy man dy worczel disser uffrur, als dy verdampt luterisch secten auß roden moge«.

Dagegen standen die beiden reformationsfreundlichen Fürsten von Hessen und Kursachsen, die beide aus dem Bauernkrieg gestärkt hervorgegangen waren und sich dem Versuch katholischer Fürsten entzogen hatten, nach dem erfolgreich bestandenen Bauernkrieg jetzt ebenso energisch der lutherischen Ketzerei entgegenzuwirken. Sie hatten sich im Oktober 1525 verbündet, um auf dem geplanten Reichstag im Herbst 1525 die Auffassung zu vertreten, daß sie dem Wormser Edikt nicht nachkommen könnten, weil es den Glauben betreffe, der von Gott herkomme. Man kann diese Abmachung als die erste Formulierung des Bekenntnisprinzips bezeichnen, aus der Glaubensüberzeugung wurden die notwendigen politischen Konsequenzen gezogen. Beide Fürsten ritten im Juni 1526 gemeinsam in Speyer ein, und auf den Ärmeln ihres zahlreichen Gefolges las man die gleichen Worte wie auf den Fahnen der Bauernhaufen: »Verbum Dei Manet in Eternum« (Das Wort Gottes besteht in Ewigkeit). Nachdem sich Kursachsen und Hessen schon vor dem Reichstag in Torgau verbündet hatten und in Magdeburg weitere vier Stände einschließlich der Stadt Magdeburg dazu gestoßen waren, hielten sich die süddeutschen Städte zunächst einmal frei von diesem Bündnis.

Die Religionsfrage, die auf diesem Reichstag schon in einzelnen Fragen und in der Absicht einer »Vergleichung« der beiden Gruppierungen diskutiert worden war, wurde schließlich durch eine Erklärung des fernen Kaisers entschieden. Er verbot den Reichsständen jede eigenmächtige Entscheidung in dieser Frage, verwies auf ein einzuberufendes Konzil und mahnte die Einhaltung des Wormser Edikts an. Die Stände reagierten darauf mit der Entsendung einer Gesandtschaft nach Spanien, die dem Kaiser noch einmal die Unmöglichkeit einer Durchführung des Edikts vorstellen und um eine möglichst schnelle Einberufung eines Konzils anhalten sollte. In der Zwischenzeit aber wollten die Stände – so schrieben sie es in den Reichsabschied – »mit ihren Untertanen so leben, regieren und sich halten, wie ein jeder solches gegen Gott und kaiserliche Majestät hoffe und vertraue zu verantworten«.

Als am 27. August der Abschied mit dieser Formulierung verkündet wurde, war dies sicherlich nur eine aus der Zwangslage der Stände heraus entwickelte Formulierung, vielleicht als Ersatz für die frühere Formulierung des »soviel als möglich«, die man in Nürnberg gefunden hatte, um den offensichtlichen Konflikt um das Wormser Edikt zu überdecken. Die 1526 in Speyer gefundene Formel, die jedem Stand einen individuellen Spielraum zwischen Gott und dem Kaiser offenließ, wurde zur Zauberformel der politischen Bewältigung der Reformation im Reich. Man hat hierin die Grundlage für das sich immer stärker durchsetzende Prinzip der territorialen Lösung der Konfessionsfrage gesehen. Ranke hat in seiner Reformationsgeschichte hier bereits »die gesetzliche Grundlage der Ausbildung der deutschen Landeskirchen« und die »Trennung der Nation in religiöser Hinsicht« erkennen wollen.

Sicher wird man diese eher zufällige Formulierung von Speyer nicht so weitgehend interpretieren dürfen. Vielmehr muß man bedenken, daß angesichts der selbstbewußt und mächtig gewordenen Territorialstaaten des Reiches, ihrer relativen Autonomie gegenüber Kaiser und Reich, eine territorial differenzierende Lösung der Konfessionsfrage die einzige realistische Lösung war, so wie sich auch in anderen Staaten Europas mit starken partikularen Gewalten regionalistische Lösungen durchsetzten, z. B. in den Kantonen der Schweizer Eidgenossenschaft oder in den relativ starken Adelsherrschaften Polens. Wo kräftige partikulare Gewalten vorhanden waren, dort verband sich die Konfession mit den jeweiligen Trägern der Macht. Insofern entspricht die deutsche Lösung einem europäischen Grundmuster.

Der weitere Fortgang der Dinge nach Speyer ist – wie alle Phasen der Reformation – keineswegs allein aus den deutschen Verhältnissen zu erklären. In Spanien residierte ein Kaiser, der in Italien in einer heftigen Auseinandersetzung mit dem französischen König stand. Er hatte ihn zwar in der Schlacht von Pavia 1525 besiegt und gefangengenommen, ihn dann auf seine Ritterehre freigelassen, doch dies hinderte den französischen König nicht daran, nach seiner Freilassung den Kampf gegen Karl wiederaufzunehmen. Erst der Sacco di Roma im Mai 1527 bedeutete das Ende des vom Papst angeführten italienischen Bündnisses gegen Karl, der Friede von Cambrai beendete diese Etappe des Kampfes um Italien.

Doch die italienischen Kriege waren nur die eine Seite der Last, die auf dem Hause Habsburg lag. Kaum war der Speyerer Reichstag zu Ende, wurde in Deutschland der Tod des ungarischen Königs Ludwig bekannt, der in der Schlacht von Mohacz gegen die Türken gefallen war. Damit trat jener von Maximilian klug vorausgeplante Erbfall ein, der – wenn auch nach langen Auseinandersetzungen – Erzherzog Ferdinand in den Besitz der Kronen von Böhmen und Ungarn brachte, ihre jeweiligen Nebenländer eingeschlossen. Gewiß waren Böhmen und Mähren Länder mit einem beachtlichen Steueraufkommen, aber sie waren auch Länder, die dem Hause Habsburg gegenüber den Anspruch aufrechthielten, Wahlkönigreiche und keine Erbkönigreiche zu sein, in der politischen Welt des 16. Jahrhunderts eine kaum zu unterschätzende Differenz.

Ungarn schließlich brachte neben der beunruhigenden Existenz eines nationalungarischen Konkurrenten um das Königtum die besondere Belastung der direkten Konfrontation mit dem Osmanischen Reich mit in die Personalunion der Kronen ein. Wie bereits erwähnt, hatte seit dem Vordringen der Türken in die zu Ungarn gehörenden Königreiche Slawonien und Kroatien der Adel dieser Länder Schutz bei Erzherzog Ferdinand gesucht. Insofern entsprach Ferdinands Übernahme der Krone auch dem tatsächlichen Interesse des Hauses Habsburg an der Bewahrung Ungarns als »antemurale christianitatis« (Vormauer der Christenheit) und der Notwendigkeit einer Orientierung des ungarischen Adels am Hause Habsburg. Diese Auseinandersetzungen des Kaiserhauses mit Frankreich und dem Osmanischen Reich sind die eigentlichen Konstanten der Außenpolitik dieses Jahrhunderts, und ohne eine Erläuterung ihres verzögernden oder beschleunigenden Einflusses ist eine Analyse der wichtigsten Etappen in der Durchsetzung der Reformation nicht denkbar.

Im folgenden sollen nun in einem Überblick jene dreißig Jahre deutscher Geschichte dargestellt werden, die die Binnenstruktur des Reiches stark veränderten. Natürlich könnten wir versuchen, anhand der einzelnen Reichstage einen Weg durch die komplizierte Entwicklung zu finden, und einige werden sich in der Tat als unverzichtbare Markierungspunkte erweisen. Doch insgesamt wäre dies eine zu wenig prägnante Differenzierung dieser Epoche.

Statt dessen erscheinen drei weitere Zwischendaten bemerkenswert: Zum einen der Reichstag von 1529, auf dem die sich zur Reformation bekennenden Stände die »Protestation« überreichten und damit das Recht für sich in Anspruch nahmen, in Dingen des

Glaubens selbst und für sich entscheiden zu können. Damit begann eine Epoche der Reichskonfessionspolitik, die man als Jahrzehnt der Vergleichung bezeichnen könnte, die bis zum Regensburger Reichstag von 1541 dauerte, auf dem die Pläne einer inhaltlichen Vergleichung der Bekenntnisse endgültig zu den Akten gelegt wurden. Der sächsische Kurfürst Johann Friedrich schrieb nach diesem Reichstag, er wolle das Wort »Vergleichung« nicht mehr hören. Der Reformationshistoriker Paul Joachimsen hat das Jahr 1541 sogar das Anfangsjahr der Gegenreformation genannt und damit darauf angespielt, daß unmittelbar nach dem Scheitern der Vergleichspolitik in Regensburg in Rom die Inquisitionsvorschriften erneuert und Angehörige des neuen Ordens der Jesuiten nach Deutschland geschickt wurden.

Die vierziger Jahre sind die Jahre des Kaisers. Der Friede von Crépy im Jahre 1544 löste endgültig den Konflikt mit Frankreich, zudem starb drei Jahre später Karls großer Widersacher Franz I. Mit den Türken ließ sich 1547 im Vertrag von Adrianopel ein Frieden schließen, der es Karl ermöglichte, sich voll auf die deutschen Fragen zu konzentrieren. Nach dem Sieg über den Schmalkaldischen Bund in der Schlacht von Mühlberg begann Ende des Jahres 1547 der »geharnischte« Reichstag in Augsburg, wo Karl auf dem Höhepunkt seiner Macht in Deutschland seine Konfession, das sog. Interim, verkündete.

Doch dieser Höhepunkt wurde zugleich zum Wendepunkt der deutschen Verhältnisse. Moritz von Sachsen, der auf der Seite Karls das Interim in Norddeutschland durchgesetzt hatte, verließ 1551 das Lager des Kaisers und verbündete sich mit anderen protestantischen Fürsten gegen den Kaiser. Dies ist die Voraussetzung für die Passauer Friedensverhandlungen, die dann zur Grundlage des Augsburger Religionsfriedens geworden sind. 1529, 1541, 1548, 1551 und 1555 sind also die entscheidenden Jahre, und an ihnen wollen wir uns im folgenden orientieren, wenn wir dann einen etwas genaueren Blick auf die deutschen Verhältnisse werfen.

Eine der entscheidenden Fragen der neuen Bewegung und der Territorien, die sich zu Luther bekannten, mußte darin bestehen, wie denn die Lücke, die durch den Fortfall der kirchlichen Hierarchie entstanden war, geschlossen werden sollte. Warum eine Lücke, könnte man fragen, wo doch das Kirchenverständnis Luthers auf der Gemeinschaft der Gläubigen aufbaute und jede Hierarchie einer Amtskirche ablehnte. Doch die Erfahrung der Wittenberger Unruhen und der Zwickauer Schwärmer, in die Luther selbst hatte eingreifen müssen, die Erfahrungen auch des Bauernkrieges, die ihm seine Grenzen bei der Lenkung und Beeinflussung der Bewegung deutlich gemacht hatten, bewirkten eine Änderung der Haltung Luthers. Zwar bestand weiterhin seine prinzipielle Unterscheidung von geistlichem und weltlichem Regiment, doch erkannte er der Obrigkeit immerhin die bevorzugte Rolle eines »praecipuum membrum ecclesiae« zu, dem somit beim Versagen der geistlichen Gewalten bestimmte Ordnungsaufgaben zufielen.

Auch die prinzipielle Überzeugung Luthers, daß die Gemeinden in der Regelung ihrer eigenen Fragen autonom bleiben und ihre Prediger z. B. selber wählen sollten, bedurfte angesichts der neuen Probleme einer Modifikation. Wenn man ein ganzes Territorium für die neue Lehre erschließen wollte, wenn man Unordnung, Dissonanzen und Widersprüche vermeiden wollte, um der Bewegung nicht zu schaden, mußte man auch Vorkehrungen für eine übergreifende Organisation der Kirche schaffen, konnte nicht mehr nur einzelne Gemeinden nebeneinander bestehen lassen. Vor allen Dingen mußten die von den Landesherren eingezogenen Kirchengüter verwaltet, mußten Pfarrer besoldet werden, Visitatoren mußten darauf achten, daß die neue Lehre nicht in die gleichen Fehler verfiel, wie sie die alte Kirche gemacht hatte. Die Wittenberger und Zwickauer Erfahrungen legten es nahe, ein wachsames Auge auf Sektenbildungen zu haben und die einheitliche Richtung der neuen Lehre zu bewahren. All dies schien vernünftig, ja zwingend unter dem Erfolgsdruck dieser Jahre.

Dabei ist zu bedenken, daß Luther den weltlichen Obrigkeiten einen erheblichen Vertrauensvorschuß einräumte, wenn er sie – etwa in seiner Schrift *An den christlichen Adel deutscher Nation von des christlichen Standes Besserung* aufforderte, dringende Reformen in Kirche und Gesellschaft durchzuführen. Wo die Kirche selber versagt hatte, mußte jetzt die weltliche Gewalt eingreifen. Dieser Grundgedanke bot sich angesichts der starken landeskirchlichen Tendenzen des Spätmittelalters geradezu automatisch an, und so wundert es nicht, wenn Luther vor allem nach 1525 immer stärker die Obrigkeit einsetzte, wenn es um die Organisation der neuen Kirchen ging. Als jetzt der Abschied von Speyer expressis verbis den Reichsständen die Verantwortung für die weitere Handhabung des Konfessionsproblems übergab, waren kaum noch Zweifel über die Einrichtung eines landesherrlichen Kirchenregiments möglich. Hier lag die Kraft, die es zu nutzen galt. In Kursachsen wurde von 1527 bis 1530 – von Luther und anderen schon seit 1525 verlangt – die erste Visitation durchgeführt, und durch diese Tatsache ergab sich eine neue Konstellation, die eine noch engere Verbindung von Territorialstaat und Kirche bedeutete. Das hing gewiß auch damit zusammen, daß einzelne Reformatoren auf den Reichstagen zwar als Berater anwesend sein mußten, daß aber Entscheidungen in den Kurien und rechtsverbindliche Erklärungen nur von den Fürsten abgegeben werden konnten. Diese Entwicklung war aber sicher stärker dadurch bedingt, daß Luther in der Autorität des Landesfürstentums die einzige Instanz sah, die im Lande eine einheitliche Visitation ansetzen konnte, so wie etwa auch fürstliche Amtleute eine Besichtigung eines Amtsbezirks vornehmen konnten. Da Luther nicht mehr auf das Bischofsamt zurückgreifen konnte, mußte der Landesherr gewissermaßen als »Notbischof« fungieren, somit kam es zur Stellung des Landesherren als »summus episcopus«, ein Zustand, der in Preußen bekanntlich bis zum Jahre 1918 andauerte.

So ergab sich gerade in den Jahren ab 1525, daß die Reformation, die als kirchenkritische Reformbewegung begonnen hatte, alle Anzeichen einer Verselbständigung aufwies. Die Städte fingen an, evangelische Prediger einzusetzen (so in Breslau und Ulm seit 1523/24), Klöster wurden aufgelöst (so in Nürnberg 1525), fromme Stiftungen wurden eingezogen; vor allem in der zweiten Hälfte der zwanziger Jahre wurden diese Schritte in den Städten üblich. Der Wunsch nach evangelischen Predigern bzw. die Erkenntnis der Visitationen, daß geeignete Prediger nur selten genug vorhanden waren, machten wiederum eine stärkere Beaufsichtigung der Ausbildung und der Tätigkeit der Prediger notwendig. Superintendenten erfüllten diese Aufgabe, und Luther versuchte mit seinen katechetischen Schriften und der Anweisung für die Visitatoren den Bedürfnissen der Bewegung auch in diesem organisatorischen Sinne gerecht zu werden.

So wurden die ersten Grundlagen für die sich ausbildenden Landeskirchen gelegt. Nach der schon erwähnten kursächsischen Visitation folgten die Grafen von Mansfeld, Braunschweig-Lüneburg und Herzog Christian von Schleswig-Holstein 1528 und noch im gleichen Jahr Brandenburg-Ansbach und die Stadt Nürnberg in einer gemeinsamen Aktion. Auch der hessische Landgraf, der politisch aktivste der reformierten Fürsten, schloß sich dem sächsischen Visitationsmodell an, nachdem ihn Luther von den Vorzügen des Episkopalsystems gegenüber einer auf den Gemeinden aufbauenden Kirchenordnung überzeugt hatte. Das erste Land, das sich ganz der neuen Lehre ergab, war das Ordensland Preußen, dessen Hochmeister Albrecht von Brandenburg – ein Vetter der Kurfürsten von Mainz und Brandenburg – seinen Ordensstaat säkularisierte und ihn vom polnischen König als Lehen empfing. Das ehemalige Ordensland, das zugleich um zwei ebenfalls reformierte Bistümer erweitert wurde, konnte so zum ersten festen Stützpunkt der neuen Lehre werden.

Es lag in der Dynamik einer solchen Entwicklung und der damit deutlich werdenden Differenz zwischen altkirchlichen und sich der Reformation anschließenden Territorien, daß auf beiden Seiten nach Verbündeten für die eigene Position gesucht wurde. Dies galt schon für den Zusammenschluß der altkirchlichen Stände im Regensburger Konvent und für das Dessauer Bündnis, es mußte aber noch viel mehr zutreffen für die noch kleine Gruppe der evangelischen Stände, die sich der Mehrheit der Stände, Kaiser und Papst gegenüber alleine fühlen mußten.

Unabhängig davon, ob die Bündnisbemühungen der katholischen Stände vielleicht eher auf die Aufstandsfurcht nach dem Bauernkrieg zurückzuführen waren als auf den Wunsch nach einem gemeinsamen Vorgehen gegen die Reformierten, kam es im Jahre 1526 zu einem ersten Zusammenschluß dieser Gruppe, der bald darauf in Torgau zu einem festen Bündnis ausgebaut wurde. Außer den Gründern Hessen und Kursachsen gehörten ihm bald die norddeutschen Fürsten von Lüneburg, Grubenhagen, Mecklenburg, Anhalt, Mansfeld und Preußen sowie die Stadt Magdeburg an. Das Ziel dieser Gruppierung mußte zunächst darin bestehen, die Bestimmungen des Speyerer Abschieds, die die Existenzgrundlage der evangelischen Stände waren, zu erhalten und jeden Abstrich an diesem Minimalschutz abzuwehren, wie dies Erzherzog Ferdinand auf dem neuen Reichstag in Speyer 1529 durchsetzen wollte. Innerhalb solch kontroverser Bemühungen ist dieser Reichstag ein entscheidender Wendepunkt geworden: Er wurde zur Geburtsstunde des politischen Protestantismus insofern, als die evangelischen Stände sich auf diesem Reichstag als geschlossene Gruppe gegen jeden Versuch einer Majorisierung in Glaubenssachen zur Wehr setzten und auf dem »dünnen« Kompromiß von 1526 beharrten.

Sie setzten dem von der Mehrheit getragenen Reichsabschied das Rechtsmittel der notariellen Protestation entgegen und erklärten: »Es mag auch das mehrer nit gelten noch helfen, da eins jeden verwilligung sunderlich sein müsse, zudem daß dies Sachen sein, die eins jedem Gewissen und seligkeit belangen tun.« Es mag uns als eine Selbstverständlichkeit erscheinen, daß Fragen des Gewissens und der Seligkeit der Entscheidung durch Mehrheiten entzogen sind. Für diese Zeit war die Protestation aus religiösen Gründen jedoch ein grundsätzlich neues Prinzip der politischen Entscheidungsfindung und zugleich eine Attacke auf die bisher gültige Interpretation der Reichsverfassung. Hatte man vorher nur über die enge oder weite Anwendung eines einzelnen Reichsgesetzes gestritten, wurde jetzt ein prinzipieller Widerspruch zwischen den Ständen sichtbar, der die politische und konfessionelle Ordnung insgesamt in Frage stellte. Es kann nicht verwundern, wenn dieser Akt der Protestation gegen die tradierte Reichsverfassung zum Namensgeber der neuen Partei wurde, der »Protestierenden«. Die Unterzeichnung der Protestation war natürlich auch ein demonstrativer Akt, der die Stärke der Gruppe anzeigen sollte. Der Kurfürst von Sachsen, Philipp von Hessen, Markgraf Georg von Brandenburg-Ansbach, Wolfgang von Anhalt, Ernst und Franz von Braunschweig-Lüneburg führten sie an, hinzu kamen die Städte Straßburg, Nürnberg, Ulm, Konstanz, Lindau, Memmingen, Kempten, Nördlingen, Heilbronn und noch einige kleinere Städte; insgesamt waren es 14 Städte, die den Schritt wagten. Damit hatte sich auch das Städtekollegium gespalten, das sonst zur Unterstreichung seiner politischen Bedeutung besonders um eine einheitliche Position auf den Reichstagen bemüht war.

Schon zwei Tage nach der Überreichung der Protestation wurde auch die Grundlage für ein engeres Bündnis der Protestierenden gelegt, das jetzt auch Fürsten und Städte einschloß. Es wurde ausgebaut auf einer Versammlung von sieben Fürsten und 16 Städten in Schmalkalden (Thüringen) um die Jahreswende 1530/31. Dieser Zusammenschluß war freilich erst möglich geworden nach den Erfahrungen der Protestanten auf dem Augsburger Reichstag von 1530, der von Karl V. ausgeschrieben worden war, nachdem ihm die Bereinigung der italienischen Probleme wieder die Rückkehr nach Deutschland ermöglichte. Er wollte die Stände wieder »zu Fried und ainigkait«, »zu gutem Frieden und ainmutigem Verstand« bringen, wie es seine Proposition formulierte.

Der Reichstag von 1530 ist nicht nur wegen des dort in deutscher Sprache vorgetragenen »Augsburgischen Bekenntnisses« (»Confessio Augustana«, CA) und seiner katholischen »Widerlegung« (»Confutatio«) – also zwei zentralen Lehrschriften – von besonderer Bedeutung, sondern auch deshalb, weil dieser Reichstag in einer erstaunlichen Weise von dem Bemühen beider Seiten um Wiederherstellung der kirchlichen Einheit geprägt war. Dies war vor allem möglich geworden durch die Tatsache, daß der Papst dem Kaiser ein Konzil verweigert hatte und die Hoffnung des Kaisers, daß man in einem offenen Schiedsverfahren zu einer Kompromißlösung kommen könne.

Tatsächlich – wie die Forschung heute bestätigt – war man sich in Augsburg so einig wie nie mehr später, wenn auch, wie vor allem Luther erkannte, dank einer die Widersprüche verschleiernden Formelsprache. Freilich kam es nicht zu einem Vergleich, zu groß waren schon die Differenzen geworden, zu zwingend vielleicht auch schon die kirchenpolitischen neuen Umstände. Da die Protestanten jetzt den Weg des Vergleichs nicht weiter gehen wollten, bezogen sie eine Auffangposition, indem sie ein Konzil forderten. Bis zu diesem Konzil wollte man nur noch über eine praktische Regelung des friedlichen Nebeneinanders im Reich verhandeln. Jetzt ergab sich die klassische Alternative, ob Kaiser und katholische Mehrheit diesen formellen Bruch der Reichsverfassung, die Ketzerei, die Einziehung von Kirchengütern durch einen Gewaltakt bestrafen sollten oder ob sich ein anderer friedlicher Weg zum Nebeneinander würde finden lassen.

Die Frage blieb zunächst offen, denn den Protestierenden wurde bis zum 15. April 1531 eine Bedenkzeit zugebilligt. Die Tatsache jedoch, daß noch vor Ablauf der Frist der bereits erwähnte Schmalkaldische Bund gegründet wurde, sagt alles über die Erwartungen der protestantischen Partei aus: Man wollte sich gegenüber der drohenden Gefahr absichern. Auch die Tatsache, daß während des Reichstags die Wahl Erzherzog Ferdinands zum römischen König – also zum Nachfolger seines Bruders Karl – erneut mit einem enormen Geldeinsatz des Hauses Fugger vorbereitet worden war und damit das ungewöhnliche Faktum einer Königswahl »vivente imperatore« (zu Lebzeiten des Kaisers) vorlag, mochte die protestantische Partei in etwaigen dunklen Ahnungen bestärken. Diese Wahl war erst möglich geworden, weil Karl vor seiner Reise nach Augsburg in Bologna vom Papst zum Kaiser gekrönt worden war. Damit ließ sich zum letzten Male ein gewählter römischer König vom Papst zum Kaiser krönen.

Natürlich war dieser protestantische Bund eine fragile Angelegenheit. Das lag zum einen an seiner inneren Ungleichheit, denn neben Fürsten und Reichsstädten gehörten auch eher unbedeutende Landstädte dem Bund an. Dies klingt für den modernen Betrachter nicht ungewöhnlich, doch angesichts der angespannten Beziehungen zwischen Fürsten und Städten aus vielerlei politischen, wirtschaftlichen und psychologischen Gründen war ein Zusammengehen der Städte mit den Fürsten in einem engen Schutzbündnis eine aufsehenerregende Tatsache. Für viele Fürsten waren die Städte nichts anderes als »vermaurete bauren«. »Kaufleut seind kaufleut« hieß es oder »die stett regiment seind in teglicher enderung, die kaufleut im regiment sehen auf iren vortail«. Für viele Städter wiederum galten die Fürsten als Schmarotzer und Prahlhanse.

Aber es gab im Bündnis auch bereits erhebliche dogmatische Differenzen. Hier war es vor allem der Gegensatz zwischen den der Lehre Zwinglis zuneigenden Städten Oberdeutschlands und den insgesamt eher lutherisch orientierten Fürsten. Sie spitzte sich im sog. Abendmahlsstreit zu, also der Diskussion darüber, ob Christus in der Abendmahlsfeier direkt und leiblich anwesend ist (wie die Lutheraner behaupteteten) oder ob er nur geistlich genossen werde (wie die Anhänger Zwinglis glaubten). Diese Differenz war schon im Marburger Religionsgespräch von 1529 aufgetreten, einem von Philipp von Hessen initiierten Versuch einer Einigung der beiden deutlich unterschiedenen Lager unter Beteiligung beinahe aller namhaften Reformatoren der Zeit. Diese Trennlinie im protestantischen Bündnis bewirkte auch, daß die ganze Schweiz dem Schmalkaldischen Bund fernblieb.

Das weitaus ernsthafteste Problem für das protestantische Schutzbündnis aber war die Frage der Berechtigung eines eventuellen Widerstands gegen den Kaiser, falls dieser notwendig werden sollte. Es gibt kaum eine Frage in der Geschichte der deutschen Reformation, die von der historischen, theologischen und juristischen Forschung mit solcher Intensität diskutiert worden ist, besonders in den Jahren nach dem Ende des NS-Regimes. Gab es doch Stimmen aus dem Ausland, die in der deutschen Geschichte eine verhängnisvolle Kontinuität »von Luther zu Hitler« ausmachten – so etwa der Titel des Buchs von William M. McGovern aus dem Jahre 1946. Insbesondere in den fünfziger Jahren fand eine heftige Auseinandersetzung vor allem innerhalb der protestantischen Kirchen um die Haltung Luthers zum Widerstandsrecht statt. In unserem Zusammenhang können nicht alle damit zusammenhängenden Fragen diskutiert werden, es sollen aber die damals vertretenen Positionen und ihre Auswirkungen deutlich gemacht werden.

Zunächst kann kein Zweifel daran bestehen, daß Luther im Sinne des 13. Paulusbriefes an die Römer den Gehorsam der Untertanen gegenüber der Obrigkeit betonte, denn jede Obrigkeit – auch die tyrannische Obrigkeit – ist von Gott eingesetzt. Diese prinzipielle Auffassung Luthers, die schon im Kontext des Bauernkrieges deutlich wurde, änderte sich nicht. Wir können bei Luther lediglich eine Relativierung seiner Grundüberzeugung insofern ausmachen, als er nach dem Augsburger Reichstag, als die mögliche Exekution des Kaisers die Protestanten beschäftigte, bereit war, die von den Juristen eröffnete Chance eines aus der Reichsverfassung heraus möglichen Widerstands der Reichsfürsten zu akzeptieren. Nach den Torgauer Diskussionen der protestantischen Theologen und Juristen erklärte Luther: »wills gehen lassen und geschehen, das sie es eine notwere heissen und weil sie damit ins recht und zu den juristen weisen.« Damit befürwortete Luther, wenn auch ganz offensichtlich widerstrebend und gegen seine innere Überzeugung, die Auffassung, die nach dem Reichstag und der Gründung des Schmalkaldischen Bundes die politisch notwendige Lösung war. Zugleich schloß sich diese Lösung einer Argumentation an, die sich im Rahmen der gesamten Diskussion als die »konstitutionelle« Lösung bezeichnen läßt, da sie die Möglichkeiten der Reichsverfassung bzw. die Rolle der niederen Obrigkeiten gegen die tyrannische höhere Obrigkeit nutzte, um Widerstand zu legitimieren.

Die andere Linie der Begründung des Widerstands gegen den Kaiser wurde von sächsischen Juristen entwickelt, und sie stützte sich auf ein allgemeines Notwehrrecht. Dieses Notwehrrecht setzte dann ein, wenn die Obrigkeit ungerecht handelte und damit ihrer Amtsqualität verlustig ging, zur bloßen Privatperson wurde. Man hat diese Begründung die privatrechtliche oder auch die naturrechtliche Auffassung vom Widerstandsrecht genannt.

Wir erkennen unschwer, daß in den beiden Argumentationen

höchst unterschiedliche Konsequenzen liegen. Die Implikation der naturrechtlichen Notwehrtheorie, auch den Individuen ein Notwehrrecht einzuräumen, machte gerade die Schwierigkeiten der Torgauer Diskussion aus. Man erkannte nämlich, daß die Anwendung des Satzes »vim vi repellere licet« (Gewalt darf man mit Gewalt vergelten) auch den Untertanen ein Widerstandsrecht gegen die ungerechte Obrigkeit einräumte. Martin Bucer trug dieser Möglichkeit insofern Rechnung, als er in einer Neuauflage seines Evangelienkommentars diese Begründung des ansonsten von ihm gebilligten Widerstands gegen den Kaiser ablehnte, indem er auf die unübersehbaren Konsequenzen der Vermischung der Kompetenzen von Individuen und den Inhabern öffentlicher Ämter hinwies.

Notwendigerweise vertrat deshalb gerade Bucer die Auffassung, daß allein die »inferiores magistratus« (die unteren Obrigkeiten) ein Recht zum Widerstand gegen einen tyrannischen Herrscher hätten, also Adelskorporationen, städtische Obrigkeiten, kurzum all die Personen, die damals als »Ephoren« (im Sinne der spartanischen Verfassung) bezeichnet werden konnten. Dieser Argumentationsstrang ist deshalb wichtig, weil hier deutlich gemacht werden kann, daß im deutschen Protestantismus des Jahres 1530 durchaus schon die Grundlagen einer Widerstandstheorie entwickelt werden, die im allgemeinen den schottischen und französischen Monarchomachen zugeschrieben wird. Es kann sogar im Gegenteil gezeigt werden, wie durch die Wirkung des »Magdeburger Bekenntnisses« von 1552 (einer Verteidigungsschrift der Magdeburger Geistlichen, die sich damals gegen die Durchsetzung des Interims wehrten) diese Theorie der »inferiores magistratus« nach Westeuropa vermittelt und dort im Kontext der französischen Auseinandersetzungen zwischen Hugenotten und katholischem Königtum weiter benutzt wurde.

Die internen Schwierigkeiten des Schmalkaldischen Bundes, auf die jetzt wieder zurückzukommen ist, erfuhren eine pragmatische Lösung insofern, als die Fürsten ein Übergewicht über die Städte erhielten, als sich wegen der Niederlage der protestantischen Schweizer in der Schlacht von Kappel (Tod Zwinglis) der dogmatische Gegensatz milderte und die Geltung der Confessio Augustana auch auf Städte wie Straßburg und die Schweiz ausgedehnt wurde und als sich der Bund zu einer defensiven Grundkonzeption entschied, die nur im Verteidigungsfall gegen den Kaiser vorgehen wollte. Dies freilich wurde organisatorisch vorbereitet. Die politische Funktionsfähigkeit des Bundes zeigte sich schon bald auf dem Nürnberger Reichstag von 1532. Erleichtert durch die drohende Türkengefahr erreichten sie einen »Anstand«, also einen Aufschub der gegen sie geplanten Maßnahmen, inklusive der gegen sie angestrengten Kammergerichtsprozesse. Man könnte auch von einem Waffenstillstand sprechen. Damit begann jene Politik der zeitlich befristeten »Friedstände« zwischen den beiden konfessionellen Lagern, die die Reichspraxis bis zum Augsburger Religionsfrieden prägen sollten.

Der Schmalkaldische Bund hatte sich im Lauf des Jahres 1531 schon erheblich gefestigt und sogar erweitert. Während an der Gründung nur die beiden Städte Magdeburg und Bremen beteiligt waren, traten schon im Februar Straßburg, Ulm, Lindau, Konstanz, Memmingen, Biberach, Isny und Reutlingen bei. Im Lauf des Jahres folgten Lübeck, Göttingen, Braunschweig, Goslar, Einbeck und Eßlingen. Nach der schon erwähnten Katastrophe der schweizerischen Reformierten bei Kappel rückten auch die oberdeutschen, stark an Zwingli orientierten Städte näher an die Schmalkaldener heran, so daß am 3. April 1532 die »Verfassung zur Gegenwehr« angenommen wurde. Der Bund wurde nun zu einem wichtigen Faktor der deutschen Politik, was einerseits durch Kontakte mit dem französischen König bestätigt wurde und zum anderen mit dem Erfolg in der Sache Württembergs belegt werden kann. Herzog Ulrich von Württemberg war 1519 durch habsburgische Truppen aus seinem Land vertrieben worden, und seit langem war es das Ziel vor allem des Landgrafen Philipp, ihm wieder zu seinem Land zu verhelfen, natürlich verbunden mit der Absicht, damit die Stellung der Protestanten im oberdeutschen Bereich zu stärken.

Da auch der Schwäbische Bund, der von Habsburg genutzt wurde, um Württemberg in seinem Besitz zu erhalten, im Verlauf dieser Auseinandersetzung auseinanderfiel, weil u.a. Bayern nicht für habsburgische Interessen die »Kohlen aus dem Feuer holen« wollte, hatte Philipp nach seiner Verbindung mit dem französischen König relativ wenig Mühe, die Truppen Erzherzogs Ferdinand zu besiegen und Herzog Ulrich die Rückkehr in sein Land zu ermöglichen. Der Friede von Kadan, einem Ort an der böhmisch-sächsischen Grenze, regelte die Angelegenheit in der Weise, daß Württemberg zwar ein habsburgisches Afterlehen blieb, dem Herzog aber zugebilligt wurde, in seinem Land die Reformation durchführen zu können. Damit war der entscheidende Erfolg erzielt, auf den es vor allem Landgraf Philipp ankam. Kadan war auch für die allgemeine Lage der Protestanten wichtig, weil hier eine Unklarheit des Nürnberger Anstands im Sinne der protestantischen Partei geklärt wurde. Bald nach Nürnberg hatte es nämlich Streit darüber gegeben, was unter Glaubenssachen zu verstehen sei, denn Prozesse in Glaubenssachen sollten ja am Kammergericht ausgesetzt werden. Für die Protestanten war es selbstverständlich, daß auch Prozesse um Kirchengüter mit zur Kategorie der Glaubenssachen gehörten, aber dies war bis zu der Entscheidung von Kadan strittig gewesen. Jetzt hatten die Protestanten wieder ein kleines Stückchen mehr an Rechtssicherheit gewonnen.

Was durch solche Erfolge auf der politisch-rechtlichen Ebene erreicht wurde, wog freilich gering angesichts der internen Fraktionierungen der Protestanten. Schon im Kadaner Vertrag war festgehalten worden, daß der Nürnberger Anstand nicht für die Täufer und Sakramentierer gelten solle, die beiden wichtigsten Sektenbildungen dieser Jahre. Da das Problem der Sakramentierer schon im Zusammenhang mit der Abendmahlfrage angesprochen wurde, sollen an dieser Stelle nur einige Bemerkungen zum Täufertum und seinem Höhepunkt, dem Täuferreich von Münster, gemacht werden, das zeitlich parallel zu den württembergischen Vorgängen bestand und die Aufmerksamkeit des ganzen Reiches auf sich zog.

Das Täufertum hatte sich vor allem nach dem Ende des Bauernkrieges in vielen Teilen des Reiches zu einer eigenen, in sich wiederum vielfach differenzierten Gruppierung innerhalb der Reformation herausgebildet. Gemeinsamer Nenner der täuferischen Bewegungen war ihre radikale Auffassung von der Bedeutung der Schrift für das Leben der christlichen Gemeinden. Als Luther seit 1522 in zunehmendem Maße von diesem Grundsatz Abstriche machte zugunsten einer stärker kompromißbereiten Stellung des Evangeliums in der Gesellschaft, spalteten sich radikale Gruppierungen von der Hauptbewegung ab und es entstand das, was die offizielle Kirchengeschichtsschreibung den »Wildwuchs« der Reformation nennt. Zu nennen ist hier etwa der Schweizer Zwingli-Schüler Konrad Grebel, der fränkische Müntzer-Anhänger Hans Hut und der schwäbische Kürschner Melchior Hoffmann, der vor allem in den Niederlanden eine große Anhängerschaft fand. Bei allen Unterschieden zwischen diesen Führern wurde die Erwachsenentaufe zwar zu einem namensgebenden Charakteristikum der Täufer, aber dieser gemeinsame Name verdeckt eher die enorme Spannweite der religiösen Überzeugungen, die sich im Täufertum versammelten. In jedem Fall aber traf die radikale Auffassung des Evangeliums, die Verweigerung der Täufer gegenüber der Welt, die Verweigerung auch des Zehnten und anderer Zeichen eines bürgerlichen Gehorsams auf den entschiedenen Widerstand aller Obrigkeiten. Insofern bedeutete die Täuferbewegung eine erheblich radikalere Infragestellung der Gesellschaftsordnung als der Bauernkrieg selber. Dem hat auch die hoch entwickelte Täuferforschung Rechnung getragen. Niemand bezweifelt heute die »eigenständige, innovatorische Bedeutung des Täufertums« (R. v. Dülmen) für die reformatorische Bewegung.

Zwar gab es z. B. in Hessen den Versuch, die Täufer durch eine Disputation in die reformierte Bewegung zurückzuführen, doch insgesamt galten die Reichsgesetze von 1529, die die Täufer unter Todesstrafe stellten. So setzte gerade nach dem Bauernkrieg eine Verfolgungswelle ein, zwischen 1527 und 1533 wurden – wenn sie sich nicht nach Böhmen retten konnten – ca. 700 Täufer hingerichtet. Während in den meisten anderen Territorien die Täuferfrage als gelöst betrachtet werden konnte, kam es 1534/1535 in der Stadt Münster zu einer schwer zu erklärenden religiösen Bewegung, die wir üblicherweise als das Täuferreich zu Münster bezeichnen. Münster bildet nach einem Wort Hans Hillerbrands die »Gretchenfrage« der neueren Täuferforschung. Was geschah dort?

In der Stadt Münster gab es seit langem die üblichen Auseinandersetzungen zwischen dem geistlichen Stadtherrn und der Bürgerschaft, die ihrerseits im Widerspruch zum Patriziat der Stadt stand. Schon 1529 war der Prediger an St. Mauritz, Bernhard Rothmann, zu einem Anhänger des neuen Bekenntnisses geworden. Seine Ausweisung wurde von den Bürgern verhindert, und man erkämpfte sich sogar den Zugang zur Lambertikirche, gegen den Willen des Rates, der aber nachgeben mußte. Im August 1532 wurden alle Kirchen der Stadt mit evangelischen Predigern besetzt, alle Bilder und Altäre zerstört. Der Bischof mußte all dem zustimmen. Die Gilden stützten Rothmann gegen alle Versuche, ihn abzusetzen.

Eine Veränderung der bislang zwar instabilen, aber doch nicht ungewöhnlichen Verhältnisse ergab sich erst, als seit Anfang 1534 niederländische Täufer nach Münster kamen. Diese waren beeinflußt von der Lehre des schwäbischen Predigers Melchior Hoffmann, der große Anhängerscharen mit seiner Prophezeiung eines in naher Zukunft bevorstehenden Weltuntergangs an sich gebunden hatte. Dieser Weltuntergang sollte sich in Münster ereignen.

Abgesandten der niederländischen Täufer gelang es in Münster, Rothmann und seine Anhänger für das Täufertum zu gewinnen. So war der Boden für die Ankunft des niederländischen Täuferführers Jan Mathys vorbereitet, der im Februar in der Stadt auftauchte, die Austreibung der Gottlosen forderte, die Gütergemeinschaft einführte, die Bibel zum alleinigen Gesetzbuch der Stadt machte, kurz, ein theokratisches Regiment in der Stadt etablierte. All dies vollzog sich unter dem Druck einer Belagerung durch Truppen des Münsteraner Bischofs. Als bei einem militärischen Ausfall am Ostersonntag Jan Mathys getötet wurde, machte sich Jan van Leiden zum König in der belagerten Stadt, löste den Rat auf und errichtete eine »Königsherrschaft« in der Stadt mit Hofstaat, Zeremoniell und einer fanatischen Durchsetzung der neuen Gesetze, die von dem neuen Gremium der Zwölf Ältesten erlassen wurden. Auch die Vielweiberei soll in dieser Phase erlaubt worden sein, wobei nicht ganz klar wird, ob es sich dabei nur um eine Begründung handelte, um dem neuen König das Zusammenleben mit der Witwe des Jan Mathys zu ermöglichen oder ob es sich hierbei um eine generelle Regelung handelte. Die neuere Forschung hat außerdem den erheblichen Frauenüberschuß in der Stadt betont, der durch die Flucht vieler Männer, die Auflösung der Nonnenklöster und den Zuzug vieler Frauen verursacht gewesen sei. Auch die Begründung der Polygamie durch die Täuferführer betonte vor allem die soziale Funktion der Ehe, d. h. die Vermehrung der Menschen.

Nach einem erfolglosen Aufstand einer kleinen Gruppe eingesessener Münsteraner Bürger kam es schließlich zur zwangsweisen Verwirklichung der Polygamie in der Stadt. Es wurden auch Todesurteile gegen Frauen verhängt, die die weiteren Frauen ihres Mannes nicht anerkennen wollten, die sich ihrer ehelichen Pflicht entzogen oder die ihrerseits zwei Männer heirateten. Dies mag unsere Vermutung bestärken, daß wir es in Münster nicht mit Anzeichen sexueller Libertinage zu tun haben, sondern mit der Umsetzung eines patriarchalischen Modells der Familie in der Absicht, die Zahl der Einwohner möglichst schnell zu vermehren und die überschüssige weibliche Bevölkerung zu versorgen.

Daß dieser »Sündenpfuhl« Münster von den Obrigkeiten des Reiches nicht geduldet werden konnte, bedarf keiner langen Begründung. Fünfzehn Flugschriften in mehreren Auflagen, zumeist von lutherischen oder katholischen Theologen verfaßt, sorgten für eine breite öffentliche Verurteilung der Ereignisse in der Stadt, aber auch die sensationsgierigen »Neuen Zeitungen« stürzten sich auf die unglaublichen Ereignisse und die unklare Programmatik der Täuferführer. Man fürchtete allenthalben, daß »aus dieser rottierung der Widertäuffer zu letst ain merckliches groß volck wurde und sich zusamen schlagen möchte durch Gottes verhencknuß ganz Teutsch Land durch ziehen, alles verhören und verwüsten, wie sich dann bereit ir gaist unverschembt hören lasset«.

Im Juni gelang endlich die Eroberung der Stadt, und ein Strafgericht traf ihre Einwohner. Die Anführer, soweit noch lebend, wurden grausam hingerichtet und in eisernen Käfigen zur Abschreckung ausgestellt. Holzschnitte dieser Hinrichtungsart sorgten für die Verbreitung dieser Nachricht.

Eine Erklärung dieses kurzen Zwischenspiels fällt nicht leicht. Gleichwohl lassen sich eine Reihe von erklärenden Überlegungen zusammenstellen, wie dies Richard van Dülmen getan hat. »Aus dieser Ordnung« – hat er zusammenfassend geurteilt – »spricht der Versuch, das gesellschaftliche, soziale, sittliche wie religiöse Leben der Stadt zu disziplinieren, nicht nur um eine wirksame Verteidigung zu ermöglichen, sondern um eine gottgerechte Ordnung zu verwirklichen, in der bei allgemeiner Unterordnung unter das Prophetenamt Jan van Leidens und die Richtergewalt Knipperdollings jeder Einwohner gleicherweise zur Arbeit verpflichtet sowie ausreichend mit Lebensmittel wie mit Kleidern versorgt wird. Ausdrücklich wird betont, daß keiner ›zerrissene oder zerschnittene‹ Kleider tragen soll. Der Gegensatz von arm und reich ist ebenso aufgehoben wie die Trennung von weltlicher und religiöser Tätigkeit, von weltlichem und geistlichem Regiment. Die öffentlichen ›religiösen‹ Feiern, Predigten, Singen und das Abendmahl sind Ausdruck eines neuen Gemeinschaftsbewußtseins und sind nicht vom allgemeinen gesellschaftlichen Leben abgelöst.«

Sicherlich bedeutete das Ende des Täuferreichs nicht das generelle Ende der Täuferbewegung. Abgesehen von den Splittergruppen, die sich aus Münster retten konnten und sich in einem Nachbarterritorium aufhalten durften (aus politischen Gründen), finden sich im Lauf des späteren 16. Jahrhunderts immer wieder Hinweise auf ein apokryphes Überleben täuferischer Gruppen und Existenzen. Doch bedeutete Münster insofern einen Wandel, als jetzt die Bewegung entscheidend geschwächt wurde, weil ihr die Breitenwirkung definitiv versagt blieb. So blieb das ganze 16. Jahrhundert erfüllt von Nachrichten über die Existenz von Täufern gerade im oberdeutschen Bereich, wo sich vor allem Handwerker und Akkerbürger zum Täufertum orientierten, die eine Erfüllung ihres Suchens nach »religiöser Unmittelbarkeit« (van Dülmen) erhofften. In vielen Fällen vermochten einzelne Täufer oder kleine Gemeinden in kleinen Territorien zu überleben, wenn sie sich durch besondere Leistungen als spezialisierte Handwerker oder Amtleute unentbehrlich gemacht hatten.

Das Münsteraner Täuferreich hatte noch einmal die Probleme einer ungehemmten Entwicklung der Reformation deutlich gemacht. Es überrascht deshalb nicht, wenn sich der Bund der Schmalkaldener Ende 1535 noch einmal verstärkte und wenn im folgenden Jahr die zwinglianisch orientierten oberdeutschen Gemeinden eine Einigung mit der lutherischen Hauptströmung vollzogen. Dies geschah in der sog. Wittenberger Konkordie. Es fällt auf, daß der Begriff der »concordia«, der bislang immer für die wahre Einheit der Kirche gestanden hatte, jetzt auf die begrenzte neue Einigkeit der protestantischen Bewegung angewendet wurde. Dies war ganz zweifellos eine Gegenbewegung gegen die Wiedervereinigungspolitik, wie sie in diesen Jahren unter dem intellektuellen Patronat des Erasmus von Rotterdam immer wieder versucht wurde. Erasmus hatte 1533 seine wichtige Schrift *Von der Kirchen lieblicher Vereinigung* publiziert und damit bis weit in das protestantische Lager hinein Wirkung erzielt, vor allem bei Martin Bucer, dem Reformator Straßburgs, der in besonders enger Beziehung mit Landgraf Philipp von Hessen stand.

Luthers Stellungnahme gegenüber dieser Konkordienpolitik des Erasmus blieb im Grunde so, wie sie schon 1530 gewesen war, wo er sich auch kritisch gegenüber den Vergleichsverhandlungen verhielt. Luther formulierte 1535 eine bemerkenswerte Antwort auf die Gedanken des Erasmus, von dem er sich schon Mitte der zwanziger Jahre wegen offensichtlicher Differenzen in der Rechtfertigungslehre getrennt hatte. Luther nahm jetzt eine Aufspaltung des Begriffs der Concordia vor und unterschied eine »concordia fidei« (eine Einheit des Glaubens) und eine »concordia caritatis« (eine Einheit der menschlichen Liebe). Die letztere sei auch das Ziel seiner Bemühungen, doch beziehe sie sich nur auf den politischen Umgang der Konfessionen. Wirklich entscheidend aber sei die Frage des Glaubens, hier dürfe man nicht mit undeutlichen Worten von den zentralen Wahrheiten ablenken: »Das Gewissen und die Wahrheit können diese Art der Einheit nicht dulden.« In diesem Zusammenhang ist auch interessant, daß Luther schon 1525 in seiner Schrift gegen Erasmus diesem vorwarf, den durch die Reformation erregten Tumult zu beklagen und »concordia« zu fordern, ohne dabei zu erkennen, daß eben dieser Tumult von Gott gewollt sei und deshalb auch nicht beigelegt werden könne.

Die späten dreißiger Jahre sind auf der einen Seite charakterisiert durch weitere Fortschritte der protestantischen Sache. 1539 wurde der herzogliche Teil Sachsens protestantisch, im selben Jahr trat auch Kurfürst Joachim II. von Brandenburg zum neuen Glauben über. Damit waren schon zwei Kurfürsten im Lager der Protestanten. Auf der anderen Seite stand der Kaiser, der trotz heftiger päpstlicher Bemühungen keine Möglichkeit sah, ernsthaft gegen die deutschen Ketzer vorzugehen. Auch die 1539 aufgenommene Politik der Religionsgespräche führte zu keinem Erfolg. Der Regensburger Reichstag von 1541 konnte zwar wieder einmal eine weitgehende Vergleichung erreichen, doch es blieben noch divergierende Punkte übrig, die sowohl dem Papst als auch Luther vor allem zu schwerwiegend erschienen, um darauf eine neue umfassende »concordia« aufzubauen.

Der sächsische Kurfürst kann hier stellvertretend stehen für jene einigungsfeindliche Politik, die sich gegen einen Mann wie Martin Bucer richtete, der die Hauptlast der Vorbereitung des sog. Regensburger Buchs zu tragen hatte. Gott möge ihn nur vor einer solchen »concordia und vergleichung« »gnädiglich behüten«, sagte er, und Luther gab ebenfalls in scharfen Worten seiner Ablehnung des Kompromisses Ausdruck, wenn er schrieb: »Ich kan auch nit bedenken, daß ainiche ursach vorhanden sey, die gegen Gott die tollerantz mochte entschuldigen.« Es ist charakteristisch, daß dieses Zitat als die erste nachweisbare Verwendung des deutschen Begriffes Toleranz angesehen werden muß, der hier scharf abgelehnt wird.

1541 bedeutete nicht nur das Ende der Politik der Lösung der Glaubensfrage auf dem Wege der Vergleichung, sondern brachte auch erstmals eine wichtige Schwächung der protestantischen Partei. Sie betraf den strahlenden Führer der Schmalkaldener, Landgraf Philipp von Hessen. Dieser Fürst hatte sich in eine schwierige Lage dadurch gebracht, daß er, der verheiratet war mit einer Schwester des sächsischen Herzogs Georg, eine zweite Ehe eingehen wollte. Seine Frau war seit langem krank, und Philipp hatte sich in eine junge Adelige verliebt, die er – das war die Bedingung ihrer Mutter – heiraten mußte, um mit ihr leben zu können. In dieser Zwangslage hatte Philipp bei den Wittenberger Theologen angefragt, ob eine solche Doppelehe zu rechtfertigen sei. Ja er hatte sogar aus schwachen theologischen Gründen und starken politischen Erwägungen die Zustimmung zu einem solchen Schritt erhalten. Er war auch nicht zu einer Lüge gegenüber der Öffentlichkeit bereit, obwohl selbst Luther dazu riet, und so mußte Philipp gewärtig sein, vom Kaiser als Bigamist angeklagt zu werden, denn durch die neue »Constitutio Criminalis Carolina« (das Strafgesetzbuch des Reiches von 1532) war Bigamie unter Strafe gestellt. Daß die Schmalkaldener unter kursächsischer Führung wenig Neigung zeigten, diese Eskapaden ihres Führers zu decken, braucht kaum erklärt zu werden. Jedenfalls war diese Verwundbarkeit des Hessen der Anlaß für einen politischen Stillhaltevertrag mit dem Kaiser, der zudem auch den Kurfürsten von Brandenburg zur Zurückhaltung verpflichtete. Dafür erhielt dieser die Zustimmung des Kaisers zur brandenburgischen Kirchenordnung.

Auch die erfolgreiche militärische Aktion des Schmalkaldener Bundes gegen Herzog Heinrich von Braunschweig-Wolfenbüttel, den letzten Verteidiger des alten Glaubens in Norddeutschland, brachte politische Belastungen mit sich. Den formalen Grund eines militärischen Vorgehens bot die streitsüchtige Politik dieses Fürsten, der sich nicht an die Suspension der Kammergerichtsprozesse in Glaubensangelegenheiten hielt und ständig die beiden protestantischen Städte Braunschweig und Goslar bedrohte.

Auch Kursachsen begab sich mit dem Streit um das Bistum Naumburg auf unsicheres Gelände. Als 1541 der alte Bischof gestorben war, meinte man in Kursachsen kurzen Prozeß mit diesem Land machen zu können und ersetzte den bereits gewählten Bischof Julius Pflug durch Nikolaus von Amsdorf, einen evangelischen Bischof. Da der Kaiser aber den ursprünglich vom Kapitel gewählten Pflug auch mit dem Land belehnte und Sachsen zudem die Kompetenzen Amsdorfs einschränkte und damit den Verdacht nährte, daß es hier vor allem um eine territoriale Machterweiterung ging, verstärkte dieser Vorgang die Widersprüche im Lager der Protestanten und schwächte sie gegenüber dem Kaiser.

Die Position des Kaisers verbesserte sich im Jahre 1543 auch durch seinen Erfolg im Kampf um das Herzogtum Geldern, dessen Prätendent, der schon um den Schutz der Schmalkaldener angesucht hatte, er sich unterwarf und durch eine Heirat an das Haus Habsburg band. Im Jahre 1544 konnte er im Frieden von Crépy den wieder begonnenen Krieg mit Frankreich beenden. So brachte der Reichstag des Jahres 1544 in Speyer für den Kaiser ein beachtliches Ergebnis insofern, als er die Hilfe auch der Protestanten gegen die Franzosen erhielt und damit zugleich das Bündnis der deutschen Protestanten mit dem französischen König verhinderte. Für die Schmalkaldener war dabei die allein vom Kaiser getragene Zusicherung herausgekommen, die üblichen Bestandsgarantien und Prozeßaufschübe zu gewähren. Auch wurde den Protestanten der Gebrauch der geistlichen Güter gestattet. Alles Weitere wurde auf ein Konzil verschoben, das nach langen Vorbereitungen endlich für März 1545 nach Trient einberufen wurde.

Für den Kaiser waren jetzt endlich einmal die Voraussetzungen eingetreten, die ihm ein aktives Vorgehen gegen die Schmalkaldener erlaubten. Sie hatten sich in der Wolfenbütteler Angelegenheit eine Blöße gegeben, die er als Vorwand nutzen konnte, er hatte in Geldern die Erfahrung des Sieges gemacht, das Konzil, auf das er so lange hingearbeitet hatte, war endlich eröffnet, der Friede mit Frankreich geschlossen, die Lage an der türkischen Front war relativ ungefährlich und 1547 kam es sogar zu einem Frieden, nachdem schon 1545 ein Waffenstillstand vereinbart worden war. Die deutsche und europäische Konstellation sprach für den Kaiser. Die Protestanten aber waren innerlich uneins, und vor allen Dingen war es dem Kaiser gelungen, den neuen Herrscher des Herzogtums Sachsen, den protestantischen Moritz von Sachsen, durch vage, aber wirksame Versprechungen auf die Schutzherrschaft von Magdeburg und Halberstadt an sich zu binden, worauf der »Judas von Meißen« – so der Schimpfname der Protestanten – auch eingegangen war. Auch das widerstrebende Bayern war für eine wohlwollende Neutralität gewonnen worden, hier lockte die pfälzische Kur, die der Kaiser versprochen hatte. All dies war im wesentlichen auf dem Reichstag von Regensburg geplant worden, der deshalb in der Vorbereitung des

Krieges eine wichtige Rolle spielte und auch die Absichten des Kaisers verdecken konnte.

Damit waren endlich die Voraussetzungen für den Krieg gegen die Protestanten gegeben, der als Schmalkaldischer Krieg in die Geschichtsbücher eingegangen ist, obwohl er eigentlich die Exekution einer Reichsachterklärung gegen Kurfürst Johann Friedrich von Sachsen und Philipp von Hessen war. Der Höhepunkt des Krieges war ohne Zweifel die Schlacht bei Mühlberg am 24. April 1547, wo der sächsische Kurfürst gefangengenommen wurde. Doch möglich geworden war dies eigentlich erst durch den Einfall des Herzogs Moritz nach Kursachsen, während der Kurfürst selbst mit seinem Heer in Bayern kämpfte. Als der Kurfürst endlich nach Sachsen zurückkehren konnte, überließ er die süddeutschen Protestanten der kaiserlichen Gnade, die sie sich vor allem mit großen Geldzahlungen zu erkaufen vermochten.

Die Wittenberger Kapitulation des abgesetzten sächsischen Kurfürsten vom 19. Mai – im Zentrum des Protestantismus vollzogen – bedeutete das Ende des Krieges. Außer einigen thüringischen Besitzungen, die den Söhnen des Kurfürsten verblieben, fiel der Rest des Landes an Herzog Moritz, der sich durch diesen Verrat an der protestantischen Sache die Kurwürde verdient hatte. Einen Monat später unterwarf sich auch der hessische Landgraf dem Kaiser in Halle und wurde ebenfalls gefangengenommen. Die beiden Führer der Schmalkaldener als Gefangene mit sich führend, schien Karl jetzt der unumschränkte Herrscher Deutschlands zu sein, und das Schicksal des Protestantismus lag allein in seiner Hand.

Der Augsburger Reichstag, der am 1. September 1547 für zehn Monate zusammentrat, sollte der Ort sein, an dem die deutschen Fragen einer definitiven Regelung zugeführt werden sollten. Wo sollte jetzt auch noch Widerstand gegen die kaiserlichen Pläne herkommen? Doch es zeigte sich schnell, daß die großen Hoffnungen sich nicht verwirklichen ließen, weil Karl völlig falsche Vorstellungen über die Manipulierbarkeit der deutschen Territorialfürsten hegte. Schon während des Krieges hatte Karl die Unterstützung des Papstes verloren, dem an einem siegreichen Kaiser wenig gelegen war, weil er ihm zu mächtig war. Und schließlich, während Karl in Mühlberg seinen großen Sieg errang, verlegte der Papst das gerade begonnene Konzil aus Trient, einer Stadt auf dem Boden des Reiches, nach Bologna, das zum Kirchenstaat gehörte. Damit war klar, daß die deutschen Protestanten an einem solchen Konzil nicht teilnehmen würden. Karl sah sich dadurch gezwungen, eine andere Lösung der Konfessionsfrage ins Auge zu fassen.

Der andere Grund für eine Schmälerung der Früchte des Sieges lag in dem Verhalten des bayerischen Herzogs. In der Tradition fürstlicher Libertät stehend, sich des dynastischen Gegensatzes zu den Habsburgern immer bewußt und auch enttäuscht darüber, daß ihm der Krieg nicht die ersehnte pfälzische Kur eingebracht hatte, wurde Herzog Wilhelm de facto zum Widersacher der Pläne Karls V., die zunächst darauf hinausliefen, das Reich in seiner Verfassungsform zu verändern. Der alte Gegensatz von »Kaiser und Reich« sollte in einem »Kaiserlichen Bund« aufgehoben werden, also einer Einung der Stände unter kaiserlicher Führung. Daneben wäre das Reich zu einer Fiktion ohne wirkliches politisches Gewicht geworden, und daher wundert es nicht, daß dieser Plan zum schnellen Scheitern verurteilt war. So gelang auf dem Reichstag nur eine Reform des Reichskammergerichts, der Reichspolizeiordnung, die Regelung eines finanziellen Vorrats für das Reich, aber nicht seine Umgestaltung im Interesse des Kaisers.

Unter diesem Gesichtspunkt geplanter einschneidender Maßnahmen ist wirklich bedeutsam nur die Veränderung der Verfassung der Reichsstädte geworden, in denen Karl die Mitspracherechte der Zünfte beseitigte und statt dessen die Stellung des reichsstädtischen Patriziats stärkte. Es war dies die Rache für den beinahe vollständigen Übergang der Reichsstädte zum Protestantismus, die dies ja auch unter dem Druck des gemeinen Mannes getan hatten. Der Kaiser setzte im August in Augsburg und Ulm je zwei Stadtpfleger ein und machte damit deutlich, daß er diese Personen als Vollstrecker seines Willens betrachtete.

Karl folgte bei diesen Maßnahmen der Denkschrift eines Augsburger Patriziers, der schon 1547 dem Zunftregiment seiner Stadt die Schuld an der Wankelmütigkeit der Städte gegeben hatte. Die Handwerker, besonders die Weberzunft, sei es gewesen, die die Stadt auf die protestantische Seite gebracht habe. Es liege doch auf der Hand, daß Rinder nicht von Rindern und Ziegen nicht von Ziegen regiert werden könnten, nur das Patriziat könne den »gemeinen pöfel« führen. Man müsse es wie in Nürnberg einrichten, wo nicht »Boffel und Büffel« im Rat säßen, wie in Augsburg. Als der Kaiser am 3. August in Augsburg die alten Mitglieder des dreihundertköpfigen Rats empfing, machte er sich lustig über diese biederen Handwerker, die da vor ihm erscheinen mußten. In ihnen sah er »ungeschickte, unerfahrene, untaugliche leuth«, deren Verstand »viel zu gering« sei. Es wurde deutlich, daß es nicht nur um eine Bestrafung der Städte ging, sondern hier äußerte sich eine abgrundtiefe Verachtung für die spezifische Art städtischer Herrschaft unter Beteiligung der Zünfte, die gänzlich aufgehoben wurden. Das in Augsburg und Ulm statuierte Exempel wurde bald darauf auch in weiteren zwanzig oberdeutschen Städten nachgeahmt, jetzt freilich in einer einheitlichen Aktion, für die der kaiserliche Hofrat Dr. Haas verantwortlich zeichnete, der den neuen kaiserlichen Räten auch seinen Namen gab, denn sie wurden Hasenräte genannt. Neben der Zurückdrängung des Einflusses der Zünfte sollte mit diesem Verfahren auch das Augsburger Interim in den Städten eingeführt werden, d. h. jener Beschluß, der auf dem »geharnischten« Reichstag in Augsburg in der Religionsfrage zustande gekommen war (publiziert am 15. Mai 1548).

Das Interim war – hat der katholische Reformationshistoriker Josef Lortz formuliert – »ein katholischer Text zuzüglich einer den Protestanten entgegenkommenden Formulierung der Rechtfertigungslehre, einer undeutlichen Bestimmung der Messe und der Gewährung des Laienkelchs und der Priesterehe bis zur Entscheidung des Konzils«. Das vom Kaiser erlassene Zwischenbekenntnis hatte aus den Erfahrungen von 1530 und 1541 die Konsequenzen gezogen, insofern als es vom Kaiser verkündet wurde, nachdem sich die Stände der Mitwirkung an dieser Lösung verweigerten. Es wurde eine Regelung für die Protestanten, keineswegs für die Angehörigen des alten Bekenntnisses, wobei die beiden Bestimmungen, die den Protestanten entgegenkamen, wohl auch deshalb eingebaut wurden, um nicht größere Unruhen zu provozieren.

Doch es wurde bald deutlich, daß trotz der günstigen Lage des Kaisers die Verwirklichung des Interims auf sich warten ließ. Der Grund lag im schnell aufkeimenden Widerstand der protestantischen Stadtbevölkerung, die am neuen Glauben ungeschmälert festhalten wollte. Als dies der Kaiser bemerkte, hat er 1551 die Notwendigkeit gesehen, in allen Städten die erwähnten Regimentsänderungen vornehmen zu lassen. Während Süddeutschland so der neuen kaiserlichen Konfession unterworfen wurde, blieb es in Norddeutschland bei formellen Verkündigungen, denen keine Durchsetzung folgte, oder es entstand sogar hartnäckiger Widerstand. Die Stadt Magdeburg wurde ein Zentrum des Widerstands gegen den Kaiser, aber auch einzelne Fürsten wehrten sich gegen das Interim. Landgraf Philipp hatte das Interim angenommen, weil er darin wichtige protestantische Grundsätze verwirklicht sah, doch charakteristischerweise leistete sein Land heftigen Widerstand, so daß er schon im August 1549 seine Versuche aufgab.

Der neue Kurfürst Moritz von Sachsen befand sich in einer besonders komplizierten Lage. Er hat das Interim schließlich in einer etwas abgeschwächten Fassung als Leipziger Interim publizieren lassen, doch regte sich sofort heftiger Widerstand gegen dieses neue Bekenntnis, wobei sich vor allem Matthias Flacius hervortat. Für die protestantische Bewegung bedeutete die Interimsfrage noch einmal eine tiefgreifende Bewährungsprobe. Wichtige Führer des süddeutschen Protestantismus mußten – wie z. B. Bucer, der nach England ging – das Land verlassen. Innerhalb der Bewegung brachen neue Streitigkeiten über die rechte Lehre aus.

Karl V. selbst war es, der jetzt die Entwicklung wieder vorantrieb. Weniger die Tatsache, daß es ihm gelang, das Konzil wieder eröffnen und auch Gesandte der Protestanten nach Trient entsenden zu lassen, als vielmehr sein im Jahre 1551 lancierter Plan einer Nachfolge seines Sohnes Philipp im Reich nach dem Tode Ferdinands, der 1531 zum römischen König gewählt worden war, brachte neue Bewegung in die deutschen Verhältnisse. Auf dem Augsburger Reichstag kam ein innerhabsburgischer Familienpakt zustande, der ein Kompromiß zwischen der deutschen und der spanischen Linie war und der nur mühsam die erheblichen Divergenzen zwischen beiden Linien verdecken konnte. Ferdinand setzte darin nicht nur seine eigene Nachfolge durch, sondern auch, daß nach einem darauf folgenden Kaisertum des Spaniers Philipp wiederum sein eigener Sohn Maximilian II. Kaiser werden sollte. Die deutschen Fürsten erkannten sofort, was mit dieser eigenartigen Kombination von Weltreichsplan und Familienherrschaft beabsichtigt war. Eine Erbmonarchie sah man am Horizont, wie sollte man bei solchen Abmachungen noch eine Wahlkapitulation durchsetzen können? Vielleicht wäre dieser Plan zu einem anderen Zeitpunkt günstiger aufgenommen worden. Jetzt aber, da zwei deutsche Fürsten in der Gefangenschaft des Kaisers saßen, da spanische Truppen in Deutschland standen, mußte der Plan einer quasi Erbmonarchie auf die deutschen Fürsten wie die Ankündigung einer ewigen »spanischen servitut« wirken. Karl rief mit diesem Plan die Opposition der Fürsten auf den Plan, es bedurfte eines kräftigen Anstoßes, um die »Fürstenrevolution« auszulösen, von der im folgenden zu berichten ist.

Führer dieser Bewegung wurde jener Fürst, den wir schon als Verräter der Sache des Protestantismus kennengelernt haben, der neue Kurfürst Moritz von Sachsen. Ihm waren die Kontroversen im Haus Habsburg nicht verborgen geblieben, und auch die Gratifikation für seine prokaiserliche Haltung war nicht wie gewünscht ausgefallen. Doch er konnte nicht ohne weiteres wieder die Seiten wechseln. Bei den Protestanten war er verhaßt, der Kaiser konnte ihn kontrollieren, da er den alten Kurfürsten gefangenhielt, der Moritz noch gefährlich werden konnte. Moritz erkannte auch, daß in der gegebenen Lage die deutschen Fürsten zu schwach waren, um gegen den Kaiser allein vorzugehen. Er begann deshalb schon zu Beginn des Jahres 1550, mit Frankreich Kontakte aufzunehmen, den neuen König Heinrich II. wieder zum Feind Karls aufzubauen.

Auf der anderen Seite erbot er sich, für den Kaiser im Auftrag des Reiches und auf Kosten des Reiches den Krieg gegen das alte Widerstandsnest Magdeburg zu führen, das sich immer noch dem Interim entgegenstemmte. Dies gab ihm die Möglichkeit, sein Heer zu vergrößern und erlaubte ihm zudem, sich bei den Protestanten wieder in ein gutes Licht zu setzen, denn er sicherte der Stadt Magdeburg – diesem im Reich hochgerühmten Symbol des Widerstands gegen das Interim – die protestantische Konfession zu. Die letzte Phase der Belagerung diente nur noch der Verhüllung der wahren Absichten des Kurfürsten, der den Rat der Stadt schon in seine Pläne eingeweiht hatte und die Gelegenheit zur Kontaktaufnahme mit den protestantischen Fürsten nutzte. Karl V. wurde selten so schamlos betrogen wie von Kurfürst Moritz von Sachsen. Als der Kurfürst im November endlich die Stadt feierlich einnahm, war alles Notwendige schon verabredet. Eine Gruppe deutscher protestantischer Fürsten unter Führung des Kurfürsten verband sich im Januar 1552 im Vertrag von Chambord mit dem französischen König zu einem Angriffsbündnis gegen Karl V. und eröffnete dafür Heinrich II. den Besitz von Metz, Toul und Verdun, den westlichsten Städten des Reiches. Natürlich, sagten die Fürsten, seien diese Städte Reichsstädte, aber sie seien fremder Zunge, und sie schienen ihnen in der Hand des französischen Königs weniger gefährlich als in der Hand Karls V.; er konnte damit den burgundischen Reichskreis stützen, der 1548 auf dem Reichstag gebildet worden war.

Es hat den Anschein, als sei der Kaiser an dieser feindlichen Konstellation zerbrochen. Eben noch auf der Höhe seiner politischen Macht sah er sich jetzt einer mächtigen Koalition ausgeliefert, wo doch endlich in Trient das Konzil das tat, wofür er seit zwanzig Jahren gekämpft hatte. Unverständlicherweise blieb Karl in Augsburg und geriet dadurch in große Gefahr, als Kurfürst Moritz in schnellem Zugriff über Franken nach Augsburg und Tirol vorstieß. Der Kaiser mußte übereilt über Innsbruck nach Villach flüchten, eine Demütigung für den Mann, der noch vor kurzem dem Reichstag seine Bedingungen diktieren wollte. Johann Friedrich, der alte sächsische Kurfürst, wurde freigelassen. In Trient löste sich das Konzil auf, in Italien wankte Karls Herrschaft, Siena erhob sich gegen ihn. Karls Machtstellung war binnen weniger Wochen entscheidend geschwächt worden.

Als sich im Mai 1552 die Parteien in Passau zu Friedensverhandlungen trafen, hatte sich nach den Erfahrungen des Schmalkaldischen Krieges und der Fürstenrevolution die Lage grundlegend verändert. Nicht daß der Kaiser oder König Ferdinand jetzt in der Rolle der Besiegten hätten auftreten müssen; entscheidend wurde vielmehr, daß sich im Reich eine Mittelpartei durchsetzen konnte, der es gemeinsam mit der realistischen Lageeinschätzung König Ferdinands möglich war, den beiden Parteien ein neues Verfahren zur Lösung des konfessionellen Konflikts aufzuzwingen. Man sah die Gefahren einer weiteren Selbstzerfleischung Deutschlands zum Gewinn seiner Nachbarn, und man sah die Konsequenzen, die eine Revolution der Fürsten für die Stimmung des gemeinen Volkes haben mußte. Man hatte aufmerksam die Flut der Flugschriften gelesen, die während der Belagerung Magdeburgs ins Reich geströmt waren, die ein Widerstandsrecht auch der niederen Obrigkeiten mit dem Argument verteidigten, daß man sich gegen Gewaltanwendung zur Wehr setzen dürfe.

Bislang war man im Reich immer davon ausgegangen, daß der politische Frieden im Reich nur dann hergestellt werden könne, wenn vorher eine wirkliche Vergleichung der Konfessionen durchgeführt worden wäre. Man mißtraute vor allem auf protestantischer Seite dem sog. »äußerlichen« oder »gläsernen Frieden«, d. h. einem nur politisch motivierten Frieden ohne wirkliche Beilegung des konfessionellen Zwists, man wollte den »satten«, den wirklichen Frieden haben. Doch diese alte Auffassung verlor angesichts der neuen Erfahrungen an Überzeugungskraft. In Jülich-Berg, einem der sog. konfessionsneutralen Stände, wurde im

Sommer 1552 das neue Prinzip formuliert, das in einer Trennung von Religionsvergleichung und politischem Frieden bestand: »So ist doch ein groß unterscheidt zwischen vergleichung der religion und dem friedstand in der religion, auch den vorigen reichsabschieden nit ungemeß, daß die kaiserliche majestät den frieden unterhalte.« Die Bewahrung bzw. die Wiederherstellung des Friedens war in den Augen dieser Mittelgruppe jetzt zu einem Ziel geworden, das zu wichtig war, als daß man es allein dem Kaiser überlassen durfte, wie dies bislang geschehen war. Die unbestreitbare Mitverantwortung aller Reichsstände für den Frieden wurde so hoch eingeschätzt, daß in letzter Konsequenz auch eine Politik gegen den Kaiser für möglich gehalten wurde, nur um den Frieden im Reich zu sichern. Diese Politik des bewußten Zurückstellens der religiösen »concordia« gegenüber der Sicherung des Friedens beherrschte die Passauer Friedensverhandlungen.

Der auf der Anerkennung der neuen »Zwietracht« aufbauende konfessionelle Pluralismus bestimmte fortan das Reich. Als Ergebnis von Passau fiel das Interim; der Versuch des Kaisers, das Konzil in die Entscheidung der deutschen Angelegenheiten einzuschalten, wurde aufgegeben. Vor allem – und dies knüpft an die eben gemachten Beobachtungen über die neue Sicht der Dinge an – war der Passauer Vertrag kein Vertrag mehr zwischen Karl V. und den Protestanten, sondern es war ein Vertrag zwischen den vermittelnden (zu denen auch König Ferdinand gehörte) und den kriegführenden Ständen, den der Kaiser lediglich anerkennen sollte. Passau wurde so zu einer politischen Entscheidungssituation, die eine neue Verbindung zwischen dem deutschen Part des Hauses Habsburg und der Bewegung der Fürsten herstellte.

Es war eine Versammlung gegen spanische Weltreich- und Hausmachtpläne, gegen eine päpstliche Beteiligung an den deutschen Fragen, eine Rückkehr zu den Formen des Ausgleichs mit und zwischen den Kräften des Reiches. Das Reich zeigte sich kräftig genug, den Krankheitserreger abzustoßen. So geschah es tatsächlich; Karl zog sich in die Niederlande zurück, nachdem ein letzter Versuch, vor Metz noch einmal das Kriegsglück zu wenden, katastrophal mißlang. Seit Februar hielt sich der Kaiser in Brüssel auf, er hat Deutschland nie wieder betreten. Zwar bestritt er kurz nach seiner Ankunft in Brüssel noch einmal in einer großen Denkschrift die Passauer Vereinbarungen, wollte seinen Bruder auch darauf festlegen, doch es war allzu deutlich, daß Resignation den Mann befallen hatte, der sich seit einem Vierteljahrhundert als Kaiser durch Europa kämpfte. Gesandte berichteten aus Brüssel, daß der Kaiser nicht mehr mit unangenehmen Geschäften behelligt werden wollte. Er gab Ferdinand Vollmacht für den Augsburger Reichstag, auch um sein Gewissen von den dort notwendigen Kompromißformeln zuungunsten der katholischen Kirche freizuhalten. Ein Jahr nach dem Augsburger Religionsfrieden dankte er als Kaiser ab, was noch nie zuvor ein Kaiser getan hatte. Die Kurfürsten waren so verblüfft, daß sie diesem Schritt erst zwei Jahre später zustimmten. Karl zog sich in das Kloster San Yuste in der kargen spanischen Landschaft Estremadura zurück, wo er am 21. September 1558 starb.

Die deutschen Verhältnisse waren erst im Februar 1555 reif zur endgültigen Regelung im Sinne der in Passau gezogenen Grundlinien. Der Grund lag nicht nur im angedeuteten Grollen des Kaisers aus Brüssel, sondern auch in der Tatsache, daß sich der Markgraf Albrecht Alcibiades von Brandenburg-Ansbach, ein Haudegen, politischer Abenteurer und Wirrkopf zugleich, noch einmal, von Karl ermuntert, daran machte, die sich abzeichnende Kompromißlösung zu gefährden. Noch einmal drohte die Gefahr einer Verbindung von aufmüpfigem Adel, unzufriedenen Bauern und malkontenten Fürsten, bis er endlich am 9. Juli 1553 in Sievershausen durch Kurfürst Moritz geschlagen werden konnte, der in dieser Schlacht den Tod fand. Der Kurfürst erwies damit Deutschland einen letzten Dienst, und wenn man seine glaubwürdig überlieferten letzten Worte liest, wird man diesem erst zweiunddreißigjährigen Fürsten den Respekt nicht versagen können. »Got wisse«, sagte er nach dem Zeugnis seines Rates Carlowitz, »das sie denselbigen (Krieg) gegen marggraf Albrechten, auch nicht um umb eigner ehre oder nutzes willen furgenommen, sonder allein, weil sie gesehen, daß sonst iedermann stille gesessen und zugesehen, das das arme Deutschland so jämmerlich verhert und verterbt und der krieg aus einem Lande in das andere gefuret, also das schir kein land desselbigen uberig oder sicher.« Er habe sein Teil dazu geben wollen, dies zu verhindern. In dieser Überzeugung starb der Mann, der wie kein anderer die deutschen Dinge bewegt hatte, seitdem er 1541 die Regierung seines Landes angetreten hatte.

Nun bestand kein Zweifel mehr daran – das hatte sich an den Schwierigkeiten der Niederschlagung des Markgrafenkriegs gezeigt –, daß das Reich neben der Beilegung des Konfessionskonflikts auch neue Instrumentarien zur Sicherung des inneren Friedens entwickeln mußte. Man konnte sich nicht davon abhängig machen, daß sich schon irgendein mächtiger Fürst finden würde, um die Gefahr zu beseitigen, wie es dieses Mal Moritz noch getan hatte.

Keine leichte Aufgabe für den Reichstag, der am 5. Februar in Augsburg zusammentrat, nachdem er mindestens fünfmal vertagt worden war. Gleichwohl erzielte diese Versammlung binnen eines knappen Dreivierteljahres eine Friedensordnung, die zu Recht als Wendepunkt in der Geschichte des konfessionellen Zeitalters bezeichnet wird. Dabei muß natürlich gesehen werden, daß der Augsburger Religionsfrieden, der formell nur ein Teil des gesamten Reichsabschiedes ist, ein doppeltes Gesicht hat. Betrachtet man ihn – wie die mithandelnden Zeitgenossen – aus der Perspektive der Jahre zwischen Wormser Edikt und Passauer Vertrag, erscheint der Frieden in einem erfreulichen Licht, als Kompromißlösung zwischen den widerstreitenden Ansprüchen der beiden Parteien. Beurteilt man ihn aber aus der Perspektive der Epoche zwischen 1555 und dem Beginn des Dreißigjährigen Krieges, wird man seine Schwächen wahrnehmen, wird den Ansatz für neuen Streit feststellen, wird man seine Halbheiten zur Kenntnis nehmen müssen.

Was unterscheidet diesen Frieden von den vielen vorausgegangenen »Friedständen«? Zunächst einmal ist es die Dauerhaftigkeit, was die Frage der Konfession angeht. Zwar ergibt sich im Text selbst ein charakteristischer Widerspruch, daß er einstweilen – bis zu einer Wiedervereinigung der Konfessionen –, aber auf Dauer gelten soll. Es gibt eine charakteristische Äußerung des kaiserlichen Rats Zasius, der schrieb: »I. Mt. ist nichts schwörer noch saurer ankommen, als die punctationem mit den Worten ewig, für und für und immerwerend zu willigen; aber doch propter bonum pacis neben anderm, das auch besser haussen dan darin wer, passirn lassen.« Die Dauerhaftigkeit dieser Lösung war allen Beteiligten klar, wenn man sich auch die »reservatio mentalis« einer möglichen Wiedervereinigung offenhielt.

Den Weg zum Frieden, d. h. die Lösung der reichsrechtlich komplizierten Frage, wie man die Existenz von Ketzern durch die Reichsverfassung sanktionieren sollte, fand man darin, daß man die Augsburgische Konfession – und nur diese – unter den Schutz des Reiches stellte, sie also vom Ketzerrecht ausnahm. Gegenüber den Sekten blieben die Sanktionen des Ketzerrechts weiterhin gültig.

In der Hauptsache griff man auf die Lösung zurück, die seit 1526 auf der Hand lag, sich auch in der Schweiz bewährt hatte und schon 1541 einmal von Sachsen vorgeschlagen worden war. Jedem Reichsstand wurde das Recht eingeräumt, das Bekenntnis seines Territoriums zu regeln, ein Prinzip, das seit dem Beginn des 17. Jahrhunderts als »cuius regio, eius religio« (Wessen Land, dessen Religion) umschrieben wurde, eine griffige Formulierung, die sich im Frieden selber nicht findet.

Freilich wurden gegenüber diesem Grundprinzip zwei Ausnahmen festgehalten. Sie betrafen einmal die geistlichen Fürsten, denen ein Recht zur Reformation genommen wurde, indem bestimmt wurde, daß sie für den Fall eines Übertritts zum neuen Bekenntnis auf ihr geistliches und weltliches Amt verzichten müßten. Diese Bestimmung war praktisch nichts anderes als eine Besitzstandsgarantie für die katholische Kirche. Die von den Protestanten als Ausgleich dafür geforderte Erklärung, daß die Untertanen solcher geistlicher Fürsten ihr protestantisches Bekenntnis behalten durften, wurde ihnen zwar als Erklärung des Königs – als die sog. Declaratio Ferdinandea – gegeben, sie wurde aber nicht dem offiziellen Text des Religionsfriedens einverleibt und damit nicht dem Kammergericht zugestellt. Damit war sie reichsrechtlich nicht existent. Bemerkenswerterweise ist sie auch nach dem Religionsfrieden in Vergessenheit geraten, und erst in den Diskussionen der siebziger Jahre »entdeckte« man sie wieder.

Besonders zu erwähnen ist in diesem Zusammenhang noch die Bestimmung des »jus emigrandi«. Es sicherte den Untertanen, die nicht mit der Konfession ihres Landesherren übereinstimmten, ein garantiertes Auswanderungsrecht zu. Martin Heckel hat dies die erste reichsrechtlich fixierte Feststellung eines Grundrechts genannt, und ich glaube, daß dies nicht übertrieben ist. Diese Regelung zog – wenn auch begrenzt – die Konsequenz aus der Erkenntnis, daß der Gewissenszwang nicht mehr geduldet werden konnte. Die katholischen Reichsstände, die sich auf diese Lösung einließen, haben diese Bestimmung aber in Verbindung mit dem »Cuius regio«-Prinzip immer als Recht zur Ausweisung der Untertanen verstanden, die sich dem obrigkeitlichen Religionsgebot nicht fügen wollten. Demgegenüber haben die protestantischen Interpreten des Religionsfriedens darauf beharrt, daß das »jus emigrandi«

nicht als Recht zu Vertreibung, sondern als »beneficium emigrandi«, d. h. als Regelung zugunsten der Untertanen, zu interpretieren sei.

Die zweite der oben erwähnten beiden Ausnahmen betraf die Reichsstädte. Hier kam es der katholischen Partei vor allem darauf an, in den überwiegend protestantischen Städten des Reiches den noch verbliebenen katholischen Minderheiten ein Existenzrecht zu sichern. Insofern wurde in den Städten ein Nebeneinander der Konfessionen akzeptiert, eine bemerkenswerte Ausnahme vom Grundprinzip der Einheitlichkeit der Konfession in einem Herrschaftsgebiet. Die Bewohner der Städte sollten »friedlich und ruhig bei- und nebeneinander wonen, und kein Teil des anderen Religion, Kirchengepreuch oder Cerimonien abzutun oder ine davon zu tringen understen, sonder jeder Teil den andern laut dieses Friedens bei solcher seiner Religion ... ruwiglich und friedlich bleiben lassen«. Man hat in der Forschung heftig darüber gestritten, ob diese Regelung eine wirkliche Parität der Konfessionen in den Städten bedeutet hat oder ob man den Protestanten eine Sonderstellung ähnlich der der Juden eingeräumt habe. Insgesamt muß anerkannt werden, daß dieser Artikel unter den Bedingungen des konfessionellen Zeitalters ein beachtlicher Versuch war, mit dem Risiko des Zusammenlebens der Konfessionen fertig zu werden, und diese Bewertung wird man auch insgesamt auf den Frieden übertragen können. Während sich die westeuropäischen Nationalstaaten nicht dazu bereit finden konnten, beiden Konfessionen eine gesicherte Position einzuräumen, ging das Reich diesen schwierigen Weg des Kompromisses, der als solcher zunächst einmal von der Last der folgenden Entwicklung hin zum Dreißijährigen Krieg freigehalten werden muß.

Wir sind damit am Ende des Überblicks über die deutsche Geschichte des Reformationszeitalters angekommen: Hinter uns liegt eine aufgewühlte Epoche der Geschichte unseres Landes, ohne deren Beachtung die weitere historische Entwicklung nicht zu verstehen ist. Damit ist nicht nur die Kette der Ereignisse vom Dreißigjährigen Krieg über den Westfälischen Frieden bis hin zum Kulturkampf des späten 19. Jahrhunderts gemeint, sondern damit sind auch tieferreichende Fragen angesprochen. Der Historiker Heinrich Lutz hat in einem Beitrag zur Geschichte dieses Jahrhunderts die Frage nach den anthropologischen Konsequenzen der deutschen Spaltung gestellt und dabei einen »so besonders hohen

Grad von Verletztheit« in der deutschen Nation konstatiert, eine enorme Belastung aller zukünftigen Politik. Es beginnt hier – könnte man sagen – die für die deutsche Geschichte der Neuzeit so charakteristische Spaltung der Identität der Nation, die unser Land auch heute noch immer von anderen Nationen unterscheidet.

Noch eine letzte Bemerkung sei angefügt. Sie betrifft die Wirkung der gesamten Epoche: Wir nennen diese Epoche vom Beginn der Reformation bis zum Ende des Dreißigjährigen Krieges das konfessionelle Zeitalter und immer wieder weisen Historiker darauf hin, daß dieses Zeitalter durch die »Grundkategorie« Konfession geprägt sei. Heinz Schilling hat formuliert, daß ohne sie »zumindest für das 16. und weite Teile des 17. Jahrhunderts keine hinreichende Erkenntnis über den Aufbau jenes Gesellschaftssystems sowie seiner Entwicklungsdynamik gewonnen werden kann«. Gewiß ist dies richtig, aber m. E. ist damit nicht der Kern dessen getroffen, was uns das so bezeichnete konfessionelle Zeitalter vermitteln kann. Was uns in scheinbarem Gegensatz dazu immer wieder auffällt, ist der in vielen Einzelschritten feststellbare Prozeß der Säkularisierung der Welt. Dieser zeigt sich, wenn der gordische Knoten von Religionsvergleichung und politischem Frieden durchschlagen wird. Wir finden ihn vor allem in der Analyse einzelner handelnder Personen, etwa des geradezu machiavellistisch agierenden bayerischen Kanzlers Leonhard von Eck , der mit einer immer wieder verblüffenden Kälte sein Land so lenkt, wie es den Interessen der wittelsbachischen Dynastie entspricht und nicht denen der konfessionellen Solidarität. Wir sehen dies aber auch bei einem Fürsten wie Herzog und Kurfürst Moritz von Sachsen. Machterweiterung, Friedenssicherung, Einflußsicherung sind die Kategorien dieses Politikers, der die Kategorie der Staatsräson so souverän handhabt, ohne sie doch dem Begriff nach schon zu kennen. Hier scheint die besondere Bedeutung des 16. Jahrhunderts zu liegen: Indem es um die Konfession streitet, findet es die Prinzipien nüchterner, säkularer Interessenpolitik. Indem es um die kirchliche Einheit kämpft, findet es die konfessionelle Zerrissenheit, die Pluralisierung der Überzeugungen. Wenn wir dieses Jahrhundert auf diese Weise betrachten, muß es uns nicht mehr so fern bleiben, wie es die Distanz eines halben Jahrtausends vermuten lassen könnte.

3. Der »gläserne« Frieden von 1555 und seine Folgen: Neue konfessionelle Bündnisse und Ausbruch des »Großen Krieges«

»Seit dem Religionsfrieden ist das Reich nur noch eine Vielheit von Territorien, ohne Einheit der Macht und des Willens; ein Inbegriff unzähliger Libertät, nur ohne das Gewölbe, das sie alle schützen und zusammenhalten müßte; Wind und Wetter haben freien Zugang, wenn nicht da und dort in dem alten Prachtbau ein Verschlag, ein Bretterdach einigen Schutz geschaffen hat.« Mit diesen bildhaften Formulierungen versuchte Johann Gustav Droysen 1855 in seiner *Geschichte der Preußischen Politik* die Lage des Reiches nach 1555 zu charakterisieren. Hatten noch in der ersten Hälfte des Jahrhunderts das machtvolle und selbstbewußte Vordringen des Protestantismus und die Konsolidierung der Territorialstaaten den sich schon längst abzeichnenden Machtverlust des Reiches überlagert und das Interesse der Geschichtsforschung in überreichem Maße erregt, verfestigte sich für das späte 16. Jahrhundert das nahezu einmütige und nur verbal differenzierte negative Urteil der Historiker. Moriz Ritter beschrieb diese Epoche in seiner heute noch grundlegenden *Deutschen Geschichte im Zeitalter der Gegenreformation und des Dreißigjährigen Krieges* als »Auflösung der Reichsverfassung«, während der katholische Historiker Johannes Janssen mit dem Zustand des Reiches nur negativ besetzte Begriffe wie »Zerfall« und »Zerrüttung« assoziierte. Gerade durch die in den großen Darstellungen und Lehrbüchern üblich gewordene Zusammenfassung der Zeit zwischen dem Religionsfrieden und dem Beginn des Dreißigjährigen Krieges zu einer Einheit geriet das gesamte späte 16. Jahrhundert in das politische Vorfeld dieses europäischen Entscheidungskampfes. Dieser Eindruck wird auch durch die Aktenpublikationen zur Vorgeschichte des Krieges bestätigt, die weit in das späte 16. Jahrhundert zurückgreifen. Fritz Dickmann beginnt seine große Darstellung des Westfälischen Friedens mit einem weiten Rückgriff auf den Augsburger Religionsfrieden und versichert sich so der Einheitlichkeit der Epoche, die wir heute dem konfessionellen Zeitalter zurechnen.

Diese Beurteilung der Epoche von ihrem unheilvollen Ende her hat auch auf die Bewertung des Augsburger Religionsfriedens selber zurückgeschlagen, dessen ambivalente Bedeutung wir uns schon vor Augen geführt haben. Der Reichstag von 1555 legte, so urteilte Martin Spahn im Jahre 1902, »die Räder der Reichsmaschine, wenngleich noch nicht ausdrücklich, so doch tatsächlich still, durch die Unabhängigkeitserklärung der mächtigeren Fürsten in Recht, Wirtschaft, Polizei und Kirche«. Ein ähnliches Urteil französischer Historiker aus neuester Zeit, für die Deutschland nach 1555 »in den Schatten zurücktritt« und einer Geschichte »ganz in Grau« entgegengeht oder denen ein »Schrumpfen« der deutschen Geschichte ins Auge fällt, bestätigt diese Grundlinie der Interpretation. Denn – so zuletzt Bernard Vogler – »am Ende der heroischen Jahre der Reformation« wird Deutschland »eine Art Hafen des Friedens«, »mais c'est une période fade, une sorte de terne entracte«, eine reizlose Epoche, ein trauriges Zwischenspiel.

Man könnte dieses Bild der Historiographie noch durch kräftige Farbtupfer verstärken. Man könnte den vermeintlichen Niedergang der Städte anführen, die schwunglosen, »quietistischen« Landesfürsten dieser Epoche beschreiben, den Mangel an künstlerischer Potenz im Vergleich zum Beginn des Jahrhunderts beklagen und noch viele Indizien mehr anführen, die immer wieder in der Literatur genannt worden sind. Man gestand zwar zu, daß diese zwei Generationen eine beachtlich lange Zeit ohne innere Kriege gewesen seien – was genaugenommen auch nicht stimmt –, aber insgesamt fand die Geschichtschreibung nicht viel Anlaß zu einer Beschäftigung mit dieser Epoche, die auch nur in etwa mit der der Reformationsepoche vergleichbar wäre.

Wenn man sich an einem solchen krassen Negativurteil reiben will, muß man sich der Tatsache bewußt sein, daß der Historiker immer mit Kontrastierungen arbeiten muß, um seinen Gegenstand markant darzubieten, Höhepunkte anzuzeigen, die dramatische Verdichtung besonders zu würdigen. Dazu gehört auch der flüchtige Blick auf Epochen der Ruhe, der langsamen Anpassung, der unspektakulären Entwicklung, die er braucht, um bei nächster Gelegenheit dem Leser die verbale Fanfare eines großen Krieges, eines dramatischen Ereignisses erschallen zu lassen.

Ich will die Gelegenheit nutzen, ein etwas anderes Bild des späten 16. und frühen 17. Jahrhunderts zu entwerfen. Natürlich läßt sich aus dieser Periode nicht eine nationale Erfolgsgeschichte konstruieren, aber sie soll doch mehr sein als nur das lange Vorspiel eines neuen großen Krieges. Zwei Gesichtspunkte sind es vor allem, die ich für dieses Zeitalter herausheben will. Zum einen soll betont werden, daß das Reich in dieser Phase nicht der ruinöse Prachtbau war, den Droysen in ihm sehen wollte. Das Reich war ein kompliziertes politisches Gemeinwesen sui generis, das sehr wohl nach innen wie nach außen bestimmte Grundfunktionen erfüllte. Es erwies sich zudem als veränderungsfähiges politisches Gemeinwesen, wenn auch seine Möglichkeiten nicht ausreichten, jene Konflikte aufzufangen, die von außen an es herangetragen wurden. Immerhin wird sich zeigen, daß am Ende des 16. Jahrhunderts schon jene politischen Instrumente entwickelt wurden, die nach dem Krieg im Jahre 1648 eine Friedenslösung für Deutschland ermöglichten.

Zum anderen kommt es mir darauf an, das späte 16. Jahrhundert in seiner Abhängigkeit von der ersten Hälfte dieses Jahrhunderts zu deuten. Über die pure Selbstverständlichkeit der immer gegebenen historischen Kontinuität hinaus ist damit gemeint, daß das späte 16. Jahrhundert nicht zu verstehen ist ohne die spezifischen Belastungen der ersten Jahrhunderthälfte, die erfüllt war von radikalen Veränderungen, tiefgreifenden inneren Konflikten, innovativen Prozessen. Meine These ist, daß die Fülle der Veränderungen, die die Reformationsepoche mit sich brachte, die Fähigkeiten der politischen, gesellschaftlichen und mentalen Ordnung zur Anpassung an Neues überschritt, sie gewissermaßen überstrapazierte. Diese Überbelastung des Systems mit Neuem führte nicht zu einer akzeptierten neuen politisch-gesellschaftlich-mentalen Konstellation, die stabil genug gewesen wäre. Sie rief vielmehr eine Rückbesinnung auf alte Ordnungsprinzipien hervor, die freilich in dieser neuen Konstellation eine ganz andere Wirkung hatten als in einer von Konflikten dieses Ausmaßes relativ freien Zeit.

Schließlich muß schon hier betont werden, daß die Beschränkung unserer Analyse des späten 16. Jahrhunderts auf konfessionelle und politische Fragen, wie sie in diesem Kapitel vorgenommen wird, nur einem Teil des Reizes gerecht werden würde, den dieser Übergang vom 16. zum 17. Jahrhundert auf die moderne historische Forschung zweifellos ausübt. Durch neuere Arbeiten zur Mentalitätsgeschichte, zur Geschichte bäuerlicher Revolten, zu den Hexenprozessen, aber auch zur Sozialgeschichte der Konfessionen und zur Wissenschaftsgeschichte, ist dieser Übergang immer stärker in den Mittelpunkt der Forschungsbemühungen gerückt. Diese Aspekte sollen jedoch im abschließenden Teil III dieser Darstellung im Zusammenhang untersucht werden.

Unser Hinweis auf die »Ordnung« als Grundproblem des 16. Jahrhunderts bezieht sich auf einen Gedanken des französischen Historikers Lucien Fébvre, der davon sprach, daß das 16. Jahrhundert einen so enormen »Bedarf an Ordnung« entwickelt habe. Tatsächlich können wir diesen Bedarf feststellen, aber er war vor allem eine Reaktion auf eine Fülle von wirtschaftlich-gesellschaftlich-religiös-politischen Destabilisierungsprozessen, die sich zudem alle noch zeitlich parallel vollzogen hatten. Es war der Ordnungsbedarf einer in Unordnung geratenen Welt.

Zunächst wollen wir wie im vorangehenden Kapitel einen ersten Überblick über die gesamte Teilepoche gewinnen, der sich zunächst weiterhin an konfessions- und reichspolitischen Kriterien orientieren soll. Damit sind wir wieder auf die Reichstage verwiesen, jene Versammlungen des Kaisers und der Reichsstände, in deren Verlauf politische Kompromisse über die innere und äußere Politik des Reiches erarbeitet werden mußten. Insgesamt zwölf Reichstage wurden bis zum Ausbruch des Dreißigjährigen Krieges abgehalten, von 1556 bis 1613. Wollte man diese Reichstage von ihren großen Themen her differenzieren, müßte man die Reichstage bis 1576 als eine Gruppe von Tagen bezeichnen, die überwiegend durch innen- und konfessionspolitische Fragen gekennzeichnet waren; sie behandelten vor allem die Geltung des Religionsfriedens, den Versuch der protestantischen Partei, die Freistellung zu erreichen und die Zulassung des Calvinismus im Reich. Diese Versuche endeten 1576, und dieser Reichstag war zugleich der erste der großen Türkenreichstage des späten 16. Jahrhunderts. Außerdem starb während dieses Reichstages der religiös eher indifferente Kaiser Maximilian II., und sein Sohn Rudolf II. trat die Regierung an. Unter diesen Türkenreichstagen ist die Kette der Reichstage von 1576, 1582, 1594, 1598, 1603 und 1608 zu verstehen, die vom Kaiserhof in der festen Erwartung ausgeschrieben wurden, von den Reichsständen relativ hohe Summen zur Bekämpfung der türkischen Gefahr zu erhalten. Der 1547 mit dem Osmanischen Reich geschlossene und mehrfach verlängerte Frieden von Adrianopel war 1568 definitiv ausgelaufen, nachdem schon der Feldzug des Jahres 1566/67 die bislang gehegte Hoffnung enttäuscht hatte, der Gefahr an der Grenze durch eine militärische Schutzzone begegnen zu können.

Seit 1593 entwickelte sich aus den durchaus üblichen Einfällen türkischer Streifscharen, die an der Grenze als Normalität verstanden wurden, ein offener Krieg; er dauerte bis zum Frieden von Zsitva-Torok 1606, der zum erstenmal einen Friedensschluß gleichberechtigter Partner sah. Wenn hier von einer Grenze gesprochen wird, dann ist damit eine imaginäre Grenzlinie gemeint, die Ungarn in zwei Teile trennte, einen von osmanischen Truppen kontrollierten südlichen Streifen Ungarns und Slawonien-Kroatiens und einen Streifen unter der Herrschaft des Kaisers als König von Ungarn. Immer wenn in dem hier interessierenden Zeitraum der Kaiser an den Reichstag mit der Bitte um Türkensteuern herantrat, konnte er nicht darauf verweisen, daß ein Feind vom Boden des Reiches vertrieben werden mußte, sondern er forderte eine Hilfe zum Kampf gegen die Türken mit dem Argument: »Besser man löscht das Feuer in Ungarn als hier zu Haus.« Damit waren die Hilfen des Reiches, wie vor allem die Protestanten immer wieder betonten, freiwillig, da es Hilfen für fremde Königreiche waren. Daraus mußte sich eigentlich für die Protestanten ein beachtlicher politischer Spielraum ergeben.

Wenn wir die Reichstage von 1576 bis 1608 als Türkenreichstage bezeichnen, soll damit nicht gesagt werden, daß hier nicht auch andere innenpolitische Probleme, vor allem der Konfession und des Justizwesens, behandelt worden wären. Gleichwohl standen die Türkensteuern im Mittelpunkt, und oft genug wurden die anderen Verhandlungsgegenstände auf sog. Deputationstage verschoben, sobald nur die ersehnte Türkensteuer bewilligt war. Einem zeitgenössischen Beobachter erschienen diese Deputationstage deshalb wie »wermutwein«, wo man einfach alle Reste hineinschütte.

Dieser politische Mechanismus war aber nur so lange wirksam, wie die osmanische Bedrohung den Ständen wirklich glaubhaft gemacht werden konnte. Insofern verwundert es nicht, wenn der erste Reichstag nach dem Friedenschluß von 1606, im Jahre 1608 zum erstenmal ohne Ergebnis auseinanderging. Die Protestanten verließen diesen Reichstag schließlich unter Protest und verweigerten damit dem Kaiser die erbetene Türkenhilfe.

1608 ist freilich auch ein Indiz einer neuen Verschärfung der inneren Lage im Reich. Dies hing vor allem mit der sog. Donauwörther Exekution zusammen, d. h. mit der Vollstreckung der kaiserlichen Acht gegen die Reichsstadt Donauwörth durch bayerische Truppen, weil es in dieser Stadt zu Auseinandersetzungen zwischen der protestantischen Mehrheit und der katholischen Minorität gekommen war. Es war dies der erste bewaffnete Vorfall unter den vielen schwelenden Konflikten, und aus diesem Grunde läßt sich der Reichstag von 1608 als ein weiterer Wendepunkt in der Reichspolitik jener Jahre bezeichnen. Der darauf folgende Reichstag von 1613 endete wie der vorhergehende Reichstag, denn die beiden Parteien konnten sich nicht mehr auf eine friedliche »Komposition« ihrer Konflikte einigen. Damit war der Reichstag nicht mehr der Ort, an dem die Streitigkeiten zwischen den Ständen und dem Kaiser ausgetragen werden konnten. Zugleich bildeten sich im Zusammenhang mit dem Ausgang des Reichstags von 1608 neue konfessionelle Bündnisse, nämlich die protestantische Union (1608) und die katholische Liga (1609). Damit standen sich, wenn auch zunächst in defensiver Absicht, die beiden Bündnisse gegenüber, die beim Ausbruch des Krieges im Jahre 1618 die Waffen gegeneinander richteten.

Soweit eine erste Übersicht über unseren Zeitraum, die freilich unvollkommen sein muß und in der Oberflächlichkeit der Reichspolitik nur eine grobe Orientierung liefern kann. Wichtig erscheint dabei die vielleicht überraschende Feststellung, daß es keineswegs eine kontinuierliche Spannungssteigerung im Reich gab, daß vielmehr eine erstaunlich lange Phase einer durchaus funktionsfähigen Reichsordnung zu erkennen ist, die jedenfalls nicht mit zwingender Notwendigkeit auf den großen Konflikt hinsteuerte.

Die erste bedeutende Veränderung des Systems von 1555 ergab sich durch eine weitere Differenzierung innerhalb der protestantischen Bewegung selbst. Wir hatten schon mehrfach auf die immer wieder aufbrechenden Lehrstreitigkeiten innerhalb der lutherischen Bewegung hingewiesen, die in der Wittenberger Konkordie nur vordergründig zugedeckt worden waren. Dabei waren die Abendmahlsfrage und die Frage der Rechtfertigung ständig kontrovers diskutierte Themen, in immer neuen Konstellationen. Diese Diskussionen hatten seit dem Tode Luthers im Jahre 1546 eher noch zugenommen, weil jetzt die Unterschiede zwischen Melanchthon und Luther deutlicher wurden und auch nicht mehr von Luther selber überbrückt werden konnten.

Melanchthon hatte von Anbeginn der Reformation her einen anderen Zugang zum Problem der Rechtfertigungslehre gefunden als Luther. Er war in stärkerem Maße humanistischen Gedanken verbunden und sah in der menschlichen Vernunft ein größeres Potential zur Mitwirkung des Menschen an seiner Erlösung, als dies Luther tat. Von daher wurde Melanchthon der große Bildungstheoretiker der Reformation, und zugleich verhielt er sich in den Auseinandersetzungen z. B. um das Leipziger Interim viel einigungsbereiter gegenüber den katholischen Positionen als viele strenge Lutheraner, die sog. Gnesiolutheraner. Hier hatte man vor allem um die sog. Adiaphora gestritten, d. h. die Mitteldinge, theologische Positionen, die Melanchthon für nicht unbedingt zentral für das lutherische Bekenntnis erklärt hatte. Als sich Melanchthon auch in dem Streit mit den Calvinisten um das Abendmahl nicht engagieren wollte, entwickelte sich eine tiefgreifende Auseinandersetzung zwischen den sog. Philippisten – also den Anhängern Melanchthons –, die auch bald als Kryptocalvinisten bezeichnet wurden, und der strenggläubigen lutherischen Richtung. Dieser Streit wurde zusätzlich dadurch verschärft, daß Kurfürst August von Sachsen, der Bruder und Nachfolger des Kurfürsten Moritz, der melanchthonianischen Richtung anhing, während die andere sächsische Linie die Universität Jena zum Mittelpunkt eines besonders strengen Luthertums machte.

Zwar bemühte man sich auf dem Frankfurter Rezeß (1558) um eine Einigung zwischen den kontroversen Auffassungen (hier noch auf der Grundlage eines vermittelnden Gutachtens von Melanchthon, der aber 1560 starb), ebenfalls auf dem Naumburger Fürstentag von 1561. Doch auch hier wurden nur Scheinkompromisse gefunden, zumal sich bereits deutlich die neue grundsätzliche Differenz zwischen einer lutherischen und einer calvinistischen Richtung der reformatorischen Bewegung abzeichnete.

Mit dem Calvinismus treffen wir auf eine Nebenrichtung der reformatorischen Bewegung, die – von Genf, dem Hauptwirkungsort Calvins ausgehend – vor allen Dingen in Westeuropa eine erstaunlich breite Wirkung erzielt hatte. Jean Calvin, 1509 in Frankreich geboren, hatte sich im Lauf seines Studiums der Theologie und der Jurisprudenz an französischen Universitäten immer intensiver mit den Schriften Luthers befaßt und war zu einem Anhänger der neuen Lehre geworden. Während eines Aufenthalts in Basel hatte er 1535 seine *Institutio religionis christianae* geschrieben, eine radikale Anleitung zum christlichen Leben auf der Grundlage der Heiligen Schrift. Ein Jahr später wurde Calvin nach Genf berufen, nach einer politisch bedingten Unterbrechung zwischen 1538 und 1541 lehrte er in Genf und machte es zum Mittelpunkt jenes Teils Europas, der sich an seiner Lehrmeinung orientierte.

Worin liegt die Besonderheit dieser Richtung der reformatorischen Bewegung? Die Frage muß hier gestellt werden, weil Calvin nicht nur auf den Gang der Dinge im Reich eine große Wirkung ausübte, sondern auch, weil der westeuropäische Protestantismus weitgehend der calvinistischen Richtung folgte und weil immer wieder enge Zusammenhänge zwischen der gemeindlich-synodalen Organisation des Calvinismus und der Entwicklung demokratischer Institutionen gesehen worden sind. Damit schien der Calvinismus – anders als das Luthertum – zu einem Wegbereiter des modernen europäischen Demokratieverständnisses geworden zu sein. Auf den ersten Blick sieht es so aus, als habe sich hier schon jene große Differenzierung zwischen »deutschem Geist und Westeuropa« (so eine Formulierung Ernst Troeltschs aus dem Ersten Weltkrieg), zwischen westeuropäischer Demokratie und deutscher Obrigkeitsgesinnung, herausgebildet.

Wesentliche Grundlage der calvinistischen Richtung wird in der Tat die Organisationsform der Kirche. Sie ist nicht Landeskirche wie in den protestantischen deutschen Territorien, sondern sie baut sich von der Gemeinde her auf und organisiert sich weiträumig in Synoden. In der Gemeinde verteilt sie die wesentlichen Aufgaben von Lehre und Kirchenzucht auf Pastoren, Lehrer, Diakone und Älteste, das Konsistorium wird »zum verantwortlichen Gremium für die kirchliche Regierung und Gesetzgebung; auch die geistliche Gerichtsbarkeit und die Strafgewalt fiel ihm zu« (Zeeden). In den Formen des Gottesdienstes unterschied sich Calvin stärker von Luther, der ja viele Formen und Symbole des katholischen Ritus übernommen hatte. Hier orientierte sich Calvin, der auch eine Zeitlang in Straßburg gelebt hatte, an den eher zwinglianisch bestimmten Formen des Kultus, wandte sich gegen Bilder und Altäre, konzentrierte den Gottesdienst auf Predigt und Gebet. Das Abendmahl wurde nur selten in speziellen Abendmahlsfeiern empfangen, da seine Abendmahlslehre die wirkliche Gegenwart Christi voraussetzte, während Luther lediglich im Brot des Abendmahls die Gegenwart des Erlösers gesehen hatte.

Grundlage der sittlichen Existenz des Menschen aber wurde seine Auffassung von der Vorherbestimmung des Menschen durch Gott zu ewiger Verdammnis oder zum ewigen Leben, eine weitere Radikalisierung der Rechtfertigungslehre Luthers, der die guten

Werke schon in ihrer Bedeutung abgeschwächt hatte. Die Konsequenz dieser Prädestination des Menschen war jedoch keineswegs eine gesellschaftliche Passivität, sondern eine erhöhte Aktivität in der Absicht, sich damit als für das ewige Leben vorherbestimmt zu erweisen.

Was den Calvinismus vom Luthertum je länger desto mehr unterschied, war sein ungeheures Streben nach Verbreiterung seiner Anhängerschaft, ja ein starkes Missionierungsbewußtsein. Auf diese Art und Weise wurde die 1559 gegründete Genfer Akademie zu einem Zentrum einer bemerkenswert offensiven kirchlichen Richtung, die in ihrer intellektuellen Schärfe, ihrer Betonung der weltlichen Aktivität vorwiegend eine Bekenntnisform der Gebildeten, der Handwerker und Kaufleute wurde, wie dies am Erfolg des Calvinismus in Frankreich und in den Niederlanden zu sehen ist.

Man hat in der Forschung auch darauf verwiesen, daß der Calvinismus sich vor allem in den westlichen Teilen des Reiches durchgesetzt habe, doch scheinen mir diese Beobachtung und vor allem die Umstände seiner jeweiligen Einführung zu unspezifisch, um daraus für den deutschen Bereich eine besondere Verbindung von Calvinismus und kapitalistischer Entwicklung konstruieren zu können; auf diese Frage ist noch zurückzukommen.

Zunächst einmal stellte die calvinistische Richtung für das Augsburger Friedenssystem des Reiches eine erhebliche Bedrohung deshalb dar, weil auf dem Boden der lutherischen Bewegung ein neues Bekenntnis entstanden war, das sowohl von den Katholiken, aber auch von den Lutheranern scharf bekämpft wurde. Für ein neues Bekenntnis aber war in diesem System kein Platz vorgesehen, so daß das Bekenntnis zum Calvinismus beinahe automatisch einen Konflikt mit den beiden anderen bedeuten mußte. So war es durchaus zwangsläufig, daß Kurfürst Friedrich III. von der Pfalz seine Entscheidung für eine Reformation seines Territoriums im calvinistischen Sinne gegenüber den beiden reichsrechtlich »etablierten« konfessionellen Parteien durchsetzen mußte.

Dieser Friedrich III. ist ein vorzügliches Beispiel für die von einzelnen Landesfürsten ausgehende Wendung zum calvinistischen Bekenntnis. Erst relativ spät zum Grundgedanken der Reformation bekehrt, hatte er einige Jahre nach der rechten Lehre gesucht, hatte seine Unsicherheit in Fragen des Abendmahls durch Anfragen bei verschiedenen Theologen beseitigen wollen, hatte im Jahre

1560 – ein Jahr nach seinem Regierungsantritt – sogar eine Disputation zwischen pfälzischen und sächsischen Theologen veranstaltet, um in seiner Suche nach der rechten Lehre zum Ziel zu kommen. Es hieß von ihm, »daß er wohl unterrichtet ist in Dingen der Religion«, wie der englische Gesandte an seinen Hof berichtete. Kaiser Maximilian, der selber unsicher in Fragen des rechten Bekenntnisses war, bezeichnete ihn einmal sogar dem spanischen Gesandten gegenüber als vom Dämon besessen, der erst bei der Lektüre der Bibel zur Ruhe komme. Liest man den Briefwechsel mit seinem Schwiegersohn, kann man sich kaum des Eindrucks erwehren, daß hier ein ausnehmend religiöser Mensch nach dem richtigen Weg zum Heil suchte, der Anfang 1562 endlich gefunden schien. Jetzt hatte er eine klare Auffassung vom Abendmahl entwickelt, verteidigte sie nach außen hin und sorgte durch die Berufung von Theologen seiner Auffassung für eine entsprechende Ausrichtung seines Landes. Er hatte seinem Kurfürstentum durch den Heidelberger Katechismus 1563 eine klare Richtschnur in Lehrfragen an die Hand gegeben, er hatte eine neue Liturgie in den Kirchen eingeführt, und er hatte schließlich die etwa vierzig Klöster in seinem Territorium aufgehoben. All dies geschah gegen den heftigen Widerstand seiner lutherischen Standesgenossen, seiner Familie und auch gegen den Widerstand seiner Untertanen, die sich den konkreten Maßnahmen wie dem Abbau der Altäre und der Veränderung der vertrauten Formen des Gottesdienstes heftig widersetzten.

Angesichts dieses massiven Widerstands von allen Seiten war es nicht erstaunlich, wenn der Reichstag von 1566 sich insbesondere der Frage annahm, wie die Religion im Reich »zum besseren richtigen Verstand zu bringen« und wie die »verwirrung vieler christlicher gewissen« zu beseitigen sei. Es war tatsächlich ein Zustand offener Unsicherheit und sogar eines gewissen Indifferentismus eingetreten, den ein bayerischer Prälat dem Kaiser gegenüber einmal folgendermaßen zum Ausdruck brachte: »das die leut vermainen, es gelt alles gleich lutherisch oder papistisch, calvinisch oder confessionistisch, ketzerisch oder katholisch, wann man nur an Christum gleube, so werde mann dannacht selig werden, das andere seien alles nur quaestiones de accidentibus, daran nit vil gelegen, wie sich dan dergleichen mainung ettlich catholische und sectische gegen mir vernemmen lassen, welches dann ad atheismum ein feiner eingang ist. Ich glaube auch, das wenn man es allhie kündte dermassen verwürren, das man durcheinander gienge, ein ietweder in seinem thun, man wurde es gern dahin richten.«

Dieses Zitat macht mehr als eine lange Beschreibung den Status der allgemeinen Verwirrung deutlich, der durch den Augsburger Frieden und durch die weiter fortschreitende Differenzierung im Reich entstanden war. Es konnte nicht ausbleiben, daß sich viele Menschen angesichts der offenen Verwirrung auf das bloße Christsein zurückzogen und an der konfessionellen Abgrenzung überhaupt nicht interessiert waren, eine Reaktion, die katholischen Beobachtern als ein erster Schritt zu einer individualistischen Auffassung von Religion erscheinen mußte.

Am Morgen des 14. Mai 1566 ergab sich auf dem Reichstag die bewegende Szene, die über das weitere Schicksal des deutschen Calvinismus entschieden hat. In einer Versammlung aller anwesenden Kurfürsten und Fürsten ließ der Kaiser dem Pfälzer Kurfürsten ein Dekret vorlesen, das eine scharfe Verurteilung seiner Konfessionspolitik enthielt. Der Kaiser gab zu erkennen, daß er die »calvinische Sekte« und »verführung« nicht mehr länger dulden wollte. Nach einer kurzen Pause kehrte dann der Kurfürst in die Versammlung zurück und antwortete mit einer Verteidigungsrede, die geschickt den Hauptvorwurf umging, indem er zu erkennen gab, niemals ein Buch Calvins gelesen zu haben. Statt dessen erklärte er seine mehrfach bewiesene Anhänglichkeit an die »Confessio Augustana« und tat damit den entscheidenden Schritt insofern, als er sich auf den Text bezog, der im Augsburger Religionsfrieden als verbindlich für die Anerkennung der Protestanten genannt worden war.

Die mutige freie Rede des Kurfürsten muß einen erheblichen Eindruck gemacht haben, denn sie ist von einer intensiven Legendenbildung umrankt worden. August von Sachsen sei auf den Kurfürsten zugetreten und habe gesprochen: »Fritz, du bist frömmer als wir alle«, und Markgraf Karl von Baden habe sich geäußert: »Was fechten wir diesen guten Fürsten an, der frömmer ist denn wir alle.« Der Kaiser soll sogar in Tränen ausgebrochen sein.

Gewiß ist all dieses Legendenbildung und Übertreibung, wenn auch ganz offensichtlich dem »wackeren« Kurfürsten von allen Seiten Respekt bezeugt wurde. Was jedoch blieb, war die Weigerung der protestantischen Fürsten, einer definitiven Verurteilung des Pfälzers zuzustimmen, so daß de facto der Augsburger Reichstag von 1566 als der Beginn der praktischen Duldung der Calvinisten angesehen werden muß. Dies war nicht nur wichtig hinsichtlich der weiteren Differenzierung des Protestantismus, sondern auch wegen der sich dadurch ergebenden Verbindungen zum westeuropäischen Ausland, zu französischen Hugenotten und den niederländischen Provinzen, die bald den Kampf gegen die spanische Herrschaft aufnahmen. Erst damit ergaben sich jene europäischen Konstellationen eines katholisch-habsburgischen Lagers auf der einen und eines pfälzisch-protestantisch-calvinistischen Lagers auf der anderen Seite, die eben nicht auf das Reich begrenzt blieben, sondern sich überall in Europa nach Bundesgenossen umsahen. Erst damit war jene für den Dreißigjährigen Krieg so wichtige europäische Voraussetzung gegeben.

Für den Bereich der Konfessionspolitik im Reich ergab sich freilich eine starke Schwächung der protestantischen Sache durch die Spaltung des Protestantismus in zwei Lager. Um Kursachsen, das sich erst vor kurzem die Kurwürde verdient hatte, sammelten sich die kaisertreuen Protestanten in scharfer Gegnerschaft zu den Calvinisten, während die Kurpfalz zum Sammelpunkt aller calvinistischen und radikalprotestantischen Stände wurde. Die mangelnde Einheit der protestantischen Partei schwächte ihre Vertretung auf den Reichstagen erheblich und erlaubte dem Kaiserhof immer wieder, die Gravamina der Protestanten ohne wirkliche Reaktion zurückzustellen. Dies konnte sich der Kaiserhof um so eher erlauben, als die sächsischen Kurfürsten in den folgenden Jahrzehnten der türkischen Bedrohung immer unter dem Eindruck eines möglichen Durchbruchs der Türken durch Böhmen nach Sachsen lebten und auch von dieser Seite her nicht bereit waren, den Kaiserhof durch die Verweigerung von Steuern unter Druck zu setzen.

Kurpfalz blieb nicht der einzige Reichsstand, der sich zum Calvinismus bekannte. Der große Prozeß der Differenzierung des deutschen Protestantismus, wie er auf dem Augsburger Reichstag schlaglichtartig deutlich geworden ist, trieb seinem Höhepunkt zu, nachdem auf der Seite der Lutheraner immer deutlicher die Notwendigkeit erkannt worden war, zu einem einheitlichen Bekenntnis zurückzufinden und zugleich weitere Abspaltungen zu verhindern. Da die große »concordia« aller Christen nicht mehr zu erhalten war – diese Hoffnung verbot sich nach den erneut fehlgeschlagenen Einigungsversuchen und vor allem seit der Verkündung der Beschlüsse des Trienter Konzils in Deutschland –, galt das Bemühen der kleinen »concordia« innerhalb der eigenen Bewegung.

Die Bemühungen für eine solche Einigkeit in der Lehre gingen vor allen Dingen von Württemberg aus, wo der Kanzler der Universität Tübingen, Jacob Andreae, mit der Rückendeckung seines Landesherrn Christoph von Württemberg dieses mühevolle Geschäft betrieb. Die Einigung wurde zweifellos erleichtert durch die Vertreibung der philippistischen Theologen aus Sachsen, die den Sturz des Philippismus oder auch des Kryptocalvinismus besiegelte. Über die erste Stufe einer schwäbisch-sächsischen Konkordie gelangte man schließlich in Kloster Berge bei Magdeburg 1577 zu einer Fassung der Lehrsätze, die sich einer breiten Gruppe von protestantischen Ständen gegenüber als konsensfähig erwies, jedoch auch eine Reihe von Ständen dazu bewog, die geforderte Unterschrift unter das Konkordienbuch, das 1580 feierlich in Dresden publiziert wurde, nicht zu leisten. Da zudem alle melanchthonianischen Theologen die Unterschrift verweigerten, fanden sich Calvinisten und Philippisten zu einer theologischen Richtung zusammen; ihr Konsens bestand in der Ablehnung der Konkordienformel.

Immerhin unterstützten 86 protestantische Stände dieses Konkordienbuch, etwa 8000 bis 9000 Theologen leisteten ihre Unterschrift, oder zogen aus ihrer Nichtunterschrift die Konsequenz, indem sie ihr Heimatland verließen und in ein anderes Land zogen. Diese Beobachtung einer ungewöhnlich starken Bindung an die einmal entwickelten religiösen Überzeugungen findet man auch in den Fällen, in denen sich durch einen Regierungswechsel eine Konfessionsänderung ergab. Dies war z. B. 1576 in der Kurpfalz der Fall, als der eben erwähnte »fromme« Friedrich starb, sein Sohn Ludwig VI. die Regierung antrat und das Land zum Luthertum zurückführte. In diesem Fall verließen etwa 500 Theologen und Professoren das Land, fanden jedoch zum Teil Aufnahme in dem Teil der pfälzischen Territorien, die unter dem Pfalzgrafen Johann Kasimir weiterhin calvinistisch blieben. So wurde der rheinpfälzische Ort Neustadt mit seiner Akademie für kurze Zeit zu einem bedeutenden Zentrum der calvinistischen Lehre im Reich. Es zeigte sich bei solchen Anlässen immer wieder, wie sich die politische Grundstruktur des Reiches als ideal geeignet erwies, um widersprüchliche theologische Positionen am Leben zu erhalten.

Man hat sich in der Forschung seit etwa zwei Jahrzehnten daran gewöhnt, die Ausbildung reformierter Bekenntnisse und die Durchsetzung dieser Bekenntnisse in einzelnen deutschen Territorialstaaten als »Zweite Reformation« zu bezeichnen. Neben der Kurpfalz waren dies die Grafschaften Neuenahr (1566), Nassau-Dillenburg und Sayn-Wittgenstein und einige benachbarte Grafschaften (1578), Kursachsen zwischen 1586 und 1591, die Grafschaft Bentheim (1588), Sachsen-Anhalt (1596), Lippe und Hessen-Kassel (1605). 1613 schließlich trat der brandenburgische Kurfürst Johann Sigismund zum reformierten Bekenntnis über, ohne daß dieser Schritt jedoch eine Calvinisierung des Gesamtterritoriums bedeutet hätte wie in den anderen Territorien. Nach allem was wir über die Gründe und die Umstände solcher Vorgänge wissen, muß man davon ausgehen, daß die persönlichen Entscheidungen einzelner Landesfürsten ausschlaggebend gewesen sind. Eine Forderung etwa der Untertanen des betreffenden Territoriums nach Einführung des Calvinismus läßt sich nicht feststellen, wenn man einmal davon absieht, daß in den niederrheinischen Territorien des brandenburgischen Kurfürsten die dort existierenden calvinistischen Gemeinden diesen Übertritt natürlich begrüßten. In anderen Territorien – so in Lippe und Nassau – mußte die Calvinisierung sogar mit Gewalt durchgesetzt werden, weil sich lutherische Bürger- und Bauernschaften gegen die Neuerung wehrten. So zeigt sich insgesamt, daß die Einführung des Calvinismus sich in den genannten Territorien in den allgemeinen Prozeß einordnete, den wir die Durchsetzung des frühmodernen Staates nennen. Ob dies innerhalb des Katholizismus, des lutherischen oder des calvinistischen Bekenntnisses geschah, war zwar für die Organisation des kirchlichen Lebens wesentlich, weniger aber für den hier interessierenden allgemeinen Zusammenhang von Religion und Gesellschaft. Unter diesen Bedingungen konnte der Calvinismus insgesamt nicht jene Wirkungen entfalten, die ihm für die westeuropäischen Staaten zugeschrieben werden. Dabei soll jedoch nicht übersehen werden, daß in einzelnen Bereichen wie der politischen Theoriebildung, der Bildungskonzeption und des allgemeinen Verhältnisses zwischen Obrigkeit und Untertanen sich zum Teil bemerkenswerte Unterschiede feststellen lassen können.

Wir müssen nach diesem Einblick in die innerprotestantischen Differenzierungen und Einigungsversuche noch einmal zurückblenden auf die Reichsebene und uns mit einem Problem befassen, das in der Genese der protestantisch-katholischen Kontroversen eine wichtige Rolle spielt. Gemeint ist die Diskussion um die Freistellungsbewegung. Dieser Begriff tauchte in den protestantischen Beschwerden der Jahre nach 1556 immer wieder auf, und er ist auch in den Titel einer der Schriften aufgenommen worden, die seit den achtziger Jahren den wachsenden Zwiespalt im Reich dokumentierten, als katholische Autoren den Religionsfrieden in seiner Substanz angriffen. Diese Gravamina betrafen nicht nur die Behinderung evangelischer Untertanen bei der Wahrnehmung ihres reichsrechtlich verbrieften »jus emigrandi«, das von den Protestanten jetzt zunehmend als Recht der Nichtauswanderung verstanden wurde, sondern sie richteten sich auch auf die Regelung des geistlichen Vorbehalts, der im Augsburger Religionsfrieden festgeschrieben worden war. In einem weiten Sinne wurde so die Forderung nach Freistellung zu einer Forderung nach Freistellung der Konfession für Landstände und Untertanen in geistlichen Territorien, eine Erweiterung dessen, was in der Declaratio Ferdinandea ohnehin rechtsunwirksam enthalten war.

Außer diesen weitreichenden Forderungen, die natürlich ohne Aussicht auf Erfolg blieben, weil sie deutlich über den Rahmen des in Augsburg erreichten Kompromisses hinausgingen, tangierte die Freistellungsforderung aber noch eine spezifische soziale Gruppe, den Reichsadel, der bislang die Pfründen der Reichsstifter und Domkapitel besetzt hatte. Er sah sich – wenn er zum protestantischen Bekenntnis übergetreten war – von diesen Versorgungsinstituten ausgeschlossen (zumal nach der Verkündung der Beschlüsse des Konzils von Trient) und brachte dies auf den Reichstagen auch ganz deutlich zum Ausdruck.

Die reichsgräflichen Geschlechter – etwa in der Wetterau – hatten sich immer bemüht, ihre kleinen Territorien nicht noch weiter zu zerteilen und damit existenzfähig zu erhalten. Diese Politik war ihnen dadurch erleichtert worden, daß die nachgeborenen Söhne dieses Adels zuweilen durch eine Pfründe an einem Domkapitel materiell abgesichert werden konnten. Die Wetterauer Grafen waren in einer besonders prekären Lage, da die ihnen nahegelegenen Kapitel von Mainz und Trier dem niederen Adel vorbehalten waren, so daß sie auf Köln und Straßburg geradezu angewiesen waren. Als jedoch der sächsische Kurfürst August auf dem Regensburger Reichstag von 1576 sich weigerte, die protestantische Forderung nach Freistellung auch durch eine Verweigerung der geforderten

Türkensteuern zu erzwingen, wurde deutlich, daß es den Protestanten nicht gelingen würde, diese Forderung irgendwann einmal durchzusetzen.

Für die Katholiken war die verlangte Freistellung völlig indiskutabel angesichts der Tatsache, daß noch nach 1555 die norddeutschen Bistümer – mit Ausnahme des unbedeutenden Hildesheim – an die protestantischen Herrscherhäuser dieses Raums gefallen waren, Kursachsen hatte sich Merseburgs, Meißens und Naumburgs bemächtigt. Brandenburg, Havelberg und Lebus waren schon vorher reformiert worden. Magdeburg und Halberstadt gelangten an Kurbrandenburg. Von daher ist es verständlich, wenn auf katholischer Seite alles getan wurde, um einen weiteren Gewinn des Protestantismus auf diesem Feld zu verhindern, denn der geistliche Vorbehalt war in Augsburg bewußt als Bestandsgarantie der katholischen Reichsstifter festgeschrieben worden.

Die Stifterfrage zeigt zugleich, daß die Ambitionen der protestantischen Stände in dieser Frage behindert wurden. Während es in den eben genannten Fällen den beiden Kurfürsten gelungen war, für ihre Söhne die kaiserliche Belehnung zu erhalten und so auch die Stimmen dieser Stifter auf den Reichstagen zu führen, schob der Kaiser diesem Verfahren 1566 einen Riegel vor, indem er den zum Erzbischof gewählten brandenburgischen Prinzen Joachim Friedrich nicht mit dem Erzbistum belehnte, weil ihm die päpstliche Bestätigung fehlte. Daraus entwickelte sich der sog. Magdeburger Sessionsstreit, d. h. eine Auseinandersetzung um die Frage, ob ein sog. Administrator eines säkularisierten Stiftes seinen Sitz im Reichsfürstenrat des Reichstags wahrnehmen durfte oder nicht. Als der Gesandte des Magdeburger Administrators dies auf dem Reichstag des Jahres 1582 versuchte, kam es im Fürstenrat zu einer heftigen Auseinandersetzung, in deren Verlauf die katholischen Fürsten drohten, eher den Reichstag zu verlassen, als die Teilnahme dieses Ketzers zuzulassen. Für die Protestanten war dies nicht nur eine Frage der fürstlichen Reputation, denn bei dem Zurückgewiesenen handelte es sich immerhin um den brandenburgischen Erbprinzen. Es schmälerte auch die politischen Möglichkeiten der protestantischen Partei auf den Reichstagen, weil sie dort nicht die Stimmen der säkularisierten Stifter ins Feld führen konnten, um sich gegen die katholische Majorität zu wehren.

Damit trat die Frage der Majoritätsentscheidung auf den Reichstagen wieder einmal in den Mittelpunkt des Interesses. Sie hat uns schon einmal beschäftigt, als die protestierenden Stände 1529 zum erstenmal die Gültigkeit des Mehrheitsprinzips in Gewissensfragen verneint und für sich in Anspruch genommen hatten, daß in diesen Fragen jeder Stand für sich entscheiden müsse. Diese elementare Forderung war 1555 allgemein anerkannt worden, und selbst in der schlimmsten Polemik über den Religionsfrieden wurde diese Tatsache nicht bestritten.

Die komplizierte Frage der Berechtigung von Majoritätsentscheidungen, die im folgenden nur so weit, wie sie für unseren Zusammenhang bedeutsam ist, skizziert werden soll, war seit dem späten 16. Jahrhundert bis zum Westfälischen Frieden ein Problem von erstrangiger Bedeutung für die deutsche Politik. Sie konnte über den engeren Bereich der konfessionellen Angelegenheiten hinaus praktisch jede andere politische Frage tangieren, sobald sich – vor allem im Fürstenrat des Reichstages – um diese Frage ein Konflikt zwischen den beiden Konfessionsparteien ergab.

Es bedarf keiner näheren Erläuterung, wie dies geschehen konnte. Jede Steuerforderung des Kaisers, jede intendierte institutionelle Veränderung, jede Supplikation eines Reichsstandes mit eventuellen konfessionspolitischen Vor- oder Nachteilen konnte die Interessenlage einer der Parteien berühren. Schlichte Geschäftsordnungsfragen konnten unter diesen Voraussetzungen zu hochpolitischen Fragen werden. Auf Streitfragen dieser Art war jedoch die auf der Observanz beruhende Geschäftsordnung des Reichstags überhaupt nicht vorbereitet. Das »Herkommen« dieses Gremiums, das auf der Sammlung einschlägiger Präzedenzfälle beruhte, hatte erst kurz vor der Reformation die Gültigkeit der Mehrheitsregel de facto bestätigt, doch war dies nur geschehen, um die auf dem Reichstag nicht anwesenden Stände auf die Beschlüsse der Mehrheit zu verpflichten, keineswegs aber um eine abstrakte Mehrheitsregel zu formulieren.

Über diese engere Bedeutung der Mehrheitsregel für das Verfahren des Reichstags hinaus ist diese Frage für unseren Zusammenhang der inneren Einheit des Reiches im Sinne der alten Concordia besonders wichtig. Wenn im Reich nach 1555 überhaupt noch Maßnahmen von politischer Relevanz beschlossen werden sollten, setzte dies ein neues Verständnis von politischer Meinungsbildung voraus, wie es bislang eigentlich nicht üblich gewesen war. Zwar wurde in vielen Gremien, Kollegien und Versammlungen die Entscheidungsfindung durch numerische Mehrheit praktiziert, doch galt gerade bei hochrangigen Versammlungen die einmütige Entscheidung als die geeignetste Form des Beschlusses. Mochten Ratskollegien oder Gerichtshöfe ihre Urteile durch einfache Mehrheit finden, dem Selbstverständnis der auf den Reichstagen gewährten »Hilfe« für den Kaiser entsprach der einmütige Beschluß der versammelten Fürsten sehr viel besser. Dies bedeutet, daß die im konfessionellen Bereich schon vollzogene Verengung der »concordia« auf einen schmalen Bereich von Konsens bei Ausklammerung des Dissenses im politischen Bereich erst noch der Durchsetzung bedurfte. Die Reichstagsgeschichte vor allem des späten 16. und frühen 17. Jahrhunderts kann zeigen, wie sich dieser Vorgang abspielte.

Weiterhin muß bedacht werden, daß die 1555 vorgenommene Bildung zweier konfessioneller Gruppierungen in den Reichsinstitutionen auch auf jene Bereiche übergreifen mußte, die eigentlich keine Konfessionsfragen im engeren Sinne waren. So hieß es schon 1560 in einem Memorial des Kammerrichters, daß möglichst die Beisitzer des Reichskammergerichts »von beyderseits Religions-Verwandten zu gleicher Zahl auß alten und jungen Beysetzern... besetzt und verordnet« werden sollten, um die Gleichheit und Billigkeit der Rechtsprechung dieses Gerichts sichern zu können.

Die Frage der Gültigkeit der Mehrheitsentscheidung mußte für die protestantische Partei vor allem seit dem Zeitpunkt an Bedeutung gewinnen, als erstens klargeworden war, daß die Forderung nach »Freistellung« der Konfession – wie sie auf den Reichstagen zwischen 1556 und 1576 von protestantischer Seite immer wieder gefordert worden war – ohne jeden greifbaren Erfolg bleiben würde. Zum anderen war auf dem Reichstag von 1582 durch den schon kurz erwähnten Magdeburger Sessionsstreit deutlich geworden, daß die Administratoren der säkularisierten Reichsstifte wohl nicht damit rechnen konnten, jemals ihren Sitz im Fürstenrat einzunehmen. Damit waren auch alle eventuellen Hoffnungen zunichte gemacht worden, die Stimmverhältnisse im Fürstenrat in einer für die protestantische Partei vorteilhaften Weise zu verändern.

Diese beiden Bedingungen trafen zum erstenmal nach dem Abschluß des erwähnten Reichstags von 1582 zusammen. Das System von 1555 erwies sich jetzt zum Erschrecken der Protestanten als festgefügt im reichspolitischen Sinne, und damit wurde automatisch das Interesse auf die Frage gelenkt, wie in Zukunft auf den

Reichstagen protestantische Interessen gegenüber der festgefügten katholischen Mehrheit durchgesetzt werden konnten. Folglich ergab sich in der politischen Bewältigung dieses Reichstages von 1582 zum erstenmal eine ausführliche Diskussion über die Abstimmungsmodalitäten im Fürstenrat. Man empfand es auf seiten der Protestanten als »unleidenliche beschwerung, das man sich untersteht, die stende augsburgischer confession in allen sachen zu überstimmen, indem die vota nit ponderirt, sondern numerirt werden«. In Zukunft sei jeder Reichstag eigentlich unnötig, wenn ohnehin die Masse der geistlichen Stimmen im Gefolge Österreichs die Mehrheit ausmachen werde, »da sie doch billich kain stim im reich haben oder ir gleiche bürden mittragen helfen solten«. Dies bezog sich auf die vielen geistlichen Reichsstände, die nach Meinung der Protestanten nur wenig zur Reichssteuer beitrugen, gleichwohl aber über eine große Zahl von Stimmen im Fürstenrat verfügten.

Als Möglichkeit der Abhilfe empfahlen protestantische Stimmen nach 1582 deshalb die paritätische Besetzung von Deputationstagen (den kleinen Ersatzversammlungen für einen Reichstag zur Lösung spezieller Aufgaben), und als radikalste Forderung überlegte man sogar, in Zukunft die mehrheitlich protestantischen Städte im Fürstenrat mitstimmen zu lassen, um so die Mehrheit zu erlangen. Dieser Versuch zur Einbeziehung der Städte in das Abstimmungsverfahren des Fürstenrats und zur Ausgleichung der dortigen katholischen Mehrheit ist sicher der bemerkenswerteste Vorschlag von protestantischer Seite und zeigt, in welche Richtung die Überlegungen gingen. So gerechtfertigt ein solcher Vorschlag auch aufgrund der finanziellen Beteiligung der Städte am Steueraufkommen des Reiches – das sie zu einem guten Viertel trugen – gewesen wäre, so wenig Hoffnung bestand natürlich auf Durchsetzung eines solchen Vorschlags.

Neue Aktualität erhielt das Thema erst wieder im Zuge der Vorbereitungen des Reichstags von 1598, dem vom Kaiserhof allein die Aufgabe zugedacht worden war, die erforderlichen Steuern für die Führung des Krieges gegen die Türken zu bewilligen. Es verwundert nicht, wenn sich die protestantischen Fürsten auf einer Versammlung in Heilbronn vor dem Reichstag – wie sie jetzt üblich geworden waren – darauf festlegten, einer etwaigen katholischen Mehrheitsentscheidung zugunsten einer hohen Steuer nicht folgen zu wollen. Schon auf dem Reichstag von 1594 hatten sie die

Erfahrung gemacht, daß der nachträgliche Protest einer kleinen Gruppe protestantischer Stände ohne jede Wirkung geblieben war.

Die Protestanten hatten es jedoch der Haltung Salzburgs zu verdanken, daß die Mehrheitsfrage während des Reichstags zum Problem wurde. Salzburgs Erzbischof hatte schon seit längerem Bedenken gegen die allzu bereitwillige Gewährung großer Geldmengen für den Kaiser, und deshalb nutzte der Salzburger Vertreter als Mitdirektor des Fürstenrats seine Position, um neben der knappen Mehrheitsentscheidung für eine Sonderhilfe des Reiches für das bedrohte Wien auch die Minderheitsmeinung protestantischer Stände gegen die Hilfe in die Relation aufnehmen zu lassen. Jetzt war der Eklat da: Als sich acht protestantische Stände dem salzburgischen Protest angeschlossen hatten, schritt der bayerische Reichstagsvertreter zum Gegenangriff und zur Verteidigung des Mehrheitsprinzips. Jetzt, da das Reich um seine Existenz kämpfe, sei jede »separation und zertrennung« der Glieder des Reiches außerordentlich gefährlich und mit unvorhersehbaren Konsequenzen verbunden. Er verwies zunächst auf die Tradition der Reichstage und der Königswahlen, in denen immer die Mehrheit entschieden habe. Man habe zwar eine Sonderregelung in »gewissens- und religionssachen«, doch könne man diese Ausnahmeregelung keinesfalls auf die jetzt diskutierte Frage der Steuerbewilligung ausdehnen. Eine Entscheidung des Fürstenrats auf dem Wege der Mehrheitsentscheidung könne auch keine Beeinträchtigung der deutschen »Libertet« sein, denn der wichtigste Punkt bei einer solchen Abstimmung sei die Verwandlung eines vorher freien Votums in eine bindende Verpflichtung, sobald sich die Mehrheit gefunden habe und aktenkundig gemacht worden sei. Wenn man einmal an der Gültigkeit des Mehrheitsverfahrens zu zweifeln beginne, warnte der Bayer, werde alle Politik unmöglich, ebenso die Rechtsprechung und letztlich auch der Religionsfrieden, der schließlich auch von einer Mehrheit beschlossen worden sei.

Mit diesem Votum wurde eine der bedeutsamsten Fürstenratssitzungen dieser Epoche abgeschlossen. An der Grundauffassung der kaiserlich-katholischen Partei konnte jetzt kein Zweifel mehr bestehen, und man mußte gespannt sein, wie die Protestanten auf diese prinzipielle Positionsbestimmung reagieren würden. Bemerkenswert am Verlauf dieser Sitzung war vor allem die in dieser Prägnanz erstmalig vorgetragene Theorie von der Entstehung eines bindenden Beschlusses auf dem Reichstag, man kann geradezu von einer kaiserlich-katholischen »Gesetzgebungstheorie« sprechen. Da diese Theorie auch bei den späteren Auseinandersetzungen vor dem Kammergericht immer wieder Anwendung fand, kann sie als eines der ergiebigsten Argumente dieser Diskussion bezeichnet werden. Angesichts der Schwammigkeit des Begriffs der »teutschen libertet«, der von allen Ständen häufig benutzt wurde, mußte die jetzt vorgenommene Eingrenzung dieser Parole durch die numerische Mehrheit der Stimmen im Abstimmungsverfahren des Reichstags einen wichtigen Beitrag zur Rationalisierung politischer Entscheidungen im Reich bedeuten. Jede zukünftige Berufung auf die »libertet« mußte sich mit dieser Theorie auseinandersetzen.

Wenn sich auf den Reichstagen bislang auch eine gewisse Tradition der Anerkennung des Mehrheitsprinzips herausgebildet hatte, war diese Frage doch niemals Gegenstand grundsätzlicher Festlegungen gewesen. Im immer wieder zitierten Reichsabschied von 1512 war lediglich bestimmt worden, daß ein von der Mehrheit der Stände gebilligter Abschied des Reichstags auch jene Stände binden sollte, die diesem Reichstag ferngeblieben waren. Gerade die Ergebnisse der Reformationsepoche mochten bei den protestantischen Ständen eher jene Auffassung bestärkt haben, daß eine Steuer im Reich nur mit der Zustimmung aller betroffenen Stände realisiert werden konnte und daß den Ständen für den Notfall das Instrument der protestatio zur Verfügung stand, einer rechtlichen Verwahrung gegen den Willen der Mehrheit.

Unter diesen Aspekten ist es von besonderem Interesse, die Reaktion der protestantischen Seite zu verfolgen. Im Fürstenrat kam es nach dem salzburgisch-protestantischen Angriff auf das Majoritätsprinzip zu einer höchst ungewöhnlichen Diskussion ohne die feste Reihenfolge, d. h. es wurde ohne die übliche Umfrage in direkter Diskussion gesprochen, jedoch ohne ein weiterführendes Ergebnis. Da auch dieser Reichstag wieder mit einer katholischen Mehrheit für eine Türkenhilfe in Höhe von sechzig Römermonaten zu Ende ging, die protestantische Minderheit sich jedoch zu höchstens vierzig Monaten verstehen wollte, war der Reichstag selbst nicht der Ort, an dem die begonnene Diskussion über das Majoritätsprinzip ausgetragen werden konnte. Eine Minderheit von sieben protestantischen Ständen überreichte wieder eine Protestation gegen den Reichstagsabschied in der Steuerfrage, doch blieb man bei dem schon 1594 geübten Verfahren, das man auch schon in der politischen Vorbereitung des Reichstags erneut erwogen hatte.

Die Auseinandersetzung mußte sich jetzt notwendigerweise auf das Feld der Steuerexekution durch den kaiserlichen Fiskal verlagern, denn der Kaiser ließ unmittelbar nach dem Verstreichen der ersten Termine für die neue Türkenhilfe keinen Zweifel daran, die Sache vor dem Kammergericht ausfechten zu lassen, zumal diese fiskalische Gerichtsbarkeit bei einer Nichterlegung der Steuern seit langem schon in den Reichsabschieden verankert war. Aus den notwendigen Vorüberlegungen der von diesen fiskalischen Prozessen bedrohten Stände entstanden im protestantischen Lager ausführlichere Stellungnahmen zur Mehrheitsfrage und sog. Exzeptionsschriften gegen kammergerichtliche Mandate. Wir verfügen damit über eine bemerkenswerte Quellengattung zur politischen Theoriediskussion des konfessionellen Zeitalters, die bislang erst ansatzweise erschlossen ist.

Wenn im folgenden auf das Gutachten des kurpfälzischen Rats Dr. Leonhard Schug zurückgegriffen wird, geschieht dies in Anbetracht der Tatsache, daß sein Gutachten in gewisser Weise die Argumentation der späteren Exzeptionalschriften vorwegnimmt. Schug ist insgesamt überzeugt von der Richtigkeit der protestantischen Position »in jure« und »in facto«. Bemerkenswert ist an seiner Beweisführung, daß sie keineswegs nur die politischen Aspekte der Kontroverse diskutiert, sondern sich überwiegend darum bemüht, für die protestantische Position rechtliche Argumente heranzuziehen. Mit rechtlichen Argumenten ist hier der weite Bereich des kanonischen Rechts und des römischen Rechts gemeint, hinzu treten die Verweise auf die Entscheidungspraxis der politischen Institutionen des Reiches, also der römischen Königswahl und der Reichstage.

Schug mußte es zunächst einmal darum gehen, die scheinbare Unausweichlichkeit des Mehrheitsprinzips in Gremien aufzuweichen. Zwar gebe es einen Satz des Scaevola (eines römischen Juristen des 1. Jahrhunderts v. Chr.) der laute, daß das, was die Mehrheit beschließe, die Geltung habe, als wenn alle zugestimmt hätten. Doch könne dieser Satz nicht auf alle Situationen gleichförmig angewendet werden. Selbst im kaiserlichen Recht gebe es »vil exceptationes et limitationes«, und im Schuldrecht sei festgelegt, daß niemandem eine Geldschuld durch Mehrheitsbeschluß zugewiesen werden könne. Zur Unterstützung seiner Auffassung verwies Schug auf die römisch-kanonische Rechtsregel »Quod omnes tangit, ab omnibus debet approbari«, einem »vulgare theorema« und einer »gemeine(n) rechtsregel« dieser Zeit, wie es in anderen Quellen heißt. In diesem Satz ist von der Forschung zur politischen Theorie des Mittelalters eines der wichtigen Theoriestücke gesehen worden, das zur Entwicklung des Konsensusprinzips in der mittelalterlichen Gesellschaft wesentlich beigetragen hat. Wir haben diesen Satz schon im Zusammenhang der Herausbildung der landständischen Versammlungen im späten Mittelalter kennengelernt. Die frühparlamentarischen Versammlungen Europas nahmen von diesem Prinzip ihren Ausgangspunkt, er war ihr Lebensrecht gegen fürstliche Alleinkompetenz.

Am protestantischen Aufgreifen dieser Rechtsregel gegen Ende des 16. Jahrhunderts ist erstaunlich, daß jetzt, wo doch die Rolle des Reichstags gegenüber dem Kaiser weitgehend geklärt war, noch einmal auf dieses Prinzip rekurriert wurde, freilich in einer anderen zivilrechtlichen Version. Hatte der Satz im Mittelalter vorwiegend dazu gedient, die Mitsprache bestimmter gesellschaftlicher Gruppen bei der Beratung öffentlicher Angelegenheiten zu gewährleisten, wurde er jetzt in seiner zivilrechtlichen Interpretation dazu verwandt, einen Schutzwall für eine dissentierende Minderheit innerhalb eines bereits etablierten Gremiums zu errichten. Es ist vielleicht für die Tendenz des Zeitalters von einer gewissen Aussagekraft, daß es hier nicht mehr um die Sicherung korporativer Ansprüche ging, sondern vielmehr um die Sicherung individueller Ansprüche durch das römische Zivilrecht. Selbst wenn wir uns der Tatsache bewußt sind, daß die protestantischen Reichsstände hier keine Individuen darstellen, ist dieser Rückgriff auf eine individualistisch geprägte Rechtsordnung doch bemerkenswert.

Der kaiserlich-katholischen Mehrheit war dieses Denken jedoch fremd. Die Reaktion der kaiserlichen Behörden auf die protestantische Position hat diesen theoretischen Hintergrund freilich überhaupt nicht beachtet. Für diese Gruppe hatte sich der Prozeß der politischen Entscheidungsfindung auf den Reichstagen längst zu einem formalen Akt entwickelt. Dessen Kriterien waren nicht mehr an abstrakten römisch-rechtlichen Prinzipien zu messen oder gar an undeutlichen Tendenzen der Zeit, sondern allein an formalen, verfahrenstechnischen Kriterien des tradierten Verfahrens der Gesetzgebung: Wenn der Abschied nur unterschrieben und gesiegelt war, besaß er für den Kaiserhof Rechtsgültigkeit.

Freilich beschränkten sich weder das Gutachten Dr. Schugs noch die anderen protestantischen Exzeptionalschriften auf die bislang angeführten Argumente. Sie erkannten, daß in dem von Bayern und dem Kaiser beschriebenen »medium concludendi«, der Wandlung von der Freiwilligkeit der Hilfe zur Verpflichtung durch den Mehrheitsbeschluß, eine für die Struktur des Reichstags gefährliche Gesetzgebungstheorie entwickelt worden war, die angesichts der sicheren katholischen Mehrheit bedeutsame Konsequenzen für die protestantischen Stände haben konnte.

Natürlich konnte von den Protestanten diese Theorie nicht akzeptiert werden. Für sie blieben freiwillige Hilfen auch dann freiwillig, wenn sie auf dem Reichstag durch die Mehrheit bewilligt worden waren. Die ständigen Hinweise des kaiserlichen Fiskals, der am Kammergericht die Interessen des Kaisers gegen die nicht zahlungsbereiten Stände vertrat, auf das in allen Gemeinwesen und Kollegialorganen übliche Mehrheitsverfahren, nahm man eher gelassen hin. Man bestritt lediglich vehement die Auffassung, daß es sich bei der Türkenhilfe des Reiches von vornherein um eine Materie handele, die einen Mehrheitsbeschluß aus sich selbst heraus erfordere. Dieser Schluß sei deshalb unzulässig, weil darüber vergessen werde, daß Wahlen, Beschlüsse und Urteilssprüche »inn einem jeden regiment nicht freywillig, sondern nothwenndige sachen« seien. »Externa auxilia« für fremde Königreiche, und darum ging es, wie bereits erläutert, bei der Verteidigung gegen die Türken auf dem Boden des ungarischen Königreichs, seien aber keinesfalls notwendige Angelegenheiten in diesem Sinne. Notwendige Angelegenheiten – diese Definition wurde gleich mitgeliefert – seien nur alle die Entscheidungen, ohne deren Vollziehung die »zerstörung totius corporis« eines Gemeinwesens unabwendbar sei.

Gerade weil in einem Gutachten aus dem Jahre 1603 Erzherzog Matthias den Protestanten den Vorwurf machte, daß »Teutschland ein zertrent wesen, und kain zusamen verfasst corpus« mehr sei, muß auf diese wichtige Begrenzung der protestantischen Majoritätskritik hingewiesen werden. Keinesfalls darf angenommen werden, daß den Protestanten eine völlige Aufweichung aller politischen Entscheidungsverfahren auf Reichsebene vorschwebte.

Aus dieser knappen Übersicht wird einsichtig, daß die hier entwickelte Argumentation der protestantischen Gutachten einem ähnlichen Muster folgte, wie dies schon in der Entwicklung der konfessionellen Einheit festgestellt wurde. Der zur Existenz eines Gemeinwesens notwendige Konsensus wurde auf einige wenige essentielle Punkte begrenzt und damit zugleich ein weiter Bereich politischen Handelns dem Dissens oder dem Kompromiß der Parteien eröffnet. Wieder kam es zu einer Begrenzung des Bereichs von »concordia«, wieder wurde die legitime »discordia« ausgedehnt.

Die hier dargestellte Majoritätsdebatte lieferte eigentlich schon den Kernpunkt jener Regelung, die dann in Art. V, 52 des Westfälischen Friedens realisiert wurde. Hier wurde für alle jene Entscheidungen, in denen die beiden konfessionellen Corpora nicht übereinstimmten, die sog. »itio in partes« und die »amicabilis compositio« vorgeschrieben, d. h. der Reichstag trennte sich in die beiden konfessionellen Parteien und mußte zwischen diesen eine Kompromißlösung erarbeiten. Theoriegeschichtlich war diese Debatte des späten 16. und frühen 17. Jahrhunderts von besonderer Ergiebigkeit. Sie scheint geeignet zu sein, die alte Auffassung ad absurdum zu führen, daß Deutschlands Anteil »an dem Ringkampf der politischen Ideen« im konfessionellen Zeitalter nur ein »sehr geringfügiger war«, wie es einmal Otto von Gierke formuliert hat, der jedoch in seiner Beschäftigung mit dem Majoritätsproblem die hier skizzierte Phase nicht zur Kenntnis genommen hat. Betrachtet man noch einmal die Debatte um die Gültigkeit des Majoritätsprinzips, so zeigt sich, daß Problemlage und -lösung dieses Konfliktes auf einem beachtlichen theoretischen Niveau stehen, das den Vergleich mit westeuropäischen Diskussionen nicht zu scheuen braucht.

Es war schließlich diese Debatte um die Gültigkeit von Mehrheitsentscheidungen auf den Reichs-, aber auch den Kreistagen, die den Blick schärfte für ein neues Bewußtsein von dem, was politische »concordia« in dieser Zeit bedeuten sollte. Erinnern wir uns der Frühgeschichte des Mehrheitsprinzips, sehen wir, daß die Einsicht in die numerische Überlegenheit der jeweiligen Mehrheit durch die Vermutung erleichtert wurde, daß diese Mehrheit zugleich auch der »sanior pars« – der stärkere Teil – sein sollte. Oft genug wurde die Mehrheitsentscheidung durch eine abschließende Abstimmung ergänzt, die dann die Einmütigkeit des Beschlußgremiums ergab. Man wird hierin eine gewisse Scheu vor einem reinen »Numerieren« der Stimmen sehen dürfen und hierin liegt wohl auch der Grund, daß sich das Verfahren der numerischen Mehrheitsfindung auf den Reichstagen erst kurz vor der Reformation durchgesetzt hatte, nachdem diese Institution ihre endgültige Zusammensetzung gefunden hatte.

Dahinter stand der mächtige Wunsch nach innerer Einheit im Gemeinwesen, nach der Überwindung von Differenzen durch eine schließliche einmütige Entscheidung. Die endlich gefundene »concordia« bildete dabei das Gegengewicht zum vorherigen Zustand des Dissenses, der nur durch Einmütigkeit aus der Welt geschafft werden konnte. Unter dem Eindruck der empirisch vielfach belegten Neigung der Menschen zum Dissens, wie er sich auch in der Sozialphilosophie des 16. Jahrhunderts zeigte und der langsamen Gewöhnung an notwendige Mehrheitsentscheidungen im politischen Tagesgeschäft, aber auch in den Kollegialorganen der Justiz ergab sich am Ende unseres Betrachtungszeitraums auch eine bemerkenswerte Neuerung in der Definition des juristischen »concordia«-Begriffs, zweifellos als Reflex auf die eben geschilderte Auseinandersetzung. Sie formulierte einen doppelten Begriff von »concordia«, eine volle und wirkliche »concordia«, und eine fiktive »concordia«, die man dann brauche, wenn nur die Mehrheit eines Gremiums zugestimmt habe. So läßt sich als Bilanz dieser langen Auseinandersetzung feststellen, daß zwar die alte »concordia« verlorenging, daß dafür aber das Recht dissentierender Minderheiten neu gewonnen und legitimiert wurde. Das scheint eine beachtliche Bilanz dieses unterschätzten Zeitalters zu sein.

Mit diesem Überblick über die Majoritätsdiskussion sind wir chronologisch auch schon an den letzten Reichstag unserer Epoche herangeführt worden, den Reichstag von 1613. Freilich müssen noch einige neue Entwicklungen nachgetragen werden, die zeigen sollen, wie durch die offenen Fragen des Augsburger Religionsfriedens notwendigerweise Konflikte entstanden, die den im Frieden definierten Bestand an Gemeinsamkeiten langsam, aber sicher aufzehrten.

Dies betraf zum einen das Problem der Konfession in den überwiegend protestantischen Städten, wo den katholischen Mehrheiten das Existenzrecht zugesprochen worden war und die Räte nach kaiserlichem Verständnis keineswegs das »jus reformandi« besaßen. Für eine Stadt wie Aachen bedeutete dies, daß das Anwachsen ihrer calvinistischen Einwohnerschaft nicht die notwendigen Konsequenzen im Rat der Stadt haben durfte, obwohl in den Ratswahlen seit 1574 zunehmend mehr Calvinisten in den Rat gewählt wurden. Bei der Bürgermeisterwahl von 1580 ergab sich sogar eine calvinistische Mehrheit der Ratspersonen, obwohl kurz zuvor eine kaiserliche Kommission die Beachtung des Ratswahldekrets von 1560 angemahnt hatte, wonach nur Katholiken in den Rat gewählt werden durften. Die Protestanten erreichten zwar, daß der Kaiser nach dem Mißerfolg einer zweiten Kommission die Angelegenheit auf den Reichstag von 1582 verwies, doch war damit kein Erfolg für die calvinistische Einwohnerschaft verbunden, obwohl sich die protestantischen Reichsstädte für die Stadt einsetzten und einige Jahre lang die Reichssteuern verweigerten. Die Stadt wurde 1593 mit der kaiserlichen Acht belegt, und damit wurde an einer wichtigen Stelle des Reiches dokumentiert, daß die Katholiken nicht bereit waren, ihre Positionen kampflos aufzugeben. Angesichts des andauernden niederländischen Krieges war Aachen ein zu wichtiger Punkt, um ein Durchbrechen des Prinzips von 1555 zu gestatten, obwohl die Unsinnigkeit des Verfahrens auf der Hand lag, einer mehrheitlich calvinistischen Stadt einen rein katholischen Rat vorzusetzen.

Im selben Jahr, in dem die Aachener Angelegenheit zum erstenmal auf dem Reichstag verhandelt wurde, kam es im Erzbistum Köln zum Kölner Krieg, d. h. einer kriegerischen Auseinandersetzung um das Recht des Erzbischofs Gebhard Truchseß von Waldburg, entgegen den Bestimmungen des Augsburger Religionsfriedens im Besitz seines Territoriums zum neuen Bekenntnis überzutreten. Der Anlaß zu diesem Übertritt waren weniger religiöse oder konfessionspolitische Ziele als vielmehr der Wunsch, die adelige Stiftsdame Agnes von Mansfeld heiraten zu können. Dahinter standen freilich ernsthafte Pläne vor allem der Nassauer Grafen und ihrer Sympathisanten im Domkapitel, das ganze Erzbistum zu säkularisieren und sich so definitiv der verlorengegangenen Pfründen zu versichern. Ende des Jahres 1582 verkündete Gebhard seinen Übertritt zum Protestantismus und gab gleichzeitig in seinem Land beide Konfessionen frei, zum erstenmal wurde tatsächlich eine »Freistellung« durchgeführt.

Allerdings handelte der Erzbischof bei seinem Übertritt gegen die Mehrheit seines Domkapitels und seiner kölnischen Landstände. Das Kapitel warb Truppen an und bemühte sich um militärische Unterstützung gegen Truchseß, während dieser mit Ausnahme des Pfalzgrafen Johann Kasimir weder aus den Reihen der deutschen Protestanten noch, wie erhofft, aus den Niederlanden Hilfe erhielt. Schon im Mai 1583 wurde Herzog Ernst von Bayern zum Nachfolger gewählt, obwohl dieser bereits die Bistümer Freising, Lüttich und Hildesheim besaß. Truchseß, der sich in den westfälischen Landesteil des Kurstaats, dessen Stände noch zu ihm hielten, zurückgezogen hatte, konnte sich gegen die bayerischen und spanischen Truppen, die den neuen Erzbischof unterstützten, nicht halten und mußte sich in die Niederlande zurückziehen. Damit war der politisch brisante Versuch gescheitert, eines der bedeutendsten Bistümer im Reich zu säkularisieren und zugleich die Mehrheitsverhältnisse im Kurfürstenrat des Reichstags zu verändern. Das Instrument des geistlichen Vorbehalts hatte sich in der Tat als »ein stark gebieß« erwiesen, das den Protestanten ins Maul gelegt worden war, wie 1582 ein Jurist im Auftrag der Wetterauer Grafen formulierte.

An mehreren Beispielen wurde gezeigt, wie die katholische Partei im Reich entscheidende Durchbruchsversuche der Protestanten verhindern konnte. Andere Beispiele für diese Tendenz könnten noch angeführt werden. Zusammen mit der schon erläuterten Politik des Kaiserhofs, die protestantischen Stände mit der Türkengefahr unter Druck zu setzen, ergab sich so eine Zwangslage der protestantischen Reichsstände, die, je länger sie anhielt und verstärkt durch eine aggressive Publizistik, um so mehr davon überzeugt waren, daß ihnen eine Unterdrückung ihrer Religion drohte. Auf der anderen Seite verwies die katholische Partei auf Brüche des Augsburger Religionsfriedens, der auf diese Weise immer mehr ausgehöhlt wurde.

Angesichts dieser Lage mußte es im Reich besonders auf eine wirksame und unparteiische Gerichtsbarkeit ankommen. Genau an diesem zentralen Punkt der Struktur des Reiches aber hatte sich seit 1588 ein Problem insofern ergeben, als in diesem Jahr die sog. Visitation des Kammergerichts durchgeführt werden sollte, auf der am Reichskammergericht unentschiedene Fälle geklärt zu werden pflegten. Als aber jetzt Magdeburg an der Reihe gewesen wäre, in der Visitation mitzuarbeiten, weigerten sich die katholischen Stände, das säkularisierte Stift mitarbeiten zu lassen. Damit war die Visitation nicht mehr arbeitsfähig.

Dies wäre noch zu bewältigen gewesen, denn der sog. Deputationstag, der »kleine Reichstag« zur Beratung nachgeordneter Probleme, konnte die Visitation ersetzen, was er auch nach einem

Beschluß des Reichstags von 1598 tat. Dieser Zustand dauerte aber nur bis zum Jahre 1600, als sich der in Speyer tagende Deputationstag über den sog. Vierklosterstreit entzweite. Dieser Deputationstag war zwar bei den Kurfürsten paritätisch besetzt, bei den Fürsten saßen aber zehn katholischen Vertretern nur vier Protestanten gegenüber. Angesichts der anstehenden Beratung über die vier Klöster, die von ihren protestantischen Landesherren säkularisiert worden waren, und der vorher vom Reichskammergericht schon gefällten Entscheidungen zugunsten der Klöster (obwohl die Urteile von mehrheitlich protestantischen Richtern gefällt worden waren) schien es der Kurpfalz und zwei weiteren protestantischen Ständen ratsamer, diesen Deputationstag ebenfalls zu verlassen und damit de facto aufzulösen.

Nun gab es neben dem Reichskammergericht noch ein weiteres oberstes Reichsgericht, nämlich den kaiserlichen Reichshofrat, dessen Kompetenzen vor allem im Bereich der Reichslehen lagen. Der Kaiser benutzte jedoch den Reichshofrat zunehmend auch in anderen Fragen, die eigentlich dem Reichskammergericht vorbehalten waren, und auf diese Art und Weise wurde die Justizfrage zu einem wesentlichen Streitpunkt der Reichspolitik seit dem Ende des 16. Jahrhunderts. Die Absicht der Protestanten lief darauf hinaus, alle Entscheidungen, die als konfessionspolitisch bedeutsam interpretiert werden konnten, an den Reichstag zu verweisen und dort nicht durch Mehrheit, sondern auf dem Wege der freundschaftlichen Einigung, des Kompromisses, entscheiden zu lassen. Das Ziel dieser Politik lief in letzter Konsequenz auf eine völlige Paritätisierung der Reichsverfassung hinaus.

Die Erregung über die Serie der Vorfälle zuungunsten der Protestanten, die parteiische Rechtsprechung des Reichshofrats, dessen Entscheidungen in der schon erwähnten Donauwörther Angelegenheit noch kurz vor dem Reichstag für Unruhe sorgten, all dies entlud sich auf dem Reichstag von 1608, der wieder erhebliche Summen für den Türkenkrieg bewilligen sollte, obwohl 1606 mit den Türken Friede geschlossen worden war, den aber der Kaiser selber nicht halten wollte. Die Protestanten, diesmal einig für ihre Sache eintretend, forderten vor einer Beratung über Steuern erst einmal eine neuerliche Bestätigung des Religionsfriedens. Diese Forderung konterten die katholischen Fürsten geschickt mit der Gegenforderung nach Rückgabe aller nach dem Religionsfrieden säkularisierten Kirchengüter. Zwar wollten die Katholiken dann doch wieder auf den Zusatz verzichten, was die Protestanten jetzt freilich nur akzeptieren wollten, wenn dieser Zusatz expressis verbis ausgelassen werde. Über diesen fruchtlosen Beratungen haben dann die protestantischen Stände unter Führung von Kurpfalz, jetzt aber unterstützt von Kursachsen, den Reichstag verlassen. Nun funktionierte kein Mittel des Kompromisses mehr im Reich.

Man könnte dazu neigen, die nach dem Reichstag von 1608 einsetzenden Bemühungen zur Gründung von konfessionellen Bündnissen als direkte Folge des Reichstags anzusehen. Doch hatte es schon mehrfach nach 1555 Ansätze zur Gründung von Bündnissen gegeben, die auf protestantischer Seite aber immer am pfälzisch-sächsischen Gegensatz scheiterten. Auf katholischer Seite hatten sie aber insofern Erfolg, als schon 1556 der Landsberger Bund gegründet worden war, der interessanterweise auch protestantische Mitglieder hatte, wie z. B. die Städte Nürnberg und Augsburg. Doch bald war dieser Bund, der ursprünglich die Sicherung des Landfriedens im fränkischen Raum zum vorrangigen Ziel hatte, zu einem »Pfaffenbund« geworden, wie man im protestantischen Nürnberg kritisierte. Als 1583 Nürnberg austrat, verlor der Bund seine neutrale Position und löste sich 1598 endgültig auf.

Donauwörth war der endgültige Impuls für das Bündnis der protestantischen Stände, die Union, die 1608 in Ahausen im Ansbachischen zwischen Kurpfalz, Württemberg, Baden, Ansbach und Pfalz-Neuburg geschlossen wurde, defensiv gegen eine Minderung der protestantischen Rechte orientiert. Hinzu kamen noch einige kleinere Stände und Städte wie Straßburg, Ulm und Nürnberg, doch 1610 konnte man auch den Kurfürsten von Brandenburg gewinnen. Die Union wurde zu einem Machtfaktor, auch wenn sich Kursachsen erneut abseits hielt.

Ein Jahr nach der Gründung zogen die Katholiken nach. Hier war Herzog Maximilian von Bayern die treibende Kraft, der zunächst die süddeutschen Bischöfe um sich versammelte. Auch hier verband man sich zum Schutz des eigenen Glaubens, auch hier wollte man sich verteidigen.

Der erste große Konflikt, der sich nach der Organisierung der beiden Bündnisse ergab, war der Jülich-Bergische Erbfolgestreit, der sich durch den Tod des ohne Erben gestorbenen geisteskranken Herzogs von Jülich-Berg ergab. Damit stand dessen großer niederrheinischer Länderkomplex zur Disposition. Schon die Vormundschaft für den kranken Herzog war unter verschiedenen

Linien umstritten gewesen, so daß der Kaiser schließlich die Landesverwaltung den Räten des Herzogs übertrug. Dieser Streit setzte sich nach dem Tode des Herzogs fort, allerdings ergab sich de facto eine Lösung des Problems, als der Kurfürst von Brandenburg und der Pfalzgraf Wolfgang Wilhelm von Pfalz-Neuburg nach dem Tode das Land besetzten, vor allem in der Absicht, um einen Heimfall dieses Lehens an den Kaiser selber zu verhindern. Beide – zu diesem Zeitpunkt noch protestantischen – Fürsten nannten sich die »possidierenden« Fürsten und einigten sich im Dortmunder Vertrag von 1609 auf eine gemeinsame Regierung des Landes unter ausdrücklicher Ablehnung einer kaiserlichen Entscheidungsbefugnis. Einmischungsversuche des Kaisers blieben letztlich ohne Bedeutung, entsprechende Versuche des französischen Königs scheiterten an der Ermordung Heinrichs IV. im Jahre 1610. So blieb die Angelegenheit offen zwischen den beiden »possidierenden« Fürsten, die alles daransetzten, den jeweils anderen keinen Vorteil gewinnen zu lassen, sondern sich vor allem um stärkere Unterstützung bei anderen Fürsten bemühten.

Diese Taktik führte verblüffenderweise 1613 zu einem Konfessionswechsel beider Fürsten. Johann Sigismund trat zum Calvinismus über – sicherlich um sich damit auch eine stärkere Rückendeckung der Niederlande zu verschaffen – und der Pfalzgraf wurde Katholik, um so eine bayerische Prinzessin heiraten zu können, hier winkten die katholische Liga und Spanien im Hintergrund. Doch vor allem die als Bundesgenossen gesuchten Niederlande und Spanien waren es, die den großen Konflikt letztlich verhinderten. Im Xantener Vertrag vom 12. November 1614 wurde unter Vermittlung der ausländischen Mächte ein Friede geschlossen, der eine Teilung der Ländergruppe vorsah. Pfalz-Neuburg erhielt Jülich und Berg, während Brandenburg Kleve, Mark und Ravensberg erhielt. Damit begann nicht nur die brandenburgische Expansion in den Westen des Reiches, sondern der Friede sah zugleich eine bemerkenswerte Sonderregelung insofern vor, als beide Fürsten in ihrem Territorium die Duldung der jeweils anderen Konfession einräumten. So ergab sich in den rheinischen Territorien ein in dieser Vermischung einmaliges Nebeneinander der Konfessionen, vor allem auch, weil sich hier viele calvinistische Gemeinden gebildet hatten.

Der direkte Krieg war zwar noch einmal vermieden worden, doch war weit und breit kein Weg zu erkennen, wie man die verfeindeten Reichsstände wieder zu einer Zusammenarbeit im Reichstag und in den anderen Institutionen des Reiches bringen konnte. Große Hoffnungen wurden deshalb auf den Reichstag von 1613 gesetzt, der vor allen Dingen der »Komposition«, d. h. der Beilegung der Konflikte im Reich dienen sollte. Die Erfolgsaussichten dieses Reichstages waren aber von vornherein sehr beschränkt. Das hing zum einen mit den kontroversen Auffassungen der beiden Parteien zusammen, die sich vor dem Reichstag noch einmal zu Sondertagungen getroffen hatten, auch dies ein Zeichen einer starken Fraktionierung der Politik im Reich. Wenn in Frankfurt die Katholiken gefordert hatten, Magdeburg kein Stimmrecht auf dem Reichstag zuzugestehen, weil damit letztlich der Fürstenrat in seiner Mehrheit protestantisch werde, forderte die Union geradewegs das Gegenteil, die Reichstagsstimme für Magdeburg.

Die schlechten Erfolgsausssichten hingen aber auch mit dem Ansehen des führenden Mannes am Kaiserhof zusammen. Als 1612 Kaiser Rudolf gestorben und sein Bruder Matthias zum römischen König gewählt worden war, war Erzbischof Klesl (seit 1616 Kardinal) zum Direktor des Geheimen Rates aufgestiegen. Er galt als ein Kompromißpolitiker zuungunsten der Katholiken und wurde von allen geistlichen Ständen gefürchtet. Er hatte vor der Wahl seines Herrn den Unionsmitgliedern Avancen gemacht, die natürlich nicht geheim geblieben waren, und so standen die katholischen Stände seinem Auftreten in Regensburg und seinem Bemühen um eine Komposition reserviert und mit aller Vorsicht gegenüber. Über dieser Regensburger Szene schwebten die Drohungen der beiden Fraktionen mit den ausländischen Verbündeten. Die Protestanten weigerten sich, in Verhandlungen über eine Türkenhilfe einzutreten, wenn nicht bestimmte Voraussetzungen gegeben wären. Dazu gehörten die Restitution von Donauwörth, die Beschränkung des Reichshofrats und die Zusicherung des Kaisers über die Begrenzung der Mehrheit auf den Reichstagen.

Zuletzt versuchte Klesl sogar, durch einen paritätisch besetzten Ausschuß die strittigen Fragen verhandeln zu lassen, doch auch dieses neue Mittel brachte kein Ergebnis: »Wir stunden gegeneinander wie zwei Böcke«, so schrieb der brandenburgische Gesandte Abraham von Dohna am 10. Oktober, »die niemand weichen wollen.« Der Reichsabschied wurde nur von den Katholiken unterschrieben, und damit war nichts gewonnen, die Protestanten legten wie 1608 ihren Protest dagegen ein: Der Kurfürst von Trier beklagte die Existenz so vieler Faktionen: Unionisten, Ligisten, Komponisten, Neutralisten, Cäsaristen, Protestanten, Korrespondenten, und der Bischof von Bamberg sah das Reich als einen Körper ohne Kopf.

Der Bericht über die Ereignisse im Reich kann an diesem Punkt zunächst abgebrochen werden. Dies heißt freilich nicht, daß jetzt Ruhe eingekehrt wäre nach dem erfolglosen Reichstag. Das Gegenteil ist wohl richtig, vor allem wenn man berücksichtigt, daß im Jahre 1614 zu den bekannten konfessionspolitischen Spannungen auch noch städtische Unruhen hinzukamen. Zu erwähnen sind hier vor allem der Fettmilch-Aufstand in Frankfurt 1614 und ein Aufstand gegen die Juden in Worms. Wenn auch beide Bewegungen relativ schnell niedergeschlagen werden konnten, waren dies doch Ereignisse, die für die Katholiken, vor allem aber auch für vorsichtige protestantische Stände, als Anzeichen einer allgemeinen Veränderung der Dinge unter dem demokratischen Geist der Calvinisten gesehen wurden. Denn daß die Calvinisten die Vertreter eines anderen Modells staatlicher Herrschaft, einer republikanischen oder sogar demokratischen Auffassung von Politik waren, galt allen ihren Gegnern als völlig unbezweifelbare Tatsache.

Wir haben bislang eine durchaus spannungs- und konfliktreiche Situation im Reich ausgemacht, haben aber auch gesehen, wie – etwa im Erbfolgestreit in Jülich-Berg – durchaus noch Rücksicht genommen wurde auf die allgemeine Lage im Reich und wie beide konfessionellen Bündnisse um eine deutliche Betonung ihrer defensiven Absichten bemüht waren. Aus der Lage im Reich läßt sich nicht direkt der große Konflikt des Dreißigjährigen Krieges ableiten. Wir müssen aus diesem Grunde den Schauplatz wechseln.

Zu betrachten sind die Ereignisse in den habsburgischen Erblanden, in jenem Länderkomplex von Ober- und Niederösterreich, Tirol und den Vorlanden, Steiermark, Kärnten und Krain. Hinzu kamen noch die Königreiche Böhmen und Ungarn, in denen die Habsburger seit 1527 zu Königen gewählt worden waren. Böhmen war zwar insofern ein Sonderfall, als es hier Ferdinand 1547 nach der Schlacht von Mühlberg gelungen war, seine Auffassung vom Erbkönigtum formell durchzusetzen, doch diese Vorgänge hatten den bestehenden Konflikt um die Herrschaft in Böhmen nicht gelöst. Das Problem dieses überwiegend deutschen Länderkomplexes des Hauses Habsburg – daneben gab es ja noch die spanischen Königreiche und Länder – war die im gesamten 16. Jahrhundert nicht definitiv geregelte Nachfolgefrage zwischen beiden Linien.

Dieser Faktor ist uns schon begegnet in der mißlungenen Absicht von Karl V., seinen Sohn Philipp, wenn schon nicht zu seinem Nachfolger im Reich, so doch mindestens zum Nachfolger seines Bruders Ferdinand zu machen. Auch die Nachfolge von Kaiser Ferdinand war problematisch. Statt seinen Sohn Maximilian zum alleinigen Nachfolger zu bestimmen, teilte er – vermutlich aus konfessionellen Rücksichten – die habsburgischen Länder in drei Herrschaftsgebiete auf, denn Maximilian II. als Nachfolger im Kaisertum und als König von Böhmen und Ungarn erhielt die Herrschaft in Ober- und Niederösterreich. In Innerösterreich – also in der Steiermark, in Kärnten und Krain – trat sein Sohn Karl die Regierung an, und in Tirol und den Vorlanden sein Sohn Ferdinand. Die Nachfolge Rudolfs II. und von Matthias verschärfte diese Unsicherheit noch insofern, als beide Herrscher, die beide Söhne Maximilian II. waren, selbst keine Erben hatten.

So wurde vor allem nach dem Regierungsantritt von Matthias 1612 die Erbfolgefrage immer dringender. Auf der einen Seite der schon alte Kaiser, der noch auf einen Erben hoffte, auf der anderen Seite jene Mitglieder des Hauses, die auf eine schnelle definitive Regelung der Erbfolge drängten. Alle diese Vorgänge vollzogen sich in der deutschen Linie des Hauses Habsburg nicht ohne erhebliche Wirkungen nach außen. Als seit 1600 unübersehbar geworden war, daß Rudolf in zunehmendem Maße regierungsunfähig wurde, ohne daß man von einer eigentlichen Geisteskrankheit sprechen konnte, mußten die anderen Erzherzöge reagieren. Sie taten dies im Wiener Vertrag von 1606, der in der Form eines Hausvertrages Matthias zum Oberhaupt des Hauses machte und damit Rudolf unter Kuratel stellte. Der Konflikt zwischen den beiden Brüdern, der wiederum eine lange Vorgeschichte hatte, die bis in die ungeklärte Nachfolgeregelung Maximilians zurückging und in der Literatur unter dem Begriff des »Bruderzwists im Hause Habsburg« bekannt ist, hatte direkt begonnen, als durch Rudolfs Versuch einer Rekatholisierung Ungarns dort ein Aufstand ausgebrochen war, den Matthias im Auftrag des Hauses gegen Rudolf beilegen sollte. Dies gelang ihm auch durch den Wiener Frieden von 1606, freilich um den Preis der Religionsfreiheit in Ungarn, ein Preis, den Rudolf nicht hatte bezahlen wollen. Rudolf verweigerte auch dem Frieden mit den Türken aus dem gleichen Jahre die Zustimmung, und es ist leicht auszudenken, welche Konsequenzen solche offenen Differenzen in der Führung des habsburgischen Hauses auf die Stände dieser Länder haben mußten, die sich in einem besonders hohen Maße für diese Länder selbst verantwortlich fühlten.

Der Wiener Vertrag mit den Ungarn hatte diesen Ständen gezeigt, was mit kräftigem Widerstand und geschicktem Ausnutzen der Widersprüche zwischen Rudolf und Matthias zu erreichen war. Insofern war es nur konsequent, wenn 1608 die österreichischen und ungarischen Stände mit Matthias einen Pakt gegen eine etwaige Bedrohung des Wiener Friedens schlossen, und dies konnte nach Lage der Dinge nur der Kaiser selbst sein, der sich in seiner Prager Burg in wachsendem Maße vom Kontakt mit der Umwelt abschloß, ein Regiment der Kammerdiener duldete, sich wissenschaftlichen Experimenten hingab und seine Regierungspflichten vernachlässigte. Er verzehrte sich im Haß auf seinen Bruder, der die Stände seiner Länder gegen ihn aufwiegelte.

Damit kommt ein bislang weitgehend vernachlässigter Machtfaktor in das Blickfeld. In fast allen Territorien des Reiches finden sich Ständeversammlungen, die in unterschiedlicher Weise an der Bestimmung der Politik eines Territoriums beteiligt waren. Es waren im wesentlichen die adeligen Grundherren, die Prälaten und die Vertreter der Städte, die sich als Landschaft eines Territoriums zusammengeschlossen hatten, denn üblicherweise vollzog sich dieser Vorgang im 14. und 15. Jahrhundert. In der politischen Praxis bestimmten die Landtage vor allem durch die Steuerbewilligung für den Landesfürsten, im geldhungrigen 16. Jahrhundert gewiß ein vorzügliches Druckmittel für die Ständeversammlungen, um ihre Interessen durchzusetzen.

Eine Verschärfung der denkbaren Konflikte zwischen Fürst und Ständen mußte sich dann ergeben, wenn konfessionelle Unterschiede die ohnehin bestehenden politischen Differenzen überlagerten. In den habsburgischen Erblanden hatte sich genau diese Situation dadurch ergeben, daß diese Erbländer schon sehr früh die Ideen der Reformation übernommen hatten, denn hier war »Hunger und Durst nach dem Evangelium«, wie Luther einmal an eine oberösterreichische Adelige geschrieben hatte. Vor allem in der Regierungszeit Kaiser Maximilians kam es zu einem Umschwung, als sich der Adel der österreichischen Länder in der »Religionskonzession« von 1568 das Recht erkämpfte, auf seinen Grundherrschaften das »jus reformandi« anzuwenden. 1572 geschah dasselbe in den innerösterreichischen Ländern Steiermark, Kärnten und Krain, 1578 wurde diese Konzession sogar auf die landesfürstlichen Städte und Märkte ausgedehnt.

Was hier geschah, war ganz ohne Zweifel eine Durchlöcherung des Grundprinzips des Augsburger Religionsfriedens, denn dieser hatte bekanntlich den Landesfürsten, nicht aber den landsässigen Adeligen das Reformationsrecht in die Hand gegeben. Wir können uns ausmalen, daß diese offensichtliche und unbestreitbare Differenz zum Ansatzpunkt späterer Auseinandersetzungen werden sollte. Denn natürlich hatten Maximilian und sein Bruder Karl in Graz ihrem Adel nicht freiwillig dieses Recht eingeräumt, sondern diese Konzessionen waren zustande gekommen unter dem politischen Druck, der in diesen Jahren auf den Landesfürsten des Hauses Habsburg lastete. Sie brauchten in diesen Jahren hohe Bewilligungen ihrer Landschaften, um ihre militärischen Verpflichtungen angesichts der Türkengefahr zu erfüllen, denn die südliche Steiermark war nicht weit entfernt von jener Grenzlinie, die den habsburgischen vom osmanischen Machtbereich trennte. »Der Türk ist der Lutherischen Glück« war in diesen Jahren ein beliebter Satz, um die besondere Wirkung der Türkengefahr auf die Religionspolitik dieser Länder zu charakterisieren.

Natürlich drängte die in den habsburgischen Ländern entstandene Situation auf eine Änderung. Den Jesuiten, die seit den fünfziger Jahren ihre Arbeit aufgenommen hatten, dem Papst und vor allem dem bayerischen Landesfürsten war dieser Zustand der konfessionellen Angelegenheiten ein Dorn im Auge. Erzherzog Karl war mit einer bayerischen Prinzessin verheiratet, und so lag es nahe, daß sich München zu einem Zentrum der gegenreformatorischen Politik im Alpenraum entwickelte, zumal die bayerischen Herzöge selbst in den sechziger Jahren mit ihrem protestantischen Adel fertig geworden waren. In Bayern hatte sich der Adel keine Sonderrechte erkämpfen können und sich dem landesfürstlichen Reformationsrecht beugen müssen. Schon 1579 war es in München zu einer Konferenz von Räten beider Länder gekommen, und man hatte das geplant, was man präzise gegenreformatorische Politik nennen kann. Hier ging es nicht etwa darum, wie man durch kirchliche Reformen im weiteren Sinne wieder die Untertanen zur alten Kirche bringen könnte, sondern hier wurden politische Schritte beraten, um die Macht im Lande wiederzuerringen und zu festigen. Einzelne Adelige sollten in den landesfürstlichen Dienst gezogen, die Wirksamkeit der protestantischen Schule sollte begrenzt, und die Städte und Märkte sollten wieder in die Hand des Landesfürsten gebracht werden. All dies sollte aber nicht etwa heftig und mit großem Geschrei, sondern »pede plumbeo« – mit bleiernem Fuße, gemächlich – geschehen. Man wollte keinen Verdacht erregen, denn man befürchtete den heftigen – auch militärischen – Widerstand der Stände. Man wußte nur zu genau, daß die Stände einen erheblichen Anteil am Defensionswesen des Landes hatten, und das bedeutete militärische Macht.

Auf seiten der Stände war man jedoch zu militärischem Widerstand nicht bereit: »Huius ecclesiae lacrimae arma sunt« (Tränen sind die Waffen dieser Kirche), war das Grundprinzip der Stände, jedenfalls in dieser Phase, und nur nach langen inneren Zweifeln gelang es einzelnen Vertretern, zumindest eine Position einzunehmen, die die Gegenwehr gegen den Landesfürsten billigte, falls dieser die Stände angriffe.

Es ist angesichts der später realisierten Variante des landesfürstlichen Absolutismus fast überall in Deutschland sehr schwer, sich das politische Klima dieser Jahre vorzustellen. Die protestantisch dominierten Stände dieser Länder – und dies gilt für Böhmen und Ungarn in gleicher Weise – waren mächtige Institutionen, die in Verbindung mit den Protestanten im Reich standen. Sie hatten eigene Verwaltungen aufgebaut, sie wußten in konfessionellen Fragen ihre Untertanen hinter sich, sie hatten ein eigenes Schulwesen gegründet, das vor allen Dingen aus dem württembergischen Protestantismus personell gespeist wurde. Man besuchte die Universitäten von Tübingen und Wittenberg, und die adelige Standeskultur der österreichischen Länder war eine distinkt protestantische Kultur. Wenn wir uns heute die eindrucksvollen Bauten der Landhäuser in Linz, Wien, Graz und Klagenfurt ansehen, sind diese Bauten auch ein Beleg dafür, daß sich hier protestantische Adelige einen Mittelpunkt ihrer Wirksamkeit schufen, wozu Schule, Kirche und Buchladen gehörten.

Nichts wäre falscher, als den schließlichen Sieg des Landesfürstentums als Endpunkt einer logischen Entwicklung anzusehen. Richtig ist vielmehr, daß die letzten beiden Jahrzehnte des 16. und die ersten beiden Jahrzehnte des 17. Jahrhunderts eine Phase des offenen Entscheidungskampfes zwischen den Möglichkeiten des Absolutismus und des Siegs der Stände, und damit einer frühkonstitutionellen Lösung gewesen sind. Was in England eine Generation später realisiert wurde, als das Parlament den Krieg gegen den König aufnahm, wäre auch in den habsburgischen Ländern möglich gewesen – die Situation stand mehrfach auf des Messers Schneide.

Dieser Rückgriff war notwendig, um zu erklären, warum 1608 die Stände der österreichischen Länder die Chance nutzten, die sich im Bruderzwist bot. Es war nicht die Person des Matthias, die den Ständen der besonderen Unterstützung wert gewesen wäre, sondern es war das große Ziel einer politischen Sicherung des protestantischen Bekenntnisses, das hier verfolgt wurde. Denn der Vormarsch des Katholizismus seit etwa 1590 war auch den Ständen deutlich geworden, in den innerösterreichischen Ländern setzte Erzherzog Ferdinand, der Sohn von Erzherzog Karl, seit 1598 die gewaltsame Reformation des Landes durch, die viele Protestanten zu Exulanten machte, sie also zum Verlassen des Landes zwang.

Als Matthias 1608 mit den ungarischen und österreichischen Ständen das erwähnte Bündnis gegen seinen kaiserlichen Bruder abschloß und mit der Hilfe der Stände in Richtung Prag zog, um dem Bruder seinen Willen aufzuzwingen, griff Rudolf zum selben Mittel, zum Bündnis mit den Ständen, die sich nicht Matthias angeschlossen hatten. Doch Rudolf war im Liebener Vertrag vom 25. Juni 1608 gezwungen, Ungarn, Mähren und Ober- und Niederösterreich an Matthias abzutreten, der auch die Nachfolge in Böhmen antreten sollte. Damit war der sensationelle Tatbestand geschaffen, daß Matthias mit Hilfe der Stände Landesfürst in den beiden österreichischen Ländern geworden war, die Stände hatten ihren Herrn gemacht. Sie nutzten diese Situation zur Wiedereinführung des protestantischen Gottesdienstes und zum Abschluß eines Bündnisses zwischen den ober- und niederösterreichischen Ständen, dem Horner Bund, der auch das Recht zum bewaffneten Widerstand beinhaltete.

Die Frucht dieses Bündnisses und der damit dokumentierten Entschlossenheit der Stände, die unter der Führung des monarchomachisch gesinnten oberösterreichischen Adeligen Georg Erasmus von Tschernembl standen, war die ein Jahr später von Matthias erlassene »Kapitulationsresolution«, die weitgehende religiöse Freiheiten gewährte.

Auch Rudolf mußte »seinen« böhmischen Ständen ihren politischen Preis zahlen. Nach anfänglicher Verzögerungstaktik, die die Stände mit eindeutiger Selbstorganisation beantworteten, gewährte er den sog. Majestätsbrief (Juli 1609), jenes Dokument, das neun Jahre später zum Anlaß des böhmischen Aufstands werden sollte. Der Inhalt des Majestätsbriefs bestand zusammengefaßt in der Feststellung der Religionsfreiheit für Adelige, für die Bürger der Städte und für die bäuerliche Bevölkerung; sowohl Katholiken als auch den Anhängern der Confessio bohemica – einem 1575 erfolgten Zusammenschluß von böhmischen Lutheranern, Utraquisten und den sog. böhmischen Brüdern – wurde die Wahl der Konfession freigestellt.

Dieses grundlegende Dokument, das die revolutionäre Formulierung des »freien Exercitiums« enthielt, wurde begleitet von einem Vergleich zwischen den verschiedenen Konfessionen in Böhmen, in dem vor allem das Recht des Kirchenbaus für die Utraquisten selbst auf dem königlichen Kammergut festgestellt wurde. Der Majestätsbrief zeichnete sich auch dadurch aus, daß er bereits Sanktionen für den Fall vorsah, daß der König die Bestimmungen nicht befolgen würde. Für diesen Fall sollten ständische »Defensoren« für ihre Einhaltung sorgen, und es bestand kein Zweifel, wie solche Gegenwehr aussehen würde.

Natürlich hatte Rudolf eine solche Zusicherung nur unter dem Druck des Augenblicks abgegeben. Mit der Hilfe eines anderen habsburgischen Verwandten, des Erzherzogs Leopold, versuchte er, Matthias in Oberösterreich und Böhmen zu überfallen und noch einmal alles zu wenden. Doch Matthias war auf der Hut und eroberte seinerseits durch einen erneuten militärischen Zug nach Böhmen Prag, wo er zum böhmischen König gekrönt wurde. Rudolf war definitiv besiegt, sein Tod im Jahre 1612 beendete diese für ihn aussichtslose Situation.

Wir können jetzt wieder zu der Situation zurückkehren, die im Hause Habsburg nach dem Regierungsantritt von Matthias eingetreten war. Auf der einen Seite der Kaiser, der auf einen Erben wartete, auf der anderen Seite die Grazer Linie, die darauf drängte, den jungen Erzherzog Ferdinand zum Nachfolger zu bestimmen, um endlich die Lage des Hauses zu stabilisieren. Wenn auch der ebenfalls unverheiratete Erzherzog Maximilian, der Regent Tirols, all seinen Einfluß mobilisierte, um Ferdinand als Nachfolger durchzusetzen, traten doch Komplikationen auf, die durch Erbansprüche der spanischen Linie bedingt waren. Philipp III. hielt als Sohn der Tochter Kaiser Maximilians II. seine Ausssichten auf die Nachfolge für besser als die Ferdinands, der »nur der Sohn eines Bruders des Kaisers« war.

Doch er erkannte sehr schnell, daß diese Ansprüche in der deutschen Linie nicht durchzusetzen waren, zu stark waren die nationalen Differenzierungen geworden. Immerhin komplizierte er die Versuche zur Erhebung Ferdinands mit Verhandlungen über notwendige Entschädigungen für seinen Verzicht und erreichte immerhin, daß im Oñate-Vertrag von 1617, der freilich ganz geheim blieb, Ferdinand die Abtretung des Elsaß und einiger italienischer Reichslehen für den Fall zusagte, daß die Tiroler Linie durch Erbfall in seine Verfügung kommen würde. Die ganze Aktion war ein politisches Täuschungsmanöver von beiden Seiten, denn Ferdinand wußte sehr wohl, daß er mit diesem Verzicht gegen andere Verträge seines Hauses verstieß. Die Interessen des Reiches wären bei einer solchen Abtretung des Elsaß, die der spanischen Linie eine sichere Landverbindung von Oberitalien in die Niederlande ermöglichen sollte, ohnehin verletzt gewesen.

Nach diesen Manipulationen war der Weg frei zur Adoption Ferdinands durch Matthias. Dieser erstaunliche Akt zeigt, wie sehr es dem Erzhaus darum zu tun war, den Eindruck einer Erbfolge vom Vater auf den Sohn aufrechtzuerhalten, was vor allem für den Kampf um die Nachfolge in Böhmen gedacht war. Erstaunlicherweise erreichte jedoch Ferdinand seine Wahl in Böhmen relativ schnell. Diese Wahl ist nur sehr schwer zu erklären, denn allen Mitgliedern des böhmischen Landtags war bewußt, wer hier gewählt wurde. Sicherlich hatten die prohabsburgischen Adeligen und Räte den Vorgang vorbereitet, es fehlte nicht an Hinweisen auf die traditionelle Verbindung zwischen Böhmen und Habsburg, und Ferdinand war auch klug genug, den Majestätsbrief von 1609 zu beschwören. So blieben jene Adeligen in der Minderzahl, die schon zu diesem Zeitpunkt einen anderen Fürsten, etwa den pfälzischen Kurfürsten Friedrich V., zum König wollten. Ein Jahr später wurde Ferdinand auch in Ungarn gewählt und nach dem Tode von Kaiser Matthias trat er auch die Nachfolge im Reich an.

Doch damit greifen wir der Entwicklung schon voraus. In Böhmen hatten sich die Verhältnisse trotz oder wegen der Wahl Ferdinands verschärft, denn jetzt ergaben sich zunehmend Schwierigkeiten über die Auslegung von Majestätsbrief und Vergleich von

1609. Strittig war dabei vor allem, ob geistliche Güter, wie die Böhmen meinten, auch wie königliche Güter zu bewerten seien (denn dann durften auch auf geistlichen Gütern utraquistische Kirchen gebaut werden). Jetzt wurde wichtig, daß der Majestätsbrief den sog. Defensoren eingeräumt hatte, im Fall der Verletzung des Majestätsbriefs alle protestantischen Räte, Beamten und aus allen Kreisen sechs protestantische Deputierte nach Prag zu berufen. Ein solcher legitimer Teillandtag versammelte sich am 5. März 1618 in Prag, formulierte eine Beschwerdeschrift an Kaiser Matthias in Wien und setzte ihm zugleich ein Ultimatum für die Beantwortung der Gravamina bis zum Mai. Am 21. Mai sollte ein neuer Landtag dieser Art tagen.

Die Antwort aus Wien traf überraschend schnell in Prag ein. In scharfer Sprache wurde die Rechtsposition der Regierung in der Frage der kirchlichen Güter verteidigt, und der schon für den 21. Mai festgesetzte Landtag wurde verboten, die Teilnahme unter Strafe gestellt. Natürlich ließen sich die protestantischen Adeligen von diesem scharf formulierten Verbot nicht aufhalten, und die Dinge nahmen im Mai ihren Lauf. Der Astronom Kepler, der zu dieser Zeit in Linz lebte und sich ein Zubrot mit der Produktion von Prognostiken verdiente, hatte in seinem Kalender für 1618 vorausgesagt: »Dann wahrlich im Mayen wird es an denen Orthen und bey denen Händeln, da zuvor schon alles fertig, und sonderlich wo die Gemein sonst große Freyheit hat, ohne große Schwürigkeit nicht abgehen.« Und tatsächlich, es war wie Kepler vorausgesagt hatte: »Es hat der Zunder ... im Maio Feuer gefangen«, und Kepler war so stolz auf seine Voraussage, daß er seine Warnung vor dem Mai des Jahres 1618 im nächsten Jahr noch einmal abdruckte, um seine prognostischen Fähigkeiten zu beweisen.

Als in Prag die erwähnte Antwort auf die Gravamina bekanntgeworden war, tauchte auch sofort das Gerücht auf, die in Prag amtierenden königlichen Statthalter seien für die scharfen Formulierungen verantwortlich gewesen. Dieses Gerücht nutzten die Führer der Protestanten aus, um daraus ein Szenario für die Begegnung der Protestanten mit den Statthaltern auf der Prager Burg zu entwickeln, die für den 23. Mai geplant war. Die Absicht bestand darin, während der Begegnung einen scharfen Disput zwischen den protestantischen Adeligen und den Statthaltern entstehen zu lassen, an dessen Ende als unvermeidbare Konsequenz dann der tätliche Angriff auf die Statthalter und die sog. Defenestration stehen sollte, ein offensichtlich in hussitischer Zeit schon einmal angewandtes Mittel, das man bewußt einem Erstechen der Statthalter vorzog. Dieses Szenario wurde am Tage vor der Versammlung beschlossen, und es wurde auch wie geplant verwirklicht.

Am folgenden Tage fanden sich die protestantischen Adeligen in der Burg ein, um den Statthaltern die Antwort auf die kaiserlichen Vorwürfe zu geben. Immer mehr spitzte sich die heftige Diskussion auf die Frage zu, ob die Prager Statthalter die Schrift formuliert hätten, wie dies eine vorbereitete Anklageschrift behauptete, und am Ende der Diskussionen stand – wie geplant – der Vorschlag, die beiden »Hauptschuldigen« Martinitz und Slawata aus dem Fenster der Ratsstube in den Schloßgraben zu werfen. Beides geschah, dann warf man noch ihren Sekretär Fabrizius hinterher. Wenn man sich heute aus dem Fenster dieser Ratsstube des Hradschin beugt und in den Schloßgraben hinuntersieht, dann kann man begreifen, daß unter normalen Umständen ein solcher Sturz lebensgefährlich sein mußte. Doch alle drei Opfer landeten relativ weich auf dem Abfallhaufen unter den Fenstern und konnten sich in der Stadt in Sicherheit bringen. So wie diese erste Aktion mißlungen war, sollte der gesamte, sich hieraus entwickelnde böhmische Aufstand ein Mißerfolg werden. Seine historische Wirkung aber bestand darin, daß er für das Haus Habsburg das eindeutige Zeichen für den Beginn der Rebellion der Stände war, die niedergeschlagen werden mußte.

Die Stände taten auch alles, um diese Vermutung zu bestärken. Sie zogen Steuern ein, stellten ein Heer auf, beantragten schon einen Monat nach dem Vorfall die Aufnahme in die protestantische Union, was aber erst im Oktober wirklich beschlossen wurde. Die Reaktion des Kaisers auf die Vorgänge in Prag war notgedrungen zurückhaltend. Er verfügte über keine einsatzbereiten Truppen und folgte den Vorschlägen, die auf eine gütliche Einigung abzielten. Ferdinand, der inzwischen als Nachfolger feststand, erkannte den Kardinal Klesl als den Kopf jener Partei, die auf Ausgleich mit den Böhmen drängte. Deshalb griff er schon ältere Pläne zur Festnahme des Kirchenmannes auf. Am 20. Juli wurde er verhaftet, nach Tirol gebracht, und es charakterisiert den Zustand der Dinge, daß der kranke Kaiser Matthias heftig dagegen protestierte, aber nichts zur Rettung seines getreuen Dieners tun konnte.

Kaiser Matthias starb bald darauf im März 1619, und machte damit endlich seinem ungeduldig wartenden Nachfolger den Platz frei. Jetzt konnte der Krieg gegen die rebellischen Böhmen endlich begonnen werden, der sich freilich bald in einem Kleinkrieg erschöpfte. Es gelang dem Heer der aufständischen Böhmen, bis vor Wien vorzudringen, doch konnte der Befehlshaber die sich damit bietende Möglichkeit nicht nutzen. Er mußte nach Böhmen zurück, um dem anderen Heer der Stände zu helfen, das in Bedrängnis geraten war.

Statt einer schnellen militärischen Lösung kamen die böhmischen Stände im Verband mit ihren mährischen und österreichischen Nachbarn zu einer politischen Lösung, der sog. böhmischen Konföderation vom 31. März 1619, einem Zusammenschluß zur Rettung der ständischen Privilegien. Sie war die Grundlage für die Absetzung Ferdinands als böhmischer König und die bald darauf stattfindende Wahl des pfälzischen Kurfürsten zum neuen König. Diese fand einen Tag vor der Wahl Ferdinands zum römischen König in Frankfurt statt. Unter den vielen Stimmen, die diese Wahl kommentierten und die Friedrich V. auch von der Annahme der Krone abrieten, war wohl die treffendste die des bayerischen Herzogs Maximilian, der den pfälzischen Gesandten wissen ließ: »Sollte es wahr sein, daß die Böhmen im Begriffe ständen, Ferdinand abzusetzen und einen Gegenkönig zu wählen, so möge man sich nur gleich auf einen zwanzig-, dreißig- oder vierzigjährigen Krieg gefaßt machen.«

Der Herzog selbst war es, der wenige Monate später dafür sorgte, daß diese Voraussage in Erfüllung gehen sollte. Denn am 8. Oktober 1619 schloß er mit Ferdinand nach langem Hinhalten einen Vertrag ab, der ihn zum Herrn der katholischen Liga machte und ihm große Gewinne für den Fall in Aussicht stellte, daß der Krieg gegen die Böhmen erfolgreich verliefe. Für den Fall der Niederlage aber mußte der Kaiser aus seinen Erbländern Ersatz leisten. Der »Große Krieg« konnte mit seinem böhmisch-pfälzischen Vorspiel beginnen.

III. Reaktionen und Anpassungen

1. Frühmoderne Staatlichkeit im 16. Jahrhundert

1.1. Typen von Staatlichkeit:
Reich – Territorialstaat – Reichsstadt – Reichsritterschaft

In dem Überblick über die Ereignisgeschichte wurden schon mehrfach die unterschiedlichen Formen von Herrschaft deutlich, die im
16. Jahrhundert ausgeübt wurden. Dabei meinte Herrschaft zunächst einmal nichts anderes als den legitimen Anspruch auf Wahrnehmung bestimmter Rechte gegenüber einer Gruppe von Unteranen. Die Feudalgesellschaft kannte eine Fülle von potentiellen
Herrschaftsträgern. Sie reichte vom Besitzer einer kleinen Grundherrschaft bis hinauf zu den großen Territorialfürsten und zum
Kaiser, der an der Spitze der Lehnspyramide und damit aller potentiellen Inhaber von Herrschaftsgewalt stand. Alle Herrschaftsträger in dieser Skala empfanden ihren Untertanen gegenüber bestimmte Verpflichtungen und leiteten aus diesen Verpflichtungen
bestimmte Ansprüche auf Abgaben ihrer Untertanen ab. Hierin
liegt die innere Logik feudaler Herrschaftsausübung. Daß zum
Herrn Untertanen gehörten, war für die soziale Welt des 16. Jahrhunderts eine geradezu naturgesetzliche Erkenntnis. Doch diese
Erkenntnis galt auch in anderer Richtung. Herrschaft ohne Untertanen wäre sinnlos gewesen. In einem »Stände-Spiegel« aus dem
Jahre 1583 heißt es über die Beziehung zwischen Herrn und Untertanen: »Also ist das nicht auch ein thorheit, wenn man die verachtet,
derer man nicht entraten kann. Was wolte aber ein Herr ohne Unterthanen, ein Juncker ohne Bauren sein, ja was wollte doch Obrigkeit von der geringsten bis zur höchsten zu rechnen, ohne Handtwerckesleute, derer man ... nicht entbehren kan, vermügen oder
ausrechten.« In einer solchen Formulierung steckt auch die im
16. Jahrhundert zeittypische Form der Obrigkeitsermahnung und
-kritik, hier durch einen protestantischen Pfarrer formuliert.

Aus unserer heutigen Erfahrung sind wir geneigt anzunehmen,
daß Herrschaft allein in der Hand des Staates konzentriert ist, und
wir wollen diese Annahme auch in das 16. Jahrhundert zurückprojizieren. Doch ein näherer Blick zeigt, daß die Träger von Herrschaft

noch in einem heftigen Ringen miteinander standen, staatliche Souveränität sich noch nicht als unangefochten herausgebildet hatte. Diese Auseinandersetzung läßt sich auf verschiedenen Ebenen beobachten, sie charakterisiert das ganze 16. Jahrhundert, auch wenn sich schließlich an seinem Ende ein Sieg des frühmodernen Staates abzeichnet.

Doch dieser Sieg des Staates – und zwar des Territorialstaates – stand keineswegs von Anfang an fest, er war vielmehr das Ergebnis einer langwierigen Auseinandersetzung. Sie begann schon in der mittelalterlichen Konkurrenz der großen Adelsgeschlechter um die Landesherrschaft, die freilich den Landesfürsten noch als primus inter pares sahen, als Gleichen unter Gleichen. Die weitere Entwicklung ist dadurch gekennzeichnet, daß es den Landesherren gelang, die wichtigsten Herrschaftsrechte in ihrer Hand zu sammeln, um damit konkurrierende Adelsgeschlechter vom Zugriff auf die Herrschaft auszuschalten. Als dieser Prozeß deutlich erkennbar wurde, organisierten sich die Adeligen eines Territoriums in Landständen und versuchten, durch die Bildung einer »Landschaft« eine Kontrolle über den Landesfürsten auszuüben.

Das 16. Jahrhundert markiert in dieser langfristigen Auseinandersetzung einen Höhepunkt insofern, als die Entwicklung jetzt schon so weit gediehen war, daß es nicht mehr um die Frage der Herrschaft im Territorium zugunsten eines Geschlechts ging; diese Frage war lange entschieden. Vorrangig war nun das Problem, ob es dem Landesfürstentum gelingen würde, auch in den innersten Bereich der adeligen Autonomie einzudringen, in die Grundherrschaften. Hier waren die Grundherren bislang kaum kontrollierte Herren ihrer Untertanen, und diese Tatsache hatte immer wieder zu Konflikten zwischen beiden geführt. Jetzt aber stellten die Landesherren angesichts des steigenden Geldbedarfs für Verwaltung, Rechtspflege, Verteidigungsaufgaben, aber auch für dynastische Zwecke ständig steigende Geldforderungen an ihre Landstände, d. h. die adeligen Grundbesitzer, die geistlichen Würdenträger und meistens auch die Städte eines Territoriums. Diese drei Stände bildeten in den überwiegenden Fällen die Landstände der einzelnen Territorien, und sie waren sich ihrer Machtposition wohl bewußt, wenn die Fürsten wieder einmal um Geld baten. Wir haben schon bei der generellen Charakterisierung der politischen Ordnung im Reich auf diese Konstellation aufmerksam gemacht.

Doch die Ausgangslage hatte sich im Lauf des 16. Jahrhunderts erheblich verändert. Die Landstände waren keineswegs mehr frei in ihren Entscheidungen über Steuerforderungen. In vielen Territorien konnten sie sich nicht den zwingenden Argumenten ihres Fürsten entziehen. Wenn sie ihr eigenes Land nicht ruinieren wollten, mußten sie wohl oder übel immer größere Summen bewilligen. Dies galt bei Verpfändungen ebenso wie bei Kriegsfällen, aber auch bei der Verheiratung der Fürstentöchter, die eine Aussteuer erhalten mußten. Hinzu kamen schließlich die Verpflichtungen, die das Reich den Territorien auferlegte. Gewiß waren schon im 15. Jahrhundert Reichssteuern erhoben worden für die Kriegszüge gegen die Hussiten, doch hatten diese Steuern noch zu keinen dauerhaften Konsequenzen innerhalb der Territorien geführt. Als in den zwanziger Jahren die eher bescheidenen Summen für die ersten Türkensteuern erlegt werden mußten, reagierten die Landesfürsten durchaus verschieden. Einige zahlten diese Steuersummen ganz aus ihrem eigenen Kammergut, andere wiederum mußten ihre Landstände um Übernahme der Steuern bitten. Als sich schon in der ersten Jahrhunderthälfte diese Steuern vervielfachten, griffen alle Landesfürsten zum willkommenen Mittel der Umverteilung der Steuern auf ihre Untertanen, wie es die Reichsabschiede wortreich festschrieben. Mit diesem Mittel ließen sich die Privilegien der Landstände trefflich umgehen. Zwar stellten die Landesfürsten bei jeder Bewilligung bereitwillig eine feierliche Erklärung aus, daß dies eine einmalige Steuer sei, doch die ständige Wiederholung des Verfahrens höhlte den Wert dieser sog.»Schadlosverschreibungen« aus.

Freilich wird man in diesem Zusammenspiel von Reichssteuern und landständischer Privilegienminderung nicht allein den Grund für den »Machtverlust« der Landstände sehen dürfen, den die Forschung gegen Ende des 16. Jahrhunderts festzustellen glaubt. Man könnte sich mit dem Hinweis auf den überwältigenden Prozeß der Stärkung des Landesfürstentums aus der Affäre ziehen, doch damit bliebe dieser Vorgang selber unerklärt. Will man der Beantwortung dieser Frage nähertreten, muß man zunächst davon ausgehen, daß seit dem späten 15. Jahrhundert eine Fülle von neuen Problemlagen entstanden war, die nach Regelung verlangten. Sie betrafen sowohl den wirtschaftlichen als auch den sozialen Bereich, aber ebenso spielten die Außenbeziehungen der Territorien innerhalb des Reiches hierbei eine wichtige Rolle. Erinnert sei nur an die Wechsellagen der Außenpolitik Kaiser Maximilians I., die Notwendigkeit einer Reichsreform und einer darüber hinaus reichenden sozialen Reform. Zu denken ist neben den erhöhten Geldforderungen für innere und äußere Zwecke in den Territorien an die heraufziehenden Türkenkriege und an die Umgestaltung der Rechtsprechung, schließlich auch an tiefgreifende wirtschaftliche Widersprüche zwischen den verschiedenen Ständen.

Diese neue Lage konnte offensichtlich nicht mehr mit den traditionellen Mitteln der Politik bewältigt werden. Bauernkrieg und Reformation und die sich im Anschluß daran vollziehende Territorialisierung des Bekenntnisses stärkten das Landesfürstentum in vielen Hinsichten, lieferten ihm immer neue Argumente für eine Stärkung seiner Position. Dabei darf jedoch nicht der Eindruck erweckt werden, als handele es sich dabei um eine zwangsläufige Entwicklung. Gewiß, die meisten Landstände verfolgten eher passiv die Wendungen fürstlicher Politik und setzten ihr kein alternatives Modell einer eigenen, ständisch definierten Politik entgegen. Auf den meisten Ständeversammlungen legte der Fürst seine Forderung (die Proposition) vor, die Stände kritisierten zuweilen die Höhe und die Art der Geldforderung, verlangten die eine oder andere Änderung, sicherten sich zuweilen Vorteile und stimmten dann der Forderung zu, zumal die Aufbringung der Gelder in den allermeisten Fällen bei den Untertanen (die nur auf wenigen Landtagen selbst vertreten waren) und den Landstädten lag.

Finden wir in diesen Jahren um die Wende vom 16. zum 17. Jahrhundert überhaupt ein alternatives ständisches Modell von Politik? Vor allem die habsburgischen Erbländer verfügten über Landschaften mit einem hochentwickelten Selbstbewußtsein. Sie hatten sich vor allem in der Regierungszeit Kaiser Maximilians II. – gegen die Bestimmungen des Augsburger Religionsfriedens – eigene Religionsprivilegien erkämpft. Dies war ihnen vor allem deshalb gelungen, weil die habsburgischen Landesfürsten in dieser Phase auf die Bewilligungen ihrer Stände für den Türkenkrieg angewiesen waren. Die Religionskonzessionen, die zwischen 1567 und 1578 den Landständen in den habsburgischen Erbländern gewährt wurden, räumten den adeligen Landständen auf ihren Grundherrschaften praktisch die Bestimmung der Konfession ein.

Dieses entwickelte politische Selbstbewußtsein spiegelte sich auch in den erbländischen Landhäusern wider, prächtigen Bauten, die seit dem späten 16. Jahrhundert entstanden. Sie dienten nicht nur dazu, um darin die Landtagsversammlungen abzuhalten, sondern sie boten auch der ständischen Verwaltung, von den Verordneten, den Einnehmern, den Kommissären für das Militärwesen bis hinunter zu den Landschaftsmusikern Unterkunft. Die sich in diesen Häusern in Linz, Wien, Graz und Klagenfurt dokumentierende ständische politische Kultur wird noch deutlicher, wenn man diese Landhäuser und das dahinterstehende politische System mit den Versammlungen der Landstände in einigen norddeutschen Territorien vergleicht, wo sich die Landstände noch im späten 16. Jahrhundert manchmal auf freiem Felde versammelten – die Wolfenbütteler Landstände etwa in Salzdahlum, die Mecklenburger bei Sternberg – und sich bei Regen in eine nahe Kirche flüchten mußten.

Doch kehren wir zu dem schon angesprochenen Vorgang der Machtakkumulation in der Hand des Landesfürstentums zurück. Auch die Dynastien leisteten ihren für die Betroffenen oft schmerzhaften Beitrag zu diesem Vorgang. War es noch bis ins 15. Jahrhundert hinein üblich gewesen, ein Territorium beim Tode eines Fürsten unter seine Söhne aufzuteilen, wurde diese Erbfolgeregelung immer öfter zugunsten der ungeteilten Übergabe des Territoriums aufgegeben. Insofern stellte die im Hause Habsburg 1564 nach dem Tode Ferdinands vollzogene Erbteilung unter seine drei Söhne noch die traditionelle Form der Vererbung dar, die erst 1621 durch das Testament Ferdinands II. überwunden wurde, das für die habsburgischen Länder die ungeteilte Vererbung an den jeweils ältesten Sohn des Herrschers vorsah. Der Vorteil dieser neuen, ungeteilten Vererbung für die Dynastien lag auf der Hand. Hatten in früheren Phasen die Stände oft genug weiteren Erbteilungen im Interesse des Landes einen Riegel vorgeschoben, bereinigten die Fürsten jetzt auch diesen Schwachpunkt bisheriger dynastischer Politik und wendeten ihn zu ihrem Vorteil. Wenn damit auch – wie wir im Haus Habsburg schon gesehen haben – oft genug scharfe Auseinandersetzungen verbunden waren, war mit diesen neuen Regelungen doch ein gefährlicher Ansatzpunkt ständischen Einflusses beseitigt.

Ein wesentlicher Vorteil fürstlicher Politik ergab sich aus der differenzierten Interessenlage der Stände selber. Sie waren in sich lange nicht so handlungsfähig wie die Fürsten. Vor allem die Konflikte mit den Untertanen belasteten die Stände, zwischen Adel und Landstädten entwickelten sich endlose Auseinandersetzungen um bestimmte wirtschaftliche Vorrechte. Durfte der Adel auf den Dörfern Bier brauen? Durften auf den Dörfern Leinweber außerhalb des städtischen Zunftzwangs arbeiten? Durch solche Konflikte, die sich ganz offensichtlich nicht mehr innerhalb der bestehenden Privilegienordnung beilegen ließen, wurde die Handlungsfähigkeit einer Landschaft geschwächt, ja sie wandte sich oft genug auch noch an den Landesherrn und verlangte von ihm eine Sicherung der adeligen Privilegien gegen die Ansprüche der Städte. Die sozial heterogenen Stände – jedenfalls in den meisten Territorien – waren unfähig, eine gemeinsame Politik gegen das Landesfürstentum zu formulieren und durchzuhalten. In solchen Auseinandersetzungen zeigte sich, daß den Landesfürsten immer umfassendere Regelungskompetenzen zugewiesen wurden, die sie zu einem natürlichen Kristallisationspunkt aller entscheidenden Rechte machten.

Hier lag auch der Ansatz für eine fürstliche Ordnungspolitik im weitesten Sinne: Gegenüber den allenthalben beobachtbaren Schwächungen und Verkehrungen der bisherigen ständischen Ordnung etablierte sich das Landesfürstentum als neuer Ordnungsfaktor in einer Welt, die überall aus den Fugen geraten schien. Die 1576 von dem französischen Juristen Jean Bodin entwickelte und auch in Deutschland gierig aufgegriffene Formel der fürstlichen Souveränität war nur mehr der theoretische Begriff für eine realpolitisch längst vorbereitete Allkompetenz der Landesfürsten. Im Rahmen einer solchen allgemeinen Entwicklung gelang den Landesfürsten auch endlich der bessere Zugriff auf die Untertanen des Adels, das bisher letzte Reservat adeliger Autonomie. Denn die Steuerbewilligungen sparten natürlich den adeligen Eigenbesitz weitgehend aus. Man entschuldigte sich mit der Bereitstellung der sog. Ritterpferde oder Gültpferde – also dem adeligen Kriegsdienst – wohl wissend, daß mit diesem adeligen Aufgebot im Kriegsfall nicht viel auszurichten war. So lasteten die Steuern vor allem auf den bäuerlichen und städtischen Untertanen.

Auf diesem Wege fand der moderne Staat auch den Weg zu den adeligen »Grundholden«, die nun zu Untertanen wurden. Denn natürlich hatte es mit den Steuerzahlungen nicht sein Bewenden. Da man einzelnen Grundherren die überhöhte Besteuerung ihrer Bauern nachweisen konnte, mußte man den Untertanen ein Beschwerderecht zubilligen. Sie mußten Prozesse führen können, sie wurden schließlich auch in das militärische Aufgebot des Landes integriert, wovon noch zu sprechen sein wird. Sie wurden in vielfältiger Weise Objekt landesfürstlicher Verwaltung, deren Intensität zunahm. Kurzum: An vielen Stellen drang der moderne Staat mit seinen Steuermandaten, Landesordnungen, Gerichtsordnungen, seinen Amtleuten und landesfürstlichen Kommissaren in die Bezirke der Grundherrschaften ein und schwächte damit die Relikte adeliger Herrschaft zugunsten des Staates. In Bayern waren die sog. »Umritte« der Amtleute in ihren Amtsbezirken der sinnfällige Ausdruck dieser neuen staatlichen Eingriffe in die »Hofmarken«, wie in Bayern die Grundherrschaften hießen. Wenn nach den Erfahrungen der österreichischen Bauernaufstände in den neunziger Jahren des 16. Jahrhunderts der Hofrat Hanniwald Kaiser Rudolf II. den Vorschlag unterbreitete, die Untertanen des Adels zu befreien und sie dem Landesfürsten direkt zu unterstellen, zeigt dies, in welche weit in die Zukunft weisende Richtung an den fürstlichen Höfen zuweilen gedacht wurde.

Doch es waren nicht nur die adeligen Grundherrschaften, die noch als Sonderbereiche in den Territorien galten. Da gab es kirchlichen Besitz mit besonderen Immunitäten und Steuerprivilegien, da gab es konkurrierende Gerichtsrechte eines benachbarten Landesfürsten, da gab es fremde Leibeigene im eigenen Territorium, da glich ein Territorium zuweilen einem Flickenteppich eigener und fremder Rechte, durchsetzt mit dem Streubesitz anderer Herren und einer Stadt, die die Reichsunmittelbarkeit anstrebte. Natürlich trafen all diese Sonderfälle nicht in einem Land zusammen, aber die Aufzählung dieser »Herrschaftsdefekte« – so könnte man sie nennen – mag die Schwierigkeiten verdeutlichen, die der Schaffung moderner, geschlossener Flächenstaaten entgegenstanden.

Da traf es sich gut, wenn die ständig wachsenden Reichssteuern im Lauf dieses Jahrhunderts immer wieder spezielle Immunitäten und alte Privilegien für hinfällig erklärten; da fügte es ein glückliches Schicksal, daß ein kleinerer Reichsstand in der Nachbarschaft den finanziellen Belastungen, die auf ihn einstürmten, nicht mehr gewachsen war; da ergab sich eine günstige Heirat oder ein lange erwarteter Erbfall und verhalf endlich zur ersehnten Arrondierung des Territoriums. Wenn die gegenseitige Durchmischung nebeneinanderliegender Territorien gar zu sehr die Ausbildung eines kleinen »Staates« behinderte, kam es auch schon einmal zu einem Austausch von Untertanen.

Die Prozeduren eines solchen Herrschaftswechsel zeigen, welche hohe Bedeutung einem funktionierenden Herrschaftsverhältnis zukam. Feierlich wurden die jeweiligen Untertanen von ihrem angestammten Herrn losgesprochen, langwierig erklärten ihnen anwesende Rechtsvertreter den Vorgang und schließlich mußten die Untertanen ihrem neuen Herrn einen formellen Eid leisten, erst damit galt das neue Herrschaftsverhältnis als rechtskräftig. Eine kurze Rede des neuen »gnädigen« Herrn, einige Fässer Wein und eine einfache Mahlzeit erleichterten den ganzen Vorgang, der ein bezeichnendes Licht auf die Realität von Herrschaftsbeziehungen des 16. Jahrhunderts wirft. Ähnliche Verfahren lassen sich auch in den immer wieder ausbrechenden Untertanenrevolten feststellen, die oft mehrere Jahre dauerten. An ihrem Ende stand außer einem neuen Herrschaftsvertrag immer auch die feierliche Erneuerung des Untertaneneides, der das ausdrücklich geforderte Symbol einer Beziehung zwischen Obrigkeit und Untertanen war.

Das Entstehen moderner Territorialstaaten im 16. Jahrhundert war mithin ein mühsamer Prozeß der Akkumulierung von Herrschaftsrechten, der Ausschaltung landständischer Machtpositionen, der Eliminierung konkurrierender Rechte und der Verschmelzung eines Konglomerates von Kammergut, Pfandbesitz, adeligem und kirchlichem Grundbesitz zu einem Flächenstaat, der nach gleichem Recht von fürstlichen Beamten und von einer Regierungszentrale aus regiert und verwaltet wurde. Dieser wichtige Entwicklungsschritt gelang wesentlich im Lauf des 16. Jahrhunderts. Die Geburtsstunde des frühmodernen Staates liegt in diesem Zeitraum.

Natürlich waren auch die mittel- und spätmittelalterlichen Territorien verwaltet worden. Der Hof als Lebensgemeinschaft des Herrschers und der an der Verwaltung beteiligten Personen war das Zentrum dieser traditionalen Stufe von Landesverwaltung. Sie lag in den Händen der adeligen Inhaber der Hofämter, die Positionen des Lehnsmannes und des Amtsträgers überschneiden sich vielfach. Diese Ämter waren jedoch größtenteils erblich geworden, und sie genügten nicht mehr den Anforderungen einer leistungsfähigen, funktional differenzierten, zunehmend auf Geld angewiesenen Landesverwaltung. Sie wurden mehr und mehr zu politischen Pfründen, die dazu dienten, den Adel des Landes an den Hof zu binden, und entwickelten sich dadurch immer mehr zu Repräsentationsämtern. Dies aber war nur möglich, wenn es dem Fürsten gelang, parallel zu dieser alten »Verwaltung« ein neues administratives System zu etablieren, das allein von ihm abhängig war. Dies aber erforderte größere Finanzmittel. Um sie zu erhalten, mußte der Fürst auf die Hilfe gelehrter Räte zurückgreifen, die ihn in den Auseinandersetzungen mit den Landständen unterstützten. Oft genug stammten diese Helfer – zum großen Verdruß des einheimischen Adels – nicht einmal aus dem eigenen Land, sie hatten ihre wissenschaftlichen und praktischen Erfahrungen an italienischen oder französischen Universitäten gesammelt und danach am Reichskammergericht praktiziert, das sich seit dem Beginn des 16. Jahrhunderts als ein wichtiger neuer Impuls zur fachlichen Spezialisierung der Landesverwaltungen erwies. Diese neue Schicht von meist bürgerlichen Juristen waren den Fürsten willfährige Helfer gegen den eigenen Adel, sie standen in einer neuen Art von Dienstverhältnis, wurden überwiegend mit festen Geldbeträgen entlohnt (ohne daß damit schon die ergänzenden Lieferungen von Getreide, Wein, Holz etc. völlig abgeschafft worden waren).

Jetzt erst waren die Voraussetzungen für eine effiziente Verwaltung geschaffen. Eine Differenzierung der Aufgaben setzte sich durch, spezielle Kanzleigebäude wurden errichtet, Archive angelegt, Behördenordnungen mit festen Dienstzeiten und Vorschriften für die Verwaltung erlassen. Kurzum: eine moderne Verwaltung bildete sich in ihren wesentlichen Charakteristika heraus. Alle hier Tätigen waren allein dem Fürsten durch einen speziellen Treueid verbunden, die leitenden Beamten dieses Apparats waren »Räte von Haus aus«. Ihr Kollegium wurde unter der Leitung eines Kanzlers zum wichtigsten Beratungsgremium des Fürsten, meist dokumentiert eine Kanzleiordnung den Zeitpunkt der Herausbildung einer festen Kanzlei als zentraler Regierungsbehörde. Für den Zeitraum zwischen 1467 (Bayern) und der Mitte des 16. Jahrhunderts lassen sich für die meisten der deutschen Territorialstaaten entsprechende Institutionen nachweisen. Sehr bald aber zeigte sich, daß eine einzige umfassende Behörde der wachsenden Differenzierung der Regierungsaufgaben nicht gewachsen war. Hofgericht und Kammer (für die Finanzverwaltung) spalteten sich ab und bildeten eigene Behörden, deren Leiter aber weiterhin dem Rat des Fürsten angehörten.

Natürlich konnte sich der Fürst nicht mehr der gesamten Breite der Verwaltungsaufgaben persönlich zuwenden. Er löste sich aus der Belastung der »gemeinen« Sachen und konzentrierte sich auf die wichtigen »geheimen« Angelegenheiten unter Hinzuziehung seiner vertrautesten Ratgeber. Dieses »persönliche Regiment« ist zum Topos der historischen Forschung über die Territorialstaaten des 16. Jahrhunderts geworden. Darüber hinaus konnte aus der »institutionellen Verfestigung des persönlichen Regiments des Landesherrn« schließlich der Geheime Rat als das Zentrum der späteren absolutistischen Staaten entstehen, wobei an dieser Stelle nicht auf höchst kontroverse Interpretationen dieses Vorgangs in einzelnen Territorien eingegangen werden soll. Unabhängig davon, ob sich der Geheime Rat aus der Kanzlei oder aus der Finanzkammer heraus entwickelte, müssen wir festhalten, daß der Fürst im allgemeinen persönlich die Verwaltung leitete oder sich zumindest die Entscheidung der wichtigsten Angelegenheiten persönlich vorbehielt. Das 16. Jahrhundert kannte noch nicht den »Serenissimus« des 18. Jahrhunderts, der sich völlig von der Landesverwaltung gelöst hatte und damit von seinen Räten abhängig geworden war. Im Verständnis des patriarchalischen Landesfürstentums des 16. Jahrhunderts lag noch die im Testament des hessischen Landgrafen Philipp von 1562 enthaltene Mahnung an seine Söhne, »daß sie den Armen wolten genedig sein, inen gleich und recht thun, dem Armen als dem Reichen, und dem Reichen wie dem Armen, auch Supplicationes annehmen, die selbst verlesen, oder inen referiren lassen«. Selbst die Jagdleidenschaft der Fürsten dieses Jahrhunderts diente hier noch als Argument für gute Regierungstätigkeit: »Die Herren vernehmen auch viel, wann sie uf der Jagt und Jagtheusern sein, als wann sie stets am Hofflager wehren . . .; kann auch sonst mancher arme Mann fürkommen, der nicht sonstet zugelassen wirdet.«

Diese persönliche Beteiligung der Landesfürsten wird in allen politischen Akten deutlich. Auf den Reichstagen treffen wir viele Reichsfürsten persönlich an, oder sie lassen sich durch ihre Gesandtschaften über den Verlauf genau informieren und geben – unbeschadet umfangreicher Generalinstruktionen – fallbezogene Anweisungen an den Ort des Reichstags zurück. Auf den Landtagen läßt der Fürst den Kanzler zwar die Proposition vortragen, aber er mahnt persönlich bei den versammelten Landständen die rasche Bewilligung der Hilfen an. In vielen Protokollen geheimer Ratssitzungen finden sich die Nachweise einer direkten Entscheidung des Landesfürsten. Dies ist auch der Grund dafür, daß sich die historische Forschung gerade für das 16. Jahrhundert einzelnen

Landesfürsten zugewandt hat, die durch besonders aktive Gestaltung der Politik ihrer Territorien aufgefallen sind. Die Herzöge Julius (1568-1589) und Heinrich Julius von Braunschweig-Wolfenbüttel (1589-1613), Herzog Moritz (der »Gelehrte«) von Hessen (1572-1632), Kurfürst August von Sachsen (1553-1586) oder Herzog Maximilian von Bayern (1597-1651) sind entsprechende Beispiele aus dem späten 16. Jahrhundert, an denen sich das »persönliche Regiment« gut darstellen ließe.

Doch die Frage der Herrschaftskonkurrenz stellte sich nicht nur innerhalb der Territorialstaaten, obwohl sie hier am deutlichsten zu greifen ist, sondern auch immer wieder im Verhältnis zwischen dem Heiligen Römischen Reich Deutscher Nation und seinen Reichsständen, ebenso innerhalb der Gruppe dieser Reichsstände selbst. Die schon erwähnten Unterschiede in der Größe der Territorien brachten es mit sich, daß viele kleinere Stände im Konkurrenzkampf des 16. Jahrhunderts nicht mithalten konnten. Wenn etwa die Äbtissin von Lindau dem Kaiserhof mitteilte, daß sie mangels eigener besteuerbarer Untertanen keine Reichssteuern zahlen könne, dann zeigte sich hier eine grundsätzliche Schwäche solch kleiner Herrschaften, die auf Dauer nur als Klientel größerer Stände überleben konnten. Gerade die Mitglieder der fürstlichen Bank des Reichstages wurden so zu einer vom Kaiser abhängigen Klientelgruppe.

Kein Wunder also, wenn Kursachsen im späten 16. Jahrhundert eine ganze Reihe solcher kleiner Stände in ein finanzielles Abhängigkeitsverhältnis brachte und ihre steuerlichen Verpflichtungen dem Kaiser gegenüber erfüllte. Das Haus Habsburg stand hier den Sachsen nichts nach, Bayern und Kurpfalz handelten ebenso. Man darf also nicht nur formal unterscheiden zwischen den reichsunmittelbaren Ständen (denen, die in der Reichsmatrikel verzeichnet waren und sich auf den Reichstagen versammeln durften) und den in einem Territorium gesessenen Landständen (die normalerweise auf den Landtagen der Territorien vertreten waren), sondern man muß auch die Zwischenformen von Abhängigkeiten in das Bild der Reichswirklichkeit einbeziehen, die von einem realpolitisch feingesponnenen Netz von Abhängigkeiten und Schutzverhältnissen bestimmt war.

Was könnte uns ein eindrucksvolleres Bild der wirklichen Verhältnisse im Reich geben als ein Blick auf die Arbeit der Realpolitiker dieser Zeit, der Männer, die mit der Verwaltung des Reiches oder der Territorien betraut waren. Betrachten wir zunächst den wichtigen Zweig der Reichsfinanzverwaltung. In den letzten beiden Jahrzehnten des 16. Jahrhunderts war Augsburg das finanzpolitische Zentrum des Reiches. Hier saßen die großen Handelsgesellschaften und Geldverleiher, die Stadt war die größte »Legstadt« des Reiches (d. h., hier konnten die Reichsstände ihre Steuern bezahlen) und hier war auch das Amt des »Reichspfennigmeisters« beheimatet. Von einem Vorläufer eines modernen Finanzministeriums zu sprechen, wäre gewiß irreführend, denn diesem Mann unterstanden kaum dreißig Mitarbeiter zur Abwicklung seiner Aufgaben, die von der Vorfinanzierung der Reichssteuern auf dem Kapitalmarkt über die Mahnung säumiger Steuerzahler bis zur sachgerechten Ausgabe der Gelder reichten.

1589 hatte der aus einem bürgerlichen Tiroler Geschlecht stammende Jurist Zacharias Geizkofler dieses Amt übernommen; er sollte es während des langen Türkenkrieges bis 1604 ausüben, Jahre, in denen die Reichssteuern bisher ungeahnte Höhen erreichten. Natürlich fiel einem methodisch arbeitenden, juristisch ausgebildeten Mann wie Geizkofler bald die Diskrepanz zwischen dem Sollstand der Reichsfinanzen und ihrem traurigen Iststand auf. Während die 1521 auf dem Wormser Reichstag aufgestellte Reichsmatrikel (ein Leistungsverzeichnis aller Reichsstände für die Steuerveranschlagung, aber auch ein Teilnehmerverzeichnis der Reichstage) einen Betrag von 128000 Gulden für einen sog. Römermonat versprach, kamen tatsächlich nur etwa 64000 in die Kasse des Pfennigmeisters. Nach jahrelangen Erfahrungen mit dieser schwierigen Lage schrieb Geizkofler 1602 einen Kommentar zur Reichsmatrikel, der ein wirklichkeitsgetreues Bild des Reiches abgibt. Da werden die verlorengegangenen Stände aufgeführt (etwa Metz, Toul, Verdun), die Stände, die von mächtigen Nachbarn »geschluckt« oder, durch vielfache Linienteilungen geschwächt, auf andere Stände verteilt wurden (etwa die Grafen von Henneberg). Da tauchen aber auch jene Stände auf, die ihre Steuern nicht bezahlen können, weil sie mit ihren Untertanen in langwierigen Auseinandersetzungen stehen. Da wird von Städten berichtet, die ihre Reichsfreiheit gegen benachbarte Landesfürsten durchsetzen wollen (Lüneburg), und Geizkofler erwähnt auch bayerische Herzöge, die eine vom Reichstag beschlossene Erhöhung des Steueranschlags nicht akzeptiert haben. Kurzum, es entsteht in diesem Matrikelkommentar Geizkoflers ein äußerst plastisches Bild der vielfachen Abweichungen von einem Idealzustand des Reiches, wie er sich aus der Lektüre der unkommentierten Reichsmatrikel ergibt.

So wie Geizkofler über 15 Jahre einen ständigen Kampf mit den Mißlichkeiten der Reichsfinanzverwaltung austrug und doch erstaunliche Summen für die Bedürfnisse des Reiches zusammenbringen konnte, so sehen wir auf der Ebene der Territorien Männer mit beachtlicher Tatkraft an der Aufgabe, aus meist inhomogenen Teilen und Herrschaftsbezirken zentral verwaltete Territorien zu machen. Wir finden hier ebenfalls vor allem Juristen, die zu diesen Aufgaben herangezogen wurden. Eine der herausragenden Figuren des späten 16. Jahrhunderts ist gewiß der langjährige Kanzler des Herzogtums Braunschweig-Wolfenbüttel, Joachim Mynsinger von Frundeck. Obwohl er aus einem schweizerischen Adelsgeschlecht stammte, war er doch durch seine akademische Ausbildung zu einem typischen Vertreter der juristisch geschulten Fürstenberater geworden, die in der Mehrzahl aus dem Bürgertum kamen. Mynsinger war von 1556 bis 1573 Kanzler des Herzogtums und leitete in dieser Zeit alle wesentlichen Reformmaßnahmen in der inneren Verwaltung des Herzogtums ein, von der Hofgerichtsordnung des Jahres 1559 bis zur Gründung der Universität Helmstedt im Jahre 1576, von der wir noch Näheres erfahren werden. Die Tatsache seines Ausscheidens aus dem Kanzleramt kann zugleich die Risiken der hier oft erwähnten neuen fürstlichen Beamten aufzeigen. Verloren sie – wie Mynsinger – das Vertrauen ihres Dienstherrn, mußten sie den Dienst quittieren.

Die Tatsache, daß der erwähnte Reichspfennigmeister in Augsburg seine Zelte aufgeschlagen hatte, lag neben aller wirtschaftlichen Bedeutung dieser Stadt gewiß auch daran, daß er mit einer Tochter des Hauses Rehlinger (einer der reichsten Familien Augsburgs) verheiratet war. Zugleich fällt damit der Blick auf eine besondere Gruppe der Reichsstände, die Reichsstädte. Seit dem Ende des 15. Jahrhunderts bildeten die »erbaren Frei- und Reichsstädte« zwar eine eigene Kurie des Reichstages, waren auch in der Reichsmatrikel verzeichnet, aber sie waren keine wirklich gleichberechtigten Reichsstände. Das ganze 16. Jahrhundert ist erfüllt vom Kampf der Städte um »Stimme, Stand und Session« auf den Reichstagen, d. h. um eine politische Gleichberechtigung mit Kurfürsten und Fürsten. Doch seit dem Augsburger Reichstag von 1548 war klar, daß die Städte Stände des Reiches zweiter Klasse waren, denn die Forderung nach einer Berücksichtigung des städtischen Votums auf dem Reichstag wurde scharf, ja verletzend zurückgewiesen. Für die Fürsten blieben die Städte Unsicherheitsfaktoren, Flecken der Instabilität in einer monarchisch geordneten Welt, »vermaurete bauren«, wie man schon einmal verächtlich sagte. Immer wieder tauchte die Distanz zwischen Fürsten und Städten als politisches Problem auf. Gleichgültig, ob es sich dabei um die Besteuerungsrechte der Städte für ihre Güter außerhalb der Städte handelte, ob es um die Verbindung von Fürsten und Städten im Schmalkaldischen Bund oder um die Verfassungsänderungen nach dem Sieg von Mühlberg über die Protestanten ging, überall wurde der tiefe Widerspruch zwischen Städten und Fürsten deutlich.

Ein gutes Indiz dafür ist auch der Streit um die Steuerformen des Reiches. Wir haben schon im Zusammenhang mit der Reichsreform von 1495 den Gemeinen Pfennig kennengelernt, eine Kombination von Vermögens- und Kopfsteuer, die jeden im Reich – mit Ausnahme der Besitzlosen – traf, gleichgültig ob Kurfürst oder Bauer. Die andere Möglichkeit stellte der schon erwähnte Römermonat dar, eine Steuerform, die es den Territorien überließ zu entscheiden, wie die Steuer aufgebracht werden sollte. Es wird nicht wundern, wenn die Fürsten für die Römermonate plädierten, räumte sie ihnen doch erhebliche Manipulationsmöglichkeiten gegenüber ihren Landständen und Untertanen ein.

Auf dem Reichstag in Speyer 1544 kam es zu einer neuerlichen Kontroverse über diese Steuerformen, und eine Stellungnahme des sächsischen Kurfürsten gibt uns einen vorzüglichen Einblick in die Stimmungslage der Fürsten und Städte in diesen Jahren. Der »Gemeine Pfennig«, der »Kaufmanns anschlag«, erschien den Fürsten ganz generell als Werkzeug des Frühkapitalismus, um ihre Position zu erschüttern. Sie unterstellten den Städten, »die Chur- und Fürsten des Reichs von Ihrer Freyheit, Regalien, Herrlichkeiten und Hochheiten zu bringen, den Burgern und gemeinem Manne gleich zu machen«. Denn nur wenige Stände gebe es unter ihnen, argumentierten die Fürsten weiter, die ohne Schulden seien. Die allermeisten seien bei den Städten oder bei ihren Untertanen hochverschuldet, seien also gezwungen, ihre Güter zu verpfänden, »damit er dem Wucherer das Maul mag stopfen«. Wenn die Städte solchen berechtigten Klagen nun noch entgegenhielten, die Fürsten sollten ihre Pracht und ihr »fürstliches Wesen« einschränken, sei dies nur ein weiterer Beweis für die wahren Absichten der Städte, die sozialen Unterschiede gänzlich einzuebnen: »...und hat solches wahrlichen ... ein selzam schweizerisch Ansehen, und ist der Meynung nicht ungemes, wie etliche Schwärmer gewolt haben, daß alle Ding gemein, und unter Fürsten, Grafen, Herren und dem gemeinen Mann kein Unterschied seyn solte.« Man wisse doch, daß Gott einen Unterschied zwischen Obrigkeit, Bürgern und Untertanen gewollt habe. Wenn man den Obrigkeiten, die ein gutes Regiment führen sollen, auch noch (durch den Gemeinen Pfennig) eine Steuer auferlege, erreiche man dadurch nichts anderes als die Aufhebung des gottgewollten Unterschieds zwischen Fürsten und Untertanen. Es paßt zu diesem Argument, wenn 1545 der Kurfürst von Brandenburg die Forderung nach Einbeziehung der Fürsten und des Adels in die Besteuerung mit der bissigen Bemerkung kommentierte, daß es »dem gemeinen gepofel (also Pöbel)« wohl gefalle, »wann die obrigkeit und die reichen mitgelden müssen«, also mitzahlen müßten.

Kein Zweifel kann daran bestehen, daß die Fürsten die Städte als Konkurrenten betrachteten, über deren Absichten offensichtlich nicht mehr zu disputieren war. Vor diesem Hintergrund gewinnt der Vorgang der Abgrenzung der Territorialstaaten, durch den die Reichsstädte schließlich ihre Machtstellung verloren, ein anderes Gewicht: er wird in seiner Wirkung ein gegen die Reichsstädte gerichteter Vorgang.

Schließlich muß noch eine Sonderform von Herrschaft berücksichtigt werden, die weit unter der Ebene der Staatlichkeit verbleibt, trotzdem ein wichtiges Element des Reiches ausmacht. Es sind dies die Reichsritter, die sich im Lauf des späten 15. und des 16. Jahrhunderts aus der drohenden Einvernahme durch die Territorialstaaten befreien konnten und sich unter dem wohlwollenden Schutz des Kaisers eine eigenartige Nischenposition zwischen der Ebene der Territorien und der des Reiches ausbauen konnten. Weder zu Landtagen noch zu Reichstagen verpflichtet, schlossen sich die Reichsritter zu Kantonen mit einer lockeren Verwaltung zusammen, zahlten dem Kaiser auf dessen spezielle Bitte eine Ritterschaftssteuer und führten im übrigen ihren verzweifelten Kampf gegen die Gerichte und die Verwaltungsbehörden der sie umgebenden Territorien, denen die Reichsritter in ihrer bizarren Autonomie natürlich ein Dorn im Auge waren.

Diese Übersicht über die Formen der Herrschaft im Reich und

die ihnen innewohnenden Dynamik hat gezeigt, daß das Reich keineswegs ein unveränderliches politisches Gebilde war. Mannigfache Konzentrationsprozesse werden sichtbar, Konkurrenzverhältnisse ausgeprägter, kleine Stände kämpften um das politische Überleben. In dieser Vielfalt der Herrschaftsformen, der durch das Reich garantierten Existenzmöglichkeit, der rechtlichen Kontrolle der vielfachen gegenseitigen Ansprüche liegt die eigentliche Funktion des Reichsverbandes im 16. Jahrhundert wie in späteren Zeiten. Die hierfür im Lauf des 16. Jahrhunderts entwickelten oder weiter ausgebauten Instrumente erwiesen sich insgesamt als beachtliche Lösungen, die gerade angesichts der schnelleren Modernisierung in den Territorien hervorzuheben sind.

Zu denken ist hier einmal an die Kreisverfassung, die – eigentlich als Nebeneffekt bei der ständischen Präsentation der Kammergerichtsbeisitzer seit 1512 entstanden – je länger desto mehr zu einem wesentlichen Element regionaler Politik wurde, etwa wenn es um die Kontrolle der Münzsorten, die Landfriedenssicherung und die Exekution von Kammergerichtsurteilen ging. Zwar wurden die Kreisverfassungen unterschiedlich stark ausgebildet, ihre Bedeutung z. B. für die Einbringung der Türkensteuern und sogar die Organisation eigener Truppenkontingente im »langen« Türkenkrieg seit 1593 darf jedoch nicht unterschätzt werden. In diesem Zusammenhang regionaler Organisierung spezifischer Interessen müssen auch die Kollegien der Reichsprälaten in Schwaben und am Rhein, der Reichsgrafen in Schwaben, Franken und der Wetterau erwähnt werden. Wenn auch diese Kollegien immer heftig miteinander um ihren Einfluß kämpften und nur schwer die Mittel für ihre Zusammenschlüsse aufbringen konnten, so artikulierte sich doch gerade auf dieser Ebene der Politik die Wirklichkeit der Reichsverfassung, die die Existenz dieser Vielfalt von Herrschaften garantierte.

Vielfalt von Herrschaften bedeutete zugleich auch eine Vielfalt von Auseinandersetzungen über kollidierende Ansprüche. Hier stand seit 1495 das Reichskammergericht bereit, um dem Grundsatz einer allgemein verbindlichen Rechtsprechung auf der Grundlage des »gemeinen Rechts« zur Durchsetzung zu verhelfen. Doch war der Konfliktstoff natürlich nicht auf die Auseinandersetzungen zwischen den Reichsständen begrenzt. Er betraf ebenso das gewachsene Bedürfnis nach Rechtssicherheit im städtischen Bereich und die zahlreichen Auseinandersetzungen zwischen

Grundherren und Untertanen. Vor allem seitdem das Reichskammergericht 1526 in Speyer seinen festen Sitz gefunden hatte (neue Reichskammergerichtsordnung 1548/1555), ließ sich ein beachtlicher Anstieg seiner Frequentierung beobachten, die ihren Höhepunkt im späten 16. und frühen 17. Jahrhundert fand. Auch der Reichshofrat in Wien bzw. Prag, der seit der Errichtung des Kammergerichts neue Bedeutung als persönliches Gericht des Kaisers gefunden hatte (Reichshofratsordnung 1559), wurde vor allem angesichts der konfessionell bedingten Behinderung des Kammergerichts stärker genutzt. Die Rechtsprechung des Reichskammergerichts hatte auch Auswirkungen auf die territorialen Rechtssysteme, die sich in der zweiten Jahrhunderthälfte in weiterem Ausbau befanden. Die in diesen Jahren erschienenen Sammlungen der Urteile des Reichskammergerichts bezeugten das starke Interesse der Territorien an den Speyerer Urteilen. Darüber hinaus – dies soll noch behandelt werden – war das Kammergericht jedem Bauern im Reich eine durchaus vertraute Einrichtung.

1.2. Der neue Steuerstaat

Die erwähnten Beispiele lassen erkennen, welche Bedeutung der Besteuerung für den modernen Staat zukommt. Wo sie gegen konkurrierende Ansprüche anderer Herrschaftsträger oder gegen unwillige Landstände und widerwillige Untertanen durchgesetzt werden konnte, da vermochte sich die neue Staatlichkeit mit allen Instrumenten und Zeichen des neuen Herrschaftsverständnisses durchzusetzen. Die Steuer, so läßt sich sagen, war die Nagelprobe der staatlichen Herrschaftsansprüche.

Durchsetzung des Steuerstaates bedeutete aber nicht nur Schwächung adeliger Vorrechte, Beseitigung von Immunitäten und Vereinheitlichung des Territorialstaats, sondern auch Gewöhnung der Untertanen an dauerhafte Besteuerung. Zwar war schon seit 1507 und 1510 in den Reichsabschieden die Umlage der Reichssteuern auf die Untertanen bestimmt worden, doch war die damit verbundene Doppelung der Abgaben an den Grund- und an den Landesherrn bzw. an den Kaiser für die Untertanen ein ungewöhnlicher Vorgang. Im Bauernkrieg hören wir von Bauern die folgende Beschwerde: »Darumb wir vermainen, söllich Geld nit schuldig zu sein us der ursach, darumb das wir Zins und Gilt geben, darum unser Juncker billich und beschützen und beschirmen soll.« Hier kollidierte die traditionelle Auffassung der Bauern, nach der der eigene Grundherr, dem man doch die normalen Abgaben (Zins und Gült) entrichte, für den Schutz seiner »Grundholden« verantwortlich sei, mit der neuen, nach der der Landesherr zur Erfüllung der neuen staatlichen Aufgaben eigener Abgaben bedurfte.

Dies war eine permanente Überforderung vor allem der bäuerlichen Untertanen. Der historische Wandel, der sich genau im Lauf dieses Jahrhunderts vollzieht, wird erst in seiner vollen Schwere erkennbar, wenn wir einige Angaben über die Entwicklung der Steuerbelastung zusammenfügen. Werfen wir zunächst einen Blick auf die Reichssteuern, weil wir dabei sicher sein können, die generelle Entwicklung in den Griff zu bekommen. Zwischen 1519 und 1555, in der Regierungszeit Karls V., betrug die Summe der Reichssteuern noch insgesamt 731/2 Römermonate, etwa zwei Römermonate pro Jahr. Zwischen 1556 und 1606 aber wurde die Summe auf insgesamt 409 Römermonate gesteigert, auf etwa acht pro Jahr. Dieses Verhältnis wird noch krasser, wenn man die zwischen 1593 und 1606 erhobenen Kreissteuern für die Türkenkriege miteinbezieht: es ergibt sich die Summe von fast zwölf Römermonaten pro Jahr. Man könnte dann von einer Versechsfachung allein der Reichssteuern im Lauf eines Jahrhunderts sprechen, ein schier unvorstellbarer Vorgang alleine unter wirtschaftsgeschichtlichen Aspekten, geschweige denn unter mentalitätshistorischen Gesichtspunkten. Auch die Untersuchung der territorialen Entwicklung bestätigt diesen Eindruck einer ungeheuren Innovation auf steuerlichem Gebiet. Für Bayern ist der Anstieg der landesfürstlichen Besteuerung zwischen 1480 und 1660 auf ca. 2200 % berechnet worden, während der Anstieg der traditionellen Belastung durch die Grundherren nur 300 bis 400% betrug. Selbst wenn hier mögliche Berechnungsfehler und die Berücksichtigung der Inflation die absoluten Zahlen relativieren, wird am schockierenden Anstieg der Steuerlast kaum zu zweifeln sein.

Was dieser Prozeß für die betroffenen Untertanen bedeutete, wird aus einer kleinen Begebenheit aus dem Gebiet der Truchsessen von Waldburg deutlicher. Hier fragten sich im Jahre 1604 die Untertanen im Amt Hohentengen, nachdem ihnen der Amtmann eine Steuerlast von dreißig Römermonaten verkündet hatte, warum sie denn in einem Jahr über dreißig Monate zu zahlen hätten, »dieweil nur zwölf monat im jahr seyen«. »Darüber man sie bericht«, schrieb der Amtmann über diesen Vorfall, »etlich mögens verstanden haben und etlich auß unverstand nit«. In einem anderen Fall sprachen Bauern angesichts solcher Steuerlasten davon, man solle doch die römischen Monate wieder abschaffen und die guten, alten »teutschen« Monate wieder einführen, denn davon habe das Jahr nur zwölf.

Der moderne Steuerstaat, wie er hier skizziert wurde, hat eine Fülle von Wirkungen und Spuren hinterlassen. Er braucht eigene Behörden und Beamte, eine Gerichtsbarkeit in Steuersachen, er fördert das Nachdenken über möglichst ertragreiche Steuern (Reichszollplan, Luxussteuern), er provoziert akademische Dissertationen und eine Fülle von Gutachten, er verursacht schließlich Revolten gegen zu hohe Steuern. Wir verdanken der intensiven Arbeit der Beamten dieser Zeit auch ganz neue Einblicke in das Vermögen der Steuerbürger dieser Zeit. Auch hier bedeutet der »Gemeine Pfennig«, der auf dem Wormser Reichstag von 1495 beschlossen worden war, einen Duchbruch insofern, als die Listen, die für seine Einziehung angelegt wurden, einen ersten umfassenden Einblick in eine relativ große Zahl von Territorien und Städten ermöglichen. Die Städte waren auf diesem Gebiet der Verwaltungstechnik natürlich führend, und die historische Forschung hat für eine große Zahl von Städten des 15. und 16. Jahrhunderts inzwischen sehr präzise Vermögensstatistiken erarbeitet. Diese Quellengattung vermehrte sich im Lauf des 16. Jahrhunderts soweit, daß auf der Basis der sog. Türkensteuerregister auch für ein Territorium wie das Herzogtum Württemberg eine vollständige Berechnung der Vermögen erarbeitet werden konnte. So ergab die Bearbeitung der Steuerregister für die Jahre 1544/45 in diesem Lande ein Durchschnittsvermögen von 171 Gulden (in den Städten 232, auf dem Lande 147 Gulden). Fast 80 % der württembergischen Bevölkerung lassen sich dabei der breiten Vermögensgruppe zwischen 20 und 500 Gulden zurechnen, während 13,5 % unter und 7,6 % über dieser Grenze lagen.

1.3. »Gemeiner Nutz«, »gute policey« und Staatsräson

Herrschaft bedurfte auch im 16. Jahrhundert der Legitimation gegenüber den Untertanen. Diese Legitimation geschah zum einen durch die Erfahrung erfolgreicher Regierungstätigkeit. Die Abwehr eines feindlichen Heeres, der Erlaß einer neuen Münzordnung, die Ausweisung sog. gartender Knechte (arbeitsloser Soldaten), die Neueinrichtung eines Marktes, die Trockenlegung eines Moores, die Schiffbarmachung eines wichtigen Flusses, die Überwindung einer Hungersnot, all dies konnten Zeichen erfolgreicher Herrschaft sein. Zum anderen aber bedurfte Herrschaft der Legitimation durch bestimmte Wertvorstellungen, die in der Lage waren, mit einem Wort den Wert von Herrschaft und Obrigkeit zu erklären. Ein solcher Begriff war im 16. Jahrhundert der »gemeine Nutz«. Wir verfügen heute über keinen ähnlich umfassenden Begriff zur Begründung politischen Handelns wie es der des »gemeinen Nutzens« schon im Spätmittelalter, vor allem aber im 16. Jahrhundert war. In dieser Epoche war er Inhalt von guter Politik schlechthin, sowohl für das Verhalten des einzelnen im Gemeinwesen wie für die Leitung des Gemeinwesens ganz allgemein.

An einigen Beispielen kann man die Breite und auch die Ambivalenz dieses Begriffs aufzeigen, ohne daß damit schon alle denkbaren Varianten behandelt würden. Hans Maier hat in diesem Gemeinwohlgedanken ein Konzept gesehen, das im Unterschied zum modernen Begriff der Staatsräson, der im Lauf des späteren 16. Jahrhunderts in Deutschland aus Italien rezipiert wurde, lediglich auf die Wahrung von Recht und Frieden durch den Fürsten abzielte; er hat in der Verwendung dieses Konzepts noch bis weit in die Neuzeit »das Bild eines erstarrten und gleichsam rationalisierten Mittelalters« sehen wollen. Neben dieser ersten an Recht und Frieden orientierten Grundbedeutung darf jedoch nicht übersehen werden, daß das Gemeinnutzkonzept auch andere Inhalte in sich aufnehmen konnte. Wirtschafthistorische Forschungen haben zeigen können, daß sich schon im späten Mittelalter eine aktive Politik zur Förderung und Sicherung des Handels durch den Hinweis auf den Gemeinnutz legitimierte, gerade wenn damit auch Interessen einzelner beeinträchtigt werden mußten.

Daneben aber wurde »gemeiner Nutz« nicht nur als Legitimation von Herrschaft verstanden, sondern er ist auch das Gemeinwesen selbst. Johann Ferrarius, ein Marburger Jurist und Geheimer Rat Landgraf Philipps, definierte den Gemeinnutz in seiner Schrift *Tractatus de respublica bene instituenda. Das ist ein sehr nützlicher Traktat von Gemeinen Nutzen* folgendermaßen: »Ist zu wissen, daß res publica oder Gemeinnutz nit anders ist dann ein gemein gute Ordnung einer Stadt oder einer andern Kommun, darein allein gesucht wird, daß einer neben dem anden bleiben kunde und sich desto stattlicher mit aufrichtigem unverweislichem Wandel im

Frieden erhalten. Und wurd darum der gemeinnutz genannt, daß in dem fall keiner auf sein eigen Sache allein sehen soll.« Dieses so definierte Gemeinwesen sollte nach Ferrarius seine verschiedenen Glieder in einer »guten Ordenung« zusammenfügen, der Ordnung also von Obrigkeit und Untertanen: »Also in einer Stadt oder Kommun müssen alle Stücke zusammen stymmen, sich vergleichen und keins dem andern in sein ampt fallen. Daraus kompt ein harmonia und schöner lieplicher thon, das wir nenen ein gemeiner nutz.«

Doch neben dieser funktionalen und verdinglichten Bedeutung des Gemeinnutzes auf der Ebene der politischen Ordnung ist er auch ein Regulativ für das Wohlverhalten des einzelnen Bürgers. Angesichts der bekannten Natur des Menschen und seiner Veranlagung zum Laster, die immer in Widerspruch steht zum Ideal eines wahrhaft christlichen Lebens, bedeutete diese Handlungsorientierung am »gemeinen Nutz« ein ständiges Korrektiv der menschlichen Leidenschaften. Ferrarius gebrauchte schon das Wort von der Wolfsnatur des Menschen (»homo homini lupus«), die es mit Hilfe des Gemeinnutzes zu bekämpfen gelte. Auch bürgerliche Theoretiker wie Paul Negelein, der um 1600 ein Buch *Vom bürgerlichen Stand* schrieb, das eine andere Orientierung zumindest in Andeutungen erwarten ließe, gehen noch von dieser grundlegenden Gemeinnutzvorstellung aus und greifen automatisch auf das Bild vom menschlichen Körper zurück, um die Komplexität gesellschaftlicher Zusammenhänge zu erklären: So wie im Körper alle Organe und Glieder eine bestimmte Funktion erfüllen müssen und auf diese Weise dem gemeinen Nutzen des Gesamtkörpers dienen, muß sich der einzelne Mensch in der Gesellschaft verhalten, Habsucht und Geiz aber werden als gesellschaftsschädlich verdammt. »Hingegen aber wo der Geiz oder Eigennutz einmal bei den Menschen eingewurzelt, da ist wenig Guts zu hoffen.« Negelein bediente sich hier eines festen Topos der Literatur des 16. Jahrhunderts, der alle Ethikbücher, Christenspiegel und Lehrgedichte durchzog. Bei Rollenhagen hieß es: »Da jeder nur für sich will leben, nichts zum gemeinen nutz hingeben, da geht zugrund all policei.«

»Gemeiner Nutz« reicht jedoch über diesen verbindlich gemachten Altruismus des Menschen noch weit hinaus. Er dient nicht nur der Orientierung staatlichen und individuellen Handelns, sondern er bildet auch ein Kriterium für die Beurteilung obrigkeitlichen

Handelns für jene Schichten der Bevölkerung, die selbst nicht zur Herrschaft qualifiziert waren, für den »gemeinen Mann« also. So wurden im Bauernkrieg und in späteren Revolten Forderungen damit begründet, daß Herrschaft nicht mehr am »gemeinen Nutz« orientiert sei. Die ganze Widersprüchlichkeit des Begriffs wird deutlich, wenn wir hören, daß 1498 in Nürnberg die Austreibung der Juden »um Gemeinnutz und Notdurft willen« geschah und daß im Bauernkrieg eine Reformation des Reiches damit begründet wurde, »damit der arm Mann und gemeiner Nutz ihrer Fuhrgang haben«.

Wie eng der »gemeine Nutz« und die »gute policey« für Regierungspraxis und -theorie zusammenhingen, ist schon in dem zitierten Gedicht sichtbar geworden. Seit dem 15. Jahrhundert dringt der Begriff in die deutsche Sprache ein, und die Geschwindigkeit seiner Ausbreitung ist ganz sicher ein Indiz für die Bedeutung ordnender Staatstätigkeit in dieser Zeit. »Gute Ordnung und policey« lautet das Motto aller Staatstätigkeit, darin durchaus vergleichbar dem »gemeinen Nutz«. Einen Unterschied wird man nur insofern sehen können, als dieser ältere Polizeibegriff eher die ordnenden Tätigkeiten selbst beschreibt als deren Orientierung.

Hier ist es vor allem das Ausmaß der durch diesen Polizeibegriff theoretisch betroffenen gesellschaftlichen Bereiche, das uns besonders interessieren muß. Was wollen die vielen Reichs- und Landespolizeiordnungen alles regeln? Aus einer Durchsicht der zahlreichen Artikel und Paragraphen wird sich eine zusammenfassende Antwort schwer finden lassen. Plausibler erscheint mir eine Interpretation, die Hans Maier in seiner schon erwähnten Arbeit über die »ältere deutsche Verwaltungslehre« gegeben hat: Er spricht davon, daß »alles, was sich ... der Selbstordnung der Ständegesellschaft entzogen hat oder weiter entzieht; alles, was im gesellschaftlichen Leben ordnungs- und formbedürftig geworden ist«, der potentiellen Regelung durch die »policey« anheimfiel. Mit dieser Bestimmung, die uns der Mühe enthebt, vom Verbot des Fluchens bis zur Regelung des Brandschutzes eine Unmenge von Einzelbestimmungen aufzuzählen, wird zugleich auch die Begründung für diese Seite der Staatstätigkeit gegeben. Wir können dabei an das anknüpfen, was schon zur Krisensituation der zwanziger Jahre gesagt wurde: Die ständische Gesellschaft war in einem solchen Maße in Unordnung geraten, von Konflikten erschüttert, daß sie neuer Mechanismen bedurfte, um diese beizulegen. Das labile Miteinander der Stände war durch tiefgreifende sozial-öko-nomische Veränderungen problematisch geworden, Abhilfe war jetzt nur mehr möglich »durch das Recht und die Weisheit« des Fürsten, wie es einmal der Humanist Juan Luis Vives formulierte.

Wann immer wir die spezifischen nationalen Entwicklungen der europäischen Länder sinnvoll voneinander abgrenzen wollen, müssen wir einzelne entscheidende Situationen herausarbeiten, in denen wichtige Weichenstellungen vorgenommen wurden. Die Lösung, die sich in Deutschland seit dem 16. Jahrhundert durchset-zen konnte, unterschied sich etwa von der englischen Entwicklung fundamental dadurch, daß die Möglichkeiten gesellschaftlicher Selbstregulierung zu wenig entwickelt waren, um ein wirksames Gegenkonzept gegen die fürstliche Regelungskompetenz anbieten zu können. Der Fürstenstaat bot sich als Regulativ aller Konflikte an und gewann dadurch zuerst seine historische Bedeutung für die deutschen Verhältnisse. Als er während und nach dem Dreißigjäh-rigen Krieg noch einmal eine ähnliche Rolle spielen konnte, hatte er endgültig seine Führungsrolle gegenüber möglicher gesellschaft-licher Selbstorganisation erlangt, der deutsche Weg in die Moderne war jetzt wesentlich eingeengt und vollzog sich innerhalb dieses »staatlichen« Modells.

Gegen Ende des 16. Jahrhunderts war diese Entwicklung in Deutschland so weit fortgeschritten, daß sie hier zur Rezeption der »ragione di stato« führte, der Staatsräson. Dieser Begriff, der bislang im Reich immer als Kategorie des kritisierten Machiavel-lismus verachtet worden war, tauchte jetzt zunehmend als Leitka-tegorie staatlichen Verhaltens auf. Der kaiserliche Rat Jakob Bor-nitz definierte ihn zum erstenmal in einem Werk von 1602 als die »wahre politische Klugheit«, die mit Frömmigkeit und Tugend identisch sei und deshalb von der schlechten »welschen ragione di stato« getrennt werden könne. Diese Rezeption des Begriffs der Staatsräson in den deutschen Territorien – für das Reich fand der Begriff charakteristischerweise keine Anwendung – ist auch ein Hinweis auf eine neue Qualität des Nachdenkens über die Grund-lagen, die Formen und die Prinzipien der politischen Ordnung. Seit dem späten 16. Jahrhundert wurde eine Fülle von politikwis-senschaftlichen Schriften veröffentlicht, die in zunehmendem Maße als empirische Analysen der politischen Realität und weni-ger als Konzeptionen eines idealen Gemeinwesens verfaßt wur-den.

1.4. Die Landesdefensionen

Der Augsburger Reichstag von 1555 hatte dem Reich nicht nur den Religionsfrieden beschert. Als anderes bedeutsames Resultat müssen wir die sog. Reichsexekutionsordnung ansehen, d. h. eine Ordnung zur praktischen Durchführung des Landfriedens im Reich. Seit 1495 war ja endgültig klargeworden, daß nur die Territorien im Zusammenspiel mit dem Kaiser noch in der Lage waren, den inneren Frieden im Reich zu garantieren. Das Jahr 1555 bedeutet in dieser Entwicklung die Festlegung praktischer Verfahren zur gegenseitigen Hilfe der Stände bei einem etwaigen Bruch des Landfriedens. Sicherung des Landfriedens aber hieß für die Territorien auch den Aufbau ständiger militärischer Einheiten oder zumindest eine neue Form der Vorsorge für den militärischen Schutz eines Landes. Bislang verfügte kein Territorialfürst über ständige Heeresteile. Im Kriegsfall wurden Söldner geworben, denn die feudale Heeresfolge der adeligen Lehnsleute war ebenso wie das Aufgebot der Untertanen militärisch unwirksam geworden. Der Augsburger Abschied von 1555 bewirkte in dieser Situation eine Veränderung insofern, als jetzt jeder Landesfürst ermahnt wurde, militärisch »in guter Bereitschaft« zu sitzen und sich so zu versehen, daß »er und die seinen in solchen Nothfällen zusammen laufen« könnten, um eine Bedrohung durch Landfriedensbrecher abwehren zu können.

Diese Bestimmung des Augsburger Abschieds bedeutete für die deutschen Fürsten eine arge Verlegenheit. Die alten Aufgebotsformen waren trotz ihrer formalen Existenz militärisch wenig hilfreich; ständige Soldtruppen zu unterhalten aber war zu teuer, und es war mit einer Reihe von Nachteilen verbunden, wenn schlecht oder gar nicht besoldete Soldaten im Land herumzogen und es unsicher machten. Andererseits konnte an der Verpflichtung der Landesherren zum Schutz ihrer Länder zu diesem Zeitpunkt gar kein Zweifel mehr bestehen. Die schon erwähnte Allkompetenz der Fürsten galt auch für den militärischen Schutz, und für ein juristisches Gutachten aus dem Jahre 1614 bestand kein Zweifel mehr daran, daß der Schutz des Landes zur »Landesherrlichkeit« gehörte: Jeder Fürst könne in seinem Territorium »eben der Gewalt und Macht, so dem Kaiser im Reich gebüret, heutigen Tags genießen«.

Die Alternative zu den teuren Soldtruppen einerseits und dem unwirksamen, obsoleten Aufgebot andererseits lag in den neuen »Landesdefensionen« des späten 16. Jahrhunderts. Dies waren Organisationen, in denen ein qualifizierter »Ausschuß« der bewaffneten Untertanen und der adeligen Lehnsträger systematisch auf den Kriegsdienst vorbereitet wurde. Hier wurden nicht mehr alle männlichen Untertanen mehr schlecht als recht bewaffnet, sondern besonders fähige und geeignete Untertanen ausgesucht, einheitlich bewaffnet und gekleidet, regelmäßig gedrillt und sogar in kleineren militärischen Übungen auf eventuelle Einsätze vorbereitet.

Die Überlegungen zum Rückgriff auf die Untertanen bei der Verteidigung des Landes wurden von verschiedenen Schriftstellern vorgetragen. Da war zum einen der kaiserliche Feldhauptmann Lazarus von Schwendi, der schon 1547 über den Betrug bei der Musterung der Söldner geschrieben hatte und 1566 zum erstenmal den Einsatz der Untertanen gegen die Türken in den habsburgischen Erblanden empfahl. Schwendi seinerseits griff auf entsprechende Vorschläge des Italieners Niccolo Machiavelli zurück, der unter Verweis auf die römische Geschichte ebenfalls empfohlen hatte, die Untertanen zur Verteidigung ihrer Heimat einzusetzen. Das römische Vorbild spielte auch in der sog. »oranischen Heeresreform« eine besondere Rolle. Diese von den Niederlanden ausgehende, besonders aber in den nassauischen Grafschaften durchgeführte Reform des Heerwesens im eben skizzierten Sinne ist von einigen Autoren sogar als »militärische Revolution« bezeichnet worden. Dabei wurde vor allem die neue Form des »Drills« und die bewußte Integration der Untertanen in das Defensionssystem als revolutionär empfunden.

Durch die konfessionspolitische Bedrohung der nassauischen Grafschaften seit ihrem Übertritt zum Calvinismus hatte sich dort seit dem Beginn der achtziger Jahre ein gemeinsamer Landrettungsverein gebildet. Besonders Nassau-Siegen, wo sich Johann VI. und Johann VII. besonders um die Organisation der Landesdefension bemühten, ragt heraus. Es entsteht das Bild eines kleinen militärischen Musterstaats bis hin zu jenem Manöver im Herbst 1592, in dem der nassauische und solmsische Ausschuß nahe Dillenburg ihre Fähigkeiten zu beweisen versuchten. Dabei ging die Manöverlage davon aus, daß das durch den Türkenkrieg militärisch geschwächte Reich von spanischen Truppen angegriffen werde. Unschwer zu erkennen, daß die Landesdefensionen des späten 16. Jahrhunderts auch ein Reflex auf die zunehmend unsicherer werdende Lage im Reich waren, wenn auch nicht alle Defensionssysteme damit zu erklären sind.

Auf den ersten Blick könnte man vermuten, daß diese Defensionssysteme als eine Vorform der allgemeinen Wehrpflicht zu betrachten sind. Dabei ist jedoch zu bedenken, daß zum Ausschuß nur ein relativ geringer Prozentsatz der Untertanen herangezogen wurde, in Sachsen z. B. weniger als 10% der Untertanen. Im übrigen war die Praxis dadurch geprägt, daß wirtschaftlich wichtige Untertanen – wie etwa Handelsleute, Beamte, reiche Bauern – vom Waffendienst freigestellt waren. Eine allgemeine Wehrpflicht wäre auch wirtschaftlich kaum durchzusetzen gewesen. Die agrarisch-gewerblichen Produktionsbedingungen erlaubten weder im Hinblick auf den Arbeitsprozeß noch in bezug auf die wirtschaftliche Gesamtleistungsfähigkeit eine allgemeine Dienstpflicht. Insofern war der »Ausschuß« eine ökonomisch angemessene Defensionsform, die der Wirtschaft nicht die notwendige hohe Zahl von Arbeitskräften entzog. Ganz im Gegenteil, indem der »Ausschuß« ganz allgemein auf die mittleren und unteren Schichten der Landbevölkerung zurückgriff, entzog er der Wirtschaft nur entbehrliche, oder ökonomisch schwache Kräfte. Während im sächsischen Defensionswerk noch durch Los über die Teilnahme entschieden wurde, galt in Hessen-Kassel bereits das Prinzip der »electio«, der bewußten Auswahl nach bestimmten Kriterien. Das bedeutete, daß »hantierung und nahrung« nicht gestört werden sollten. Außer diesen ökonomischen Argumenten wurden körperliche und geistige Eignung der Untertanen beachtet und darüber hinaus sogar Versuche unternommen, den Ausschuß möglichst mit »Defensionern« zu besetzen, die freiwillig oder zumindest ohne Widerspruch den Dienst verrichten wollten. Die vorgeschriebene Musterungsfrage »Willst du ein Soldat werden?« oder »Hast du lusten dazu?« weisen in diese Richtung. Die daneben bestehenden Vorschriften über die Schonung von Kaufleuten, Geistlichen, Schul- und Ratspersonen, Bauern und Handwerkern belegen, daß vorzüglich die ausgewählt wurden, die – wie es in der Instruktion hieß – »Lust, Liebe und Hertz zum handel« hatten.

Die neue »Trillerey«, die die Defensionssysteme auszeichnete, war eine direkte Konsequenz der Ausrüstung der Ausschußtruppen mit Feuerwaffen. Deren Einsatz war unter den technischen Bedingungen der Luntenrohre des späten 16. und frühen 17. Jahrhunderts nur dann militärisch sinnvoll, wenn die Vorgänge des Ladens, Zielens und Zündens vereinheitlicht und mechanisch eingeübt wurden. Selbst wenn es den Nassauern gelang, das Laden und Abschießen einer solchen Büchse auf zwanzig Handgriffe zu beschränken, blieb das eine technisch komplizierte Prozedur. Ihre intensive Einübung war um so wichtiger, je ungewohnter die Technik für die Defensionäre war, zumal wenn die »Exercitien« in der Bewegung und auf bewegliche Ziele durchgeführt wurden. In militärischen Übungen dieser Art sah man »das Mittel, dadurch aus bauren soldaten gemacht werden«.

Aus Bauern (»Pflugamseln«) Soldaten zu machen war freilich nicht nur aus diesem Grunde schwer. Es galt auch erhebliche Widerstände des Adels zu überwinden, der auch auf diesem Gebiet einem landesherrlichen Zugriff auf seine Untertanen sehr kritisch gegenüberstand. Doch nicht nur deshalb war dem Adel ein derartiges Defensionssystem verdächtig. Wurde doch hier ganz offenbar, daß der Schutz des Landes – bislang eine wesentliche Legitimation des Adels – jetzt den Untertanen übertragen war. Dies war schon deshalb unübersehbar, weil Lazarus von Schwendi, der erwähnte Theoretiker der Landesdefensionen, seine Vorschläge mit deutlicher Kritik an der Abwendung des Adels vom Kriegsdienst verband und den Adel aufforderte, auf diesem traditionellen Feld seine eigentliche Aufgabe zu sehen. Wenn Schwendi dann noch anregte, daß den in der Landesdefension eingesetzten Untertanen »etwas vorteil bescheche, also daß sy etwas freier oder eine jeden in iren steuern und schazung ... etwas nachgelassen werde ... und sy derwegen andern iren Mitbürgern etwas furgezogen wurden«, wurde eine neue gesellschaftliche Ordnung in Umrissen erkennbar.

Ein weiteres Problem war mit der Bewaffnung der Untertanen verbunden. Wie konnte man angesichts der bestehenden Rebellionsgefahr der Untertanen denen die Waffen in die Hand geben, die sie gegen ihre Herren richten konnten? Keines der zeitgenössischen Gutachten ließ diese Frage aus, und wir können deshalb annehmen, daß hier der Kern adeliger Vorurteile gegen die Untertanenbewaffnung lag. Schon Schwendi griff 1566 diese Frage auf, glaubte jedoch eine wirkliche Gefahr verneinen zu dürfen, falls man die Defensionäre sozial belohne und nur begüterte Untertanen einsetze.

Die bemerkenswerteste Behandlung dieser Frage findet sich

zweifellos in einer Abhandlung des Grafen Johann VI. von Nassau, in seinen *Motiven wie die Untertanen zue dem Defensionswerk willig zu machen und zu unterweisen* aus dem Jahre 1595. Auch er sieht die Risiken einer Bewaffnung der Untertanen, er will auch wie Schwendi gewisse Vorkehrungen treffen. Doch der Graf geht dann zu einer anderen Argumentation über, die bemerkenswert erscheinen muß. Das Defensionswerk solle nämlich ein neues Verhältnis zwischen Herrschaft und Untertanen herbeiführen. Der wirkliche Anlaß für Revolten sei nicht die Bewaffnung der Untertanen, sondern die kritikwürdige Herrschaftspraxis in den meisten Territorien. Solche Obrigkeiten beachteten nicht die »wechselseitige Verpflichtung« zwischen Herrschaft und Untertanen.

Ohne Zweifel haben wir es hier mit einer weit vorausgreifenden Überlegung des Grafen zu tun, die keinesfalls die tatsächliche Herrschaftspraxis dieses Territoriums wiedergab. Aber es zeigt sich doch, wie in der Neuorganisation der Landesverteidigung, in der idealen Beziehung von Herrn und Untertan auf dem Boden der gleichen bedrohten Konfession neue Konzeptionen von Herrschaft entwickelt werden konnten. Wieder einmal stoßen wir auf die innovative Kraft dieses 16. Jahrhunderts, wenn hier zwei Generationen nach dem Bauernkrieg Konzepte eines Verhältnisses von Obrigkeit und Untertanen erwogen wurden. Freilich wäre es verfehlt, aus der Bedeutung der Untertanen für die Landesdefensionen prinzipiell emanzipatorische Wirkungen herauslesen zu wollen. Landgraf Moritz von Hessen-Kassel, der sich ähnlich intensiv um eine Neuordnung seines Defensionssystems und seine theoretische Untermauerung bemühte, sah die »disciplina militaris« der »Defensioner« als einen wichtigen Ansatzpunkt für eine allgemeine Disziplinierung seiner Untertanen, für eine Hebung der allgemeinen Moral, für den Kampf gegen Müßiggang und Unsittlichkeit, letztlich zur Herstellung einer umfassenden »Ordnung« in seinem Territorium. Hier steht das Defensionssystem eher für den umfassenden Prozeß der »Sozialdisziplinierung« aller sozialen Gruppen im Staat. In diesem Vorgang erkennt die historische Forschung heute einen fundamentalen Anpassungsprozeß des Menschen an die Formen und Zwänge des Zusammenlebens im Gemeinwesen, der unabhängig von den verschiedenen Konfessionen zu sehen ist; doch dieser Gedanke wird noch in einem anderen Zusammenhang aufzunehmen sein.

2. Neue Formen und Inhalte des Wissens

2.1. Öffentlichkeit und Zensur

Das dritte Jahrzehnt des 16. Jahrhunderts sah eine explosionsartige Vermehrung des gedruckten Wortes. Die gesamte Kultur dieser Epoche wurde in starkem Maße durch dieses neue Medium der Verbreitung von Informationen und Meinungen geprägt. Selbst wenn diese neue schriftliche Kultur gewiß nicht in alle sozialen Schichten vordringen konnte, lassen sich doch immer wieder Indizien dafür finden, daß der durch den Buchdruck eingeleitete Prozeß der Profanierung bislang privilegierten Wissens von den Betroffenen außerordentlich kritisch gesehen wurde. Dies gilt einmal natürlich für den von den Reformatoren geforderten ungehinderten Zugang eines jeden Christen zum göttlichen Wort, es gilt zum andern auch für die Verbreitung medizinischen Wissens durch eine im 16. Jahrhundert sehr bald aufblühende populäre Medizinliteratur, die von den gelehrten Ärzten scharf verurteilt wurde.

Dies waren ohne Zweifel wichtige Wirkungen, doch sie lagen im Bereich der auch für die Obrigkeiten eher nützlichen Effekte der »divina quaedam ars«, der göttlichen Kunst des Druckens, von der der Mainzer Erzbischof Berthold von Henneberg 1486 einmal sprach. Dieses Zitat steht jedoch im Kontext einer der ersten obrigkeitlichen Verordnungen zur Kontrolle der Auswirkungen des Buchdrucks im Erzbistum Mainz. In diesem Falle ging es um eine Kommission zur Kontrolle vor allem der Übersetzungen ins Deutsche, durch die wissenschaftliche theologische Texte zu häufig »per manus vulgi«, in die Hände des gemeinen Volkes, gelangten. Ein Jahr später schon erließ Papst Innozenz VIII. eine Zensuranordnung, der viele weitere folgen sollten und die den grundsätzlichen Anspruch der Kirche betonten, eine Kontrolle über das gedruckte Schrifttum aufzurichten. Diese Politik gipfelte im »Index librorum prohibitorum« des Jahres 1564. Ausgangspunkt der kirchlichen Zensurmaßnahmen war sicherlich die Sorge um den Bestand des Glaubens, die sich jedoch sehr schnell auf die Bereiche der Erziehung und der öffentlichen Moral ausdehnten.

Die andere Wurzel der Zensurmaßnahmen liegt in den politischen Bemühungen zur Begrenzung des durch die Reformation eingeleiteten öffentlichen Disputs um den rechten Glauben. Nachdem schon das Wormser Edikt von 1521 die Verbreitung der

Schriften Luthers verboten hatte, richtete sich der Abschied des Reichstags von Nürnberg 1524 gegen die Flut der Schmähschriften gegen die jeweiligen konfessionellen Gegner. Ausgangspunkt dieser gesetzgeberischen Maßnahmen war hier eher das Bemühen, innerhalb der aufgewühlten inneren Ordnung des Reiches ein bestimmtes Mindestmaß an »Ainigkeit« und Ruhe zu bewahren. Die Reichspolizeiordnung von 1570 definierte deshalb als »Schmäh-Bücher, Gemählde oder dergleichen« alle jene Schriften, »dadurch nichts gutes, sondern nur Zanck, Aufruhr, Mißtrauen, und Zertrennung alles friedlichen wesen angestifft« werde. Es waren letztlich erfolglose Versuche, jenes Phänomen in den Griff zu bekommen, was wir heute die »reformatorische Öffentlichkeit« nennen. 1530 wird jedem Reichsstand die Aufsicht über die Druckereien seines Landes zur Pflicht gemacht, die Drucker mußten ihre Produkte mit ihrem Namen und dem Druckort kennzeichnen. In Verbindung mit der sich schon abzeichnenden Territorialisierung der Konfession, die 1555 nur festgeschrieben wurde, ergab sich damit eine beinahe unbeschränkte Zuständigkeit der Landesherren gegenüber den Veröffentlichungen der Druckwerkstätten.

Zwar behielt der Kaiser die Oberaufsicht über den Frankfurter Buchmarkt durch die sog. Bücherkommission, zwar oblag dem kaiserlichen Fiskal in Speyer auch weiterhin die Verfolgung von Vergehen gegen die Zensurbestimmungen der Reichspolizeiordnungen, doch die Praxis der Zensur lag in den Territorien. Es kennzeichnet die Möglichkeiten des parzellierten deutschen Buchmarkts im 16. und frühen 17. Jahrhundert, wenn die zuweilen willkürliche Praxis dieser Frankfurter Kommission langfristig das Zentrum des deutschen Buchhandels nach Leipzig verdrängte. Natürlich war es widersinnig, wenn Buchdrucker aus Leipzig und Wittenberg mit ihren dort mit landesherrlichem Privileg gedruckten Büchern in Frankfurt zur Messe erschienen und sich dort einer katholischen Nachzensur unterwerfen mußten. Im Jahre 1609 schrieb der pfälzische Kurfürst Friedrich IV. an seinen sächsischen Kollegen und wies ihn darauf hin, daß das vom Kaiser befohlene Vorgehen gegen die protestantischen Drucker in eine große Strategie hineinpasse, die von den Jesuiten ausgehe. Der Verweis des Kaisers auf ruhestörende Famos- und Pasquillschriften solle nur vom wahren Ziel dieser Bücherkommission ablenken: »Dieweil aber jedoch keine rechte famosi libelli und pasquilli sonderlich in so großer Anzahl und Menge alle messen und täglich (wie in gedachter Kommission gemeldet wird) herfür kommen und in den Buchladen zu Frankfurt feilgeboten werden, so will es uns nicht unzeitig das Ansehen haben, daß hier nur weit umb Bücher und Schriften, welche den Papisten wehe in den Augen thun, im Grund gemeint und unter solchem praetextu eben dieses gesucht werde, wie man der evangelischen Theologen und anderer wider die papistischen Greuel und Irrthum streitende und sonsten in religionssachen ausgehende scripta mit einander ... dämpfen und unterdrükken möge.«

Werfen wir abschließend noch einen Blick auf eine andere Gefahr, die vom gedruckten Wort ausging. Neben der Gefährdung des Glaubensbestandes und der inneren Sicherheit des Staates erkannte man bald die im Buch implizite moralische Gefährdung. In dem ersten deutschen Buch aus dem Jahre 1581, das sich mit dem Problem des Verbots gefährlicher Bücher befaßte (Gabriel Putherbein von Thuron: *Von verbot unnd auffhebung deren bücher und schrifften, so in gemain ohne nachtheil unnd verletzung des gewissens, auch der frumb und erbarkeit nit mögen gelesen oder behalten werden*, München 1581), wurde auch bereits die potentielle moralische Gefährdung des Lesers diskutiert: »Seind nicht die Buchläden vol schändtlicher Bücher und Tractätlein, in welchen die jungen Knaben, Maidlein, Weiber, auch gar die Closterfrawen, allerley spitzbübische sprüch, gailheit unnd büberey, mit dem mund lesen, im gemüt lernen, mit augen schepffen, im werck vollbringen? ... Ich bin allzeit der mainung gewesen, und noch, es sey kein stercker mittel, Eheweiber, Junckfrawen, unnd wittib zum fall zubringen, dann durch bulerische Historien unnd dergleichen Büchlein, daß auch kaum eine so edel und frumm, die auf solchen weg nit verfürt werde. Es muß ein wunder sein, daß ein Fraw oder Junckfraw also keusch wäre, die nit brünstig und gail unsinnig wurde, wann sie solch Historien liset.«

Ähnlich kritisch wie gegen diese moralische Gefährdung durch Bücher argumentierten viele Zeitkritiker gegen den Strom der »Newen Zeitungen«, wie sie damals genannt wurden. Da sie lediglich auf Märkten, Messen und sicher auch von wandernden Händlern angeboten wurden, waren Zensurmaßnahmen gegen diese Schriften wenig erfolgreich. Der Strom der »Zeitungen« wurde schon gegen Anfang des 17. Jahrhunderts so dicht, daß um 1609 an unterschiedlichen Orten regelmäßig erscheinende Zeitungen veröffentlicht wurden. Frankfurt und Helmstedt waren die Orte, an denen in diesem Jahr monatlich erscheinende Relationen herausgegeben wurden. Seit 1615 erschien in Frankfurt sogar eine wöchentliche *Frankfurter Zeitung*. Daß für solche regelmäßigen Informationen ein Markt vorhanden war, hatten schon die handschriftlichen *Fugger-Zeitungen* zwischen 1554 und 1565 bewiesen, die der Augsburger Firmenzentrale aus ganz Europa zugeschickt wurden. Doch eher noch als diese die Informationsbedürfnisse vor allem der Kaufleute befriedigenden Zeitungen waren die Flugschriften, Einblattdrucke und »Zeitungen« ein Indikator für die Entstehung einer »Öffentlichkeit«. Diese Öffentlichkeit war nicht die spezifisch »reformatorische Öffentlichkeit«, die Rainer Wohlfeil als Charakteristikum des Reformationsjahrzehnts ausgemacht hat, sie war aber auch noch nicht die »bürgerliche Öffentlichkeit« des aufgeklärten 18. Jahrhunderts.

Man wird vielmehr davon ausgehen müssen, daß sich seit der Mitte des 16. Jahrhunderts thematisch gebundene Kommunikationsprozesse entwickelten. Ihren Kern bildeten wichtige Zeitereignisse wie die Türkenkriege, die Bartholomäusnacht oder der niederländische Freiheitskampf, konfessionelle Polemiken, die Erörterung herausragender Naturerscheinungen wie der Kometen. Es gab noch keine Öffentlichkeit, die als permanenter Wirkungszusammenhang zu verstehen wäre. Öffentlichkeit wurde aber von Fall zu Fall hergestellt und konnte dann auch durchaus politische Entscheidungen beeinflussen. Am besten belegt diese sich entwickelnde Funktion der Öffentlichkeit, daß sich die Obrigkeiten selbst darum bemühten, ihre Untertanen durch verschiedenste Formen der Kommunikation wie Kanzelverkündigung, Predigt, öffentliche Anschläge und volkssprachige Buchveröffentlichungen zu beeinflussen.

Unsere Beobachtungen zur Kontrolle des neuen Mediums Buch haben gezeigt, daß konfessionelle, politische und moralische Aspekte eine Zensur der Publikationen erforderlich machten. Das gedruckte Wort wurde in seiner Gefahr für das bestehende Idealbild der ständischen Gesellschaft erkannt. Es provozierte Auseinandersetzungen, es ermöglichte eine neue Sicht der anderen Welt, es konnte bislang sekretierte Kenntnisse vermitteln, es konnte die Phantasie des Menschen beflügeln und so die konfessionelle, intellektuelle und politische Enge der jeweils realen Welt überschreiten. Als am 5. August 1599 der Müller Domenico Scandella aus dem friaulischen Bergdorf Montereale von der Inquisition gefoltert und mehrfach gefragt wurde, wer denn seine Komplizen gewesen seien, konnte er nur ausrufen: »ich habe nach meinem Willen gelesen, o Jesus, Erbarmen.« Besser könnte man die Bedeutung des Buchs für das 16. Jahrhundert nicht belegen, auch wenn es – wie im Falle des armen Müllers – nur wenige, durchaus erlaubte Bücher gewesen waren. Das Buch war ein Weg in die moderne Welt.

2.2. Schulen und Universitäten

Ein Blick auf die deutsche und europäische Universitätsgeschichte zeigt immer wieder, daß diese Institutionen in bestimmten zeitlich eng beieinanderliegenden Wellen gegründet worden sind. Dies gilt für die mit Prag (1348) beginnende mittelalterliche Gründungswelle sowie für die des späten 15. Jahrhunderts (Greifswald 1456 bis Tübingen 1477), und es gilt auch für die Universitätsgründungen des konfessionellen Zeitalters, für die wir in unserem Zeitraum Marburg (1527), Königsberg (1544), Jena (1558), Würzburg (1575/82), Helmstedt (1576), Graz (1585) und Gießen (1607) nennen können. Doch erschöpft sich damit noch längst nicht der starke Schub für die Neugründung von Bildungsinstitutionen in dieser Epoche. Wir müssen noch die »akademischen Gymnasien« oder »semi-universitates« von Straßburg (1538/39) und Nürnberg (1575) erwähnen, die »Hohe Schule« von Herborn (1584), die Landesgymnasien von Hornbach (Pfalz-Zweibrücken, 1559), Lauingen (Pfalz-Neuburg, 1562), Dillingen (Fürststift Augsburg, 1551/54), Burgsteinfurt (1591), Hanau (1607) und Molsbach (1615), um nur die wichtigsten dieser Gründungen zu nennen. Diese verschiedenen Schulen und Universitäten wurden höchst unterschiedlich frequentiert. Ihre durchschnittliche Besucherzahl zwischen 1540 und 1620 stellt sich nach den grundlegenden Berechnungen Franz Eulenburgs (1904) folgendermaßen dar:

Wittenberg	853	
Leipzig	734	
Helmstedt	457	
Frankfurt	435	
Ingolstadt	430	(K=katholisch)
Jena	403	
Tübingen	376	

Rostock	273	
Heidelberg	249	
Köln	242	(K)
Freiburg i.B.	238	
Dillingen	232	(K)
Marburg	210	
Königsberg	175	
Würzburg	154	(K)
Erfurt	154	(K)
Mainz	147	(K)
Herborn	126	
Greifswald	104	

Die Bildungslandschaft des Heiligen Römischen Reiches veränderte im Lauf des 16. Jahrhunderts gründlich ihr Erscheinungsbild. Nach einem Einbruch der Studentenzahlen unmittelbar nach der Reformation stiegen die Zahlen seit der Jahrhundertmitte wieder deutlich an. Traditionelle Schätzungen sprechen von einer Verdoppelung der Studentenzahlen bis 1620 auf etwa 8000 Studenten. Ein Universitätsstudium setzte sich im Bürgertum als fast sichere Möglichkeit sozialen Aufstiegs durch. Der Adel erkannte die Notwendigkeit des Studiums, um seine tradierte privilegierte Stellung zu wahren, mit einer gewissen Verzögerung. Seit dem späten 16. Jahrhundert nahmen nicht nur die Zahlen adeliger Universitätsbesucher zu, sondern es wurden auch spezielle Adelsschulen gegründet, die sog. Ritterakademien, um eine spezifisch standesorientierte Ausbildung des Adels zu sichern. Zu nennen sind hier die Ritterakademien in Tübingen (1594), Kassel (1598) und Siegen (1618), die als ausgesprochene Kriegsschulen gegründet wurden.

Dieser Hinweis auf die Bedeutung des Bildungssystems für die verschiedenen sozialen Schichten dieser der Definition nach ständischen Gesellschaft lenkt den Blick auf das Verhältnis von Bildung und gesellschaftlicher Ordnung. Ohne jeden Zweifel bot die Universitätsausbildung gerade bürgerlichen Schichten eine ungeahnte Möglichkeit sozialen Aufstiegs. Die Zusammensetzung der territorialen Ratsgremien gerade im 16. Jahrhundert zeigt dies ebenso deutlich wie die schnelle Reaktion des Adels, der seit dem späten 16. Jahrhundert positiv auf die bürgerliche Bildungsoffensive einging. Während sich der österreichische Adelige Sigmund von Herberstein im frühen 16. Jahrhundert noch für sein Universitätsstudium entschuldigte, Ulrich von Hutten ausführlich seine Neigung zu den humanistischen Wissenschaften verteidigte, wurde es gegen Ende des 16. Jahrhunderts der Normalfall, daß Adelige die Universität bezogen und sich damit dem Qualifikationsargument unterwarfen.

Natürlich wurde auch die sozial mobilisierende Funktion der Lateinschulen auf dem Lande erkannt und diskutiert. Ein gutes Beispiel für diese Debatte um die sozialen Folgen ist die Auseinandersetzung um die Existenz deutscher und lateinischer Schulen auf dem Lande. Während Herzog Maximilian die Absicht verfolgte, beide Schultypen »auf dem lande« abzuschaffen, plädierten die Landstände des Herzogtums für eine Beibehaltung dieser Institutionen. Sie gebrauchten dabei Argumente, die einen tiefen Einblick in die kontroverse Bewertung sozialer Mobilität in dieser Zeit gestatten: »Das sovil die teutsche schuelen betrifft, weyll nit alle Pauernkinder mögen Pauern werden, sondern entweders zue denen vom Ritterstande oder anderer Stend diensten, Reytterey oder dergleichen, oder auch zue handthierungen und handwerkken, offtermahls wohl tauglich sein, aber einer der seine aigne Muettersprach weder lesen noch schreiben kann, gleichsan schier wie ein todes mensch, als ist unsers erachtens nit rathsam die teutschen schuellen abzestellen ... daß aber hiedurch die Jugendt von der Arbeit zum miesigang abgezogen wurde, halten wür nit dafür, dann die khinder, ehe sie zur Arbait erstarckhen, ohne das feürendt (d. h. feiernd, nicht arbeitend) umgehen, unnd Besser ist sie lehrnen entzwischen etwas das jnen in omnem eventum, es werde aus ihnen was es wölle, nutzlich sein mag, wann siew aber zu nichts anderem alß allein zum dienen in Paurn Arbait tauglich, heurrathen sie darinen, sein ir lebenlang Tagwerckher und Betler, sie unnd Ire khinder, wür wöllen geschweigen ob diese abstellung anderes, Alß dem Commerz-Wesen, und Raiterey ordnung, nit etlicher massen zu wider sein möchte.«

Diese geschickt ausgewählten Argumente machten den Herzog kompromißbereit. Die Landesordnung von 1616 garantierte schließlich die Existenz der deutschen Schulen »in den grossen Dörfern« mit der Einschränkung, daß Kinder, die älter als zwölf Jahre waren, nicht mehr die Schule besuchen sollten. Man wird diese Debatte eher aus den spezifischen Bedingungen der bayerischen Ständepolitik erkären können als aus einer generellen Bildungsfeindlichkeit der katholischen Gegenreformation. Doch fallen die Restriktionen dieser Schulpolitik um so eher ins Auge, als in anderen Territorien des Reiches diese Schulen nicht nur gefördert wurden, sondern zugleich auch der Unterricht stärker auf die Kinder hin orientiert wurde. Die Schulordnung des calvinistischen Theologen Wilhelm Zepper für die Grafschaft Nassau-Siegen von 1590 forderte nicht nur die Einrichtung deutscher Schulen »soviel als möglich«, sondern zeichnete sich darüber hinaus durch eine neue, kindgerechtere Didaktik aus, die darauf abzielte, das Interesse der Kinder für den Unterricht zu wecken und zu erhalten. Ohnehin fällt bei der Untersuchung der calvinistischen Territorien des Reiches in dieser Zeit auf, daß sie auf vielen Gebieten der inneren Politik den erkennbaren Versuch unternahmen, ein Gemeinwesen weniger auf Zwang als auf die Zustimmung der Untertanen zu gründen.

Zur Erklärung der erstaunlichen Vermehrung gehobener Bildungsinstitutionen lassen sich zunächst einmal die schon für den Humanismus des frühen 16. Jahrhunderts genannten Tendenzen anführen. Die Neugründungen von Universitäten und Schulen sind dann gleichsam die Ergebnisse eines unaufhaltsamen Vordringens einer humanistischen Wissenschaftskonzeption, die über den Kreis der wenigen gelehrten Initiatoren in weitere Kreise des Bürgertums eindrang. Gerade die Geschichte des Nürnberger Gymnasiums als Vorläufer der späteren städtischen Hochschule in Altdorf (das in der Nähe der Reichsstadt im sog. Nürnberger Landgebiet lag) würde eine solche Interpretation stützen. Sie war schon 1526 als humanistisches Gegengewicht gegenüber den kirchlichen Lateinschulen der Stadt gegründet worden, um endlich der Reformation in der Stadt auch den notwendigen schulischen Rückhalt zu geben. Aus verschiedenen Gründen war dieser neuen »Oberen Schule« jedoch trotz vorübergehender Tätigkeit renommierter Lehrer kein Erfolg beschieden, anders als in Straßburg, wo die vergleichbare Gründung eines großen Gymnasiums 1538 den sofort erfolgreichen Grundstein der späteren »Semiuniversität« bildete. Doch würde eine solche laikale Interpretation die Bedeutung der reformatorischen und gegenreformatorischen Lehre für die Ausdifferenzierung des Bildungswesens vernachlässigen. In Straßburg läßt sich der Einfluß der Reformatoren auf die Frühgeschichte der Schule eindringlich beweisen. Unter dem Einfluß von Jakob Sturm und Martin Bucer sollte hier der oberdeutsche Predigernachwuchs geschult werden. Zielbewußt wurden die der Stadt zur Verfügung stehenden Finanzmittel aus der Aufhebung von Klöstern für den Schulbetrieb genutzt, ein eigener Schulausschuß des Rates, die Scholarchen, betrieb konsequent eine zielstrebige städtische Bildungspolitik als Pendant zur eigenständigen Rolle dieser Stadt in der deutschen Reformation. Das »Gymnasium illustre« gewann schnell an Reputation und entwickelte sich vor allem im Lauf des späteren 16. Jahrhunderts zu einer renommierten Institution, die an Fächerangebot, an der Qualität des Lehrangebots und an der Schülerzahl durchaus mit den richtigen Universitäten im Reich zu vergleichen war. Andere Schulen im Reich betrachteten das erfolgreiche Straßburger Gymnasium als Vorbild.

Der Anstoß der Reformation war auch ausschlaggebend für die Gründung der Marburger Universität, mit der sich der Führer des deutschen Protestantismus eine Schule schuf, die der Verbreitung des Evangeliums und der Ausbildung jener Fachleute diente, die der konfessionell geprägte Territorialstaat am dringendsten brauchte: Theologen und Juristen. Während früher ein Landesherr zur Gründung einer Universität der kirchlichen Autorität – letztlich der des Papstes – bedurfte, wurden die neuen protestantischen Universitäten in einem viel intensiveren Sinne zu territorialstaatlichen Einrichtungen, zu »instrumenta dominationis«, die der Einflußnahme der landesfürstlichen Regierung unterlagen. Die Finanzierung dieses neuen Typus von Universitäten beruhte jedoch auf den alten Grundlagen. So wie schon die älteren Universitäten vielfach aus geistlichem Gut dotiert worden waren, wurden jetzt die aufgehobenen Klöster zu diesem Zweck verwendet. Vierzehn ehemalige hessische Klöster bildeten die wirtschaftliche Grundlage der Universität Marburg.

Auf diesem Gebiet unterschieden sich die Universitäten gründenden protestantischen Landesherren nur wenig von ihren katholischen Standesgenossen. Auch diese nutzten Kirchengut für diese Zwecke, und nur aus formalen Gründen suchte man nach vollzogener Tat noch um die eigentlich erforderliche päpstliche Bestätigung dieses Vorgangs an. Der Unterschied zwischen diesen protestantischen »Säkularisationen« und den katholischen Umwidmungen von Kirchengut oder dessen »Decimation« (wie in Bayern) lag schließlich allein in dem fehlenden päpstlichen Konsens. Diese Beobachtung mag verdeutlichen, in wie starkem Maße sich die landesfürstlichen Regierungsprinzipien einander – auch über die konfessionellen Grenzen hinweg – annäherten, eine

Feststellung, die wir gerade im späteren 16. Jahrhundert noch oft treffen können.

Alle Universitäten des Reichs fügten sich in das konfessionelle Grundmuster: hier Ingolstadt als wichtige katholische Universität, wenn auch weniger stark von den Jesuiten dominiert, als in der älteren Forschung behauptet wurde, dort Heidelberg als Zentrum der calvinistischen Intelligenz; hier Helmstedt – zumindest bis 1601 – und Tübingen als treue Vertreter der Konkordienformel, dort Herborn als Sammelpunkt der aus Wittenberg vertriebenen Philippisten. Wenn in dem einen Land Theologen und Professoren vertrieben wurden, bot sich in einem anderen Territorium des Reiches doch wieder die Möglichkeit zur Weiterarbeit im Schutz der eigenen Konfession. Mehrfache Konfessionswechsel eines Landesherrn wie z. B. in der Kurpfalz im späten 16. Jahrhundert bedeuteten auch notwendige Umorientierungen des jeweiligen wissenschaftlichen Betriebes, oft genug verbunden mit dem Exodus all derer, die sich der neuen Version des Bekenntnisses nicht beugen wollten.

Als 1576 Ludwig VI. seinem Vater Friedrich III. nachfolgte, führte er das Land vom calvinistischen Bekenntnis zum Luthertum zurück. Mehr als 500 Prediger und Lehrer wurden ihrer Ämter enthoben, auch wichtige Universitätsprofessoren wurden entlassen. Als sieben Jahre später Pfalzgraf Johann Kasimir die Regierung übernahm, hatten wiederum 400 lutherische Geistliche ihr Amt zu räumen. Besonders ausgeprägt setzte sich diese spezifische Form der Bekenntnisuniversität nach der Publizierung der Konkordienformel 1580 durch. Verbunden mit dieser Einheitsbewegung der lutherischen Kirchen im Reich war die scharfe Ausgrenzung melanchthonianischer und calvinistischer Lehren. Um ein Lehramt an einer Universität übernehmen zu können, wurde ein Schwur auf die Konkordienformel vorausgesetzt. In Helmstedt mußten alle Bediensteten der Universität einen Eid auf die Landeskonfession ablegen, um »Ruhe und Eintracht der ganzen Akademie« sicherzustellen, um »zerruttung, beides im heiligen ministerio und weltlicher Policey« zu vermeiden. Der Humanist Johann Caselius verweigerte 1575 diesen Eid mit dem beachtlichen Argument, er wolle ein »freier Mann« bleiben. Er konnte erst 1590 berufen werden, als nach dem Tode des Herzogs Julius die Leistung des Eides in ihrer Bedeutung zurückgenommen wurde.

An der Universität Ingolstadt wurde im Gegenzug seit 1568 der

Eid auf das Tridentinische Bekenntnis zur Voraussetzung einer Bestallung. Der Mathematiker Philipp Apian wurde das erste Opfer dieser neuen Vorschrift. Gegen den geforderten Eid setzte er sich mit der Erklärung zur Wehr, daß er sich als Protestant zwar mit »meinem geringen leib, zeitlicher ehr und wohlfahrt auch bis ans blut einschließlich« dem bayerischen Landesfürsten verbunden wisse, daß er »sovil aber meine seel, glauben und gewissen betrifft«, nur Gott gehorsam sein wolle. Der gleiche Apian weigerte sich auch 1582 im protestantischen Tübingen, wohin er inzwischen einen Ruf erhalten hatte, die geforderte Unterschrift unter die in Württemberg geltende Konkordienformel zu setzen und ein »sacrificium intellectus« zu bringen: »... seinen Glauben geometrisch ex Euklide demonstrieren könne er nicht«. Jahrzehntelang sorgten Bestimmungen dieser Art für eine wissenschaftliche Provinzialisierung der Universitäten, denn immer wieder lehnten es bedeutende Wissenschaftler ab, sich einem solchen Schwur zu unterziehen, bis zu Anfang des 17. Jahrhunderts erste Durchbrechungen dieser Vorschrift vorkamen. In Helmstedt wurde 1620 die Konkordienformel ganz aus den Bekenntnisschriften des Landes entfernt.

Daß Universitätsneugründungen außer einer ausreichenden finanziellen Absicherung und guten Lehrern auch eines kaiserlichen Privilegs bedurften, um im Reich Anerkennung zu finden, erinnert bei aller Betonung landesfürstlicher Autonomietendenzen an die Grenzen, die dem Territorialstaat gesetzt waren. So hatten zwar alle protestantischen Neugründungen schließlich ihre Privilegien erhalten, wenn auch wie Marburg mit 14jähriger Verzögerung, doch gerade seit der Verschärfung der konfessionellen Gegensätze zu Beginn des 17. Jahrhunderts war für den Kaiserhof die Genehmigung einer neuen »unkatholischen« Universität mit Promotionsrecht in den strategischen Fakultäten Jus und Theologie auch eine Frage, die unter konfessionspolitischen Aspekten zu sehen war. Aus diesem Grunde hatte etwa Rudolf II. der schon mehrfach erwähnten Hochschule von Straßburg das volle Privileg einer Universität und damit das Promotionsrecht verweigert. Auch als 1607 der lutherische hessische Landgraf Ludwig V. um ein volles Universitätsprivileg für seine gegen das inzwischen calvinistisch gewordene Marburg geplante Neugründung Gießen in Prag einkam, erwog der Reichshofrat sorgsam die konfessionspolitischen Argumente, die in diesem Fall eine Rolle spielten: »Obwohl leider mehr als zuviel in Teutschland uncatholische schulen und dahero nicht ratsam, mehr zu stiften noch solches zu tun verstatten, weil jedoch nach anweisung welt- und geistlicher recht, inter duo mala semper minus eligendum, so hat Reichshofrat dafür gehalten, es were leichtlicher eine lutherische dann eine calvinische academie zu tolerieren, weil von dieser weniger übels als der andern zu besorgen und wol sein könnte, daß die ein die ander vertilgte oder ihr zu niedergang brächte.«

Solche Argumente spiegeln deutlich die besondere Problemlage der Zeit wider: Universitäten und Schulen waren neben all ihrer Bedeutung für die akademische Bildung auch konfessionspolitische Machtinstrumente, mit denen der Kampf um die konfessionelle Zukunft Mitteleuropas geführt wurde. Dies zeigt die Attraktivität der calvinistischen Schulen in Genf und Herborn ebenso wie das Verbot des innerösterreichischen Landesfürsten, der nach der Gründung der Grazer Jesuitenuniversität seinen Landeskindern den Besuch ausländischer protestantischer Universitäten verbot.

Wie stand es um die wissenschaftliche Arbeit, die auf diesen Hochschulen geleistet wurde? Konnte sie überhaupt eine Arbeit sein, die die Grenzen von theologischer Dogmatik und politischer Zweckbestimmung überschritt? Lohnt es sich deshalb überhaupt, die Wissenschaft dieser Epoche zur Kenntnis zu nehmen? Schon ein rascher Blick auf die Forschungslage genügt, um festzustellen, daß die Bewertung der späthumanistischen Universitäten und ihres Wissenschaftsbetriebes deutlich negativ ausgefallen ist. »Stätten der Forschung und Sammelpunkte wissenschaftlichen Lebens waren die deutschen Hochschulen des 16. und 17. Jahrhunderts ... nur mit Vorbehalt«, urteilte Ernst W. Zeeden, andere Einschätzungen warfen gerade dem deutschen Späthumanismus Formelhaftigkeit, Überstilisierung und letztlich den Betrieb von Wissenschaft als Selbstzweck vor. Der Späthumanismus sei nur mehr eine statussichernde »Standeskultur« gewesen, so hat der Germanist Erich Trunz schon 1931 seinen Befund zusammengefaßt. Bernard Vogler sprach zuletzt von einer »quasi-stérilité de la vie scientifique«.

Vor einer Beantwortung dieser Fragen muß auf eine prinzipielle Veränderung der Universitäten im Lauf des 16. Jahrhundert verwiesen werden. Sie erlebten den Siegeszug und die schließliche Durchsetzung des humanistischen Grundstudiums als unverzichtbaren Teil der universitären Ausbildung. Noch die spätmittelalterliche Universität hatte die sprachliche Grundausbildung ihrer Hörer dem lokalen Wildwuchs der kirchlichen Lateinschulen überlassen. Nach der Durchsetzung humanistischer Maßstäbe der Textkritik war eine solche Vorbereitung auf das Studium in den Hauptfakultäten Theologie, Recht und Medizin nicht mehr denkbar. Wie schon am Nürnberger Beispiel deutlich wurde, sah die humanistische Bewegung ihr Hauptziel in der Verbesserung der sprachlichen Grundlagen allen wissenschaftlichen Arbeitens, von dieser Grundlage her sollte die Neubelebung der Wissenschaft erfolgen.

  Tatsächlich konnte dieses hohe Ziel verwirklicht werden. Wenn auch nicht ohne neue Übertreibungen, bereitete doch die intensivierte, methodisch betriebene Verbesserung der Lateinkenntnisse und die damit verbundene Schärfung der textkritischen Fähigkeiten der Studenten jene Umorientierung der Wissenschaft des 16. Jahrhunderts vor, die wir ganz allgemein als die Methodisierung des Wissens bezeichnen können. Diese neue Betonung geregelter Verfahren bei der Rekonstruktion des »richtigen« Textes, die Schärfung des Wahrheitskriteriums schufen die Voraussetzung für die beachtliche Editionstätigkeit der Philologen, Juristen und Naturwissenschaftler des 16. Jahrhunderts. Wenn auch die bedeutende Stellung der drei höheren Fakultäten gewahrt blieb, setzte sich doch im universitären und voruniversitären Bildungssystem die Einsicht durch, daß ohne die Grundlagenarbeit der »Artistenfakultät« vor allem in Grammatik, Rhetorik und Dialektik Wissenschaft nicht möglich war. Dieser für den modernen Bildungskanon bis in unsere Zeit hinein wichtige Fortschritt ist ein Ergebnis der Universitätsgeschichte des 16. Jahrhunderts, das über der fortschreitenden Konfessionalisierung nicht vergessen werden darf.

2.3. Methodisierung des Wissens und beginnender Skeptizismus

Im Februar des Jahres 1598 kam es in der Theologischen Fakultät der Universität Helmstedt zu einer Disputation, die einiges Aufsehen erregte. Der Theologieprofessor Daniel Hofmann griff die an dieser Hochschule intensiv gepflegte Metaphysik als größte Feindin des Glaubens an. Die Philosophen seien die Urväter aller Ketzer. Jede neue Stärkung der Vernunft schwäche den Glauben an Gott. Diese Thesen riefen schnell die führenden Humanisten der Hochschule auf den Plan, die bald die üblichen Gegenschriften verfaßten. Sie kulminierten in der Erklärung des Humanisten Owen Günther, der die Philosophie als wahre Wissenschaft der Weisen bezeichnete, den Glauben und damit die Theologie aber für die Unwissenden reserviert sehen wollte. Diese scharfe Formulierung entsprach zwar nicht der Meinung aller seiner Kollegen von der Artistenfakultät, doch war allen am Streit Beteiligten bewußt, daß es hier nicht um eine persönliche Kontroverse zwischen zwei Fakultäten einer kleinen norddeutschen Universität ging, sondern daß eine grundlegende Frage des Wissenschaftsverständnisses dieser Zeit angesprochen worden war. Bemerkenswert auch, daß im Verlauf dieses Streits einer der Kontrahenten sich veranlaßt sah, 1618 eine in deutscher Sprache verfaßte Schrift mit dem aufklärerischen Titel *Vernunftsspiegel, oder gründlicher Bericht, was die Philosophie sei und was für einen Nutzen sie in religionssachen habe, allen neuen Enthusiastischen Vernunft-Stürmern und Philosophie-Schändern entgegengesetzt* zu publizieren.

Eine solche Diskussion um die Rolle der Vernunft gegenüber dem Glauben scheint auf den ersten Blick nicht in unser Bild vom konfessionellen Zeitalter zu passen. Es scheint auch zwischen den Kernsätzen der Reformation und diesem Lob der Vernunft keine Verbindungsmöglichkeit zu bestehen, zu laut klingt Luthers Wort von der »Hure Vernunft«, seine Verunglimpfung des Aristoteles als »Narristoteles« in unseren Ohren. Trotzdem berührt dieser Streit eine der Grundfragen der Wissenschaftsentwicklung des 16. Jahrhunderts. Er hat auch in der reformatorischen Bewegung selbst eine bedeutende Rolle gespielt, die in der üblichen Abhandlung der Reformation zumeist gänzlich außer acht gelassen wird, so als wolle man das schwierige Bild dieser Epoche nicht noch weiter komplizieren.

Tatsächlich aber ist das 16. Jahrhundert unter dem Aspekt der Wissenschaftsentwicklung dadurch zu charakterisieren, daß die allgemeine Methodologie der Wissenschaft einen wichtigen Schritt hin zur Grundlegung allen Wissens durch empirische Beobachtung und kritische Überprüfung macht. Hinzu kommt, daß alle Wissenschaften eigene Methodenlehren entwickeln. Methodisierung der Wissenschaft ist das große Programm dieser Epoche.

Die Grundlage dieser Bewegung bildete dabei selbstverständlich das aristotelische Wissenschaftssystem, aber nicht mehr in seiner scholastischen Interpretation durch Thomas von Aquin, sondern in der empirisch-kritischen Version der norditalienischen Universitäten, vor allem Paduas. Diese »Schule von Padua« wirkte sich vor allem deshalb günstig auf eine Weiterentwicklung der Wissenschaftslehre aus, weil hier die Medizin und die Rechtswissenschaften ohne den Druck der theologischen Fakultät gelehrt werden konnten. Den Höhepunkt dieser empirisch-rationalen Aristoteles-Rezeption stellte das Werk des italienischen Philosophen Jakob Zabarella dar, der seit 1587 seine grundlegenden Werke über die aristotelische Logik und Wissenschaftslehre veröffentlichte.

An diese Richtung der allgemeinen Wissenschaftslehre knüpfte auch die spezifische Variante des protestantischen Aristotelismus an, die sich um die Wende vom 16. zum 17. Jahrhundert vor allem an den protestantischen Universitäten des Reiches ausmachen läßt. Das charakteristische Element dieser Methodenlehre der Wissenschaft lag in der Untersuchung des Forschungsprozesses selber. Vorrangig griff man hier immer wieder auf das praktische Beispiel der Medizin zurück, in der sich der Erfolg einer streng empirisch arbeitenden Wissenschaft am ehesten beweisen ließ. Der schon erwähnte Helmstedter Philosoph Günther sah in der Erforschung und Veränderung der Welt die Bestimmung des Menschen, dieses »sterblichen Gotts«. Die Erforschung freilich orientierte sich nicht mehr an vorgedachten Gründen und Zwecken der Erscheinungen, sondern allein an der empirischen Erfahrbarkeit der Natur. Es ist die Schwäche des menschlichen Geistes, die es erforderlich macht, zur Erweiterung unserer Kenntnisse auf Experimente und genaue Beobachtungen zurückzugreifen. Dies gilt sowohl für die vielberufene Medizin, aber auch für die theoretischen und praktischen Wissenschaften, die sich mit dem gesellschaftlichen Leben befassen. Praktisch bedeutete dies für das Wissenschaftsleben etwa der Politik oder der Ethik, daß sie sich nicht mehr in der Interpretation der antiken Vorlagen erschöpfte, sondern daß es gelang, von der humanistischen Textkritik zu einer inhaltlichen Neugestaltung dieser Wissenschaften zu kommen, die jetzt auf der genauen Beobachtung des Menschen und seiner gesellschaftlichen Verhältnisse beruhte.

Dieser bemerkenswerte Trend einer Methodisierung der Wissenschaft erhielt einen starken Impuls durch die Bildungsbemühungen des Jahrhunderts. Die Neuorganisation des Unterrichts auf den humanistischen »oberen« Schulen, aber auch die Lehre der Universitäten verlangte nach inhaltlicher Neuorientierung und methodischer Reflexion. Die »Studienanleitungsschrift« *De lite-*

rarum ludis recte aperiendis des Johann Sturm für die Straßburger Schule aus dem Jahre 1538 wurde zu einem Modell für die gesamte Schuldiskussion des 16. Jahrhunderts. Da Wissenschaftsmethodik und Didaktik noch weitgehend identisch waren, flossen in der Schul- und Universitätsdiskussion beide Richtungen zusammen, auch wenn in der Forschung diese Einheit von Forschung und Lehre in der Methodendiskussion erst unzureichend gewürdigt worden ist. Es ist gewiß richtig, wenn das geschärfte humanistische Methodenbewußtsein im Lauf des 16. Jahrhunderts noch zu keiner inhaltlichen Veränderung des Korpus der Wissenschaften geführt hat. Deutlich erkennbar aber wurde sowohl in der protestantisch-aristotelischen Wissenschaftslehre als auch in der davon stark beeinflußten jesuitischen Methodologie, daß Wissenschaft nicht mehr vorrangig der Bestätigung eines gegebenen Weltbildes diente, sondern darauf wartete, sich den empirischen Reichtum der Welt zu erschließen. Die Konzentration auf die Methode der Wissenschaft deutete den Zustand des Infragestellens der Tradition unübersehbar an.

Insofern ist es auch schwierig, wenn nicht unmöglich, einzelne Richtungen der Methodendebatte einem bestimmten Lager zuzuordnen. Protestantische wie katholische Universitäten nutzten das aristotelische Potential zur Neuorientierung der Wissensbestände an einem kritischen Empirismus, und die Gliederungsmethode des französischen Humanisten Pierre de la Ramée (1515-1572) war entstanden gegen Theodor Beza, wurde aber von der deutschen protestantischen Orthodoxie ebenso abgelehnt. Diese ramistische Methode kann uns in diesem Zusammenhang nur interessieren als Hinweis auf den allgemeinen Zustand der wissenschaftlichen Methodendiskussion. Sie gliederte alle wissenschaftlichen Oberbegriffe in zwei Unterbegriffe und wurde dadurch zu einem beliebten Schulungssystem der Rhetorik und Dialektik, wie sie auf den Schulen gelehrt wurde. Spätere Kritiker – unter anderem Francis Bacon – warfen dieser Methode vor, weniger für die Erarbeitung neuer Erkenntnisse als für die überzeugende Präsentation schon erarbeiteter Ergebnisse geeignet zu sein.

Einen guten Einblick in die Zusammenhänge der Methodendiskussion des 16. Jahrhunderts gestattet die einschlägige Diskussion der Geschichtswissenschaft selber. Ihren Ausgangspunkt nimmt diese Diskussion von der Beobachtung noch des späten 15. Jahrhunderts, daß trotz der Verschiedenheit der historischen Gegenstände und höchst unterschiedlicher Deutungen keine methodischen Vorschriften für das Lesen und Schreiben von Geschichte vorlägen. Mehrere Autoren des 16. Jahrhunderts versuchten, diesem Zustand abzuhelfen und griffen dabei auf den Begriff der »ars« (der Kunstlehre) zurück, der damals allgemein dazu diente, die Methodenlehre praktischer Disziplinen zu bezeichnen. Mit »ars historica« ist der Begriff angesprochen, der im Lauf des 16. Jahrhunderts die Diskussion prägte. Eine Sammlung von 18 einschlägigen Schriften, die 1578 in Basel herausgegeben wurde, verwendet ganz überwiegend diese Bezeichnung; substitutiv wurden Ausdrücke wie »ratio«, »facultas« oder »methodus« herangezogen. Inhaltlich waren damit durchaus verschiedene Verfahren der Wahrheitsermittlung benannt. Auf der einen Seite verstand man darunter die Regeln, die der Beurteilung der Originalität historischer Quellen (»ars legendi«) dienten, zum anderen aber auch die Regeln zur Anfertigung von Geschichtswerken (»ars scribendi«). Praktische Bedeutung erlangte diese Methodendiskussion in der Vorbereitung großer Geschichtswerke des 16. Jahrhunderts, vor allem bei dem großen Unternehmen einer neuen protestantischen Kirchengeschichtsschreibung, wie sie in den sog. Magdeburger Zenturien verwirklicht wurde (1559). In Anlehnung an die Lehrmethode der Rhetorik gliederte man die einzelnen historischen Epochen nach feststehenden sog. »loci« – Stichworten könnte man sagen.

 Doch der wichtigste Anstoß für die Entwicklung einer historischen Methode war sicherlich die Veränderung der juristischen Methodenlehre. Dies hing mit der sich abzeichnenden Ablösung der bislang geltenden Interpretationsmethode des römischen Rechts, dem »mos italicus«, durch den in Frankreich entwickelten »mos gallicus« zusammen. Dies bedeutete die Anwendung philologisch-kritischer Methoden auch auf das römische Recht, das damit zu einem historisch gewordenen Rechtssystem wurde. Diese Aufgabe wurde von französischen Juristen wie Jean Bodin, François Boudoin und François Hotman geleistet. Bodin selbst übertrug diese Arbeitsrichtung in seiner Schrift *Methodus ad facilem historiarum cognitionem* (1566) direkt auf die Geschichtswissenschaft. Dieses Werk zeichnet sich vor allem durch seine Abwendung von der humanistisch-rhetorischen Tradition der Geschichte aus. Bodin versuchte, »historia« als Sammelbegriff für eine empirische Analyse der Welt zu verwenden. Wichtig für die methodische

Absicherung der möglichst sicheren Ermittlung historischer Gegenstände war auch, daß Bodin insgesamt den bislang strikt angewandten Wahrheitsbegriff relativierte. Während Wissenschaftler wie Agrippa von Nettesheim und Juan Luis Vives grundsätzlich die sichere Erkenntnismöglichkeit durch die Wissenschaften in Frage gestellt hatten, gelang es Bodin, diesen unfruchtbaren Skeptizismus zugunsten eines neuen Probabilismus zu überwinden. Sein Hinweis auf die historische Bedingtheit der Quellenüberlieferung und auf die nur schrittweise zu erreichende Gewißheit historischer Aussagen führte zu der wichtigen Erkenntnis, daß Wissenschaft weniger mit endgültigen Wahrheiten als mit vorläufigen Einsichten zu tun habe, die der ständigen Überprüfung bedürften. So zeigt sich auch in der Geschichtswissenschaft des 16. Jahrhunderts, daß der Anstoß der humanistischen Textkritik für das gesamte Wissenschaftssystem zum Anlaß einer grundsätzlichen methodologischen Revision wurde.

2.4. Johannes Kepler: Naturwissenschaft unter den Bedingungen des konfessionellen Zeitalters

In dem bisher gewählten wissenschaftsgeschichtlichen Zugriff liegen große Risiken. Wir analysieren die Erweiterung von Begriffen, die Rezeption von Argumentationsfiguren, freuen uns am gelungenen Aufweis einer Abhängigkeit zwischen zwei Autoren. Doch problematisch bleibt solche Rekonstruktion, weil wir auf diese Weise nicht die sozialen und politischen Bedingungen von Wissenschaftspraxis erfassen können. Verlassen wir also die engen Räume der damaligen Universitäten und versuchen wir einen Eindruck zu gewinnen von der Wissenschaftspraxis eines Mathematikers, Astrologen und Astronomen, dessen Arbeiten im Urteil der neueren Wissenschaftsgeschichte der Astronomie und Astrophysik ohne Zweifel einen entscheidenden Wendepunkt markieren. Üblicherweise hat sich der Name einer entscheidenden Phase mit dem Namen des Frauenburger Domherrn Nikolaus Kopernikus verbunden, der 1543 sein berühmtes Werk *De revolutionibus orbium coelestium* veröffentlicht und damit die Gültigkeit des bislang akzeptierten ptolemäischen Weltbildes in Frage gestellt hatte, das die Erde als den Mittelpunkt der Welt erkannte. Eine *kopernikanische Wende* – so der Titel eines Buchs des amerikanischen Wissenschaftshistorikers Thomas S. Kuhn – war jedoch viel eher die wissenschaftliche Leistung des in Weil der Stadt geborenen und in Tübingen ausgebildeten Johannes Kepler. Während Kopernikus seine Ansicht des heliozentrischen Weltbildes mit den traditionellen Methoden der Astronomie erklärte, war es Kepler, der durch seinen Nachweis von der Bewegung der Gestirne in elliptischen Bahnen um die Sonne einen wirklichen Durchbruch der Astrophysik erzielte.

Keplers Lebensstationen sind rasch erzählt. Im Tübinger Stift, das er nach der Absolvierung der heimischen Latein- und einer Klosterschule bezog, erhielt er die Möglichkeit zu einer gründlichen wissenschaftlichen Ausbildung. Obwohl er eigentlich auf den geistlichen Beruf hinarbeitete, galten seine Studieninteressen während seiner Angehörigkeit zur Artistenfakultät – dem damaligen, den »artes liberales« gewidmeten wissenschaftlichen Grundstudium – vor allem der Mathematik und der Astronomie. Durch seinen Lehrer, den Mathematiker Mästlin, wurde er auch mit den Lehren des Kopernikus vertraut gemacht und vertrat dessen Thesen bald im universitären Disputationsbetrieb. Seine zweifellos herausragenden Kenntnisse verschafften ihm schon bald nach dem Magisterabschluß seines Studiums eine Berufung als Mathematiker an die Landschaftsschule in Graz, wo er bis zum Jahre 1600 lehrte und forschte. Zu seinen Aufgaben gehörte auch die Herstellung von Kalenderpraktiken, also Prognostiken für das jeweils nächste Jahr, eine Aufgabe, der sich der Wissenschaftler eher aus finanziellen Erwägungen denn aus Überzeugung unterzog. Während einer Reise nach Prag hatte er den am Hof Kaiser Rudolfs II. arbeitenden dänischen Astronomen Tycho Brahe kennengelernt. Brahe bewog ihn, ebenfalls nach Prag zu kommen, wo Kepler nach Brahes Tod dessen Stellung als kaiserlicher Mathematiker übernahm (1601). Brahe hatte ihm seine gesammelten wissenschaftlichen Beobachtungen übergeben und ermunterte ihn noch auf dem Totenbett, seine eigene Interpretation der Planetenbewegungen weiter zu verfolgen. Obwohl Kaiser Matthias nach dem Tode seines Bruders Rudolf Kepler in seinem Amt bestätigte, verließ er Prag und übernahm die Stellung eines Landschaftsmathematikers im oberösterreichischen Linz. Tatsächlich bestand seine Arbeit jedoch nicht mehr im Unterricht, der Kalenderschreiberei oder der Landkartenanfertigung, sondern er konnte sich seinen astronomischen Studien widmen, vor allem der Fertigstellung des von Rudolf in Auftrag gegebenen astronomischen Tafelwerks. Nach der

Fertigstellung dieses Werks und verschiedenen Aufenthalten in Ulm, Regensburg und Sagan (Schlesien) starb Kepler 1630 in Regensburg.

Was an Keplers Leben neben den materiellen Voraussetzungen seiner astrophysikalischen Grundlagenforschung, aus der niemand unmittelbaren Nutzen ziehen konnte, interessieren kann, ist vor allem die bei ihm feststellbare Verbindung theologischer Grundüberzeugungen und naturwissenschaftlicher »cupiditas«. Vordergründig sichtbar wurde dieses Problem in seinen Prognostiken für das jeweils nächste Jahr, die ihn vor die Frage stellten, ob er als Wissenschaftler solche Voraussagen verantworten könne. Kepler sah die Lösung dieses Problems in der Möglichkeit, die Menschen durch seine Voraussagen zu dem ermahnen zu können, was Gott ohnehin beabsichtige. Doch war er auch darüber hinaus davon überzeugt, daß der Stand der Gestirne bei der Geburt eines jeden Menschen dessen Schicksal auf eine geheimnisvolle Weise beeinflusse, so daß sich für den Astrologen bestimmte Voraussagemöglichkeiten ergäben. Es ist also eine kaum auflösbare Vermischung von naturwissenschaftlichem Vernunftdenken und einer geheimnisvollen Kräftelehre, die Kepler in seine Astrologie einbrachte und an der er auch festhielt.

Bemerkenswert ist auch Keplers Verhältnis zu seinem Bekenntnis. In Tübingen war er schon früh dem Verdacht ausgesetzt, die scharfe Ablehnung des Calvinismus im Württemberg der Konkordienformel nicht zu unterstützen. Damit war Kepler zeit seines Lebens nicht tragbar für seine Heimatuniversität, an die er gerne zurückgekehrt wäre. Mit seinen Vernunftansprüchen paßte der überscharfe Konfessionalismus seiner Zeit nicht zusammen. Als zu Beginn der Gegenreformation in der Stadt Graz die Reformationskommission auch von dem Landschaftsmathematikus eine Erklärung darüber verlangte, zum katholischen Bekenntnis überzutreten, zog er die Konsequenz und verließ das Land. Als im Jahre 1612 in Linz ein übereifriger württembergischer Landsmann als Pfarrer agierte und von Kepler vor dem Erteilen des Abendmahls eine schriftliche Zustimmung zu den Lehren der Konkordienformel verlangte, verwies der Wissenschaftler auf seine Bedenken gegen eine solche Unterschrift. Einem Freunde gegenüber verteidigte er seine Stellung zwischen den konfessionellen Parteien, da »dieser Seiten Theologi nur gutte Teutsche Landsknechte haben in Glaubenssachen, da einer Gelt von einem einigen Herren nimpt, und bey demselben Leib und leben auffsetzet, nicht so genau nachgrüblend, ob derselbige recht oder unrecht habe«.

Seine Abneigung gegen solches intellektuelles Landsknechtswesen bestätigte er auch, als er von Kaiser Matthias gebeten wurde, 1613 auf dem Reichstag in Regensburg ein Gutachten über die leidige Kalenderfrage zu erstatten. Die protestantischen Fürsten im Reich hatten sich 1582 strikt geweigert, die Kalenderverbesserung, die von Papst Gregor XIII. dekretiert worden war, anzuerkennen. Bekanntlich hatte sich die Dauer des Sonnenjahres, so wie sie dem alten Julianischen Kalender (46 v. Chr.) zugrunde gelegt worden war, als ungenau erwiesen. Diese Ungenauigkeit hatte bewirkt, daß sich der Frühlingsbeginn auf dem Kalender immer früher einstellte, 1582 hatte sich bereits eine Differenz von zehn Tagen ergeben. Die vom Papst nach langen Beratungen einer internationalen Expertenkommission verordneten Reformen hatten diesen Kalenderfehler eliminiert. Für den des Calvinismus verdächtigen Protestanten Kepler wäre dieser Auftrag eine vorzügliche Gelegenheit gewesen, sich bei den protestantischen Fürsten wieder ein gutes Entree zu verschaffen. Der Wissenschaftler aber erkannte die Richtigkeit der päpstlichen Neuregelung. Er empfahl den protestantischen Hitzköpfen, doch bei den Mathematikern nachzufragen, dann würden »Hitz und Zanckdunst vergehen«.

Die vielleicht bewegendste Phase in Keplers Leben aber waren die Jahre von 1615 bis 1621, in denen seine Mutter in ihrer württembergischen Heimat unter dem Verdacht stand, eine Hexe zu sein, und von einem langwierigen Hexenprozeß betroffen wurde. Ausgangspunkt waren in diesen Jahren – wie so oft bei Hexenvergehen – nachbarliche Anschuldigungen, die die alte Frau in einen langwierigen und lebensgefährlichen Prozeß verwickelten. Da wir an anderer Stelle noch auf die Hexenverfolgung eingehen wollen, soll hier nur die paradoxe Situation Keplers dargestellt werden. Auf der einen Seite stand der berühmte Wissenschaftler, der in Kontakt mit den bedeutendsten Köpfen Europas stand und gerade dabei war, sein astronomisches Tafelwerk zur Berechnung der Planetenstände abzuschließen und ein zusammenfassendes Lehrbuch seiner neuen Theorie der Planetenbewegung zu schreiben, auf der anderen Seite der Justizapparat des Herzogtums Württemberg und eine Bevölkerung, die die Bestrafung der Hexen forderte. An Keplers eigener Position war bemerkenswert, daß er in diesem Prozeß, in dem es ihm schließlich gelang, seine Mutter vor dem

Tode zu retten, keineswegs die Existenz von Hexen leugnete. Seine Taktik bestand vielmehr darin, die gegen seine Mutter vorgebrachten Anschuldigungen, Nachbarn verhext zu haben, als »alten weibertand« hinzustellen und natürliche Erklärungen für die Vorwürfe zu geben. Es ist wissenschaftsgeschichtlich sicherlich aufschlußreich, daß eines der wichtigsten Grundlagenwerke der modernen Astrophysik von einem Mann geschrieben wurde, der über sechs Jahre lang – zeitlich direkt parallel – damit befaßt war, die Verteidigung in einem Hexenprozeß zu führen. Besser ließe sich die Schwierigkeit wissenschaftlichen Denkens gegen Ende des 16. Jahrhunderts kaum erklären.

Gleichwohl können wir festhalten, daß Keplers Werk von vielen Seiten gefördert wurde. Stände und Fürsten bezahlten ihn, Adelige stellten ihm Fernrohre zur Verfügung, Reichsstädte halfen ihm beim Druck seiner Werke, Reichshofräte übermittelten ihm wissenschaftliche Nachrichten von seinem Kollegen Galilei, während wieder andere Juristen und Theologen ihn vom Abendmahl ausschlossen. Schwere Zeiten für einen »liebhaber der Wahrheit«, wie er sich selber nannte, der einmal in einem Kalender auf das Jahr 1604 seine Haltung gegenüber der empirisch erfahrbaren Welt in folgende Worte faßte: »Mit Wahrheit mag ichs sagen / das so oft ich die schöne ordnung / wie eins aus dem andern folget und abgenommen wirdt / mit meinen gedancken auff einmahl durchlauffe / so ists / alls hett ich ein göttlichen / nit mit bedeuttenden buchstaben / sondern mit wesentlichen Dingen in die Welt selbsten geschribenen Spruch gelesen / dessen inhalts: Mensch streckh deine vernunfft hieher / diese dinge zu begreiffen.«

3. Konfessionalisierung der Kultur und Volkskultur

3.1. Die Entstehung konfessioneller Kulturen

Der Abschluß des Augsburger Religionsfriedens, der Tod Papst Pauls IV. im Jahre 1559 und die andauernden Forderungen nach einer Kirchenreform hatten die Wiedereröffnung des Trienter Konzils im Jahre 1562 erforderlich gemacht. Als im Dezember des folgenden Jahres das Konzil vor allem durch den Einsatz des Kardinals Morone zu einem formalen Abschluß gebracht werden konnte, bedeutete dies einen starken Impuls für die Reformbemühungen der römischen Kirche, die sich sehr bald auf den verschiedensten Gebieten auswirkten. Die katholische Kirchengeschichtsforschung hat diesen Aspekt denn auch als »katholische Reform« gekennzeichnet, um diesen Vorgang von der machtpolitischen Variante der »Gegenreformation« abzuheben. Direkte Bedeutung für die deutschen Verhältnisse gewann neben der gesteigerten Aktivität des Jesuitenordens im Reich vor allem die Verkündung des tridentinischen Katechismus, die Gründung der »Deutschen Kongregation« und die Einrichtung fester Nuntiaturen in Graz (1580), Köln (1584) und München (1585). Auch die 1582 dekretierte Kalenderreform stärkte die Stellung der katholischen Kirche und trug mit zu der Entwicklung bei, die wir im folgenden besonders beschreiben wollen. Bereits im Zusammenhang mit der konfessionellen Orientierung der Universitäten, dem konfessionellen Treueid der Theologen auf Konkordienformel oder Tridentinum, dem Studierverbot an fremdkonfessionellen Universitäten ist diese Grundtendenz der deutschen Geschichte nach 1555 angesprochen worden. Sie ist nicht nur durch die Entstehung dreier distinkter Konfessionen charakterisiert, sondern sie ist zugleich mit allen Begleiterscheinungen als die Herausbildung konfessionell geprägter Kulturen zu bezeichnen.

Die Voraussetzung für diesen Prozeß stellte der Versuch aller Konfessionen dar, ihr jeweiliges Einflußgebiet von Anhängern der fremden Lehre, aber auch von allen Möglichkeiten der Beeinflussung freizuhalten. Die Konsequenz waren entweder erzwungene Übertritte dissentierender Untertanen zum Glauben des Landesherrn, wie äußerlich eine solche Zwangskonversion auch immer sein mochte, oder die Verweisung aus dem Lande auf der Grundlage der Auswanderungsbestimmung des Augsburger Religionsfriedens. In katholischen Städten wie Würzburg und Bamberg, in denen bislang erstaunlich wohlwollend geduldete, relativ große protestantische Gemeinden existierten, wurden diese Gemeinden jetzt von den bischöflichen Landesherren verfolgt. Daneben aber tat sich ein weites Feld konfessions-bildungspolitischer und ergänzender polizeilicher Maßnahmen auf, die alle nur den einen Zweck verfolgten, die konfessionelle Einheit des Territoriums zu erhalten oder wiederherzustellen. Sie reichten hinunter bis zu den subtilen Methoden einer konfessionellen Propaganda durch öffentliche Schauspiele, Kirchenmusik und Kirchenlied.

Gerade das jesuitische Schuldrama erwies sich als vorzügliches

Mittel der offensiven und psychologisch geschickten Auseinandersetzung mit den Ketzern. Die Aufführung des »Ägyptischen Joseph« im überwiegend protestantischen Augsburg des Jahres 1583 durch die Schüler der mit Hilfe der Fugger gerade gegründeten Jesuitenschule St. Salvator, wobei im Publikum sogar die Professoren der protestantischen Lateinschule saßen, entwickelte sich zu einem großen Erfolg, zumal der Inhalt des Stückes in deutscher Sprache erläutert wurde. Daß diese aktive Rolle der Jesuiten in Augsburg, die von 1559 bis 1566 von Petrus Canisius eingeleitet wurde, auf heftigen Widerspruch der Protestanten traf, braucht hier nicht betont zu werden. Ganz sicher aber ist, daß es den Jesuiten gelang, eine weitere Schwächung der katholischen Gemeinde in Augsburg zu verhindern. Canisius soll allein im ersten Jahr seiner Tätigkeit als Prediger 900 Menschen für den katholischen Glauben zurückgewonnen haben. Besonderes Aufsehen erregten in der Stadt die »Teufelsaustreibungen«, die die Jesuiten in Kirchen und Privathäusern vornahmen. Auch ihre scharfe Kritik an den bislang durchaus üblichen Mischehen und der Vermietung von »katholischen« Häusern und Wohnungen an Protestanten verschärften die Grenzziehungen zwischen den Konfessionen, die bis zu dieser Zeit in gegenseitiger Toleranz gelebt hatten.

In dem seit etwa 1580 entstehenden aufgeheizten Klima neuer demonstrativer Glaubensausübung entstand auch der Streit in der Stadt Donauwörth, der 1607 in der Eroberung der Stadt durch bayerische Truppen kulminierte. Der Ausgangspunkt der Auseinandersetzungen zwischen den Konfessionen war hier die provozierende Wiederaufnahme von Prozessionen durch die kleine katholische Gemeinde gewesen. Dabei war die Fahne, die man der Prozession vorantrug, nicht eingewickelt gewesen, sondern man hatte sie frei fliegen lassen. Eben diese Verletzung des bisherigen Status wollte der protestantische Rat nicht durchgehen lassen. Aus diesem Konflikt entwickelte sich schließlich eine große Auseinandersetzung, die das Verhältnis der Konfessionsparteien vor dem Reichstag von 1608 empfindlich störte.

Die gezielte Predigt-, Katechese- und Öffentlichkeitsarbeit der Jesuiten erwies sich als ebenso wirkungsvoll wie die »Verkündigung durch Volksgesang« und andere, die Gemüter der Gläubigen berührende Symbolhandlungen. Alle diese Aktivitäten waren durchaus geplante Produkte einer gezielten Konfessionspolitik ebenso wie die Verteilung von religiösen Schriften durch die Institution des »Güldenen Almosen« der Münchener Jesuiten (seit 1614), die – überwiegend in deutscher Sprache geschrieben – auf den »gemeinen Mann« zielten.

Die Erläuterung eines der bekanntesten protestantischen Kirchenlieder des späten 16. Jahrhunderts durch Cyriacus Spangenberg belegt diese Funktion des Kirchengesangs: Das Lied »Erhalt uns HERR bey deinem Wort / Und stewr des Bapst und Türcken mord« wollte er folgendermaßen verstanden sehen: »Alle unsere Feinde begreiffen wir unter zweyen Titeln / Nennen sie entweder Bapst oder Türcken / Unter des Bapst namen / verstehen wir / den gantzen Antichristlichen hauffen der Pappistischen Bischoffe / Cardinele / Münche / Pfaffen und Nonnen / und darnach alle falsche Lehrer / verführer und verfelscher / Interimisten / Adiaphoristen / Sacramentsschwermer / Widderteuffer / Calvinisten / Osiandristen / Schwenckfeldisten / Stancaristen / Servetianer / Sabbather / Davidianer / Majoristen / Synergisten / etc. Und was dergleichen mehr sind / die in einem oder mehr Artikel der Christlichen Lehre / unrichtig wandeln gröblich irren ... ihre irrthumb verteidigen / und darüber rechtschaffene Lehrer verfolgen / schmehen und lestern / und viel unachtsamer Leutte schendlich verführen.« Selbst wenn uns nicht alle hier genannten sektiererischen Untergruppen vertraut sind, wird doch die Absicht des Interpreten deutlich, dieses beliebte Lied als oft gesungenen Ausdruck der Rechtgläubigkeit zu verstehen. Die offensichtlich intendierte Aggressivität dieses Liedes wird durch eine Maßnahme des mehrheitlich katholischen Rats der »paritätischen« Stadt Dinkelsbühl belegt, der protestantischen Gemeinde der Stadt eine finanzielle Unterstützung nur dann auszuzahlen, wenn die Gemeinde auf das Singen dieses Lieds verzichte.

Das Herzogtum Bayern entwickelte sich in jenen Jahren zum Musterstaat katholischen Erneuerungsdenkens. Wie bereits erwähnt hatte in der Reformationszeit der Kanzler Leonhard von Eck einen unbeirrten Kurs der Stärkung des Herzogtums durch Ausgrenzung der Reformation und eine durchaus nicht unkritische Unterstützung des Kaisers gehalten. Die Niederschlagung einer protestantischen Adelsrevolte 1563/64, die Rücknahme des zunächst bewilligten Laienkelches, Zensurmandate, Visitationen und dazu die Einsetzung eines Geistliches Rates als oberste Kirchen- und Schulbehörde sicherten jetzt den Erfolg der Reformationsepoche. Es beweist nur die Intensität der reformerischen

Maßnahmen, der Kontrolle des Klerus und seiner Ausbildung, aber auch seiner Besteuerung durch den Landesherrn, daß in den katholischen Territorien jetzt umfassende Abmachungen zwischen den Landesfürsten und den Bischöfen erforderlich wurden, die man angesichts des Umfangs ihrer Regelungen durchaus als Konkordate bezeichnen kann.

Ein Strom von kontrollierenden Mandaten ergoß sich auf die Ämter des Landes und wurde von den Kanzeln verlesen. Die Landesuniversität in Ingolstadt wurde zum intellektuellen Zentrum des katholisch gebliebenen Süddeutschlands. Als Symbol dieser Bedeutung mag die Tatsache dienen, daß Kaiser Ferdinand II. und der bayerische Herzog Maximilian I. gleichzeitig an dieser Universität studierten, und man wird kaum fehlgehen, wenn man diese beiden Fürsten als die Politiker bezeichnet, die den entscheidenden Schlag gegen den Protestantismus geführt haben. Wichtig erwies sich die bayerische Bastion vor allem, als die konfessionellen und ständischen Bewegungen in den habsburgischen Erbländern die Herrschaft der Habsburger selbst gefährdeten. Die strategisch bedeutsame Gegenreformation in Innerösterreich, deren Auswirkung auf Kepler im Jahre 1600 wir schon kennengelernt haben, war nur möglich mit der politischen Rückendeckung des bayerischen Herzogtums. 1615 beschrieb der Jesuit Matthäus Rader die »Bavaria sancta« folgendermaßen: »Städte, Burgflecken, Märkte, Gaue, Dörfer, Felder, Wälder, Berge und Täler atmen und zeigen die katholische und alte Religion in Bayern ..., weil die ganze Region nichts ist als Religion und als eine einzige gemeinschaftliche Volkskirche erscheint.«

Es ist eines der bemerkenswertesten Ergebnisse der neueren Forschung zur Ausbildung der konfessionellen Systeme im Deutschland des späteren 16. Jahrhunderts, daß sich bei aller betonten Divergenz der Bekenntnisse erstaunliche Parallelen in der Durchsetzung dieser Bekenntnisse beobachten lassen. Dies beginnt auf der oberen Ebene, wo sich die »jura episcopalia« des protestantischen Landesfürsten praktisch wenig unterschieden von den Rechten eines bayerischen Landesfürsten gegenüber der Kirche. Die »Geistlichen Räte« hatten ihr Pendant in den protestantischen Konsistorien, die Visitationen dienten beiden Systemen als bewährtes Mittel der Kontrolle. Es schien sich die Analyse Sebastian Francks zu bewahrheiten, der einmal die langfristige Wirkung der lutherischen Reformation in die ahnungsvollen Worte kleidete: »Du glaubst, du seist dem Kloster entronnen: Es muß jetzt jeder ein Leben lang ein Mönch sein.« Dies trifft die Tendenz zur Disziplinierung in beiden konfessionellen Lagern und mag noch einmal die Bedeutung der Reformation unterstreichen. Beide Konfessionen bedienten sich in der Durchsetzung ihrer Politik der gleichen Mittel, ja sie mußten es tun, wenn sie ihre »potentia« steigern wollten. Die Vereinheitlichung der Religion wurde auf diese Weise zum Beginn der modernen »Staatsräson«. So erstaunt es nicht, wenn dieser zunächst aus Italien (G. Botero) importierte Begriff bald auch in Deutschland Einzug hielt und seit dem frühen 17. Jahrhundert mehr und mehr den bislang üblichen Begriff des »gemeinen Nutzens« als Zielvorstellung von Herrschaft ablöste. Auf diesen Vorgang haben wir schon hingewiesen, und vor dem Hintergrund dieser nicht konfessionsabhängigen Modernisierungstendenzen des späten 16. Jahrhunderts relativiert sich auch die hier beschriebene Herausbildung konfessioneller Kulturen. In der Sicht der Zeitgenossen aber konnte an der konfessionellen Trennlinie kein Zweifel bestehen.

3.2. Schwierigkeiten mit der Toleranz

Alle bislang dargestellten Einzelheiten über die Ausbildung konfessioneller Kulturen vermitteln den Eindruck von konfessionellem Zwang, von Diktat und Kontrolle. Dieser Eindruck ließe sich noch mit einem Verweis auf die konfessionelle Polemik vor allem des späten 16. Jahrhunderts verstärken. Dabei übertrafen die zwischen Lutheranern und Calvinisten gewechselten Schriften im Ton zuweilen die lutherisch-katholischen Streitschriften. Die Frage nach der Toleranz, die doch ihren Beginn im konfessionellen Jahrhundert haben soll, scheint auf den ersten Blick völlig fehl am Platze. Der – nach der gängigen Forschungsmeinung – erstmalige Gebrauch des deutschen Wortes »Toleranz« durch Martin Luther im negativen, ablehnenden Sinne im Jahre 1541 ist offensichtlich typisch für dieses Jahrhundert: »Ich kan auch nit bedenken, daß einiche ursach vorhanden sey, die gegen got die tollerantz möchte entschuldigen.« Doch läßt sich der Begriff »tolerieren« schon früher nachweisen. So sprach der hessische Rat Feige schon 1540 davon, daß die »kirch fur und fur mancherlei tollerirt hat«.

Natürlich kennt auch schon die Reformationsepoche zahlreiche Äußerungen, die Toleranz begründen und fordern. Erasmus von

Rotterdam schrieb 1516 in seiner *Klage des Friedens* gewissermaßen ein Kompendium humanistischer Kriegsächtung und plädierte in allen seinen Schriften für ein friedliches Verhältnis der Konfessionen zueinander. Bemerkenswert und sehr viel radikaler formuliert freilich der deutsche Humanist Sebastian Franck (1499-1543) seine Vorstellungen vom Verhältnis aller Konfessionen, nicht nur der christlichen Bekenntnisse. In seiner *Chronika, Zeitbuch und Geschychtsbybel* (1531) ging er von der Gleichheit aller Menschen aus, gleich ob Türke oder Christ: »Item, weil wir von einem menschen herkommen und von einem Gott lebendig gamacht sind und bewohnet – was sind wir denn anders als Brüder. Wir kommen alle von einem irdischen und himmlischen Samen her und haben alle einen ursprünglichen Vater im Himmel und auf Erden.« Daraus folgte für ihn: »Derwegen soll unser herz umb keins eussern dings wegen, darum sich jetzt sovil zancken, von niemand, der sunst noch Gott und der frombheit eifert, geschieden sein, es sei Jud oder griech, Papist oder Luther, Zwinglisch oder teufferisch.« Demgegenüber begründete der aus Savoyen stammende und in Basel lehrende Humanist Sebastian Castellio (1515-1563) seine Forderung nach umfassender Toleranz eher aus der Unsicherheit des menschlichen Wissens um die richtige Auslegung der Heiligen Schrift. An beiden Männern läßt sich die Sprengkraft humanistischen Denkens aufzeigen. Vor allem Franck ist hier als Vertreter einer im weiteren Verlauf des 16. Jahrhunderts noch anwachsenden Zahl von Denkern zu sehen, die sich den engen Grenzen kirchlicher Orthodoxie nicht beugen wollten. Hier wäre vor allem der sächsische protestantische Geistliche Valentin Weigel (1533-1588) zu nennen, dessen Naturphilosophie dem neuerwachten Interesse an der Beobachtung der Natur gerecht wurde und dessen Ablehnung der strengen Konfessionalisierung wieder den Gedanken einer unsichtbaren Kirche der wahrhaft Gläubigen propagierte: »Wolte man die Ketzer tödten / so müste man die gantze Welt tödten / und den aller geringsten Theil leben lassen«, schrieb er in seiner *Kirchen oder Hauspostill* von 1617.

Damit wird deutlich, daß der von Franck und Castellio eröffnete Weg zwar Beachtung verlangt als Beginn einer heterodoxen Denktradition, aber keine direkten historischen Wirkungen zeigen konnte. Wesentlicher erscheint deshalb die Praxis des Nebeneinanders der Konfessionen im Reich, wie sie als Produkt des Religionsfriedens im Reich unvermeidlich war. Angesichts der kleinräumigen Welt des Reiches, dem garantierten Zusammenleben der Konfessionen in den Reichsstädten und der praktischen Erfahrungen in vielen anderen Städten ergaben sich sehr bald Ansätze zu praktischer Toleranz, die wichtige Voraussetzungen für spätere Einsichten bilden konnten. So lebten etwa in den schon erwähnten geistlichen Residenzstädten Würzburg und Bamberg bis zu den gegenreformatorischen Maßnahmen gegen Ende des 16. Jahrhunderts weitgehend unbehelligt protestantische Gemeinden. In solchen Verhältnissen mögen es auch wirtschaftliche Argumente gewesen sein, die innerhalb einer Bürgerschaft dafür sprachen, eine dissentierende Minderheit zu dulden. In diesem Zusammenhang ist noch einmal auf jene oberdeutschen Territorien zu verweisen, in denen Täufer bis in den Beginn des 17. Jahrhunderts geduldet wurden, weil sie innerhalb der meist kleinen und armen Territorien als geschickte Handwerker benötigt wurden.

Der Augsburger Religionsfriede verstärkte noch die Erfahrungen des Nebeneinanders. Vor allem aber bereitete er durch seine Formulierung des Auswanderungsrechts – das sehr bald von protestantischen Interpreten auch als Recht auf ein Verbleiben im Lande gedeutet wurde – eine Argumentation vor, die man als Trennung von religiösem Bekenntnis und bürgerlichem Gehorsam bezeichnen kann. Bislang hatte der Satz gegolten: »Wo im Land getrennte Religionen sind, da habe man getrennten Frieden.« Jetzt aber setzte sich der Gedanke durch, daß zwei Bekenntnisse in einem Gemeinwesen durchaus vereinbar seien, denn man könne doch trennen zwischen seiner »inneren« Religion und seinem »äußeren« bürgerlichen Verhalten. So ließ sich »privater« Innenraum für den Menschen reklamieren. In der katholischen Reichsstadt Köln wehrte sich die kleine protestantische Gemeinde 1567 gegen den Vorwurf, durch ihre privaten Gottesdienste »zu empörung und aufhebung politischer ordnung« beigetragen zu haben mit der Versicherung, »zu keiner aufruhr und veränderung politischer ordnung gesinnet« zu sein. Die Stadt Hamburg schloß 1609 einen Vertrag mit den niederländischen Generalstaaten, der den in Hamburg eingewanderten Calvinisten das Recht der Kultusausübung als geduldete Minderheit einräumte. Die sog. »paritätischen« Reichsstädte wie Augsburg, Biberach und Dinkelsbühl hatten ohnehin mit ihrer Bikonfessionalität zu leben.

Für die katholische Publizistik aber blieb jede Forderung auf »Freistellung« des Bekenntnisses eine Gefährdung öffentlicher

Ordnung, eine Beurteilung, der die überwiegende Zahl der protestantischen Fürsten wohl folgte. Um so stärker müssen dagegen jene Positionen auffallen, die Toleranz und Freistellung forderten und als notwendige Voraussetzungen einer neuen »ainigkeit« im Reich erkannten. Der kaiserliche Feldhauptmann Lazarus von Schwendi ist hier zunächst als einer der politisch argumentierenden Vertreter der Toleranz zu nennen, der sich der Neuerung seiner Forderung durchaus bewußt war, wenn er 1574 die Toleranz zunächst einmal als »Nothweg und Aufenthalt gemeinen wesens und friedens ...« beschrieb. Für Schwendi bestand die naheliegendste Lösung des Konflikts in einem bewußten Ausbau des Friedens von 1555. »Also soll und mag er jetzo gleichergestalt durch dieselben (Stände) weiter erklert, verbessert und versichert werden.«

Konkret bedeutete dies für Schwendi, wie er in seinem Gutachten für Kaiser Maximilian von 1574 ausführte, »dass also kein ander verhoffentlicher weg und mittel, (dann wie es die zeit selbst treibt und aufmacht, kann an die hand genommen werden) dann die befriedung der gemüther und gewissen und eine gleichmässige, gesammte und mit gemeiner autoritet verpflichte und zugelassene toleranz beider religionen« eine Lösung des Konflikts im Reich herbeiführen könne. Freilich wollte Schwendi diese Lösung auf die katholische und die Augsburgische Konfession begrenzt sehen, aber die Angehörigen dieser Bekenntnisse sollten, wo immer sie wohnten, Gewissensfreiheit genießen, »da er (der Untertan, W. S.) sonsten in gehorsam lebt«. Seit 1563 schon hatte sich Schwendi – das belegt sein Briefwechsel mit Herzog Heinrich d. J. von Braunschweig-Wolfenbüttel – dem Gedanken der Toleranz geöffnet, zweifellos angeregt durch die ihm vertraute französische Entwicklung des konfessionellen Streits. So war aus dem Kriegsmann, der im Auftrag Kaiser Karls V. an der Belagerung Magdeburgs teilgenommen hatte, dem Manne, der die »Lutherey« mit Rebellion identifiziert hatte, ein Politiker geworden, der um des inneren Friedens und um der staatlichen Existenz willen die Gewissensfreiheit propagierte.

Einen anderen Vertreter dieser politisch argumentierenden Toleranzideen müssen wir in Zacharias Geizkofler sehen, dem Reichspfennigmeister der Jahre zwischen 1589 und 1604, den wir ja schon als Verantwortlichen des Reichssteuerwesens kennengelernt haben. Dieser hohe Reichsbeamte, dem in den genannten

Jahren die Einbringung, Verwaltung und teilweise auch die Vorfinanzierung der Reichshilfen auf dem Kapitalmarkt oblag, war zwar immer im Einflußbereich des Hauses Habsburg tätig gewesen, doch seine engen Beziehungen zum Patriziat der Reichsstadt Augsburg und zu vielen Reichsständen auch der Augsburgischen Konfession hatten seinen Horizont beträchtlich erweitert. Ein intensiver Briefwechsel mit politisch verantwortlichen Persönlichkeiten ließ ihn ein klareres Bild von den Problemen seiner Zeit gewinnen, als dies vielen seiner Zeitgenossen möglich war. Hinzu kommt, daß er als Mitglied der Reichsritterschaft selbst die Vorteile des Augsburger Religionsfriedens in Anspruch nehmen konnte und von daher prädestiniert war für eine selbstverantwortete Position.

Auch nach seinem Ausscheiden aus dem Reichspfennigmeisteramt im Jahre 1604 blieb er der praktischen Politik insofern verbunden, als er vom Kaiserhof immer wieder mit Sonderaufgaben betraut wurde, die einmal seinen vertrauten Amtsbereich der Finanzverwaltung betrafen, zum andern aber auch in steigendem Maße die politisch diffizilen Fragen der Beziehungen der konfessionellen Parteien zueinander. Geizkofler wurde mehrfach als kaiserlicher Gesandter zu protestantischen Unionstagen geschickt, so etwa zum Rothenburger Unionstag des Jahres 1613. So wundert es nicht, wenn er neben dieser praktischen politischen Arbeit auch noch ein vielgefragter Ratgeber in Grundsatzfragen war, vor allem nach seinem Ausscheiden aus dem Amt des Reichspfennigmeisters.

In diesen Gutachten hatte Geizkofler mehrfach darauf hingewiesen, daß die leidvolle Erfahrung anderer europäischer Länder für Deutschland ein warnendes Beispiel sein müsse. Sein Gutachten über die politischen und finanziellen Voraussetzungen des Türkenkrieges von 1604 ist vielleicht der deutlichste Beleg für sein Toleranzdenken. Anders als bei Schwendi speiste sich seine Toleranz nicht nur aus dem Kalkül der Notlösung, sondern aus der Einsicht, daß das Gewissen des Menschen nicht durch Zwang beeinflußt werden kann: »... das der menschen gewissen ein zartes ding, so keinen zwang leiden wollen«. Er befinde »in allen historien, je man mit gewalt ein religion außrotten wollen, je mehr sie sich gemehret und seind entweder translationes oder eversiones und ruinae dominorum daraus erfolgt«.

Geizkofler ist nicht nur als Verfasser von politischen und finanzpolitischen Gutachten für den Kaiserhof hervorgetreten. Gerade in der kritischen Phase der Reichspolitik um den Reichstag von 1613 war er als Berater für Kaiser Matthias und seinen Direktor des Geheimen Rates Klesl tätig. Dabei wurde deutlich, daß für Geizkofler der konfessionelle Dissens keinesfalls die Möglichkeit politischer Kooperation und gegenseitigen Vertrauens ausschloß. Mit Fürst Christian von Anhalt – einem der Führer des protestantischen Lagers – komme er gerne zusammen, »dann so weit wir in religione discrepiren, also nahe sind unsere herzen und intentiones conjungiret, ob dahin mittel gefunden werden möchten, das mißtrauen aufzuheben«. Diese praktische und politisch zu nutzende Toleranz beruhte bei ihm auf einer klar formulierten Anweisung zu einer neuen politischen Klugheit, die geradezu aufgeklärt anmutet. Drei »gradus« seien hierbei zu unterscheiden. Man müsse sich bei allem Tun historisch belehren lassen, sich durch eigenen Schaden belehren lassen (wobei er natürlich auf die Schwächung des Reiches während der ersten Hälfte des Jahrhunderts verwies), und schließlich habe man »ex dictamine rationis sapere«, nach der Richtschnur des Verstandes zu denken und zu handeln.

Hier wurde ein Verständnis des konfessionellen Konflikts erreicht, daß sowohl die persönliche Gewissensfrage als auch die politischen Gesichtspunkte berücksichtigte. Duldung anderer Bekenntnisse wird nicht mehr nur als eine Notlösung betrachtet (wie noch bei Lazarus v. Schwendi), sondern als alleinige Voraussetzung eines neuen Friedens im Reich, der für Geizkofler nur mehr auf der Grundlage einer vollen Paritätisierung des Reiches erreichbar scheint. Seine brieflichen Vorschläge zur Überwindung der nach dem Reichstag von 1613 entstandenen Lage, die er Klesl unterbreitete, lassen an einer solchen Bewertung keinen Zweifel. Schwendi, stärker aber noch Geizkofler stehen hier für eine Bewegung, die gerade gegen Ende des 16. Jahrhunderts an Kraft gewann. Es war – wie man gesagt hat – eine »eirenische« Bewegung der Versöhnung der Konfessionen, die gespeist wurde aus der späthumanistischen Hoffnung auf die Weltharmonie, der Erfahrung der Religionskriege und der Verachtung der Gebildeten für das Gezänk der Theologen. Gerade am Kaiserhof in Prag durfte ein Mann wie Geizkofler auf Verständnis für seine Überzeugungen hoffen, denn hier hatte sich um den konfessionell unsicheren Rudolf II. ein illustrer Kreis von Wissenschaftlern,

Künstlern und Juristen gebildet, dessen Signum ein über den Konfessionen stehender Glaube an die Weltharmonie war.

Toleranzideen, so können wir resümieren, haben ihren Ursprung in einer komplizierten Gemengelage verschiedener Argumente. Sie können – wie der Blick auf das europäische 16. Jahrhundert zeigt – durchaus auf der Basis einer humanistischen Grundüberzeugung von der Würde und der Gottähnlichkeit des Menschen entwickelt werden. Dies scheint jedoch die Ausnahme zu sein, so bemerkenswert solche Auffassungen auch sind. Im viel bedeutsameren Kontext der konkreten konfessionspolitischen Auseinandersetzungen, in denen ja erst die Duldung der anderen Konfession durchgesetzt werden mußte, scheint Toleranz erst denkmöglich zu werden nach der Legitimierung und Akzeptierung des konfessionellen Dissenses und dem Verzicht auf die alte Einheit des Glaubens. Erst auf dieser Grundlage konnten dann Auffassungen entwickelt werden, die aus politischen und wirtschaftlichen Motiven heraus verschiedene Bekenntnisse in einem Gemeinwesen akzeptierten. Die letzte Stufe dieser Entwicklung ist dann die explizite Internalisierung der Religion, die Entstehung eines privaten Innenraumes des Menschen, der sich von der Kontrolle des Staates befreien konnte. Es kennzeichnet die drängende Situation des 16. Jahrhunderts, daß die Erfahrungen der europäischen Glaubenskriege nicht nur zu einer politisch bedingten Duldung dissentierender Bekenntnisse führten, sondern sich vielfach auch bereits auf das unverletzliche »internum« des Menschen beriefen, das »zarte ding«.

3.3. Widerstände der Volkskultur

Alles, was wir bislang über die Wirkungen der Reformation, die Bedeutung des Buchdrucks und der Predigt, die zunehmende Intensität der Visitationen und die Verschärfung der Kirchenzucht gehört haben, mag den Eindruck erwecken, als sei damit eine konfessionelle Durchdringung der einzelnen Gemeinden erreicht worden. Ganz sicher war dies die Absicht von Landesherren und Konsistorien, von Bischöfen und geistlichen Räten. Sie wurde auch ohne Zweifel erleichtert durch die zunehmend bessere Ausbildung der Pfarrer, von denen schon in der zweiten Hälfte des 16. Jahrhunderts mehr als die Hälfte über eine akademische Ausbildung verfügte, die konfessionelle Einheitlichkeit der Territorien, die Wirksamkeit der Wanderprediger, die Verbreitung der Katechismen und die Fülle anderer erzieherischer Maßnahmen. Folgen wir dieser Interpretation, erscheint der Weg in die barocke Frömmigkeit des 17. Jahrhunderts als die konsequente Fortsetzung der Konsolidierung der Konfessionen im späten 16. Jahrhundert.

Andere Historiker haben den hier skizzierten Prozeß als einen gewaltsamen Vorgang der Auslöschung der Volkskultur verstanden. Aberglauben und Fastnachtsbräuche, Tanz, Huren- und Wirtshäuser, Charivari und dörfliche Feste seien dem konzentrierten Angriff einer übermächtigen Elitekultur zum Opfer gefallen. Vorsichtigere Interpreten haben abmildernd von einer »Reform der Volkskultur« zwischen 1500 und 1650 gesprochen, und damit ergibt sich zwangsläufig die Frage nach der Existenz einer »Volkskultur« und ihrer möglichen Beeinflussung durch die oben genannten Prozesse. Solche Interpretationen werden auch durch Versuche angeregt, seit der Mitte des 16. Jahrhunderts den Prozeß einer tiefgreifenden »Sozialdisziplinierung« zu konstatieren (so die Formulierung Gerhard Oestreichs) oder auch das 16. Jahrhundert in den umfassenden »Prozeß der Zivilisation« einzuordnen, von dem der Soziologe Norbert Elias gesprochen hat. In beiden Interpretationen wird – wenn auch mit unterschiedlichen Schwerpunkten und Argumentationsschritten – der Versuch unternommen, die in einer großen Zahl gesellschaftlicher Bereiche beobachtbaren Vorgänge der Selbst- und Fremddisziplinierung auf den Begriff zu bringen.

Nichts ist schwieriger, als die »Volkskultur« zu definieren. Ihre Entdeckung setzt bereits den Eindruck einer Trennung von populärer und Elitenkultur voraus. Wenn wir von Kultur als einem System kollektiver Werte, Einstellungen und Ausdrucksformen ausgehen – sie also grundsätzlich nicht auf die Hochkultur begrenzen –, ist als Volkskultur das System kollektiver Einstellungen, Werte und Ausdrucksformen zu bezeichnen, das den nicht zu den Eliten zählenden Bevölkerungsteilen eigen war. Diese so definierte Volkskultur darf nicht als abgetrenntes Segment kultureller Erscheinungsformen verstanden werden, es stand – wie noch zu zeigen ist – mit den anderen, sozial »höher« anzusiedelnden Bereichen in engem Austausch. Damit eröffnet sich gerade für das 16. Jahrhundert ein reiches Beobachtungsfeld, das von den Formen lokalen Brauchtums (Feste, Heirat, Kirchweih, Fastnacht, Märkte etc.), dem Liedgut, den Sprichwörtern und den Märchen bis zu den verschiedenen Formen des Volksglaubens, des Schadenszaubers und des Hexenwesens reicht.

Es liegt nahe, daß wir uns in unserem Kontext auf einige Fragen konzentrieren, die in den Auseinandersetzungen des 16. Jahrhunderts eine besondere Rolle spielen. Doch vorweg noch einige allgemeine Bemerkungen zu den kulturellen Ausdrucksformen einer agrarisch definierten Gesellschaft mit einigen städtischen Zentren, einer der Gewalt der Natur ausgelieferten Bevölkerung, für die Kometen, Blutregen oder Mißgeburten zunächst einmal Zeichen Gottes waren. In dieser Gesellschaft waren wichtige kulturelle Techniken wie Schreiben, Lesen und die selbstverständliche Benutzung von Büchern erst wenig verbreitet, setzten sich freilich schon im Lauf des Jahrhunderts immer weiter durch. Das durch die Wissenschaften ermittelte, nur partiell empirisch gegründete Wissen über Natur konzentrierte sich noch überwiegend in der Hand weniger Gelehrter, das Interpretationsmonopol lag in der Hand der Kirchen. Die Wissenschaften selber waren noch – wie wir am Beispiel Keplers gesehen haben – nicht in der Lage, sich aus diesem Monopol der Kirchen zu befreien. Wissenschaft schien einem Mann wie Kepler noch nicht als Weg fort von Gott, sondern als bessere Möglichkeit, zu Gott zu gelangen. Die revolutionäre Einsicht in die elliptische Bewegung der Planeten ging mit dem für uns kaum nachvollziehbaren Glauben an die Existenz von Hexen einher.

Wir dürfen jedoch über diesem Bild nicht die vielfältigen Formen sozialen Wissens vergessen, die allen Mitgliedern dieser Gesellschaft zur Verfügung standen. Es war ein weitgehend auf akkumulierter Erfahrung beruhendes Wissen über die natürlichen Kräfte des Bodens, der Pflanzen und Tiere. Es fand seine Grenzen an den Unwägbarkeiten des Wetters, an der fehlenden Einsicht in die Verbreitung von Seuchen bei Mensch und Vieh, um nur einige Beispiele zu nennen. Gerade hier aber lagen die Ansatzpunkte für verbreitete zauberische Praktiken, die im Volksglauben tief verankert waren. Sie fanden auch schon früh Eingang in die Praxis der kirchlichen Heiligenverehrung, wo einige Heilige für die Heilung bestimmter Krankheiten verehrt wurden, so etwa der hl. Blasius für Halsleiden.

Einen interessanten Einblick in die vielfachen Überschneidungen von Gelehrten- und Volkskultur bietet die populäre Medizinliteratur des 16. und frühen 17. Jahrhunderts. Diese Literatur – Titel wie *Ain nutzlich unnd notwendigs Artzney Büchlin für den gemainen menschen* des Bartholomäus Vogter (1531), die *Apotheck für den gemainen man, der die Ärzte zu ersuchen am gut nicht vermögens oder sonst in der Not allwege nicht erreichen kann* (1529) oder *Tröstlicher Unterricht Für Schwangere und geberende Weiber* des Johann Wittich von 1598 – konnte seit dem späten 15. Jahrhundert erstaunliche Steigerungsraten verzeichnen. Sie war auf der einen Seite die Verbindung der tradierten medizinischen Wissensbestände mit der volkstümlichen Heilpraxis und den Naturheilmitteln der Zeit. Auf der anderen Seite erfuhr diese Literatur seit der Popularisierung des Buchdrucks eine ständige Umsetzung in die Volkssprache. Auf diese Weise ergab sich eine intensive Vermischung von wissenschaftlichen und populären Wissensbeständen, die den akademisch gebildeten Medizinern der Zeit großes Unbehagen bereitete. Sie betrachteten die reiche volkssprachige Medizinliteratur als Einbruch in die Vorrechte ihres Standes und warnten vor der gefährlichen Selbstmedikation oder der Anwendung wissenschaftlicher Verfahren durch »Stümper« und »Pfuscher«, vor »unbillicher Heckenartzeney«. Gleichwohl war es vor allem das Werk der vielen Stadtärzte, daß das medizinische Wissen der Zeit im Lauf des 16. Jahrhunderts weitgehend in deutscher Sprache verfügbar wurde. Auch dies gehört zu den Besonderheiten des Verhältnisses von gelehrter und populärer Kultur, und die Bedeutung dieses Streits läßt sich daran ermessen, daß die Pädagogik eines Wolfgang Ratke 1612 die Forderung aufstellte, alle Wissenschaften auch in deutscher Sprache zu lehren: »Desgleichen kann ein Medicus den Leib wohl auf gut deutsch kurieren und versorgen, all geschieht es nicht auf griechisch oder arabisch, in welchen Sprachen doch der meisten Teil selber unerfahren.«

Diese Volkskultur war trotz der eben erwähnten populären Medizinliteratur zunächst eine lokale Kultur, jedenfalls ist sie für uns vor allem als solche erkennbar. Jeder Ort hatte nicht nur seine eigene Herrschaftsordnung, seinen Kirchenpatron, sondern auch seine Erinnerung, seine Bräuche, seine Feindschaften, seine Heirats- und seine Marktbeziehungen. All dies schuf Differenz zur Außenwelt, schärfte aber auch den Blick in die eigene kleine Welt, ließ Differenzen zum Nachbarn erkennen, ließ ein spezifisches, außerordentlich hoch entwickeltes Gefühl von Ehre entstehen. Es äußerte sich nicht nur in der materiellen Distanz zwischen Vollbauern und Häuslern im Dorf, sondern deutlicher noch in der Herausbildung von Freundschafts- und Verwandtschaftsbeziehungen, die soziale Sicherheit geben sollten. Der Verkehr der Nachbarn im Dorf und in der Stadt war stark formalisiert, wie die vielen Gerichtsverhandlungen bezeugen, in denen es um »Antastungen« der Ehre ging. Ein unfreundlicher Gruß, eine erwartete, aber verweigerte Einladung, eine nicht geleistete Hilfe, all dies konnte Streit und »Ehrenhändel« heraufbeschwören und das Gericht beschäftigen. Dieser hohe Stellenwert der bäuerlichen oder stadtbürgerlichen Ehre überrascht immer wieder, aber er ist Ausdruck stark verflochtener sozialer Verhältnisse und einer schon relativ fortgeschrittenen sozialen Differenzierung. Die Marginalisierung »unehrlicher« Berufe wie Abdecker, Schäfer, Henker und Schächter beweist, daß hier soziale Abgrenzungen über offensichtlich nützliche soziale Funktionen gestellt wurden. Gewiß läßt sich eine solche Beobachtung auch verallgemeinern, aber sichtbar wird dieses tragende Element der Volkskultur nur in lokal begrenzten Beobachtungsfeldern.

Die zentrale Frage der Volkskulturforschung für das 16. Jahrhundert zielt sicherlich auf die Wirkung der oben angesprochenen Erziehungs- und Disziplinierungsprozesse. Ohne an dieser Stelle konkrete Zahlenangaben anführen zu können, besteht heute Anlaß dazu, stärker auf den Widerstand der Volkskultur gegenüber der versuchten umfassenden Konfessionalisierung und Disziplinierung hinzuweisen. Alle Informationen aus der Splitterwelt der Territorien bestätigen die Vermutung, daß der Erfolg der Kirchen gegenüber dem Kirchenvolk nur ein begrenzter war. Dies betrifft nicht nur die Tatsache, daß sich immer wieder »Unfleiß« in Kirchenbesuch und Sakramentenempfang, »Unglauben« und »Laster« feststellen ließen, sondern daß sich auch zuweilen eine prinzipielle Verweigerung gegenüber den kirchlichen Bemühungen erkennen ließ. Eine Visitation der Diözese Rottenburg im Jahr 1604 ergab »allerhand defect, mengel und müßbreich« beim Kirchenvolk, die städtische Oberschicht erwies sich als religiös indifferent. Selbst gegenüber der calvinistischen Kirchenzucht der Stadt Emden konnte eine kleine Gruppe von nonkonformistischen Christen weiterhin bestehen. Als ein dort lebender, dissentierender Buchdrucker 1562 zum wiederholten Male vom Kirchenrat aufgefordert wurde, seine Meinung im Sinne der Gemeinde zu ändern, erwiderte dieser: »Nein, ich begehre wohl, daß man mich so bleiben lassen will, wie ich bin.« Ein Untertan des vorderösterreichischen Amtes Waldkirch im Schwarzwald erklärte ganz offen im Jahre 1600 in einer Herberge, es gebe »weder Himmel noch Hölle nach diesem leben«. Von der schwäbischen Reichsherrschaft Justingen hieß es 1614, daß dort einige Untertanen »papistisch«, andere »schwenckfeldisch«, wieder andere sogar »abgöttisch und heidnisch« waren. In der kleinen katholischen Grafschaft Rotenfels im Allgäu wurden bei einer Visitation im Jahre 1595 immerhin 280 zwinglianische, schwenckfeldische und wiedertäuferische Schriften gefunden, eine gewiß bemerkenswerte Zahl.

Sicher wird man solche Einzelbeobachtungen nicht überbewerten dürfen. Sie stammen meist aus der Feder kontrollierender Instanzen und lassen keine genaue Beurteilung der Intensität konfessioneller Überzeugung oder gar des Gegenteils zu. Immerhin wird man feststellen dürfen, daß zumindest starke Relikte von »Volksglauben«, um den Begriff Aberglauben zu vermeiden, existierten, die sich nur schwer mit dem kirchlichen Glauben vereinbaren ließen. Immer wieder finden wir kirchliche Erlasse gegen das offensichtlich noch verbreitete Nebeneinander von Zauberglauben und kirchlichen Zeremonien. Für das Erzstift Salzburg spricht eine neuere Arbeit von der weiten »Verbreitung des Aberglaubens und auch des faktischen Unglaubens« im späten 16. Jahrhundert. Im Jahre 1603 erließ der Bischof von Augsburg ein Religionsmandat, das das katholische Bekenntnis zum allein gültigen erklärte, die Erziehung und Verheiratung der Kinder in »sectische« Gebiete verbot und ganz allgemein jede Form der Ketzerei unter Strafe stellte. Neben diesen eher normalen Bestimmungen führte das Mandat weiter aus: »Als und dann auch mehrfeltig fürkommen, was massen an etlichen orthen unsers stiffts, heroob auf dem Land die underthanen sich allerhand verbottner aberglaubischer Segen gebrauchen, auch in ihren fürfallenden nöthen und zuständen anstatt der natürlichen von Gott verordneten Mittel bey den Zauberer und Wahrsagern hülf und rath suchen, ... also soll hiermit solcher aberglaubischer mißbrauch deß segensprechens bey unsern underthanen gäntzlich abgethan, auch dabey den amptleuthen bevohlen sein, auf solche zauberer Segensprecher und wahrsagern manns- oder weibspersonen ewer fleissiges aufmerken ... zu haben.«

Gewiß lassen sich solche Mandate eher als Bestätigung der weiteren Existenz von Zauberern und Segensprechern interpretieren denn als Indiz für ihre wirksame Bekämpfung. Dies wird auch belegt dadurch, daß im Hochstift Augsburg zwischen 1628 und 1630 14 Zauberer verhört wurden, die ihr Gewerbe als völlig rechtmäßig und gebräuchlich bezeichneten.

Daß es zu weit gehen würde, die Volkskultur des 16. Jahrhunderts als Opfer herrschaftlicher Disziplinierung zu betrachten, beweist außer der Fülle konkreter Widerstände gegen den Versuch obrigkeitlicher Bereinigung von Laster, Fastnacht und Volksglauben, vor allem die offensive Auseinandersetzung der Untertanen mit den neuen staatlichen Institutionen und dem System des »gemeinen Rechts«, der für das Reich charakteristischen Mischung von römischem und territorialem deutschen Recht. Viele ältere Auffassungen über die Wirkung der Rezeption des römischen Rechts in Deutschland haben zu der Vermutung geführt, daß diese Rezeption vor allem zu Lasten des Bauernstandes gegangen sei. Eine solche Interpretation wurde meistens mit den Beschwerden gegen die »Doktoren« im Bauernkrieg begründet, daneben wurde auf die Anwendung des römischen Sklavenrechts auf die Rechtsverhältnisse deutscher Bauern im Lauf des 16. Jahrhunderts verwiesen. In einer solchen Interpretation ist die Rezeption des römischen Rechts gleichsam ein Gewaltstreich gegen die Volkskultur gewesen.

Tatsächlich betrafen eine Reihe der bäuerlichen Beschwerden des Jahres 1525 auch die Juristen – nicht erstaunlich angesichts der bäuerlichen Frontstellung vor allem gegen die geistlichen Gerichte. Doch darf daraus keinesfalls auf eine grundsätzliche Aversion der bäuerlichen Bevölkerung gegen die Institutionen einer zentralen Rechtsprechung geschlossen werden. Vielmehr läßt sich aus einer Reihe von Beobachtungen belegen, daß die Untertanen sowohl städtischer als auch ländlicher Gebiete im Lauf des 16. Jahrhunderts intensiv die neuen Möglichkeiten nutzten, die ihnen durch das Reichskammergericht und durch die verbesserten territorialen Gerichte geboten wurden. Wir sind inzwischen nicht mehr nur auf zeitgenössische, aber naturgemäß ungenaue Angaben angewiesen, um die Frequentierung des Reichskammergerichts durch Untertanen nachzuweisen. Wir wissen, daß in der ersten Hälfte des 16. Jahrhunderts jährlich etwa 180 Prozesse am Kammergericht begonnen wurden, daß diese Zahl aber schon in der zweiten Hälfte auf 438 stieg. An diesem Anstieg waren bäuerliche Kläger in einem hohen Maße beteiligt. Daß die Neigung bäuerlicher Untertanen zur Prozeßführung in Speyer schon früh den Unmut der davon betroffenen Reichsstände erregte, erfahren wir aus Beschwerden dieser Stände auf den Reichstagen.

Schon nach dem Bauernkrieg setzten diese Beschwerden ein, weil offensichtlich das Kammergericht einzelne Gemeinden oder Kläger gegen ihre Landesherren unterstützt hatte. Tatsächlich muß es erstaunen, wenn ein Bauernführer wie der Dürkheimer Eberhard Augenreich nach seiner Bestrafung durch seinen Landesherrn praktisch den Rest seines Lebens damit verbrachte, am Kammergericht gegen dieses Urteil zu klagen, um endlich 1550 – kurz nach seinem Tode – vor Gericht zu siegen. Einige nordelsässische Gemeinden erstritten sich zwischen 1532 und 1567 am Kammergericht zehn Mandate, mit denen sie ihre Rechte zurückgewannen, die ihre Herrschaft ihnen nach dem Bauernkrieg genommen hatte. Aus dem niederrheinisch-westfälischen Kreis wurde 1586 die Klage erhoben, daß das Kammergericht viel zu bereitwillig die Klagen der Untertanen gegen ihre Herrschaften annehme. Folglich versuchte man 1594, die Fülle dieser Klagen durch eine vorgeschriebene Anfrage bei den beklagten Herrschaften zu begrenzen; auch die Erhöhung des Streitwerts für solche Prozesse bei gleichzeitiger Verweisung an die territorialen Obergerichte spricht für die intensive Annahme des Rechtsweges. Ein Blick auf die Territorien zeigt, daß sich dort ähnliche Entwicklungen vollzogen. Die »Klagsucht« deutscher Bauern wurde im 16. Jahrhundert notorisch.

Selbst wenn wir diese statistisch nachweisbare Klagesucht als das Werk von Juristen hinstellen, zeigt ein Blick in die klagenden Gemeinden, daß hier von einer Diskrepanz zwischen der elitären Rechtskultur der hohen Gerichte und dem Leben der Gemeinden keine Rede sein kann. Für die Gemeinden im oberdeutschen Raum war es seit etwa 1580 durchaus normal, daß sie sich in Auseinandersetzungen mit ihren Obrigkeiten an Advokaten benachbarter Reichsstädte wandten und sich dort beraten ließen. Dabei scheuten sie – wie im nächsten Abschnitt gezeigt wird – auch nicht vor langen Reisen zurück. In einem Fall holte sich ein Dorf, das sich in einer Auseinandersetzung mit seinem Herrn befand, sogar einen Advokaten ins Dorf und zahlte ihm für seine Tätigkeit einen Tagelohn. Schwäbische Untertanen erkundigten sich gar bei der Juristischen Fakultät von Tübingen über die Rechtslage in ihrer Streitsache. In allen Fällen aber vertrauten die Gemeinden die Ausarbeitung ihrer Klageschriften versierten Advokaten an, die man genau ausgewählt hatte. Kam es zu Verhandlungen mit der Obrigkeit unter Aufsicht einer kaiserlichen Kommission, zogen die bäuerlichen Gemeinden einen Rechtskundigen hinzu, um den formalen Anforderungen gewachsen zu sein. Auch das in den Gemeinden nachweisbare Wissen um den richtigen Klageweg, die Einschätzung bestimmter rechtlicher Institutionen und das durchaus kritische Vertrauen in »den weg rechtens« überraschen den Leser dieser Quellen immer wieder. Solche Äußerungen lassen einen Schluß auf eine Überwältigung der bäuerlichen Rechtsvorstellungen durch das Rechtssystem der Rezeptionszeit nicht zu. Es hat vielmehr den Anschein, als hätten die Untertanen die neuen Möglichkeiten der rechtlichen Beschwerde offensiv genutzt. Im folgenden Kapitel über die Untertanenrevolten des späten 16. Jahrhunderts wird das noch deutlicher werden.

Es träfe nur die eine Seite dieses erstaunlichen Verhaltens der Untertanen zumindest im südwestdeutschen Raum, wenn wir nur dieses Ausnutzen der Klagemöglichkeiten herausstellen würden. Dieses läßt sich im übrigen auch in den norddeutschen und ostelbischen Gebieten beobachten, wenn auch nicht in der Intensität der südwestdeutschen Welt der Kleinterritorien. Die andere Seite betrifft die Kultur des Widerstands in den Gemeinden und Ämtern, wenn es schließlich zur Verweigerung der Abgaben und zur Einleitung eines Prozesses gegen den Herrn kam. Hier reichte keineswegs eine Versammlung und eine Abstimmung über das weitere Vorgehen aus, sondern diese Aktionen bedurften der symbolischen Besiegelung und Festigung. Als die kaiserlichen Kommissare im Mai 1581 die Mitglieder der rebellierenden Gemeinde Böhmenkirch (bei Göppingen) nicht bewaffnet in die Stadt Schwäbisch Gmünd zu Kommissionsverhandlungen einziehen lassen wollten, haben »sy alle widerum auf ein neues zusammengeschworen und in einem circulo, zween aus ihnen gegeneinanderübergestölt, die einen Spieß überzwerch (d. h. über Kreuz) gehalten, dardurch ein jeder aus ihnen auf zuvor gegeben handgelübd und empfangen gelt … hetten gehn müssen«. In anderen Gemeinden bildete man eine Gasse aus Seilen und ließ alle Teilnehmer der Revolte hindurchgehen oder trank gemeinsam und nach Ablegung eines Schwurs einen Becher Wein, ließ die Schwurhand erheben, steckte ein Abzeichen an den Hut oder betete gemeinsam nach der formellen Beratung der Gemeinde im Ring. In jedem Fall verraten sowohl die

Beratungsformen der Gemeinden, die selbstverständliche Wahl von Ausschüssen, die Sammlung von Geld, die Organisierung von Pfeifern und Trommlern ein erstaunlich hohes Maß an Organisations- und ritueller Sanktionsfähigkeit. Diese konnte sich im Verlauf einer Revolte auch gegen die Gemeindemitglieder richten, die weiterhin mit der Herrschaft hielten. Sie wurden nicht nur vom geselligen Verkehr ausgeschlossen, sondern auch vom Gebrauch der Backöfen, der Kelter oder sogar der Allmende. Die gleichen Maßnahmen wandten Gemeinden übrigens auch gegen Personen an, die als Hexen verdächtigt, von der Herrschaft aber nicht angeklagt worden waren. Sie wurden aus dem Leben der Gemeinden rigoros ausgeschlossen.

Beobachtungen dieser Art widersprechen jedenfalls dem eingängigen Bild einer weiten kulturellen Differenz zwischen Volkskultur und Elitenkultur. Eine solche Differenz wäre auch mit den spezifischen Bedingungen der territorialisierten Staatenwelt des Reiches kaum vereinbar gewesen. Selbst wenn es im Lauf des 16. Jahrhunderts zu einer partiellen Schwächung der Autonomie der Gemeinden kam, der administrative und finanzielle Druck zunahm, ergaben sich auf anderen Feldern wiederum Zugewinne für eine wirksame Vertretung der Interessen der bäuerlichen Gemeinden.

3.4. Hexenprozesse

Nichts vermag das öffentliche Interesse an der frühmodernen Epoche so sehr zu erregen wie die unbestreitbare Tatsache, daß viele tausend Menschen den Hexenverfolgungen verschiedener Jahrhunderte zum Opfer gefallen sind. Nirgends gibt es so viele Versuche zur möglichst schlüssigen Erklärung eines bestimmten historischen Phänomens wie im Falle der Hexenverfolgung. Nirgends schließlich steht die historische Forschung auch heute noch so hilflos vor einem im Grunde ungelösten Rätsel wie im Falle der Hexenverfolgung, wo uns die Prozesse zwar eine Fülle von Aktenmaterial hinterlassen haben, wir auch über eine reichhaltige gedruckte und ungedruckte zeitgenössische Hexendiskussion verfügen, aber in den Quellen keine Erklärung des Phänomens angeboten bekommen.

Es kann nicht die Aufgabe dieser Arbeit sein, dieses Rätsel zu lösen. Es soll jedoch zumindest der Versuch unternommen werden, Hexenverfolgungen hinsichtlich ihrer Genese als ein Phänomen des 16. Jahrhunderts zu bestimmen, einige Korrekturen am verbreiteten Bild der Hexenverfolgungen anzubringen und diese Vorgänge durch Einordnung in die spezifische Situation des späten 16. Jahrhunderts verständlich zu machen, ohne sie jedoch schlüssig erklären zu können.

Dabei liegt inzwischen eine Fülle beachtlicher Forschungsergebnisse vor, die uns ein ziemlich genaues Bild über die Zahl der Prozesse und der Opfer, die Prozeßarten, die Hexenliteratur und die soziale Herkunft der Opfer ermöglichen. So hat man für den Bereich des Bundeslandes Baden-Württemberg zwischen 1561 und 1670 3229 Hinrichtungen in Hexenprozessen ermittelt, von denen mehr als jede dritte in katholischen Herrschaften stattfand. Im bayerischen Raum sind dagegen für den Zeitraum von 1400 bis 1800 ca. tausend Prozesse ermittelt worden, in denen in 81,5 % der Fälle die Angeklagten freigesprochen bzw. nur geringfügig bestraft wurden. In 13,5 % der Fälle wurden zwischen einer und drei Personen hingerichtet, nur 1,4% der Fälle weiteten sich zu den sog. »großen Verfolgungen« aus, in denen mehr als zwanzig Personen hingerichtet wurden. Etwa die Hälfte aller Hinrichtungen fand dabei im Zeitraum von 1586 bis 1594 statt. Ähnlich ist der Befund für das Herzogtum Braunschweig-Wolfenbüttel, wo zwischen 1557 und 1670 225 Anklagen wegen Hexerei auszumachen sind, die in 88 Fällen zur Hinrichtung der Angeklagten führten, davon allein 53 zwischen 1590 und 1620. Alle Anzeichen deuten darauf hin, daß der Zeitraum zwischen 1590 und 1630 zumindest für Deutschland als der Scheitelpunkt der Hexenverfolgungen anzusehen ist. Damit taucht die Frage auf, warum in der zweiten Hälfte des 16. Jahrhunderts die Verfolgungen in dieser eindeutigen Massierung ausbrechen.

Daß traditionale Gesellschaften durch Volksglauben, Zauber und magische Kulte geprägt sind, ist eine Erkenntnis, die man sich immer wieder neu ins Gedächtnis rufen muß. Das bedeutet zugleich, daß solche Praktiken auch im 16. Jahrhundert weit verbreitet waren und in zunehmendem Maße von den kirchlichen und staatlichen Ordnungsbemühungen erfaßt wurden. Die Feststellung ist deshalb wichtig, weil diese Praktiken den realen Kern einer Hexenanklage bilden konnten. Das Hexenverbrechen als kirchlich definiertes Verbrechen ist freilich erst ein Produkt des 15. Jahrhunderts. Hier war es vor allem die Publikation des durch eine päpstliche Bulle von 1484 sanktionierten *Hexenhammers*, eines

»Handbuchs« der Hexenlehre der Kölner Dominikaner Heinrich Institoris und Jakob Sprenger aus dem Jahre 1487, das die bislang getrennten Elemente zu einem definierten Verbrechen zusammenführte. In der Einleitung dieses Bandes schrieb einer der Verfasser, daß »dieses Werk zugleich neu und zugleich alt« sei. »Alt ist es gewißlich nach dem Inhalt und dem Ansehen. Neu aber in Ansehung der Zusammensammlung der Theile und der Verbindung derselben.«

Erst jetzt ließ sich das Hexenvergehen eindeutig definieren. Es bestand aus dem Pakt mit dem Teufel, der »Buhlschaft« mit dem Teufel, der Ausübung des Schadenszaubers, dem »Hexenflug« und schließlich der Teilnahme am »Hexensabbat«, der Versammlung der Hexen. Daraus ergibt sich, daß ein Zaubereiprozeß nicht als Hexenprozeß bezeichnet werden kann, dazu bedurfte es der Feststellung der eben genannten fünf Kriterien. Diese neue Hexenlehre fand durch wiederholte Auflagen des *Hexenhammers* (13 Auflagen bis 1520) intensive Verbreitung, ohne daß man deshalb schon in der ersten Hälfte des 16. Jahrhunderts Hexenverfolgungswellen ausmachen könnte. Die Gründe dafür werden später deutlich werden. Erst die Neuauflage des *Hexenhammers* im Jahre 1580 in Frankfurt am Main fand weite Verbreitung und traf offensichtlich auf einen gestiegenen Bedarf an dieser systematisierten Hexenlehre. Neun Jahre später erschien auch die Hexenschrift des Trierer Weihbischofs Peter Binsfeld, die auch sofort ins Deutsche übersetzt wurde, und schon 1586 übertrug der Straßburger Publizist und Satiriker Johann Fischart die 1580 erstmals publizierte *Démonomanie* des französischen Juristen Jean Bodin in die deutsche Sprache (*Vom Außgelaßnen Wütigen Teuffelsheer der Besessenen Unsinnigen Hexen und Hexenmeyster*).

Dieser literarischen Anheizung der Hexenverfolgungen durch Verfasser von europäischem Ruf, die mit ihren Schriften offensichtlich ein Bedürfnis erfüllten, konnten die wenigen Autoren, die schon in dieser Zeit die unheilvolle Wirkung der neuen Hexenlehre voraussahen, nichts hinreichend Wirksames entgegensetzen. Hier ist vor allem der aus Brabant stammende, aber in Düsseldorf als Hofarzt tätige Calvinist Dr. Johann Weyer zu nennen, der schon 1563 in Basel sein gegenüber dem Hexenglauben kritisches Werk erscheinen ließ (*Von den Blendwerken der Dämonen sowie von Verzauberungen und Vergiftungen*). Die den Hexen zugeschriebenen Verbrechen erklärte er für Blendwerke des Teufels, und folglich verlangte er in seinem Buch, bei den Ermittlungen in Hexenprozessen nur von objektiv nachweisbaren kriminellen Handlungen auszugehen, andernfalls aber die Angeklagten zu entlassen. Aus dieser kurzen Übersicht über die literarische Form der Hexendiskussion ist schon ersichtlich, daß wir es hier keinesfalls mit einer unterschiedslos wirksamen Massenpsychose zu tun haben, aus der es kein Entrinnen gab. Vielmehr war die Entscheidung für Hexenverfolgungen in einem Territorium ein bewußter Schritt, der gegen wohlbekannte, andere Lehrmeinungen vollzogen wurde und üblicherweise sogar umstritten war.

Die »neue« Definition läßt zugleich erkennen, warum eine so definierte Hexenlehre Ansatzpunkte für ein Massenphänomen bot. Die allein in der Wirklichkeit des 16. Jahrhunderts vielfach feststellbaren Kriterien des Schadenszaubers und der Wahrsagerei rückten automatisch eine große Zahl von Menschen in den potentiellen Verdacht der Hexerei. Der Hexensabbat schließlich ermöglichte eine Ausdehnung der Verfolgungen, da laut Definition der Hexensabbat eine Versammlung vieler Hexen war, so daß einzelne Angeklagte unter der Folter die Namen von anderen Teilnehmern preisgaben. Damit war ein Mechanismus in Gang gesetzt, der bei konsequenter Anwendung tatsächlich zu einer massenhaften Verbreitung der Prozesse führen mußte. War durch die auf der Folter erpreßten Aussagen einmal eine Anzahl von Hexen ermittelt, konnte der Prozeß durch das Zusammenspiel von Folterung und Hexensabbat immer weitere Hexen produzieren. So konnte ein Hexenverfolger aus dem Prozeß gegen eine Hexe viele neue Hexen herausfoltern lassen.

Wenn man so die rechtlichen Grundlagen des Hexenprozesses bezeichnet, der prozeßtechnisch als ein mit dem Mittel der »peinlichen Frage« vorgehender Inquisitionsprozeß zu bezeichnen ist, wird auch verständlich, daß es zur Durchführung des Prozesses erst einmal einer Anklage aus dem Umfeld der Beklagten bedurfte. Der Hinweis auf einen etwaigen Schadenszauber oder andere verdächtige Praktiken, die später als Kriterien für hexerische Aktivitäten dienten, konnte nur aus der Nachbarschaft der Beklagten kommen. Daneben aber bedurfte es eines entwickelten Justizapparates und der Verankerung des Delikts der Hexerei im Strafgesetzbuch, um einen Hexenprozeß wahrscheinlich zu machen. Dies war im § 109 der *Constitutio Criminalis Carolina* von 1532, dem Strafgesetzbuch des Reiches, geschehen, ohne daß diese Bestimmung sofort zu Verfolgungen geführt hätte, denn sie richtete sich im Kern nur gegen das Verbrechen der Zauberei. Keineswegs wurde hier der elaborierte Hexenbegriff des *Hexenhammers* übernommen. Die Verankerung des Straftatbestandes kann also nicht allein für den Ausbruch der Verfolgungen verantwortlich gemacht werden, zumal die *Carolina* in der einschlägigen juristischen Literatur nur eine geringe Rolle spielte.

Damit aber wird die Hexenverfolgung zu einem historisch definierten Gegenstand insofern, als es erst des Zusammentreffens dieser verschiedenen Elemente bedurfte, um die Verfolgungswellen auszulösen. Zugleich wird damit erklärbar, daß Hexenverfolgungen weder in Deutschland noch in anderen europäischen Ländern überall in gleicher Dichte auftraten. Sie konnten zwar ansteckend wirken, aber es bedurfte zu ihrer Verwirklichung des Zusammentreffens bestimmter sozioökonomischer, rechtspolitischer und mentaler Voraussetzungen. Die Obrigkeit allein konnte keine Hexenprozesse durchführen, wenn sie nicht über Informanten »vor Ort« verfügte, und ein Dorf konnte keine Mitbewohnerin als Hexe verurteilen lassen, wenn die Obrigkeit nicht bereit war, einen Hexenprozeß zu führen. Eine Gemeinde aber hätte keinen Grund gehabt, gegen einige ihrer Genossen vorzugehen, wenn nicht außergewöhnliche Belastungen aufgetreten wären, die mit den traditionellen Mechanismen nicht zu bewältigen waren.

Die genannten Bedingungen trafen in Deutschland offensichtlich vor allem seit den letzten beiden Jahrzehnten des 16. Jahrhunderts zusammen. Da die großen Reichsstädte relativ wenig Hexenverfolgungen aufweisen, kann man sich bei der Analyse des Phänomens vor allem auf den ländlichen Raum und die kleineren Städte konzentrieren. Diese immer noch weitgehend agrarisch geprägte Gesellschaft wurde – und diese Beobachtung gilt für beinahe alle europäischen Staaten – seit den sechziger und siebziger Jahren des 16. Jahrhunderts von wirtschaftlicher Stagnation getroffen. Diese wurde vor allem durch eine offensichtliche Verknappung der verfügbaren Lebensmittel hervorgerufen, die sich in Hungersnöten niederschlug. Angesichts der erhöhten Nachfrage nach Lebensmitteln mußten Mißernten aus klimatischen Gründen – und diese häuften sich seit den siebziger Jahren so, daß man in der historischen Klimaforschung von einer »kleinen Eiszeit« gesprochen hat – zu katastrophalen Hungersnöten führen. Wir hatten schon bei der Analyse der Konjunkturen des 16. Jahrhunderts darauf hingewiesen, daß in diesem Zeitraum zwar ein neuerlicher Landesausbau einsetzte, daß aber die damit gewonnenen Zuwächse nicht ausreichten, das starke Bevölkerungswachstum zu verkraften. Viele Quellenzeugnisse belehren uns darüber, daß die weitere Zunahme der Bevölkerung von vielen Zeitgenossen als Drohung empfunden wurde.

Sehr real aber wurde diese Gefahr innerhalb der kleinen Welt der Dörfer empfunden. Hier hatte sich seit dem 15. Jahrhundert eine starke soziale Differenzierung der Einwohner herausgebildet, die Vollbauernstellen waren bereits in die Minderzahl geraten, und die unterbäuerlichen Schichten fanden im Dorf nur mit Mühe ein einigermaßen hinlängliches Auskommen. Die letzte Gruppe im Dorf, die »Dorfarmut«, wurde in vielen Dörfern zu einem ernsten Problem, das die dörfliche Solidarität auf die Probe stellte. Aus Quellen dieser Zeit wissen wir, wie sich die Gemeinden in Stadt und Land gegen zuwandernde Bettler abschlossen. Man hatte genug mit der eigenen Armut zu kämpfen und schloß die Tore gegenüber neuen, »fremden« Bettlern. Unter diesen Bedingungen einer allgemeinen Verknappung der Ressourcen an Lebensmitteln konnte eine schlechte Ernte, ein Hagelschlag, der Tod einer Kuh oder ein sonstiges einkommenminderndes Vorkommnis zu einer schweren Bedrohung der sozialen Existenz werden. Im Licht dieser Verhältnisse und vor dem Hintergrund einer in ihrem Wechselspiel nicht erkennbaren Natur stellte der Versuch, den mißgünstigen Nachbarn oder die ungeliebte, allen zur Last fallende ältere Witwe, die am Rande des Dorfes in einer Kate hauste, für ein solches Ereignis verantwortlich zu machen, eine naheliegende Möglichkeit dar.

Ein solcher Schluß drängt sich dann auf, wenn wir uns die Bittschriften einzelner Gemeinden ansehen, die ihre Obrigkeiten bedrängten, endlich einen Prozeß gegen eine notorische Hexe zu führen. In einigen Fällen gehörte die Forderung zur Durchführung eines Hexenprozesses sogar zu den Beschwerden von revoltierenden Gemeinden. In Kurtrier bildeten die Gemeinden sogar eigene »Hexenausschüsse«, die eine regelrechte Voruntersuchung durchführten und den Fall dann der obrigkeitlichen Gerichtsbarkeit übergaben. In diesen Fällen sah sich die Regierung des Kurstaats in der mißlichen Lage, »daß sich die gemeinden auff eines oder des anderen unruhigen Underthanen uffwicklung sich zusammen verschworen, und fast einem ufrur gleichstehende Verbündtnüsse gemacht«, um die Verfolgung der vermeintlichen Erntezauberer zu erreichen. Der Kurfürst sah sich 1591 schließlich genötigt, diese Hexenausschußbewegung zu kanalisieren und in den Gemeinden jeweils Personen zu bestellen, die die Obrigkeit über notwendige Anklagen gegen Hexen informieren sollten. Mit dieser Beobachtung, daß der Anstoß zu Hexenprozessen in vielen Fällen von den einzelnen Gemeinden selbst ausging, fällt auch die Vermutung in sich zusammen, daß es sich bei den Hexenprozessen um eine obrigkeitliche Strategie zur Vernichtung der »weisen Frauen«, der Hebammen, gehandelt habe, deren Wissen um Mittel der Empfängnisverhütung den auf Bevölkerungswachstum bedachten Obrigkeiten im Wege gestanden haben soll.

Die Forderungen der Gemeinden wegen Ernteschäden waren auch die Auslöser für die Hexenverfolgungen im Werdenfelser Land, das zum Stift Freising gehörte. 1580/81 war den Anschuldigungen noch mit Zeugenverhören begegnet worden, die aber keinerlei Weiterungen gehabt hatten. Unter dem Einfluß der benachbarten Schongauer Hexenprozesse aber kam es im Teuerungsjahr 1589 zu neuerlichen Verhören, Folterungen und Urteilen, die schließlich zur Verbrennung von 49 Hexen führten. Alle Urteile wurden von bäuerlich besetzten Gerichten in Garmisch, Partenkirchen und Mittenwald gebilligt, die Opfer waren noch überwiegend alte und arme Frauen. Doch zugleich war erkennbar geworden, daß durch die Verhöre der Kreis der Beschuldigten immer größer geworden war und auch vor den jüngeren Frauen aus angesehenen Familien nicht haltgemacht hatte. Als diese Erkenntnis sich durchsetzte, schlug in der Grafschaft die Stimmung gegen den Pfleger um, der bislang die Prozesse betrieben hatte. Im Januar 1591 machte er unter dem Eindruck heftiger Proteste aus der Bevölkerung der Regierung des Stifts den Vorschlag, alle Prozesse einzustellen. »Sollte auf alle Denunzierten gefahndet und peinlich mit ihnen verfahren werden, so zweifelt mir nicht, daß der mehrer Teil Weiber in der Grafschaft Werdenfels in dergleichen zauberischen Verdacht kommen und torquiert werden müßte, welchem nachzufolgen meinem geringen Verständnis nach schwerlich sein kann oder mag und dem Lande zum höchsten Verderben reichen würde.«

Mit dieser Einsicht des unstudierten Pflegers haben wir zugleich einen wichtigen Grund für die relativ häufig beobachtbare Niederschlagung von Hexenprozessen, die nach den angeführten bayerischen Daten keineswegs so selten war. Klugen Beobachtern dieser

Prozesse und der sich in ihnen unfehlbar entfaltenden Dynamik war natürlich sehr bald aufgefallen, daß der Hexenprozeß keineswegs die reinigende Funktion hatte, wie dies von klagenden Gemeinden zunächst angenommen wurde. So wundert es nicht, wenn die schon sehr früh einsetzende kritische Diskussion über die Hexenprozesse auf diesen Schwachpunkt der Verfolgungen abhob. In der neuen Untersuchung von Wolfgang Behringer über die innerbayerische Hexendiskussion seit 1590 ist gezeigt worden, daß die Gruppierung am Hof, die die Verfolgungen forcierte, vor allem landfremde Jesuiten (u. a. Jakob Gretser und Adam Contzen) und Juristen umfaßte, während sich die Gegner der Verfolgungen – oft als »Politici« beschimpft – zumeist aus dem Adel und dem Patriziat des Herzogtums selber rekrutierten. Die vorsichtige Gruppierung empfahl dringend einen sehr behutsamen Umgang mit der Tortur, damit »es nit das Ansehen, als wenn man aus gemainen Vermuthungen in allweg eine confessionem erzwingen wölle, welliches dann leichtlich geschehen mueß, wann man aus gemein indicien gemein superstitionis gleich nach den Personen greift, dieselb torquieren ... unnd dann unzelbare Personen ... in hechste gefahr dadurch bringen mechte«. »Gemeinwohl, Herkommen« und »natürliche Vernunft« waren die Argumente, mit denen diese Gruppe gegen die Prozesse zu Felde zog. Der Hofratspräsident Dr. Wilhelm Jocher warnte in einem Gutachten 1608 seinen Landesherrn ebenfalls davor, Hexereianklagen schon auf Anzeichen von »Aberglauben« zu gründen, denn dann würde bald jeder Einwohner des Landes der Hexerei verdächtig sein, »weil in Euer Durchlaucht Fürstentum auf dem Landt fast meniglich unnd dan in den Stetten gar viel unnd fest niemandt, der nit vielleicht auf eine vanam superstitionem acht hat«.

Wir haben bislang vor allem die juristische und theologische Konstruktion des Hexenverbrechens behandelt und seine Anwendung für einen Zeitraum angenommen, der vor allem aus sozialökonomischen Gründen wahrscheinlich ist. Wir haben zugleich die aktivierende Rolle der Hexenliteratur betont und gesehen, wie das Beispiel von Nachbarterritorien, wo die Scheiterhaufen brannten, Nachahmung in der Nachbarschaft nach sich ziehen mußte. Doch wäre dies insgesamt ein zu enger Erklärungsversuch. Er würde nicht der Intensität der Verfolgung durch bestimmte Obrigkeiten und Schriftsteller, nicht der Haltung vieler

Juristenfakultäten gerecht werden, die in den meisten Hexenprozessen im Wege der sog. Aktenversendung um Gutachten gebeten wurden.

Für einen umfassenderen Erklärungsversuch wird man die Gesamtsituation der europäischen Gesellschaften gegen Ende des 16. Jahrhunderts erfassen müssen. Dies bedingt zum einen die Untersuchung der deutlicher werdenden ökonomischen Grenzen, wie sie in den Hungerkrisen der siebziger Jahre schon erkennbar geworden waren. Hinzu kam ein säkularer Preisanstieg, dessen Auswirkungen gerade in Erntekrisen fühlbar wurden. Diese für uns objektiv ermittelbaren Krisenerscheinungen werden ergänzt durch Beobachtungen über den weitverbreiteten Eindruck eines allgemeinen Verfalls moralischer Werte. Die Predigtliteratur des späten 16. Jahrhunderts, die Fülle der Teufelbücher, in denen praktisch jedes Laster zu einem eigenen Teufel aufgewertet wurde (Sauf-, Jagd-, Mode-, Huren-, Bettelteufel, um nur einige zu nennen), so daß eine eigene Publikation mit dem Titel *Theatrum diabolorum* werben konnte, die zeitdiagnostischen Schriften mit Endzeiterwartungen, all dies schuf einen außerordentlich wirksamen Untergrund für die Suche nach Schuldigen.

Diese Suche nach dem Laster war gewiß eine Folge einer durch Reformation und Gegenreformation aufgerüttelten Gesellschaft, die erschrocken war über die augenscheinlich wachsende Diskrepanz zwischen den hohen Ansprüchen einer gottgerechten, tugendhaften Lebensführung und der schlechten Realität, die tagtäglich zu beobachten war. Die Kluft zwischen den Forderungen der Kirchen und der sozialen Wirklichkeit war nicht mehr zu überbrücken. Im Zuge der kirchlichen Überwachung des Lebenswandels der Gemeindemitglieder, wie er durch die Visitationen, aber auch durch die Kirchengerichte immer stärker in die Gemeinden eindrang, wurde das soziale und religiöse Verhalten der Nachbarn einer schärferen Kontrolle unterzogen, als dies im dörflichen Kontext ohnehin schon gegeben war. Wenn auch die aus dem südost- und südwestdeutschen Raum ermittelten Zahlen für Hexenverfolgungen den Eindruck bestätigen, daß ca. drei Viertel der Prozesse von katholischen Obrigkeiten durchgeführt wurden, scheint dies noch kein ausreichender Beleg für eine konfessionsspezifische Interpretation und Zurechnung zu sein.

Auf der anderen Seite waren die Instrumente zur empirischen und nicht moralisch wertenden Analyse von gesellschaftlichem

Verhalten noch unterentwickelt. Die Möglichkeiten zur positiven Interpretation der menschlichen Leidenschaften, zur adäquaten Beurteilung von Angst und unbewältigter Naturerfahrung, so wie sie vereinzelt und ansatzweise schon entwickelt worden waren, sich endgültig aber erst im 17. und 18. Jahrhundert durchsetzten, standen noch nicht bereit und konnten daher noch keine Entlastung bringen. In dieser Situation einer überspitzten moralischen Sensibilisierung, einer verschärften Abgrenzung der Konfessionen, einer genaueren Beobachtung des Nachbarn, konnte der Kampf gegen die Hexen eine willkommene Ablenkung von diesen Problemen bedeuten. Sie waren Versuche der »Entlastung« in einer aus mehreren Gründen besonders angespannten Zeitsituation. Diese Überlegungen leiten über zu einer abschließenden Bewertung der Situation um 1600. Vorher aber wollen wir noch einen Blick auf die Untertanenrevolten des späten 16. und frühen 17. Jahrhunderts werfen, deren Höhepunkt praktisch zeitgleich mit dem ersten Höhepunkt der Hexenverfolgungen verlief.

4. Die Bewältigung sozialer Konflikte nach dem Bauernkrieg

Im April des Jahres 1598 wurden dem Advokat Dr. Kaspar Stemper, der sich während des Reichstags in Regensburg aufhielt, von einem Gastwirt einige Bauern als Untertanen der Landgrafschaft Klettgau am Hochrhein vorgestellt, die den Rat eines Rechtsgelehrten suchten. Die Bauern beschwerten sich über ihren Herrn, den Grafen Rudolf von Sulz, der sie mit zu hohen Steuern belaste. Falls ihnen nicht geholfen werde, müßten sie Haus und Hof verlassen, klagten sie in bewegten Tönen. Auch bezweifelten sie, ob ihr Herr ihre bereits gezahlten Reichssteuern wirklich an den Kaiser abgeführt habe. Jetzt wolle man eine Beschwerdeschrift aufsetzen lassen und diese zum Kaiser nach Prag bringen. Dr. Stemper riet ihnen davon jedoch ab und empfahl ihnen, zunächst einmal beim Reichskammergericht in Speyer nachzufragen, ob ihre Steuern ordnungsgemäß abgeführt worden seien.

Die Bauern akzeptierten diesen Rat, wollten aber vorher noch wissen, wie hoch denn eigentlich der Steueranschlag ihrer Landgrafschaft sei, »denn das hetten sie noch nirgends erfahren können«. Dr. Stemper zögerte nicht, ihnen die Summe bekanntzugeben, wußte er doch sehr gut, daß dies in den Reichsabschieden auch vorgesehen war. Als ihm die Bauern treuherzig versicherten, ihr Herr habe wegen einer Teilung der Landgrafschaft aber nur die Hälfte des Steueranschlags zu bezahlen, rechnete Stemper ihnen auch noch den halben Betrag aus, schrieb ihnen die Summe auch noch auf einen Zettel, den er mit seinem Namen unterzeichnete. Zufrieden machten sich die Bauern auf den weiten Rückweg in ihre Heimat.

Unser Jurist hatte die kleine Begebenheit längst vergessen, als er im Sommer des Jahres 1600 nach Speyer zum Reichskammergericht reiste. Dort traf er unter anderem den Grafen Friedrich von Fürstenberg, einen Verwandten des Klettgauer Landesherren und wurde von ihm heftig beschuldigt, die Untertanen des Klettgau zur Steuerverweigerung gegen ihre Obrigkeit aufgehetzt zu haben. Stemper konnte von einigen Standeskollegen nur mit Mühe davon abgehalten werden, gegen den Grafen einen Verleumdungsprozeß anzustrengen.

Doch Dr. Stemper kam von seinen Klettgauer Bauersleuten nicht los. Als ihn drei Wochen später ein Kollege besuchte, erzählte ihm dieser beiläufig von einigen »guten armen Bauern« aus dem Klettgau, die bei ihm gewesen seien und die seinen Namen lobend erwähnt hätten. Der erschrockene Stemper warnte seinen Kollegen sofort vor der »bösen baufälligen Sache« dieser Leute und berichtete ihm seine bisherigen Erfahrungen in dieser Angelegenheit. Doch sein Kollege war durch solche Warnungen gar nicht zu beeindrucken. Die Untertanen seien im Recht, die Versuche des Landgrafen, sie am Kammergericht als Aufrührer zu verklagen, würden ohne Erfolg bleiben. Im übrigen seien die »fundamenta« der Bauern so gut, daß sein damaliger Zettel im Verfahren nicht mehr von Bedeutung sei.

Soweit wir die Akten verfolgen können, war damit die Klettgauer Angelegenheit für den um seine Reputation besorgten Dr. Stemper erledigt. Er spielte in dieser Auseinandersetzung auch nur eine Nebenrolle, und wir müssen uns fragen, was wirklich in der kleinen Grafschaft am Hochrhein geschehen war. Was war der Grund für die teure Reise der Bauern nach Regensburg und Speyer, um dort einen Prozeß gegen ihren Landesherrn zu führen?

Im Klettgau hatte sich vor allem seit dem Regierungsantritt des Grafen Rudolf im Jahre 1583 eine schwierige Situation ergeben. Schon die Umverteilung der Steuern des Reichstags 1594 hatte Widerständen der Untertanen aufgezeigt. Im Juni 1597 hatten sie eine Beschwerdeschrift an den Kaiser geschickt, und dieser hatte am 3. April 1598 eine Kommission von sechs Standespersonen benannt, um die gegenseitigen Beschuldigungen von Herrschaft und Untertanen überprüfen zu lassen. Damit hatte der Kaiser die übliche Maßnahme ergriffen, die in solchen Fällen geboten war. Der Vorteil einer solchen Kommission »auf gütliche Einigung« lag auf der Hand. Der Konflikt wurde sofort entschärft, beide Parteien wurden als gleichberechtigte Verhandlungspartner an einen neutralen Ort gebeten, der Kaiser selbst war nur indirekt im Spiel.

Graf Rudolf von Sulz war in der Tat angewiesen auf die Hilfe des Kaisers. Er hatte von seinem Vater eine beachtliche Schuldenlast geerbt und mußte seit 1594 steigende Reichs- und Kreissteuern für den Türkenkrieg bezahlen. 1601 stellte die Kommission eine Schuldenlast von etwa 300000 Gulden fest, obwohl die jährlichen Einkünfte der Landgrafschaft nur auf 10000-15000 zu beziffern waren. Der kaiserliche Fiskal in Speyer drängte auf Bezahlung der Steuern, und die Gläubiger hatten ein wachsames Auge auf die Verhältnisse in der Grafschaft, um ihre Kapitalien zu retten.

Ein wachsames Auge hatten aber auch die Beamten des vorderösterreichischen Regiments im elsässischen Ensisheim. Im Juli 1598 berichteten sie ihre Version an den Kaiserhof. Die Räte fanden die Untertanen der Landgrafschaft »hart genug regiert« und »wider vermögen mit allerhand exactionen oneriert und beschwert«. Wenn auch nicht zur Rebellion, so hätten die Untertanen doch zur Beschwerde allen Grund. Man müsse es verhindern, daß der Graf sich seine Untertanen »mit gewalt und thätlichkeit« wieder unterwerfe. Denn genau diese Forderung hatte der Graf an den Kaiser gestellt, nachdem sich seine Untertanen im Sommer 1597 bewaffnet, die herrschaftlichen Beamten abgesetzt und alles das getan hatten, »was aufrürische undertanen anfangs zu tun pflegen,« wie der Graf geschrieben hatte.

Seit diesem Zeitpunkt war die tradierte Ordnung im Klettgau praktisch aufgehoben. Renten und Steuern wurden verweigert, die Gemeinden schlossen ihre noch zur Herrschaft haltenden Mitbürger vom gemeinsamen Verkehr aus, wählten und vereidigten neue Anführer. »Wollten«, wie der Graf berichtete, »gleich den eidgenossen sich selbst frey machen«. Die organisatorische Ebene dieses Widerstandes war die »Landschaft«, die genossenschaftliche Vereinigung aller Gemeinden. Für benachbarte Herren bestand gar kein Zweifel, daß »im ganzen Kaisertum kein exempel, so mit dieser miseri zu vergleichen«.

Die Lage war in der Tat schwierig. Die vom Kaiser beauftragten Kommissare versuchten ohne Erfolg, die Untertanen zum Gehorsam zu bringen, Graf Rudolf beschwerte sich wiederholt beim Kaiserhof und versuchte sich der drängenden Gläubiger zu erwehren, die unmißverständlich ihre Zinsen forderten. Diese mißtrauischen Gläubiger waren es auch, die Ende des Jahres 1601 zum erstenmal die Forderung stellten, die Grafschaft einem anderen Herrn zu übergeben, von dem man sich eine glücklichere Hand bei der Lösung des Konflikts (und der Bezahlung der Schulden) versprach.

Tatsächlich wurde der Verkauf des Landes relativ schnell vereinbart. Rudolfs Bruder Karl Ludwig von Sulz wurde neuer Landesherr, doch brachte dieser Herrschaftswechsel noch keineswegs eine Regelung des schwelenden Konflikts mit den Untertanen. Die Gemeinden verweigerten dem neuen Landesherrn die formelle Huldigung – das unverzichtbare Symbol eines rechtmäßigen Herrschaftsantritts in dieser Zeit – und bestritten damit dessen Herrschaftsanspruch, solange ihre Forderungen noch nicht erfüllt waren.

Nach mehreren weiteren Kommissionsverhandlungen waren im Jahre 1608 – also elf Jahre nach Ausbruch des Konflikts – die meisten Streitfragen beigelegt. Der lang andauernde Konflikt wurde durch eine vollständige Neuordnung des Verhältnisses von Landesherrschaft und Untertanen in Form einer neuen Landesordnung geregelt, die im Jahre 1610 endlich in Kraft trat. Sie war – höchst ungewöhnlich für deutsche Verhältnisse in dieser Zeit – gemeinsam von den Beamten und den Vertretern der Gemeinden erarbeitet worden, und sie kann exemplarisch zeigen, welche Wirkungen von Herrschaftskonflikten dieser Art ausgehen konnte.

Natürlich ist man geneigt, dieses Rebellionsjahrzehnt im Klettgau als einen Sonderfall zu beurteilen, ausgelöst vielleicht durch die Nähe der Schweiz, die Schwäche des Landesfürsten und die Randlage des Landes. Doch die Akten des Reichshofrates in Prag, der sich in diesen Jahren neben dem Reichskammergericht in Speyer vor allem mit Revolten dieser Art zu befassen hatte, zeigen uns, daß hier keinesfalls ein Sonderfall beschrieben wurde, eher ein Glied in einer Kette von vergleichbaren Revolten, die in den vierzig Jahren zwischen 1580 und 1620 besonders den oberdeutschen

Raum beunruhigten. Betrachten wir einige Beispiele dieses Widerstandes der Untertanen und der spezifischen Mechanismen zur Beilegung dieser Konflikte.

1580 faßte die schwäbische Gemeinde Böhmenkirch bei der Fronarbeit den Beschluß, sich bei der vorderösterreichischen Regierung über ihren Herrn zu beschweren, und man verließ mit etwa 150 Mann den Ort in Richtung Innsbruck. Von dort zog eine Gesandtschaft der Einwohner weiter nach Prag zum Kaiserhof. Damit »erfand« man hier eine neue Form des Protestes, den demonstrativen »Austritt« einer Gemeinde, nur denkbar und sinnvoll in der kleinräumigen politischen Welt Oberdeutschlands, wo schon nach wenigen Kilometern die Grenze zum Nachbarterritorium einlud, das dem eigenen Herrn wenig freundlich gesinnt war.

Im Allgäu waren es die Einwohner von Rotenfels, Staufen und Rettenberg, die seit 1595 bzw. 1605 gegen ihre Herrschaften revoltierten. 1584 begannen die Revolten in Hohenzollern-Hechingen, 1595 im benachbarten Gebiet der Truchsessen von Waldburg, 1598 im österreichischen Amt Waldkirch im Schwarzwald. 1612 brach in den Hochrheintälern um Rheinfelden und Laufenburg der Rappenkrieg aus, 1611 eine Revolte in der schwäbischen Herrschaft Justingen, und 1619 beendete die sog. »Generalrebellion« in Hohenzollern diese Reihe von Revolten, die den betroffenen Adeligen dieses Raumes große Schwierigkeiten bereitete. Immer wieder wurde der »große durchgehende Aufstand der Untertanen« beschworen, ein lokaler Anführer wurde in den Augen seines Landesherrn zu einem zweiten Thomas Müntzer, man befürchtete, daß sich die Untertanen »aller Herrschaft ledig machen« wollten. 1610 glaubte das adelige Stift Bruchsal, für seine rebellischen Untertanen in Odenheim und Rohrbach »sei die rechte Zeit gekommen, des hisher geduldeten Jochs sich zu entledigen und allgemeine Freiheit zu erlangen«.

Wie lassen sich diese Beobachtungen mit den traditionellen Vorstellungen über das politische Verhalten der Bauern nach der Niederlage des Bauernkrieges vereinbaren? Schon bei der Erörterung der Folgen des Bauernkrieges hatte sich gezeigt, daß nach 1526 keineswegs Totenstille im Lande einkehrte. Lang anhaltende Prozesse ganzer Gemeinden aber auch einzelner Bauern hatten eine solche Interpretation ebenso zweifelhaft erscheinen lassen wie eine Reihe kleinerer Revolten unmittelbar nach dem Bauernkrieg.

1532 schon wollten es Salzburger Untertanen »besser machen« als wenige Jahre zuvor, und seitdem brachen in den verschiedensten Teilen des Reiches immer wieder kleinere Revolten aus, bis dann um die Jahrhundertwende ein ganzes Bündel von Revolten und Bauernkriegen im oberdeutschen und habsburgischen Raum zu beobachten ist.

Fragen wir zunächst nach den denkbaren Gründen für neue Revolten, ist ganz allgemein auf die problematischen Beziehungen zwischen Untertanen und adeligen Grundbesitzern bzw. Landesherren zu verweisen. Beide Obrigkeiten traten an die Untertanen mit wachsenden Ansprüchen heran, die Landesherren mit höheren Steuerforderungen und stärkeren Reglementierungen, die adeligen Grundherren mit dem Versuch, über ihre Untertanen an der agrarischen Konjunktur des 16. Jahrhunderts zu partizipieren. Die Schwierigkeit der adeligen Grundbesitzer lag dabei in der Tatsache, daß die Grundzinsen für die Bauerngüter nur sehr schwer zu erhöhen waren. Waren sie in Geldsummen umgewandelt worden, sorgte zudem die Geldentwertung für einen Einnahmeverlust der Grundherren. Diese sahen diesem Prozeß natürlich nicht tatenlos zu, sondern versuchten ihrerseits, durch Erhöhung anderer Abgaben und Dienste ihre Bilanz ausgeglichen zu erhalten. Angesichts einer starken Nachfrage nach Agrarprodukten und einer prinzipiell statischen Abgabenordnung mußte es deshalb unweigerlich zu ständigen Konflikten über die bestehenden »Agrarverträge« kommen.

Durfte ein Grundherr Frondienste seiner Untertanen, die er jahrzehntelang nicht genutzt hatte, plötzlich wieder verwenden und sogar erhöhen, um einen Wirtschaftshof zu betreiben? Wie weit reichte die Verpflichtung der Untertanen zum Frondienst? Galt sie nur für die standesgemäße Versorgung des Herrensitzes, oder durften diese Dienste auch genutzt werden für die Marktproduktion? Durfte der Grundherr die Verpflichtung seiner Untertanen, ihm zunächst ihre Produkte zum Kauf anzubieten, dazu benutzen, um ihnen ihre Produkte unter Marktpreis abzukaufen, um sie dann selbst zu vermarkten? Durfte der Grundherr die Gebühren für Besitzverträge einfach erhöhen, durfte er den Untertanen gebieten, seine Mühle und sein Wirtshaus zu benutzen? An Streitfragen – so weisen es die Prozeßakten aus – bestand wahrlich kein Mangel, und es verwundert nicht, wenn die Untertanen angesichts der ihnen jetzt zur Verfügung stehenden prozessualen Möglichkeiten vor Gericht zogen, um dort die Rechtmäßigkeit ihrer Abgaben überprüfen zu lassen.

Hinzu kamen vor allem im späten 16. Jahrhundert die enorm gesteigerten Steuerforderungen. Beide Arten von Abgaben zusammen stellten für viele bäuerliche Gemeinden eine die Grenze des Erträglichen berührende Belastung dar. Bewußt wird hier eine Formulierung gewählt, die das subjektive Gefühl der Erträglichkeit betont. Was für eine Gemeinde in Schwaben wirtschaftlich noch erträglich war, erwies sich für eine Gemeinde im Allgäu als nicht mehr hinnehmbare Last, von der man sich befreien wollte. Was einer Gemeinde mit schlechtem Besitzrecht noch günstig erschien, mußte einer anderen Gemeinde mit sehr gutem Besitzrecht als erhebliche Einbuße erscheinen. Wenn in einer Gemeinde die Erinnerung an eine alte Freiheit virulent war, kam es hier eher zu Abgabenverweigerung oder einem Prozeß als in einer Gemeinde ohne eine solche Freiheitstradition. Höchst unterschiedlich waren die Bedingungen für den Schritt zum Konflikt mit dem Grund- oder Landesherrn, der – gerade in kleinen Territorien – oft identisch war, weswegen sich hier besonders leicht Konflikte ergaben.

Es fällt in der zweiten Jahrhunderthälfte auf, daß sich keine Anzeichen mehr für einen großen Bauernkrieg finden lassen. Zwar existiert die Erinnerung an den großen »Krieg« bei Herren und Untertanen, aber es gibt keine Hinweise auf Pläne oder auch nur die Wünschbarkeit eines großen Krieges. Vielmehr fällt ein Trend ins Auge, den man die Verrechtlichung der eben erwähnten Konflikte nennen könnte. Die bäuerlichen Gemeinden, die in dieser Zeit erhebliche Beschwerden über ihre rechtlich-wirtschaftliche Situation formulierten, neigten offensichtlich dazu, den Prozeßweg zu beschreiten oder durch Vermittlung des Kaisers oder des Lehnsherrn (sofern es diesen gibt) eine friedliche Regelung des Streits herbeizuführen. Das bedeutete nicht, daß damit die Gemeinden auf eine offensive Interessenvertretung verzichtet hätten, im Gegenteil. Sobald die erste Beschwerdeschrift an den Kaiser geschrieben war, wurden die strittigen Abgaben verweigert und Maßnahmen zur Organisierung des Widerstands getroffen, wie dies im Falle des Klettgaus beschrieben wurde. Es begann eine Art von rechtlichem »Ausnahmezustand« mit zum Teil beachtlichen Vorteilen für die revoltierenden Gemeinden.

Doch es fällt die Intensität auf, mit der die Gemeinden »den Weg Rechtens« beschritten. Sie wußten erstaunlich genau zwischen den juristischen Möglichkeiten einer kaiserlichen Kommission und der Prozeßführung am Reichskammergericht zu unterscheiden. Sie wußten, wer in der nächstgelegenen Reichsstadt rechtlichen Rat geben konnte, sie wandten sich sogar an Juristische Fakultäten, um sich dort beraten zu lassen, genauso wie dies ihre Obrigkeiten taten. In Oberschwaben war unter den Bauern die untertanenfreundliche Haltung der vorderösterreichischen Regierung wohl bekannt, und man bediente sich dieser Tatsache. Daß man die Gemeindevertreter auf mehrmonatige Reisen nach Prag, Speyer oder Innsbruck oder zum gerade tagenden Reichstag schickte, soll an dieser Stelle noch einmal erwähnt werden, weil es erneut die erstaunliche Fähigkeit der bäuerlichen Untertanen dokumentiert, sich in dem neuerrichteten rechtlichen System des frühmodernen Staates zurechtzufinden.

Wir haben schon gehört, daß gegenüber diesen kleinräumigen »Revolten« oder »Irrungen« immer der pauschale Verdacht der Mächtigen bestand, »der gemeine Mann wolle sich gänzlich frey machen«. Dies war angesichts der Erfahrung von 1525 eine naheliegende Vermutung, deren Intensität noch zwei Generationen später überrascht. Fragen wir nach den Motiven und Zielen dieses Widerstands, fällt sofort der Unterschied zum großen Bauernkrieg auf, denn einen Rückgriff auf »göttliches Recht« finden wir nicht mehr. Wenig »revolutionär« wirken auf den ersten Blick die Vorstellungen unserer Akteure. Statt dessen wurde die Einsicht formuliert, daß man sich mit der gegebenen Ordnung abfinden müsse: »Und deren Meinung gar nicht gewesen, sich allerdings frei zu machen, dann sie selbsten die Rechnung wohl machen könnten, daß ihnen dies nimmer passiert oder gutgeheißen würde mögen«, wie es einmal die Böhmenkircher Bauern ausdrückten. Die Klettgauer formulierten: »Wir wissen zwar wohl, daß alle underthanen ain obrigkeit haben muß und soll und sie derselbig alle gehorsame Pflicht zu leisten schuldig.«

Dies alles klingt nach Sichfügen, Ertragen, Erdulden und läßt die Frage nach den Motiven der Rebellionen unbeantwortet. Wie begründeten die Gemeinden selber ihren Widerstand, der sie doch zumindest dem Rebellionsverdacht ihrer Herrschaft aussetzte? Sie gingen von der festen Überzeugung aus, daß sowohl »die geistlichen und weltlichen Rechte«, die »natürliche Vernunft« und die »tägliche erfahrung an allen orten« es gebietet, daß man »beiderseits einander halte, leiste und erzeige, was die loblichen vorfahren und Eltern verordnet«. Daraus folge »unwidersprechlich«, »daß diejenigen, die mit neuen und ungewohnlichen dingen beschwert werden, billich fug und macht haben, sich deswegen zu beklagen, damit es wieder in vorigen stand und altes herkommen gerichtet werden möge«.

Damit ist der wesentliche Punkt benannt. Verlangt Herrschaft ungewöhnliche Leistungen, wird sie damit ungerecht, greift sie gar »die aigen sach und nahrung« der Untertanen an, tritt ein fundamentales Recht auf Widerstand in Kraft, das Recht zur Beschwerde beim Kaiser vor allem. Der Kaiser gilt als Hilfe für alle Bedrängten, als Quelle aller Gerechtigkeit. Dieser Widerstand sei eben nicht »für eine ungebühr, widerspenigkeit und vil weniger für eine rebellion«, sondern »für ein notwendige und in allen rechten erlaubte äußerste defension zu halten«, schrieben 1612 die Untertanen der Herrschaft Justingen. Selbstbewußt wurde hier und an vielen anderen Stellen das »natürliche recht« betont, sich zu wehren gegen den »abbruch der nahrung und der feldgeschäfte«.

War es dies alleine, das den Widerstand trug, dieses Prozessieren um einen Viertelgulden Steuer oder einen Tag Frondienst, dieses Ausnutzen der gerichtlichen Instanzen, der juristischen Kniffe? Reicht das aus, um mehr als ein Jahrzehnt Rebellion zu erklären, den Einsatz von Geld und Leben? Nur selten finden wir Hinweise auf weiterreichende Motive, auf heftige Kritik gegenüber dem Adel, den es ja nicht unbedingt geben müsse. »Man bedarf keiner oberkeit und man könnte wol ohn oberkeit wie im Schweizerland leben.« Einer aus der Nachbarschaft der Klettgauer formulierte so während des »Rappenkrieges« von 1613/14, einer Steuerrebellion der Hochrheintäler, seine Kritik an der ständischen Gesellschaft. An den Steuern tue sich letztlich der Adel gütlich, das Recht werde parteiisch gesprochen, Bauerngüter würden aufgekauft. Befragt, was man denn mit dem Adel und der Geistlichkeit vorhabe, äußerte man hier ganz unzweideutig, daß das Kirchengut vor allem dazu dienen solle, die Schulden des Landes zu bezahlen, Obrigkeit und Adel wolle man »zu tot schlagen«. Und wohl wissend um ihre eigene Bedeutung in dieser Gesellschaft warnten sie ihre Obrigkeiten vor der Anwendung von Gewalt gegen sie, »dann es der herrschaft auch so grossen schaden brechte als inen den bäuerlin«.

In solchen seltenen Äußerungen wird umrißhaft eine tiefere Motivationsschicht sichtbar, der Traum einer autonomen bäuerlichen Welt, ohne Herren, ohne Steuern für zentrale Instanzen, ein immer virulenter »Traum von Freiheit«, ohne dessen motivierende Kraft der prozessuale Kampf um einen winzigen Vorteil vor Gericht gar nicht zu denken wäre. Jedes kleine Stückchen vor Gericht wiedergewonnener Freiheit war auch ein Stück des großen Traums von der Freiheit.

Waren diese Revolten überhaupt bedeutsam im größeren Rahmen von Politik, den wir bislang meistens verfolgt haben? Gewiß, der Kaiserhof mußte sich immer wieder mit diesen Vorfällen befassen, mußte Kommissionen beauftragen, deren Berichte prüfen, mußte die betroffenen Landesherren zur Ruhe mahnen. Doch daneben sind zwei Reaktionen bedeutsam. Zum einen waren die Untertanenrevolten ein ständiges Thema auch bei den Verhandlungen der Reichsstände, wenn es um neue Steuern ging. Immer wieder wurde der Widerwille des »gemeinen mannes« aktenkundig gemacht, versuchte man, sich gegenseitig zu beschuldigen, die Unruhe zu schüren. Insbesonders die Calvinisten wurden bezichtigt, mit ihren »niederländischen« Ideen Anlaß zum Aufstand zu geben, die Gefahr der »democratia« wurde an die Wand gemalt.

Die andere Wirkung, wenn man einmal von der starken Berücksichtigung des Rebellionsproblems in der politikwissenschaftlichen Literatur absieht, liegt in den konkreten rechtspolitischen Maßnahmen dieser Zeit. Es wurden bereits die Möglichkeiten erwähnt, die in der Kammergerichtsordnung für Prozesse zwischen Untertanen und Landesfürsten vorgesehen waren. Im Jahre 1600 wurde in einem Abschied des Deputationstages – einer Art kleinen Reichstags – die Einrichtung territorialer Gerichtsinstanzen für Untertanenprozesse bestimmt, kurz zuvor waren die Verfahrensvorschriften für Untertanenprozesse, vor allem hinsichtlich der Erkundigungen bei den betroffenen Landesherrschaften präzisiert worden. Danach galt im Reich definitiv, was 1601 im verbindlichen Handbuch der Reichskammergerichtspraxis von Andreas Gail so formuliert wurde: »Wann ein Herr allzusehr gegen und wider seine Unterthanen tyrannisiert, wütet und tobet und dieselben über die massen beschweret und zu ungewöhnlichen Hof- und anderen ungebreuchlichen Diensten ... mit gewalt zwinget, in solchen fall mögen die Unterthanen wol der hohen obrigkeit hülf und schutz anrufen und begeren, daß dem herren bey hoher straf auferleget werde, sie über gebühr nicht zu beschweren.« Auch in dieser wichtigen Bestimmung wird noch einmal belegt, daß der soziale Konflikt zu einem normalen Bestandteil der gesellschaftlichen Realität des Reiches geworden war. Institutionen und Gesetze hatten sich auch dieses Bereiches bemächtigt. Gleichwohl blieb die Erinnerung an den Bauernkrieg noch lange wach.

5. Deutschland um 1600: Reaktion auf ein Übermaß an Veränderung

Dieser Überblick über die deutsche Geschichte des 16. Jahrhunderts hat eine beeindruckende Fülle von Veränderungen aufgezeigt: die Spaltung der Nation in konfessionelle Lager, soziale Mobilität ungewohnten Ausmaßes und dadurch ausgelöste soziale Verunsicherung, den Bauernkrieg mit seiner elementaren Bedrohung der gesellschaftlichen Ordnung, das Vordringen der Geldwirtschaft in alle Bereiche des Lebens bis hinauf zur Königswahl, tiefgreifende Widersprüche zwischen Adel und Bürgertum wurden ebenso sichtbar wie der Widerstand des Adels, vor allem der Reichsritterschaft, gegen den übermächtig vordringenden modernen Staat. Daneben hatte sich ein neues Recht durchgesetzt, hatten gelehrte Doktoren die tradierten Formen genossenschaftlicher Rechtsprechung weitgehend verdrängt, neue funktionale Eliten meldeten ihre Ansprüche an. Doch keine Klage war lauter als die Klage über den Verlust der »alten« Formen sozialen Verhaltens. Geiz, Eigennutz, Betrug waren die hervorstechenden Merkmale der Gesellschaft des späten 16. Jahrhunderts, die allen Kritikern auffielen. Beispiele für diese Form der moralischen Fundamentalkritik, die auch die Versäumnisse der eigenen Konfession nicht aussparte, finden wir sowohl im katholischen als auch im protestantischen Bereich. Als katholisches Exempel kann uns der Freiburger Theologe Jodokus Lorich dienen, der 1583 in seiner Schrift über den Religionsfrieden schrieb: »Wir erfahren leider täglich und sehen, daß unser katholisches Volk in allen Sünden des Überessens und Übertrinkens, der Unkeuschheit, der Hinlässigkeit im Dienste Gottes, der üppigen Hoffart in Kleidung, des Fluchens und Schwörens, des Wuchers, Lügens, Betrügens, Neids, Hasses und vieler anderen noch schwerern abscheulichen Laster ohne Unterlaß fürfährt, daß hernach auch wir Geistliche wenig gebessert werden.«

Protestantische Sittenwächter standen solch radikaler Zeitkritik nichts nach. Selbstkritisch gestand der hessische Pfarrer Ludwig

Milich 1568 ein, daß »das heilige Evangelium, das nun länger als vierzig Jahre getreulich ist gepredigt worden«, wenig Gutes bewirkt habe, »daß nie das Volk so schnöde gewesen dann nun. Im Anfang, als man des Antichristes los ward, die Klöster verstörte und die christlichen Güter verrupfte, da war das Evangelium lieb und angenehm.« Jetzt aber sei man dessen müde geworden. Johann Andreae, der württembergische Initiator der Konkordienformel, machte beim »lutherischen Haufen in Deutschland« nur »ein wüst, epicureisch, viehisch Leben mit Fressen, Saufen, Geizen, Stolzieren, Lästerungen des Namens Gottes« aus.

Die schon erwähnte Teufelliteratur, die seit der Jahrhundertmitte erstaunliche Absatzzahlen verzeichnete, wurde gerade im protestantischen Raum ein verläßliches Indiz der moralischen Kritik. In den katholischen Ländern aber waren selbst diese Teufelbücher verboten, »dann obwohl alle die das ansehen haben, als ob sie allerding politisch und allein gueter zucht halben geschrieben seyen, so seindt sie doch der ergerlichen exempel und anzug halben nit zeleiden und fast also geschaffen, das sie deme , dessen titl sie tragen, zu seinem reich am meisten dienen, und ist nit noth, das christlich völcklin durch teuffels büechlin von lastern abzetreiben, weil sonsten der heilsamen guten schrifften bey der katholischen christlichen kirchen eben genueg darzu vorhanden.«

Man überbot sich in der Detailanalyse der verschiedenen Laster, überzog alle Stände mit dem Vorwurf zunehmender sittlicher Verfehlung. All dies führte zu der Vermutung, »daß diese Welt mit ihrem Wesen bald vergehen werde / und der Jüngste Gerichtstag gar nahe vor der Tür sei«, wie es 1595 und erneut 1604 der märkische Pfarrer Daniel Schaller formulierte. Der Pfarrer entwickelte in dieser Schrift ein beeindruckendes Panorama des Verfalls der Welt, wobei er sich jedoch keineswegs nur auf die allgegenwärtige Lasterdiskussion bezog. Für ihn schien auch die Welt physikalisch gealtert, das Licht sei dunkler, der Boden weniger fruchtbar, die Gewässer weniger fischreich geworden. Ja selbst Stein und Eisen zeigten nicht mehr die gleiche Härte wie vor Zeiten, »darum muß ruina mundi vor der Tür sein«. Der Calvinist Josua Loner war 1582 überzeugt davon, daß Gott dem Treiben der Welt nicht mehr lange zusehen, sondern ihr bald den verdienten »Feierabend« geben werde. Gott habe zwar Deutschland vor allen anderen Ländern mit der reinen Erkenntnis Christi ausgestattet, aber man sehe leider, daß die Menschen des Evangeliums überdrüssig seien.

Auch die sich ständig wiederholenden Voraussagen über das Ende der Welt (1588, 1600, 1604) sind hier einzuordnen. Lorich war sich 1594 sicher, »das die Welt je lenger je erger werdt«.

Anlaß für solche Interpretationen mochten für diese Pfarrer die schon mehrfach erwähnten Mißernten und Teuerungen gewesen sein, die seit den siebziger Jahren das Reich wie andere europäische Länder heimsuchten. Doch auch andere Zeiterscheinungen gaben Anlaß zur Sorge über die weitere Existenz dieser Welt, die alt geworden schien. Die Fülle der Flugschriften, die sich mit der Türkengefahr des späten 16. Jahrhunderts befaßten – 1593 war der sog. »lange« Türkenkrieg ausgebrochen –, betrachteten die Gefahr als Strafe Gottes für das Lasterleben der Deutschen und warfen die Frage auf, ob nicht das Osmanische Reich dazu berufen sei, das Heilige Römische Reich Deutscher Nation abzulösen. Ein Blick in die Flugschriftensammlungen dieser Jahre bestätigt diese Interpretation. Neues, Unverstandenes, Naturhaftes mit negativen Folgen für die Menschen galt als »Finger an der Wand«.

Es kann kein Zweifel daran bestehen, daß die genannten Zeitdiagnosen Hinweise auf die spezifische Art und Weise sein können, wie der Verfall der alten Ordnung von den Zeitgenossen wahrgenommen wurde. Dabei stellt sich schnell heraus, daß der Kern aller Klagen in der beobachtbaren »Veränderung« bestand. Immer wieder sind Formulierungen zu finden, die versichern, daß die Vorfahren die heutige Welt nicht wiedererkennen würden. Wenn die, die vor zwanzig Jahren gestorben seien, schreibt 1608 der protestantische Pfarrer Johann Sommer in seiner *Ethographia mundi*, heute wiederauferstehen könnten, sie würden glauben, »daß es eitel Französische, Spanische, Welsche, Englische und andere Völker wären«, die in Deutschland lebten: »eine grosse merckliche verenderung« im »status mundi« sei eingetreten, Deutschland sei »so geschwinde in Sitten und Kleidung degenerirt.« Zwar gebe es alle fünfzig Jahre eine neue Welt durch neue Menschen, aber jetzt sei deren »qualitet« neu.

Gewiß werden wir diese Klagen über sinkende Moral und Degenerationserscheinungen nicht alle als objektive Beobachtungen akzeptieren können. Sie sind eher ein Hinweis auf die geschärfte Wahrnehmung, auf den Erwartungsdruck der schreibenden Pfarrer als auf eine tatsächlich steigende sittliche Verwilderung. Alle Indizien weisen vielmehr darauf hin, daß in der Tat seit der zweiten Hälfte des 16. Jahrhunderts schon die obrigkeitlichen Überwachungsmaßnahmen zumindest statistische Wirkung zeigten: Die Zahlen illegitimer Geburten lagen sehr niedrig, niedriger jedenfalls als noch ein Jahrhundert früher. Es gibt auch keine belegbaren Hinweise auf einen relevanten Anstieg der Kriminalität. Vielmehr entsteht bei der Durchmusterung des zur Verfügung stehenden Quellenmaterials wie Gerichtsakten, Tätigkeit der Ehegerichte oder der kirchlichen Aufsicht auf »Zucht und Ordnung« der Eindruck, daß erst die viel intensivere Kontrolle der verschiedenen kirchlichen und staatlichen Instanzen der Grund für die Urteile dieser Pfarrer war. Damit wurde die Differenz zwischen den hohen Ansprüchen der Kirchen und der gesellschaftlichen Realität noch größer. Man kann nicht die Enttäuschung übersehen, die aus vielen der erwähnten Moralpredigten sprach. Ganz offensichtlich hatten sich viele Pfarrer von der Durchsetzung des Evangeliums größere Wirkungen im moralischen Verhalten ihrer Gemeinden versprochen. Um so größer mußte die Enttäuschung sein, als sich gerade gegen Ende des 16. Jahrhunderts – nach der politischen Stabilisierung des Protestantismus und der verbesserten Bildung der Pfarrer – ein offensichtlicher Mißerfolg abzeichnete, der nach Erklärung verlangte. Dieser Aspekt spielt auch eine Rolle für unser Verständnis der Hexenverfolgungen, die sich in dieser Perspektive auch als eine Entlastungsstrategie verstehen lassen. Darüber hinaus ist diese Erkenntnis der steckengebliebenen lutherischen Reformation auch der Ausgangspunkt neuer verinnerlichter Reformbewegungen im Protestantismus selbst. Johann Valentin Andreae (1586-1654), ein württembergischer protestantischer Pfarrer, wurde der Mittelpunkt eines kleinen, reformistisch gesinnten Freundeskreises, dessen Interessen darauf hinausliefen, der gesellschaftlich folgenlosen »Reformation der Lehre« eine »Reformation des Lebens« gegenüberzustellen. In diesem Gedanken traf sich die Gruppe um Andreae auch mit dem Programm des Lutheraners Johannes Arndt (1555-1621), dessen *Vier Bücher vom wahren Christentum* (1606) ein verinnerlichtes Christentum forderten. Alle diese Pläne sahen die unüberbrückbare Diskrepanz zwischen Anspruch und Wirklichkeit der Konfessionen.

Wenn wir uns fragen, welche Konsequenzen die eingangs erwähnten Veränderungen hervorriefen, wird sich in den Quellen keine zusammenfassende oder gar eindeutige Antwort finden lassen. Die Quellen der Zeit geben uns nur Auskunft über einzelne Reaktionen von Menschen und sozialen Gruppen, wir selbst müssen sie zu einer Interpretation zusammenfügen. Es fällt auf, welche traumatische Erfahrung für den Adel der Schrecken des Bauernkrieges noch zwei oder drei Generationen später bedeutete. Ohne diese Erfahrung wäre die Einführung von Klagemöglichkeiten zugunsten der Bauern kaum durchsetzbar gewesen. Wenn die Fürsten auf dem Reichstag ihren ganzen Haß auf die reichen Städte zum Ausdruck brachten, wenn die Folgen der religiösen Spaltung bis in die Familien oder Dynastien hinein sichtbar wurden, wenn sich die Kritik am Adelsstand entzündete, dem man Vernachlässigung alter adeliger Tugenden vorwarf, wurden die Wirkungen dieser Veränderungen sichtbar. Diese Kritik an den Wandlungen, die das Jahrhundert gebracht hatte, bildete die Grundlage für die Rezepte, die »remedia«, die allenthalben diskutiert und in einigen Bereichen auch praktiziert wurden. Wenn freilich ein Kriegsmann wie Lazarus von Schwendi dem Adel vorwarf, seine kriegerischen Aufgaben zu vernachlässigen und ihm ankreidete, statt zu reiten das »Gutschifahren« zu bevorzugen, belegt das den gesellschaftlichen Funktionsverlust des Adels mehr als es dieser Kritiker ahnen konnte. Dieser Prozeß war nicht rückgängig zu machen.

Es konnte nicht ausbleiben, daß die soziale Mobilität, die das 15. und frühe 16. Jahrhundert gekennzeichnet hatte, in der zweiten Jahrhunderthälfte stark eingeschränkt wurde. Abschließungstendenzen in den reichsstädtischen Patriziaten gegen weitere Eindringlinge zeigen dies ebenso wie die Abstammungsnachweise, die in den Domkapiteln erbracht werden mußten, um hier gewählt zu werden. In den landständischen Körperschaften kam es zur Anlage von Matrikeln, die die Mitglieder der jeweiligen Landschaft festschrieben und die Aufnahme in die Landschaft vom Besitz eines landtagsfähigen Gutes und weiteren verschärften Qualifikationen abhängig machten. Durch besondere gesetzliche Regelungen versuchte man, adelige Güter vor dem Zugriff bürgerlichen Geldes zu sichern. Auf der literarischen Ebene kam es zu einer breiten Verteidigung adeliger Privilegien, wobei man einerseits nicht vor grotesken Ableitungen (wie der Herleitung des Wortes Adel von Adler) zurückschreckte, um die Position des Adels zu rechtfertigen, andererseits aber auch nicht vor heftiger Adelskritik zurückscheute. Die Auseinandersetzung um die Frage, ob der Gelehrtenadel der Doktoren vor dem Geburtsadel zurückzustehen habe, deutete auf eine allgemeine Abschließung und Betonung der Standesunterschiede hin, die sich deutlich von der humanistischen

Adelskritik der Renaissancezeit abhob. Als im Jahre 1580 der gewiß unruhige Tübinger Philologe Nikodemus Frischlin in einer lateinischen Rede den Adel wegen seines räuberischen Verhaltens gegenüber den Bauern angriff, kam es zu einer lang andauernden Kontroverse mit dem sich betroffen fühlenden reichsritterschaftlichen Adel in Schwaben, Franken und am Rhein, die der Verfasser letztlich mit dem Verlust seiner akademischen Existenz zu bezahlen hatte. Der Ton zwischen den Ständen war schärfer geworden, die Grenzen der Mobilität wurden deutlicher aufgezeigt.

Diese Übersicht über die wesentlichen Entwicklungen im 16. Jahrhundert hat auch die Veränderungen im Bereich der staatlichen Ordnung registriert. Es ist deutlich geworden, daß der Territorialstaat vielfach auf die Probleme einer in Unordnung geratenen Gesellschaft reagierte. Der Ausbau zentraler Behörden, die allgemeine Bürokratisierung der Verwaltungstätigkeit, der Zugriff auf die Untertanen durch Amtleute, Polizeidiener, Mandate, Steuerbefehle und Visitationen erwies sich als wichtige Voraussetzung auch der Stellung der Fürsten gegenüber ihren Ständeversammlungen. Sich immer öfter wiederholende Steuerforderungen aus territorial- oder reichspolitischen Gründen höhlten zunehmend die einstmals starke Stellung der Landstände aus und machten sie zunehmend vom Fürstentum abhängig, das alle die Kompetenzen an sich zog, die die Wohlfahrt des Gemeinwesens erforderte: »Ratio status«, »utilitas rei publicae«, »necessitas non habet legem«, das waren die Kunstgriffe, die diesen Prozeß legitimierten. Vor diesem realgeschichtlichen Hintergrund entwickelte sich auch eine spezifische Lehre von der Politik, die diese über den Ständen und Untertanen stehende Position des Landesfürstentums theoretisch begründete. Auch die neue Politikwissenschaft reagierte in besonderer Weise auf die überall beobachtbaren »mutationes« oder »conversiones« der europäischen Staaten, d. h. man versuchte, die Gefahr von »Veränderungen« durch breitgefächerte Vorkehrungen aufzufangen. Betrachtet man die Politikliteratur dieser Epoche, die in ihrer Reichhaltigkeit selbst wiederum ein Beleg für die Notwendigkeit der Begründung dieses neuen »Staats« war, dann fällt die Bedeutung der Vorsorge gegen die »Veränderungen« sofort auf, mochten damit bloße Unruhen, Revolten, Bürgerkriege oder Umsturzversuche gemeint sein. So wie die gesamte Politik sich immer stärker auf die Gewinnung von »Potentia« konzentrierte, so sehr kam es darauf an, durch kluge, ausgleichende Politik und Vorsorge die gegebene Verteilung der Macht zu sichern.

Die in der politischen Wirklichkeit um 1600 weitgehend durchgesetzte Machtposition der Landesfürsten beseitigte natürlich nicht radikal die ständischen Institutionen. Sie blieben erhalten, meist mit begrenzten Aufgabenbereichen wie der Führung der ständischen Kassen, der Mitwirkung an Landesordnungen und anderen Gesetzeswerken, aber sie stellen keine eigentliche Gefahr mehr für die Fürsten dar, so wie das im habsburgischen Herrschaftskonflikt der Fall gewesen war. Die dort erkämpfte Gewaltlösung gegen die Stände mit dem symbolhaften Sieg in der Schlacht am Weißen Berge entzog den Landständen auch im Reich weitergehende Ansprüche. Damit aber war auch jene Variante der politischen Theoriebildung hinfällig geworden, die vor allen Dingen seit der Pariser Bartholomäusnacht von 1572 auch in Deutschland Anhänger gefunden hatte. Die monarchomachischen Theorien – die Verunglimpfung als »Königsmörder« verdankten sie ihren Gegnern – hatten im habsburgischen Ständekampf deren Führer Georg Erasmus Tschernembl die Feder geführt. Auf die Frage »ob ein Erblandt ursach gnug haben möge, seinen Landtfürsten, Erbherren oder das Geschlecht zu rejiciern« antwortete er mit einem selbstbewußten »Ja freylich«. Seine Begründungen fassen die Argumente aller vorherigen Schriften in dem Satz zusammen: »Wann ein Herr absolutum dominium wil auß dem Erbland machen und alle Freyheiten auffheben.« Dabei akzeptierte Tschernembl auch das problematische Prinzip der Veränderung der politischen Systeme: »Ist kein Landt biß dato beständig bliben, wie Weiß, Mechtig, Vorsichtig man auch gehandlet. Ergo, müssen Ursachen sein der translation. Vor 1200 Jahren ist kein Landtschaft bey dem Geschlecht geweset, so jetzt ist.«

Mit diesem Rückgriff auf die politische Grundentscheidung zugunsten des fürstlichen Absolutismus, wenn auch in seiner spezifischen deutschen Variante, haben wir uns noch einmal die Entscheidungssituation vor Augen geführt, die am Beginn des 17. Jahrhunderts eingetreten war. Die im Lauf des 16. Jahrhunderts aufgetretenen sozialen Verwerfungen hatten auch eine Neuorganisation von Herrschaft erforderlich gemacht. In Deutschland hatte sich in den Territorien eine Lösung zugunsten der fürstlichen Souveränität durchgesetzt, gemildert freilich durch die Oberaufsicht des Reiches, das selbst wiederum nur ein lockeres

Herrschaftsgebilde war. Damit war das konfessionelle Problem prinzipiell einer Lösung zugeführt worden, die schon vor dem Dreißigjährigen Krieg ausformuliert war: Verrechtlichung des Konfessionsstreits und konsequente Paritätisierung der Reichsverfassung. Dieses Programm war um 1613 noch zu sehr Zumutung für die Beteiligten, als daß es schon hätte akzeptiert werden können. Es bedurfte der Erfahrung des Großen Krieges, um sich dieser weit vorausgreifenden Lösungsmöglichkeit zu fügen.

Deutschland um 1600: Eine verwirrende Fülle von Reaktionen auf ein Übermaß an Veränderung und ein hohes Maß an Unsicherheit über den weiteren Weg der Welt tat sich auf. Die Ratlosigkeit der Gebildeten, die aus allen Briefen und Gutachten spricht, der resignative Rückzug auf eine individualisierte Überlebensstrategie in Form stoischer Lehren, wie er in jenen Jahren durch das Werk des niederländischen Philologen Justus Lipsius angeboten wurde, die Flucht in philosophische Spekulationen über eine »Universal-Reformation« und eine doch noch zu erreichende Weltharmonie, die »concordia discordantium«, wie sie den Rosenkreuzern und Naturwissenschaftlern wie Kepler vorschwebte. All diese Beobachtungen dienen als Indiz für eine in dieser Häufung bemerkenswerte Situation religiöser, politischer und intellektueller Unruhe.

Was könnte den Zustand Deutschlands um 1600 besser charakterisieren als ein abschließender Blick in die Residenz des Kaisers? Rudolf II. war, zumal seit dem Beginn des »langen Türkenkrieges« von 1593, in zunehmende finanzielle Schwierigkeiten geraten. Seine Entschlußlosigkeit in der Behandlung der Konfessionsfragen entsprang seiner eigenen inneren Unsicherheit über das wahre Bekenntnis. Seine Beschäftigung mit naturwissenschaftlichen Fragen, deren Grenzen zu den okkulten Wissenschaften fließend waren, hatten ihn weit von der Kirche entfernt. Sein Prager Hof war zu einem Zentrum von Männern geworden, die alle zwischen der Suche nach religiöser Gewißheit und wissenschaftlicher Erkenntnis schwankten, viele davon waren durch Glaubensübertritte geprägt. Seine immer wieder neuen Heiratsprojekte und damit die Sicherung seiner Nachkommenschaft waren gescheitert, weil er sich selbst nicht hatte entscheiden können. Der Beginn des neuen Jahrhunderts ängstigte ihn tief. All dies führte zum Befund seines Beichtvaters Johann Pistorius, der in dieser Krise die Rolle eines Psychotherapeuten übernahm: »Obsessus non est, quod quidam existimant, sed melancholia laborat, quae longi temporis tractu radices egit«: Er war nicht besessen, wie einige glaubten, sondern er litt an Melancholie, die im Lauf langer Zeit in ihm Wurzeln geschlagen hatte. Manches spricht dafür, die Seelenlage des Kaisers als Aussage über den Zustand seines Reiches zu verstehen.

Ausgewählte Literatur

Das 16. Jahrhundert als Epoche, Überblicksdarstellungen

Brandi, K., Deutsche Geschichte im Zeitalter der Reformation und Gegenreformation (1930), München 1969

Buck, A. (Hg.), Zu Begriff und Problem der Renaissance, Darmstadt 1969

van Dülmen, R., Entstehung des frühneuzeitlichen Europa 1550-1648,
Frankfurt 1982

Hassinger, E., Das Werden des neuzeitlichen Europa 1300-1600, Braunschweig 1964[2]

Hassinger, E., Die weltgeschichtliche Stellung des 16. Jahrhunderts, in:
Geschichte in Wissenschaft und Unterricht 2. 1951, 705-17

Janssen, J., Geschichte des deutschen Volkes seit dem Ausgang des Mittelalters, 8 Bde., erg. und hg. v. Ludwig Pastor, Freiburg 1897-1917

Laube, A. u. a., Deutsche Geschichte, Bd. 3: Die Epoche des Übergangs
vom Feudalismus zum Kapitalismus von den 70er Jahren des 15. Jahrhunderts bis 1789, Köln 1983

Lutz, H., Das Ringen um deutsche Einheit und kirchliche Erneuerung
1490-1648, Berlin 1983

Lutz, H., Reformation und Gegenreformation, München 1982[2]

Ritter, G., Die Neugestaltung Deutschlands und Europas im 16. Jahrhundert, Berlin 1967

Romano, R. und Tenenti, A., Die Grundlegung der modernen Welt. Spätmittelalter, Renaissance, Reformation, Frankfurt 1967

Schnabel, F., Deutschlands geschichtliche Quellen und Darstellungen in
der Neuzeit, 1. Teil: Das Zeitalter der Reformation (1931), Darmstadt
1972

Skalweit, S., Der Beginn der Neuzeit. Epochengrenze und Epochenbe-
griff, Darmstadt 1982

Steinmetz, M., Deutschland 1476 bis 1648, Berlin 1967

Troeltsch, E., Die Bedeutung des Protestantismus für die Entstehung der
modernen Welt, München 1928[5]

Vogler, B., Le monde germanique et helvétique à l'époque des réformes
1517-1618, 2 Bde., Paris 1981

Zeeden, E. W., Deutsche Kultur in der Frühen Neuzeit, Frankfurt 1968

Bevölkerung, Wirtschaft und Gesellschaft

Abel, W., Zur Entwicklung des Sozialprodukts in Deutschland im
16. Jahrhundert, in: Jahrb. f. NatÖkonomie u. Stat. 173. 1961, 448-89

Batori, I., Das Patriziat der deutschen Stadt, in: Zs. f. Stadtgeschichte 2. 1975, 1-30

Bauer, C., Gesammelte Aufsätze zur Wirtschafts- und Sozialgeschichte, Freiburg 1965

Blaich, F., Die Wirtschaftspolitik des Reichstages im Heiligen Römischen Reich, Stuttgart 1970

Blaich, F., Die Reichsmonopolgesetzgebung im Zeitalter Karls V., Stuttgart 1967

Bog, I., Wachstumsprobleme der oberdeutschen Wirtschaft 1540-1618, in: Jahrb. f. NatÖkonomie u. Stat. 179. 1966, 493-537

Cipolla, C. M. und Borchardt, K. (Hg.), Europäische Wirtschaftsgeschichte, Bd. 2: 16. und 17. Jahrhundert, Stuttgart 1983

Clasen, C.-P., Die Augsburger Steuerbücher um 1600, Augsburg 1976

Conrads, N., Ritterakademien der Frühen Neuzeit. Bildung als Standesprivileg im 16. und 17. Jahrhundert, Göttingen 1982

Ehrenberg, R., Das Zeitalter der Fugger. Geldkapital und Kreditverkehr im 16. Jahrhundert, 2 Bde., Jena 1896

Elsas, M. J., Umriß einer Geschichte der Preise und Löhne in Deutschland vom ausgehenden Mittelalter bis zum Beginn des 19. Jahrhunderts, Bd. 1, Leiden 1936

Fischer, T., Städtische Armut und Armenfürsorge im 15. und 16. Jahrhundert, Göttingen 1979

Koerner, F., Die Bevölkerungsverteilung in Thüringen am Ausgang des 16. Jahrhunderts, in: Wissenschaftliche Veröffentlichungen des Deutschen Instituts für Länderkunde, Hg. von E. Lehmann, NF Bd. 15/16, Leipzig 1958, 178-315

Kramm, H., Studien über die Oberschichten der mitteldeutschen Städte im 16. Jahrhundert, Köln 1981

Kraschewski, H.-J., Wirtschaftspolitik im deutschen Territorialstaat des 16. Jahrhunderts. Herzog Julius von Braunschweig-Wolfenbüttel 1528-1589, Köln 1978

Kriedte, P., Spätfeudalismus und Handelskapital. Grundlagen der europäischen Wirtschaftsgeschichte vom 16. bis zum 18. Jahrhundert, Göttingen 1980

Laube, A., Studien über den erzgebirgischen Silberbergbau von 1470 bis 1546, Berlin 1974

Lutz, H., C. Peutinger, Augsburg 1958

Lütge, F., Geschichte der deutschen Agrarverfassung vom frühen Mittelalter bis zum 19. Jahrhundert, Stuttgart 1967[2]

Lütge, F., Die wirtschaftliche Lage Deutschlands vor Ausbruch des Dreißigjährigen Krieges, in: ders., Studien zur Sozial- und Wirtschaftsgeschichte, Stuttgart 1963, 336-95

Maschke, E. und Sydow, J. (Hg.), Gesellschaftliche Unterschichten in den südwestdeutschen Städten, Stuttgart 1967

v. Pölnitz, G., A. Fugger, 4 Bde., Tübingen 1958-1971

Sabean, D. W., Landbesitz und Gesellschaft am Vorabend des Bauernkrieges, Stuttgart 1972

Strieder, J., Zur Genese des modernen Kapitalismus. Forschungen zur Entstehung der großen bürgerlichen Kapitalvermögen am Ausgang des Mittelalters und zu Beginn der Neuzeit, München 1935[2]

Wallerstein, I., The Modern World System: Capitalist Agriculture and the Origins of the European World-Economy in the Sixteenth Century, New York 1974

Westermann, E., Das Eislebener Garkupfer und seine Bedeutung für den europäischen Kupfermarkt 1460-1560, Köln 1971

Politische Ordnung im Reich und in den Territorien

Angermeier, H., Die Reichsreform 1410-1555. Die Staatsproblematik in Deutschland zwischen Mittelalter und Gegenwart, München 1984

Aulinger, R., Das Bild des Reichstags im 16. Jahrhundert, Beiträge zu einer typologischen Analyse schriftlicher und bildlicher Quellen, Göttingen 1980

Bock, E., Der Schwäbische Bund und seine Verfassungen 1488-1534. Ein Beitrag zur Geschichte der Reichsreform, Breslau 1927

Carsten, F. L., Princes and Parliaments in Germany from the Fifteenth to the Eighteenth Century, Oxford 1959

Diestelkamp, B., Das Reichskammergericht im Rechtsleben des 16. Jahrhunderts, in: Festschrift A. Erler, Aalen 1975, 436-80

v. Gschliesser, O., Der Reichshofrat. Bedeutung, Verfassung, Schicksal und Besetzung einer obersten Reichsbehörde 1559-1806, Wien 1942

Hofmann, H. H. (Hg.), Die Entstehung des modernen souveränen Staates, Köln 1966

Kleinheyer, G., Die kaiserlichen Wahlkapitulationen, Karlsruhe 1968

Krüger, K., Finanzstaat Hessen 1500-1567. Staatsbildung im Übergang vom Domänenstaat zum Steuerstaat, Marburg 1980

Landau, P. und Schroeder, F.-C. (Hg.), Strafrecht, Strafprozeß und Rezeption. Grundlagen, Entwicklung und Wirkung der Constitutio Criminalis Carolina, Frankfurt 1984

Lanzinner, M., Fürst, Räte und Landstände. Die Entstehung der Zentralbehörden in Bayern 1511-1598, Göttingen 1980

Naujoks, E. (Hg.), Kaiser Karl V. und die Zunftverfassung. Ausgewählte Aktenstücke zu den Verfassungsänderungen in den oberdeutschen Reichsstädten 1547-1556, Stuttgart 1985

Neuhaus, H., Reichsständische Repräsentationsformen im 16. Jahrhundert. Reichstag – Reichskreistag – Reichsdeputationstag, Berlin 1982

Ranieri, F., Recht und Gesellschaft im Zeitalter der Rezeption. Eine rechts- und sozialgeschichtliche Analyse der Judikatur des Reichskammergerichts im 16. Jahrhundert, Frankfurt 1986

Schlaich, K., Die Mehrheitsabstimmung im Reichstag zwischen 1495 und 1613, in: Zs. f. Historische Forschung 10. 1983, 299-340

Schmelzeisen, G. K., Polizeiordnungen und Privatrecht, Münster 1953

Schmidt, G., Der Städtetag in der Reichsverfassung. Eine Untersuchung zur korporativen Politik der Freien und Reichsstädte in der ersten Hälfte des 16. Jahrhunderts, Stuttgart 1984

Smend, R., Das Reichskammergericht, 1. Teil, Weimar 1911

Stieve, F., Das kirchliche Polizeiregiment in Bayern unter Maximilian I., München 1876

Thies, G., Territorialstaat und Landesverteidigung. Das Landesdefensionswerk in Hessen-Kassel unter Landgraf Moritz (1592-1627), Darmstadt 1973

Wieacker, F., Privatrechtsgeschichte der Neuzeit unter bes. Berücksichtigung der deutschen Entwicklung, Göttingen 1967²

Reformation im Reich und in den Territorien

Angermeier, H. (Hg.), Säkulare Aspekte der Reformationszeit, München 1983

Becker, W., Reformation und Revolution. Die Reformation als Paradigma historischer Begriffsbildung, frühneuzeitl. Staatswerdung und moderner Sozialgeschichte, Münster 1983²

v. Below, G., Die Ursachen der Reformation. Mit einer Beilage: Die Reformation und der Beginn der Neuzeit, München 1917

Blickle, P., Die Reformation im Reich, Stuttgart 1982

Bornkamm, H., Das Jahrhundert der Reformation, Frankfurt 1983

Borth, W., Die Luthersache (Causa Lutheri) 1517-1524. Die Anfänge der Reformation als Frage von Politik und Recht, Lübeck 1970

Bott, G. (Hg.), M. Luther und die Reformation in Deutschland, Frankfurt 1983

Brecht, M., M. Luther. Sein Weg zur Reformation. 1483-1521, Stuttgart 1981

Conrad, F., Reformation in der bäuerlichen Gesellschaft. Zur Rezeption reformatorischer Theologie im Elsaß, Stuttgart 1984

van Dülmen, R., Das Täuferreich zu Münster 1534-1535, München 1974

van Dülmen, R., Reformation als Revolution. Soziale Bewegung und religiöser Radikalismus in der deutschen Reformation, München 1977

Fabian, E., Die Entstehung des Schmalkaldischen Bundes und seine Verfassung, Tübingen 1962²

Friedensburg, W., Der Reichstag zu Speyer 1526 im Zusammenhang der politischen und kirchlichen Entwicklung Deutschlands im Reformationszeitalter, Berlin 1887

Friedensburg, W. (Hg.), Politische Correspondenz der Stadt Straßburg im Zeitalter der Reformation, 5 Bde., Straßburg 1928

v. Greyerz, K., Stadt und Reformation: Stand und Aufgaben der Forschung, in: Archiv f. Reformationsgeschichte 76. 1985, S. 6-63

Gäbler, U., H. Zwingli. Eine Einführung in sein Leben und sein Werk, München 1983

Hubatsch, W. (Hg.), Wirkungen der deutschen Reformation bis 1555, Darmstadt 1967

Iserloh, E. (Hg.), Confessio Augustana und Confutatio. Der Augsburger Reichstag 1530 und die Einheit der Kirche, Münster 1980

Joachimsen, P., Die Reformation als Epoche der deutschen Geschichte, Hg. von O. Schottenloher, München 1951

Lau, F. und Bizer, E., Reformationsgeschichte Deutschlands bis 1555, Göttingen 1964

Laube, A. und Loos, S. (Hg.), Flugschriften der frühen Reformationsbewegung 1518-1524, 2 Bde., Berlin 1983

Lauchs, J., Bayern und die deutschen Protestanten 1534-1546, Neustadt/Aisch 1978

Lecler, J., Geschichte der Religionsfreiheit im Zeitalter der Reformation, 2 Bde., Stuttgart 1965

Lehnert, H., Kirchengut und Reformation, Erlangen 1935

Lenz, M. (Hg.), Briefwechsel Landgraf Philipp's des Großmütigen mit Bucer, 3 Bde., Leipzig 1880/87/91

Locher, G. W., Die Zwinglianische Reformation im Rahmen der europäischen Kirchengeschichte, Göttingen 1979

Lohse, B., M. Luther, München 1981

Lortz, J., Die Reformation in Deutschland, Freiburg 1982

Luttenberger, A. P., Glaubenseinheit und Reichsfriede. Konzeptionen und Wege konfessionsneutraler Reichspolitik 1530-1552, Göttingen 1982

Moeller, B., Deutschland im Zeitalter der Reformation, Göttingen 1977

Moeller, B., Reichsstadt und Reformation, Gütersloh 1962

Moeller, B., Die deutschen Humanisten und die Anfänge der Reformation, in: Zs. f. Kirchengeschichte 70. 1959, 51-70

Moeller, B. (Hg.), Luther in der Neuzeit, Gütersloh 1983

Mommsen, W. J. u. a. (Hg.), Stadtbürgertum und Adel in der Reformation. Studien zur Sozialgeschichte der Reformation in England und Deutschland, Stuttgart 1979

Mörke, O., Rat und Bürger in der Reformation. Soziale Gruppen und kirchlicher Wandel in den welfischen Hansestädten Lüneburg, Braunschweig und Göttingen, Göttingen 1983

Müller, G., Reformation und Stadt. Zur Rezeption der evangelischen Verkündigung, Wiesbaden 1981

Naujoks, E., Obrigkeitsgedanke, Zunftverfassung und Reformation. Studien zur Verfassungsgeschichte von Ulm, Eßlingen und Schwäbisch Gmünd, Stuttgart 1958

Nipperdey, T., Reformation, Revolution, Utopie. Studien zum 16. Jahrhundert, Göttingen 1975

Obermann, H. A., Werden und Wertung der Reformation, Tübingen 1979

Obermann, H. A., Luther, Berlin 1982

Ozment, S. E., The Reformation in the Cities. The Appeal of Protestantism to Sixteenth-Century Germany and Switzerland, New Haven 1975

Pesch, O. H., Hinführung zu Luther, Mainz 1982

Rabe, H., Reichsbund und Interim. Die Verfassungs- und Religionspolitik Karls V. und der Reichstag von Augsburg 1547/1548, Köln 1971

Rapp, F., Réformes et Reformation a Strasbourg. Eglise et societé dans la diocèse de Strasbourg 1450-1525, Paris 1974

Reinhard, W. (Hg.), Bekenntnis und Geschichte. Die Confessio Augustana im historischen Zusammenhang, München 1981

Reuter, F. (Hg.), Der Reichstag zu Worms von 1521, Worms 1971

Rublack, H. Chr., Gescheiterte Reformation. Frühreformatorische und protestantische Bewegungen in den süd- und westdeutschen geistlichen Residenzen, Stuttgart 1978

Rublack, H. Chr., Forschungsbericht Stadt und Reformation, in: B. Moeller (Hg.), Stadt und Kirche im 16. Jahrhundert, Gütersloh 1978, 9-26

Schmidt, H., Reichsstadt, Reich und Reformation. Kooperative Religionspolitik 1521-1529/30, Stuttgart 1985

Skalweit, S., Reich und Reformation, Berlin 1967

Vogler, G., Nürnberg 1524/25. Studien zur Geschichte der reformatorischen und sozialen Bewegung in der Reichsstadt, Berlin 1982

Weyrauch, E., Konfessionelle Krise und soziale Stabilität. Das Interim in Straßburg 1548-1562, Stuttgart 1978

Wohlfeil, R., Einführung in die Geschichte der deutschen Reformation, München 1982

Wohlfeil, R. (Hg.), Reformation oder frühbürgerliche Revolution?, München 1972

Zimmermann, G., Die Einführung des landesherrlichen Kirchenregiments, in: Archiv f. Reformationsgeschichte 76. 1985, 146-68

Zimmermann, L., Der hessische Territorialstaat im Jahrhundert der Reformation. Der ökonomische Staat Landgraf Wilhelms V., 2 Bde., Marburg 1934/5.

Bauernkrieg und Ritterfehde

Arnold, K., Niklashausen 1476, Baden-Baden 1980

Blickle, P., Die Revolution von 1525, München 1981[2]

Blickle, P., Gemeindereformation. Die Menschen des 16. Jahrhunderts auf dem Weg zum Heil, München 1985

Blickle, P., Bauer, Reich und Reformation, in: Festschrift f. G. Franz, Stuttgart 1982

Blickle, P. (Hg.), Revolte und Revolution in Europa, München 1975

Buszello, H. u. a. (Hg.), Der deutsche Bauernkrieg, Paderborn 1984

Buszello, H., Der Deutsche Bauernkrieg von 1525 als ideologische Bewegung. Mit besonderer Berücksichtigung der anonymen Flugschrift »An die Versammlung gemeiner Pawerschaft«, Berlin 1969

Bücking, J., M. Gaismair: Reformer – Sozialrebell – Revolutionär. Seine Rolle im Tiroler »Bauernkrieg« 1515/32, Stuttgart 1978

Cohn, H. J., Anticlericalism in the German Peasants' War 1525, in: Past and Present 23. 1979, 3-31

Elliger, W., T. Müntzer, Göttingen 1975

Franz, G., Der deutsche Bauernkrieg, Darmstadt 1984[12]

Holborn, H., Ulrich v. Hutten, Göttingen 1968

Kaczerowsky, K. (Hg.), Flugschriften des Bauernkrieges, Reinbek 1970

Lau, F., Der Bauernkrieg und das angebliche Ende der Reformation als spontaner Volksbewegung, in: Luther-Jahrbuch 26. 1959, 109-34

Maurer, H.-M., Der Bauernkrieg als Massenerhebung, in: Bausteine zur geschichtlichen Landeskunde von Baden-Württemberg, Stuttgart 1979, 255-95

Maurer, J., Prediger im Bauernkrieg, Calw 1979

Meyer, M., Die Bewegungen des Niederen Adels im Zeitalter der frühbürgerlichen Revolution von Sickingen bis Grumbach, phil. Diss. Leipzig 1965

Press, V., Kaiser Karl V., König Ferdinand und die Entstehung der Reichsritterschaft, Wiesbaden 1980[2]

Press, V., W. v. Grumbach und die deutsche Adelskrise der 1560er Jahre, in: Bl. f. dt. Landesgeschichte 113. 1977, 396-431

Rosenkranz, A., Der Bundschuh. Die Erhebungen des südwestdeutschen Bauernstandes in den Jahren 1493-1517, 1. Bd., Heidelberg 1927

Vom Augsburger Religionsfrieden bis zum Dreißigjährigen Krieg

v. Bezold, F. (Hg.), Briefe des Pfalzgrafen Johann Kasimir, München 1882/1884/1903

Bibl, V., Maximilian II., der rätselhafte Kaiser, Dresden 1929

Bücking, J., Frühabsolutismus und Kirchenreform in Tirol (1565-1665). Ein Beitrag zum Ringen zwischen »Staat« und »Kirche« in der frühen Neuzeit, Wiesbaden 1972

Duhr, B., Geschichte der Jesuiten in den Ländern deutscher Zunge, 4 Bde., Freiburg/München 1907-1928

Evans, R. J. W., Rudolf II. and His World. A Study in Intellectual History 1576-1612, Oxford 1972 (dt. Übersetzung Köln 1980)

v. Frauenholz, E., Des Lazarus v. Schwendi Denkschrift über die politische Lage des deutschen Reiches von 1574, München 1939

Gindely, R., Rudolf II. und seine Zeit 1600-1612, 2 Bde., Prag 1863

Guggisberg, H. R. (Hg.), Religiöse Toleranz, Stuttgart 1984

Heckel, M., Deutschland im konfessionellen Zeitalter, Göttingen 1983

Heckel, M., Autonomia und Pacis Compositio. Der Augsburger Religionsfrieden in der Deutung der Gegenreformation, in: Zs. d. Savigny-Stiftung f. Rechtsgeschichte, Kan. Abt. 76. 1959, 141-248

Hengst, K., Jesuiten an Universitäten und Jesuitenuniversitäten. Zur Geschichte der Universitäten in der Oberdeutschen und Rheinischen Provinz der Gesellschaft Jesu im Zeitalter der konfessionellen Auseinandersetzung, Paderborn 1981

Hocke, G. R., Die Welt als Labyrinth. Manier und Manie in der europäischen Kunst 1520-1650 und in der Gegenwart, Hamburg 1957

Hollweg, W., Der Augsburger Reichstag von 1566 und seine Bedeutung für die Entstehung der Reformierten Kirche und ihres Bekenntnisses, Neukirchen-Vluyn 1964

Lossen, M., Geschichte des Kölnischen Krieges 1582-1586, München 1897

Müller, J., Z. Geizkofler 1560-1617, des Heiligen Römischen Reiches Pfennigmeister und oberster Proviantmeister im Königreich Ungarn, Baden b. Wien 1938

Münch, P., Zucht und Ordnung. Reformierte Kirchenverfassungen im 16. und 17. Jahrhundert (Nassau-Dillenburg, Kurpfalz, Hessen-Kassel), Stuttgart 1978

Neuer-Landfried, F., Die Katholische Liga. Gründung, Neugründung und Organisation eines Sonderbundes 1608-1620, Kallmünz 1968

Paul, L., Nassauische Unionspläne. Untersuchungen zum politischen Programm des deutschen Calvinismus im Zeitalter der Gegenreformation, phil. Diss. Münster 1966

Pfeiffer, G., Der Augsburger Religionsfrieden und die Reichsstädte, in: Zs. des Hist. Vereins f. Schwaben 61. 1955, 213-321

Press, V., Calvinismus und Territorialstaat. Regierung und Zentralbehörden der Kurpfalz 1559-1619, Stuttgart 1970

Reingrabner, G., Adel und Reformation. Beiträge zur Geschichte des protestantischen Adels im Lande unter der Enns während des 16. und 17. Jahrhunderts, Wien 1976

Reinhard, W., Gegenreformation als Modernisierung? Prolegomena zu einer Theorie des konfessionellen Zeitalters, in: Archiv f. Reformationsgeschichte 68. 1977, 226-52

Repgen, K., Die römische Kurie und der Westfälische Friede, Bd. I/Teil: Papst, Kaiser und Reich 1521-1644, Tübingen 1962

Ritter, M., Deutsche Geschichte im Zeitalter der Gegenreformation und des Dreissigjährigen Krieges, 3 Bde., Stuttgart 1889/1895/1908

Ritter, M., Geschichte der deutschen Union von den Vorbereitungen des Bundes bis zum Tode Kaiser Rudolphs II. 1598-1612, 2 Bde., Schaffhausen 1867-73

Ritter, M. u. a. (Hg.), Briefe und Akten zur Geschichte des Dreißigjährigen Krieges in den Zeiten des vorwaltenden Einflusses der Wittelsbacher, München 1870-1909

Schilling, H., Konfessionskonflikt und Staatsbildung. Eine Fallstudie über das Verhältnis von religiösem und sozialem Wandel in der Frühneuzeit am Beispiel der Grafschaft Lippe, Gütersloh 1981

Schilling, H., Niederländische Exulanten im 16. Jahrhundert, ihre Stellung im Sozialgefüge und im religiösen Leben deutscher und englischer Städte, Gütersloh 1972

Schmitz, W., Verfassung und Bekenntnis. Die Aachener Wirren im Spiegel der kaiserlichen Politik 1550-1616, Frankfurt 1983

Schulze, W., Reich und Türkengefahr im späten 16. Jahrhundert. Studien zu den politischen und gesellschaftlichen Auswirkungen einer äußeren Bedrohung, München 1978

Stieve, F., Der Ursprung des Dreißigjährigen Krieges 1607-1619, München 1975

Vogler, B., Le clergé protestant rhénan au siècle de la réforme 1555-1619, Paris 1976

Warmbrunn, P., Zwei Konfessionen in einer Stadt. Das Zusammenleben von Katholiken und Protestanten in den paritätischen Reichsstädten Augsburg, Biberach, Ravensburg und Dinkelsbühl von 1548-1648, Wiesbaden 1983

Westphal, G., Der Kampf um die Freistellung auf den Reichstagen zwischen 1556 und 1576, phil. Diss. Marburg 1975

Zeeden, E. W., Konfessionsbildung. Studien zur Reformation, Gegenreformation und katholischen Reformation, Stuttgart 1985

Zeeden, E. W., Die Entstehung der Konfessionen. Grundlagen und Formen der Konfessionsbildung im Zeitalter der Glaubenskämpfe, München 1965

Zeeden, E. W. und Molitor, H. G. (Hg.), Die Visitation im Dienst der kirchlichen Reform, Münster 1967

Balzer, B., Bürgerliche Reformationspropaganda. Die Flugschriften des Hans Sachs in den Jahren 1523-1525, Stuttgart 1973

Chrisman, M. U., Lay Culture, Learned Culture: Books and Social Change in Strasbourg 1480-1599, New Haven 1982

Clemen, O., Die lutherische Reformation und der Buchdruck, Leipzig 1939

Eisenhardt, U., Die kaiserliche Aufsicht über Buchhandel, Buchdruck und Presse im Heiligen Römischen Reich Deutscher Nation (1496-1806), Karlsruhe 1970

Engelsing, R., Der Bürger als Leser. Lesergeschichte in Deutschland 1500-1800, Stuttgart 1974

Köhler, H.-J., Die Flugschriften, in: H. Rabe u. a. (Hg.), Festgabe f. E. W. Zeeden, Münster 1976, 36-61

Köhler, H.-J. (Hg.), Flugschriften als Massenmedium der Reformationszeit, Stuttgart 1981

Könneker, B., H. Sachs, Stuttgart 1971

Wettges, W., Reformation und Propaganda. Studien zur Kommunikation des Aufruhrs in süddeutschen Reichsstädten, Stuttgart 1978

Politisches und gesellschaftliches Denken

Abel, G., Stoizismus und frühe Neuzeit. Zur Entstehungsgeschichte modernen Denkens im Felde von Ethik und Politik, Berlin 1978

Bleek, K. und Garber, J., Nobilitas: Standes- und Privilegienlegitimation in deutschen Adelstheorien des 16. und 17. Jahrhunderts, in: Daphnis 11. 1982, 49-114

Denzer, H. (Hg.), Jean Bodin, München 1973

Dilthey, W., Weltanschauung und Analyse des Menschen seit Renaissance und Reformation. Abhandl. z. Geschichte der Philosophie und Religion, Göttingen 1970[9]

Dreitzel, H., Protestantischer Aristotelismus und absoluter Staat. Die »Politica« des Henning Arnisaeus, ca. 1575-1636, Wiesbaden 1970

Goertz, H. J. (Hg.), Radikale Reformatoren. 21 biographische Skizzen von T. Müntzer bis Paracelsus, München 1978

Lutz, H. (Hg.), Humanismus und Ökonomie, Weinheim 1983

Maier, H., Die ältere deutsche Staats- und Verwaltungslehre, München 1980[2]

Oestreich, G., Geist und Gestalt des frühmodernen Staates, Berlin 1965

Schnur, R. (Hg.), Staatsräson, Berlin 1975

Schubert, F. H., Die deutschen Reichstage in der Staatslehre der Frühen Neuzeit, Göttingen 1966

Seibt, F., Utopica. Modelle totaler Sozialplanung, Düsseldorf 1972

Stricker, G., Das politische Denken der Monarchomachen. Ein Beitrag zur Geschichte der politischen Ideen im 16. Jahrhundert, phil. Diss. Heidelberg 1967

Sturmberger, H., G. E. Tschernembl. Religion, Libertät und Widerstand. Ein Beitrag zur Geschichte der Gegenreformation und des Landes ob der Enns, Köln 1953

Trunz, E., Der deutsche Späthumanismus um 1600 als Standeskultur, in: R. Alewyn (Hg.), Deutsche Barockforschung, Köln 1966, 147-81

Wiedemann, K., Arbeit und Bürgertum. Die Entwicklung des Arbeitsbegriffs in der Literatur Deutschlands an der Wende zur Neuzeit, Heidelberg 1979

Willoweit, D., Rechtsgrundlagen der Territorialgewalt. Landesobrigkeit, Herrschaftsrechte und Territorium in der Rechtswissenschaft der Neuzeit, Köln 1975

Wolgast, E., Die Religionsfrage als Problem des Widerstandsrechts im 16. Jahrhundert, Heidelberg 1980

Wolgast, E., Die Wittenberger Theologie und die Politik der evangelischen Stände, Gütersloh 1977

Schule, Universität und Wissenschaft

Baumgart, P. und Hammerstein, N. (Hg.), Beiträge zu Problemen deutscher Universitätsgründungen der frühen Neuzeit, Nendeln 1978

Breuer, D., Oberdeutsche Literatur 1565-1650. Deutsche Literaturgeschichte und Territorialgeschichte in frühabsolutistischer Zeit, München 1979

Endres, R., Nürnberger Bildungswesen zur Zeit der Reformation, in: Mitt. d. Vereins f. Geschichte Nürnbergs 71. 1984, 109-28

Grenzmann, L. und Stackmann, K. (Hg.), Literatur und Laienbildung im Spätmittelalter und in der Reformationszeit, Stuttgart 1984

Klempt, A., Die Säkularisierung der universalhistorischen Auffassung. Zum Wandel des Geschichtsdenkens im 16. und 17. Jahrhundert, Göttingen 1960

Koselleck, R., Vergangene Zukunft. Zur Semantik geschichtlicher Zeiten, Frankfurt 1979

Landfester, R., Historia Magistra Vitae. Untersuchungen zur humanistischen Geschichtstheorie des 14. bis 16. Jahrhunderts, Genf 1972

Maurer, W., Der junge Melanchthon zwischen Humanismus und Reformation, 2 Bde., Göttingen 1967/69

Menk, G., Die Hohe Schule Herborn in ihrer Frühzeit (1584-1660). Ein Beitrag zum Hochschulwesen des deutschen Calvinismus im Zeitalter der Gegenreformation, Wiesbaden 1981

Müller, R., Universität und Adel. Eine soziostrukturelle Studie zur Geschichte der bayerischen Landesuniversität Ingolstadt 1472-1648, Berlin 1974

Scheible, H., Die Anfänge der reformatorischen Geschichtsschreibung. Melanchthon, Sleidan, Flacius und die Magdeburger Zenturien, Gütersloh 1966

Schindling, A., Humanistische Hochschule und freie Reichsstadt. Gymnasium und Akademie in Straßburg 1538-1621, Wiesbaden 1977

Schreiner, K., Laienbildung als Herausforderung für Kirche und Gesellschaft. Religiöse Vorbehalte und soziale Widerstände gegen die Verbreitung von Wissen im späten Mittelalter und in der Reformation, in: ZHF 11. 1984, 257-354

Seifert, A., Cognitio Historica. Die Geschichte als Namensgeberin der frühneuzeitlichen Empirie, Berlin 1976

Wollgast, S., Der deutsche Pantheismus im 16. Jahrhundert. S. Franck und seine Wirkungen auf die Entwicklung der pantheistischen Philosophie in Deutschland, Berlin 1972

Soziale Konflikte, Hexenprozesse und Volkskultur

Behringer, W., Hexenverfolgung in Bayern. Volksmagie, Glaubenseifer und Staatsräson in der Frühen Neuzeit, München 1987

Delumeau, J., Angst im Abendland. Die Geschichte kollektiver Ängste im Europa des 14. bis 18. Jahrhunderts, 2 Bde., Reinbek 1985

Kaser, K., Politische und soziale Bewegungen im deutschen Bürgertum zu Beginn des 16. Jahrhunderts mit bes. Rücksicht auf den Speyerer Aufstand im Jahre 1512, Stuttgart 1899

Kramer, K. S., Bauern und Bürger im nachmittelalterlichen Franken, Würzburg 1957

Lehmann, H., Frömmigkeitsgeschichtliche Auswirkungen der »Kleinen Eiszeit«, in: W. Schieder (Hg.), Volksreligiosität in der modernen Sozialgeschichte, Geschichte und Gesellschaft Sonderheft 11, Göttingen 1986, 31-50

Midelfort, H. C. E., Witch Hunting in Southwestern Germany 1562-1684, Stanford 1972

v. Riezler, S., Geschichte der Hexenprozesse in Bayern im Lichte der allgemeinen Entwicklung dargestellt, Stuttgart 1896

Schormann, G., Hexenprozesse in Deutschland, Göttingen 1981

Schulze, W., Bäuerlicher Widerstand und feudale Herrschaft in der frühen Neuzeit, Stuttgart 1980

Schulze, W., Die veränderte Bedeutung sozialer Konflikte im 16. und 17. Jahrhundert, in: H.-U. Wehler (Hg.), Der deutsche Bauernkrieg 1524-1526, Göttingen 1975, 277-302

Neue Historische Bibliothek
in der edition suhrkamp

»Hans-Ulrich Wehlers fast aus dem Nichts entstandene ›Neue Historische Bibliothek‹ ist (...) nicht nur ein forschungsinternes, sondern auch ein kulturelles Ereignis.« Frankfurter Allgemeine Zeitung

Neue Historische Bibliothek
in der edition suhrkamp

Weitere Bände in Vorbereitung

54/2/3.87

edition suhrkamp. Neue Folge